OBIECAJ MI,
ŻE BĘDZIESZ
WOLNY

JORGE MOLIST

OBIECAJ MI, ŻE BĘDZIESZ WOLNY

Z hiszpańskiego przełożył
LESZEK ŁUGOWSKI

Wydawnictwo
A. Kuryłowicz

Tytuł oryginału:
PROMÉTEME QUE SERÁS LIBRE

Redakcja: Barbara Nowak
Ilustracja na okładce: AKG-Images/BE & W
Ilustracja wewnątrz książki (galera/strona 684): Sergio Galarza
Projekt graficzny okładki hiszpańskiej: Germán Carrillo/Editorial del Grupo Planeta
Projekt graficzny okładki polskiej: Andrzej Kuryłowicz
Skład: Laguna

ISBN 978-83-7885-667-2
Książka dostępna także jako e-book

Dystrybutor
Firma Księgarska Olesiejuk sp. z o.o. sp. j.
Poznańska 91, 05-850 Ożarów Maz.
t./f. 22.535.0557, 22.721.3011/7007/7009
www.olesiejuk.pl

Sprzedaż wysyłkowa – księgarnie internetowe
www.merlin.pl
www.fabryka.pl
www.empik.com

Wydawca
WYDAWNICTWO ALBATROS A. KURYŁOWICZ
Hlonda 2A/25, 02-972 Warszawa
www.wydawnictwoalbatros.com

2014. Wydanie I
Druk: Abedik S.A., Poznań

Dla Palomy

Wiele opisanych w tej książce osób i zdarzeń to postacie i fakty historyczne, a opowieść opiera się na zachowanych kronikach owych czasów. Zainteresowany czytelnik znajdzie na końcu książki stosowne wyjaśnienia.

CZĘŚĆ PIERWSZA

1

Joan leżał na porośniętym trawą zboczu góry, podziwiając przepiękny zachód słońca. Nie wiedział jeszcze, że to ostatni dzień jego dzieciństwa.

— Patrz — powiedział ojciec, wyciągając rękę w stronę morza.

Młodzik spojrzał na białe ptaki, które unosiły się z krzykiem ponad skałami na rozłożonych skrzydłach, nawet nimi nie poruszając.

— Mewy?

— Nie, skup się.

Joan nie rozumiał. Popatrzył na ojca. Przyjrzał się jego twarzy, prostemu, okazałemu nosowi, krzaczastym brwiom, kasztanowej brodzie i włosom, potem kocim oczom o barwie miodu utkwionym w dali. Przypominał lwa. Był najmądrzejszym i najsilniejszym mężczyzną w osadzie. Joan starał się odgadnąć, o co mogło mu chodzić, ale nie zdołał. Wyostrzył więc zmysły.

Fale szemrały u stóp urwiska. Rosnące wokół sosny pachniały żywicą. Obserwował linię horyzontu, obłoczki na niebie i niosące bryzę morskie bałwany. Nie dostrzegł nic niezwykłego. Spojrzał na ojca pytająco.

— Patrz na chmury — powiedział mężczyzna.

Chłopiec utkwił wzrok w kłębach o wyglądzie nieprzędzionej wełny, które pomimo pewnej szarzyzny skrywanej we wnętrzach lśniły nieskazitelną bielą.

— Przyjrzyj się uważnie — nalegał Ramón.

Joan wpatrywał się w kuliste bryły na niebie, które zmieniały się leniwie; wciąż nie wiedział, o co chodzi.

— Nie widzisz ich?

— Kogo?

— Istot na niebie.

Joan nie chciał więcej pytać. Zamilkł.

— Popatrz. Nie widzisz ich?

— Nie.

— Nie widzisz konia, który unosi kopyta, szykując się do skoku? — Wskazał palcem.

Chłopiec wpatrywał się w niebo, szukając zwierzęcia.

— Przyjrzyj się — nalegał ojciec.

Po chwili Joan ujrzał grzywę, uszy i rozchylony pysk fantastycznego stworzenia z chmur, unoszącego przednie kopyta. Poruszało się z wolna, prężąc mięśnie.

— Widzę go! — zakrzyknął, pokazując jednocześnie. — Rzeczywiście, to koń!

— A tę rybę koło niego widzisz? — dopytywał się mężczyzna.

— Pewnie, że widzę! — Przez jakiś czas kontemplował w milczeniu tę niewiarygodną scenę, by po chwili zawołać: — A tam dalej olbrzym, a tam jeszcze pies!

Chmury wędrowały powoli, lecz niestrudzenie, przybierając coraz to nowe kształty.

Ramón Serra z uśmiechem spojrzał na syna, pełnego życia dwunastolatka. Odziedziczył po nim prosty nos, silny podbródek i kasztanowe włosy, a po matce duże ciemne oczy o ciekawskim spojrzeniu. Z niekłamanym zapałem odkrywał świat, który ojciec z przyjemnością mu objaśniał. Joan całkiem pochłonięty mierzył chmury palcem, opisując fascynujące stworzenia, a mężczyzna gładził go po głowie z miłością i zadowoleniem.

Słuchał, wzrokiem ogarniając cały krajobraz. W dole, u stóp wzgórza, wydając się z góry jeszcze mniejsza, leżała jego wioska — nieco ponad tuzin uśpionych jeszcze białych domków, zbitych w gromadkę, jakby miały bronić się nawzajem. Była niedziela. Na wprost rozciągała się plaża, dalej zaś szeroka zatoka Llafranc, gdzie błękit przejrzystych wód mieszał się z kremową barwą piasku,

14

bielą morskiej piany, szarością skał i zielenią sosen. Każda ze spoczywających na plaży łodzi z osady wyposażona była w dwa wiosła — poza jego *Mewą*, która miała ich aż osiem. Dziób łodzi zdobiła wyryta w nim scena, w której Ramón wznosił harpun na wieloryba — dzieło Joana. Chłopiec zadziwiał wszystkich zdolnościami rzeźbiarskimi. Ojciec był dumny i z syna, i z łodzi.

Nagle przeniósł wzrok na bezkres morza i ujrzał zbliżający się z południa statek. Wstał, marszcząc brwi, zwinął lewą dłoń w lunetę i z wysiłkiem mu się przyjrzał.

— Galera! — zawołał, a jego krzyk zaniepokoił chłopca. — Biegnijmy do wioski, Joanie, trzeba wszystkich ostrzec.

— Czy oni są źli?

Ramón spojrzał na niego czule i kładąc mu dłoń na ramieniu, rzekł:

— Gdy zobaczysz w lesie zwierzę, nie czekaj, aż się okaże, czy to pies, czy wilk. Szykuj się do walki albo do ucieczki. W drogę!

Ruszył w dół stromą ścieżką, a Joan za nim. Nie zdążyli zejść do wioski, gdy usłyszeli nieustające bicie dzwonu.

— Eremita też ją widział! — krzyknął ojciec.

Na szczycie wzgórza, z którego rozciągał się niezwykły widok na morze, wznosiła się wieża strażnica, u której stóp stała kaplica patrona wioski, świętego Sebastiana. Mieszkał tam pustelnik, który poza wykonywaniem posług religijnych obserwował horyzont, aby w porę ostrzec mieszkańców przed napaścią piratów.

Chłopiec nigdy wcześniej nie słyszał dzwonów bijących na trwogę. Tego dnia po raz pierwszy poczuł strach.

৵

Wieśniacy wylegli na ulicę. Panował zamęt. Dzieci płakały, a starsi próbowali załadować najcenniejszy dobytek. Przezwyciężając zadyszkę, Ramón wzniósł ramiona:

— To galera! — Wszyscy umilkli, by go wysłuchać. — Nadpływa z południa, żegluje z wiatrem, ale nie płynie tylko pod żaglem. Galernicy wiosłują.

— Idzie po łup! — zawołał Tomás, rybak z pokładu *Mewy*.

— Tak, innego statku nie widać — powiedział ojciec Joana.

— Płynie na nas! — krzyknął Daniel, inny rybak.

— To bardzo możliwe — podsumował Ramón. — Słuchajcie, zrobimy tak. Kobiety i dzieci ukryją się na górze, w wieży Świętego Sebastiana. Zostawcie tobołki! Chwytajcie za broń!

Joan był wpatrzony w ojca z podziwem. Słuchali go wszyscy, nie tylko na łodzi, ale i w wiosce. Był wysoki, może nie tak, jak jego przyjaciel Tomás, ale za to bardziej krzepki, i w każdej sytuacji wiedział, co robić. Chłopiec ujrzał swą matkę Eulalię w progu domu, przestraszoną, tulącą do wezbranej mlekiem piersi kilkumiesięczną Isabel, która płakała nieutulenie. Obok stali María, jego o dwa lata starsza siostra, i Gabriel, dziesięcioletni brat. Wszyscy odziedziczyli po ojcu miodowe oczy, teraz szeroko otwarte ze strachu.

Ramón zbliżył się do gromadki, pogłaskał po głowie maleństwo i pocałował żonę w policzek.

— Nie martw się, wszystko będzie dobrze — powiedział, patrząc jej w oczy z uśmiechem.

Eulalia odetchnęła pocieszona i próbowała się uśmiechnąć, a on przytulił ją wraz z dzieciątkiem.

— Ale trzeba się pośpieszyć! — popędzał Ramón, nim wszedł do domu.

— Chodźmy, prędko! — zawołała matka. — Joanie, zaopiekuj się Gabrielem!

Razem z Marią i resztą kobiet, dzieci i dwoma starcami uzbrojonymi w łuki i strzały ruszyła drogą do wieży strażniczej, której dzwon bił wciąż nagląco. Joan pojął, że galera rzeczywiście płynie do nich, i wziął Gabriela za rękę, ale po kilku krokach powiedział:

— Idź z mamą i Marią, zaraz cię dogonię.

Gdy wszedł do domu, zobaczył ojca w kolczudze i żelaznym hełmie. Na plecach miał kuszę ze strzałami, a u pasa miecz. Zachwyciła go waleczna postawa ojca, potężne ramię, w którym dzierżył broń — krótką włócznię do miotania. Wyglądało na to, że piraci dostaną za swoje. Postanowił więc, że nie pójdzie z kobietami, tylko z ojcem na bój, żeby choć z daleka na niego popatrzeć.

— Joan, idź z matką i Gabrielem!

— Już idę, tato! — I skoczył po swoją włócznię, zabawkę.

Gdy wyszedł, zobaczył idących do lasu mężczyzn dowodzonych przez jego ojca, który pełnił straż tylną.

„Morze daje nam życie, z morza śmierć do nas płynie", mawiał często Ramón. Tego dnia morze było akurat gładkie i spokojne, fantastyczne chmury wciąż widniały na niebie, a słońce, wznosząc się nad wzgórzem, oświetlało szczeliny między skałami w południowo-zachodniej części zatoki. Joan jednak nie skupiał się teraz na owym pięknie, lecz na wielkiej łodzi, straszliwej, najeżonej wiosłami, która wyłaniała się zza skał. Wkrótce, mimo dzielącej ich odległości, bryza przyniosła odpychający odór, mieszaninę potu, uryny i ekskrementów. Czując obrzydzenie i trwogę, pobiegł, żeby dogonić mężczyzn.

— To wielka galera, o trzech armatach! — zawołał Tomás. — I ma zielone wimple. To piraci saraceńscy!

— Stawimy im czoło przy skałach po prawej stronie od drogi, za wielkim zagajnikiem — przypomniał im Ramón. — Jeśli dobrze się rozlokujemy, zdołamy powstrzymać ich włóczniami i strzałami. Trzeba tylko dać czas kobietom na dotarcie na wierzchołek wzgórza.

— Miejmy nadzieję, że zadowolą się splądrowaniem wioski i zostawią nas w spokoju — powiedział ktoś.

— Nie zatrzymają się, jeśli my ich nie powstrzymamy — odparł Ramón. — Nie wystarczy im żywność, którą chowamy na zimę, i sprzęty z domów. Chcą niewolnic na sprzedaż i galerników do wiosłowania, to prawdziwe łupy.

Joan doganiał już swoich, gdy zobaczył, jak odrażająca galera manewruje, żeby wpłynąć do małej zatoczki. Dostrzegł tłukące mocno wiosła, przerażające armaty i piratów kłębiących się na dziobie, żądnych krwi, pokrzykujących i wywijających bronią. Byli pod nimi. Bezpieczeństwo, które dawała chłopcu jego mała włócznia, uleciało momentalnie. Rzucił się, by dogonić młodszego brata Gabriela; był za niego odpowiedzialny. Po chwili mijał ostatnich spóźnionych uciekinierów, którzy dźwigali swoje mienie w naprędce sklecionych tobołkach albo ciągnęli ze sobą zwierzęta — świnię, kozę czy osiołka — opóźniając ucieczkę. Zimowy głód zdawał im się gorszy od piratów.

Dogonił matkę, która z dzieckiem na rękach i dwojgiem jego rodzeństwa, dysząc ciężko, wspinała się zboczem. Chwycił za rękę Gabriela i wtedy usłyszał krzyki wychodzących na plażę piratów.

Minęli pierwszy wielki zagajnik i docierali do skał, gdzie jak mówił Ramón, miano rozprawić się z rozbójnikami, gdy drogę przecięła im grupa mężczyzn z dzidami i kuszami.

— Saraceni! — łkając, rzuciła jakaś kobieta. Wieśniacy zatrzymali się, a niektórzy zaczęli się cofać, wpadając na pozostałych.

— Odsuńcie się! — Ramón nadchodził, przedzierając się między ludźmi na czele uzbrojonych mężczyzn. — To zasadzka! Czekali na nas!

Joan zrozumiał, że sytuacja jest beznadziejna. Ci ludzie nie pozwolą im wejść do wieży Świętego Sebastiana, a biegnący plażą wkrótce wpadną prosto na nich. Spojrzał na matkę, która zdyszana i strwożona tuliła do piersi maleńką Isabel płaczącą nieutulenie, i na siostrę Marię, która łkała uczepiona matczynej spódnicy. Zdjęty strachem Gabriel kurczowo trzymał go za rękę. Joan popatrzył na ojca z nadzieją, że on znajdzie sposób na ich obronę. Ujrzał jego zwątpienie, widział, jak spojrzenie ojca wędruje ku żonie i córkom, by zatrzymać się na wielkich oczach Gabriela, który patrzył nań z przerażeniem. Ramón miał czas tylko na to, by się do nich uśmiechnąć i pogładzić głowę Joana, który stał najbliżej. Była to zaledwie chwila, ale dla chłopca wieczność. Czuł jego miłość, gdy pojął, że ojciec podjął decyzję.

— Trzeba ich powstrzymać — rzekł do mężczyzn. Patrząc zaś na żonę, krzyknął: — Dalej, do Świętego Sebastiana, ratujcie się!

Potem, wywijając włócznią na czele wieśniaków, Ramón rzucił się na Saracenów, podczas gdy kobiety i starcy ciągnęli dzieci w górę ku wieży strażniczej.

2

Joan, z małą włócznią w dłoni, stanął sparaliżowany za plecami mężczyzn, którzy biegli na Saracenów. Po raz pierwszy w życiu widział Maurów. Nie byli aż tak czarni, jak ich sobie wyobrażał. Niektórzy mieli turbany. Znajdowali się tak blisko, że mógł doskonale rozpoznać ich twarze.

— Joan, Gabriel! — usłyszał krzyk matki.

— Idź z nią! — powiedział do brata, popychając go w kierunku uciekających.

Ramón wiedział, że sytuacja jest beznadziejna. Nieprzyjaciel był przygotowany, podczas gdy oni nie mieli nawet czasu, aby załadować łuki i kusze. Jedynym wyjściem było uderzyć na wroga, by wprowadzić zamęt. I tak zrobili, krzycząc z całych sił.

Idący na przodzie Ramón zatrzymał się w odpowiednim miejscu i potężnym ramieniem cisnął broń. Któryś z Saracenów wrzasnął, po czym usłyszeli cięciwy kusz wyrzucające strzały. Nie zatrzymując się, gdy jego włócznia zatapiała się w ramieniu padającego z jękiem Maura, Ramón dobył miecza i rzucił się na drugiego pirata, którego musnęła jedna ze strzał. Dwaj podążający za nim mężczyźni padli trafieni. Saraceni umykali przed włóczniami wieśniaków, a ci ruszyli na nich z mieczami w dłoni.

Śmiała i mężna postawa Ramóna dodała odwagi Joanowi. Oto nikczemnicy cofali się przed walecznymi rybakami. Zauważył jednak, że jeden z piratów nie dobył miecza, ale trzymając jakiś dziwny przedmiot, przykląkł na jedno kolano. Nigdy nie zapomni twarzy tego osobnika naznaczonej blizną w pustym lewym oczodole. Spod jego rąk błysnęła smuga światła i ogłuszający huk przestraszył Joana. Dziwna broń Saracena dymiła.

Ramón wydał jęk, zatrzymał się, miecz wypadł mu z ręki i mężczyzna nagle runął. Joan nie mógł uwierzyć, że jego ojciec upadł. Spojrzał na Maura z mieszaniną zdumienia i paniki. Widząc uśmiech na jego obliczu, przestraszył się, że ojciec już nie wstanie. Rybacy nie słyszeli nigdy wcześniej podobnego grzmotu. Stanęli jak wryci, a gdy piraci ruszyli na nich, drąc się ze wszystkich sił, w popłochu rzucili się do ucieczki. Ogarnięty wszechwładną paniką Joan ujrzał nadciągających morderców i choć bardzo pragnął pomóc ojcu, poczuł się pokonany przez strach. Jego ziomkowie uciekali, aby ratować własne życie, nikt nie został, by stawić opór, więc i on odrzucił zabawkową włócznię i ratował się wraz z nimi desperacką ucieczką pod górę.

Po chwili powstało zamieszanie między goniącymi i gonionymi. Chłopiec dopadł matki i rodzeństwa niemal w tym samym czasie, gdy robili to Saraceni. Napastnicy wyprzedzili ich, by usadowić się na ścieżce i przeciąć im drogę. Uciekinierzy tonęli w bezmiarze szlochów i lamentów. Niektórzy wieśniacy zdołali przebić się wyżej, ale pozostali musieli się cofnąć przed grożącymi im mężczyznami, i wtedy, czyniąc wielki rwetes, przybyli piraci, którzy zeszli ze statku.

— Joan! — krzyknęła matka, tuląc płaczące maleństwo do piersi. — Idź do Gabriela, prędko!

Chłopiec przyglądał się twarzy kobiety, którą tak kochał. Wyraz trwogi na jej obliczu utkwił mu głęboko w pamięci. Ruszył za nią i wszyscy czworo pobiegli razem w dół, zboczywszy z drogi. Uciekali stromym zboczem pokrytym wielkimi kamieniami i kolczastymi krzewami. Gdy Maurowie rzucili się za nimi w pogoń, Eulalia straciła równowagę i z przeraźliwym lamentem upadła razem z dzieckiem.

Joan krzyczał do rodzeństwa, żeby się nie zatrzymywało, i przeskakiwał między kamieniami po śladach innych uciekinierów. Usłyszał krzyk Maríi obok siebie. Ich spojrzenia skrzyżowały się i chłopiec ujrzał przerażenie na jej twarzy. Wyciągała do niego rękę w błagalnym geście, usiłując wyrwać się z uścisku Saracena, który przytrzymywał jej drugie ramię.

— Marío! — zawołał, usiłując do niej podbiec, ale poczuł, że Gabriel ciągnie go za drugą rękę. Joan wiedział równie dobrze jak siostra, że nic nie da się zrobić, i po chwili wahania pobiegł razem z bratem w dół zbocza, uciekając przed piratami.

Gdy spojrzał za siebie, zobaczył jednookiego Maura. Matka leżała na ziemi, walcząc z nim. Pirat ciągnął ją za włosy, a ona go kopała. Usiłował ją podnieść, ale opierała się, nie puszczając dziecka mimo ciosów. Jej rozpaczliwe krzyki łamały Joanowi serce. Zatrzymał się. Pragnął jej pomóc, lecz był ledwo żywy ze strachu: biegła za nią chmara piratów i wiedział, że jest za słaby, by się im przeciwstawić. Musiał ratować Gabriela. Przepełniony niezmierzonym żalem wznowił desperacką ucieczkę wraz z bratem.

෴

Nagle ujrzał przepaść u swych stóp. Chociaż dobrze znał wzgórze, to podczas szalonej rejterady o mało nie spadli z urwiska, pod którym morze rozbijało się o skały. W ostatniej chwili przytrzymał Gabriela. Dysząc ciężko, zobaczyli, jak kamienie potoczyły się, spadały i roztrzaskiwały o skały. Parę chwil stali w uścisku. Był to niebezpieczny teren, ale Joan zrozumiał, że dzięki temu byli uratowani. Nieprzyjaciel zajmie się innymi, a oni są w miejscu odległym.

— Co z mamą? — zapytał Gabriel, pociągając nosem, gdy mógł już mówić. — Gdzie tata?

— Nie wiem.

Chłopiec się rozpłakał. Joan nie mógł się powstrzymać i łzy po cichu spłynęły po jego policzkach. Przytulił znów brata i powiedział:

— Chodźmy stąd, musimy się ukryć.

— Ja chcę do taty i mamy! — zawodził malec. — I do Maríi, i do malutkiej.

— Ja też, Gabrielu, ja też chcę, ale teraz musimy iść jak najdalej od tych złych ludzi. Jak odjadą, poszukamy naszej rodziny. Chodź, pójdziemy w bezpieczne miejsce.

21

Mały spojrzał mu w oczy i zgodził się. Trzymając się za ręce, ruszyli ku wieży strażniczej, łapiąc za krzewy i korzenie sosen, ukryci do połowy w gąszczu, z morzem i urwiskiem za plecami. Bicie dzwonu, teraz już nieregularne, świadczyło o tym, że wieśniacy wciąż się opierają. Wspinali się więc dalej, przezwyciężając zmęczenie i wypatrując Saracenów. Joan czuł straszliwy żal z powodu matki i sióstr, a gdy tylko pomyślał o ojcu, serce biło mu mocniej. Obawiał się najgorszego, ale starał się, jak mógł, ukryć to przed małym.

— To Joan i Gabriel, synowie Ramóna! — usłyszeli, gdy byli już prawie na szczycie. Rozpoznali dwóch sąsiadów, którzy z naładowanymi kuszami pełnili straż od strony morza.

— Tędy, tędy — poganiali ich. — Prędko.

Nie mieli już sił, ale zdobyli się na ostatni wysiłek, żeby dotrzeć na miejsce. Mężczyźni ufortyfikowali się pośród skał wokół wieży, choć byli gotowi bronić się też w niej, gdyby zaszła potrzeba. Braćmi natychmiast zajęli się brodaty pustelnik i wieśniaczki. Joan nie zdawał sobie sprawy z tego, jak bardzo był spragniony, póki nie napił się wody.

3

Joan zauważył, że na szczycie, w wieży, brakowało wielu mieszkańców wioski. Było tam więcej kobiet niż mężczyzn. Ci drudzy w napięciu wypatrywali Saracenów, z gotowymi do strzału łukami i strzałami. Kobiety natomiast opiekowały się rannymi i dziećmi. Najmniejsze płakały, kilkoro pytało o rodziców. Gabriel przyłączył się do lamentu. Starsze dzieci też miały łzy w oczach. Ze szczytu widać było kawałek plaży Llafranc, a na niej galerę. Z niezliczonymi wiosłami przypominała straszliwą stonogę, która szykowała się pożreć domki leżące nieopodal od miejsca, gdzie statek wbił w piach kil.

Joan nie mógł spokojnie usiedzieć, trawiła go ciekawość: musiał wiedzieć, co się stało, gdzie była jego rodzina. Kiedy Tomás i Daniel postanowili zejść do wioski, aby zobaczyć, czy da się komuś pomóc, zapragnął im towarzyszyć.

— A ty dokąd? — sprzeciwiła się Clara, żona Daniela, chwytając go za ramię. — Jesteś jeszcze szczeniakiem! Zabiją cię!

Joan powiedział, by go puściła, że chce odnaleźć swoich.

— Jak będą mogli, przyjdą tu sami — odpowiedziała. — Ty nic nie możesz zrobić.

— Puść go, kobieto — wtrącił Tomás. — Niech pójdzie z nami. Utracił już niewinność. Od dziś musi być mężczyzną.

Joan wyjaśnił Gabrielowi, że musi zostać z Clarą, a on wyruszy na poszukiwanie mamy i reszty.

Mimo słów Tomása chłopiec zauważył, że starsi przewyższali

go co najmniej o dwa łokcie, więc pomyślał, że do mężczyzny jeszcze mu trochę brakuje. Poszedł jednak z dwoma uzbrojonymi w kusze, zachowującymi ostrożność. Każdy z nich stracił kogoś z rodziny i na ich twarzach malował się smutek.

Doszli do miejsca, z którego droga schodziła do wioski, i stamtąd próbowali dojrzeć przez drzewa, co dzieje się niżej.

— Długo chyba nie zabawią — rzekł Tomás.

— Zobaczymy ich z miejsca na dole! — zawołał Joan.

— Nie drzyj się! — warknął Daniel. — W porządku, chodźmy tam, ale powoli.

Joan schodził ścieżką, a dwaj mężczyźni bokami, by uniknąć zasadzek. Kiedy w końcu ujrzeli wioskę, zobaczyli, że piratów było wielu. Tomás powiedział, że jest ich ponad stu. Wyglądali jak mrówki: wchodzili do domów, wychodzili, zrzucali rzeczy na kupę i przemieszczali się po plaży, taszcząc na galerę to, co grabili. Morze było spokojne, błękitne. Joan zauważył grupę nieruchomych ludzi na piasku.

— Patrzcie! — krzyknął. — Mają ich tam, na plaży, to jeńcy!

— Nie krzycz! — upomniał go Daniel.

— Nie widzę ich dokładnie — rzekł Tomás.

— A ja tak! To oni, to oni! — upierał się Joan.

Byli na tej samej drodze, na której wpadli w zasadzkę, wystarczyło tylko pójść nią dalej i doszliby do miejsca, gdzie padł jego ojciec. Joan zerwał się do biegu.

— Dokąd idziesz? — syknął Daniel.

— Chcę zobaczyć ojca!

— Przeklęty szczeniak!

— Idę z nim! — rzucił Tomás.

— Przez was nas też pozabijają! — lamentował Daniel.

Na te słowa chłopca przeszył dreszcz. Pędząc i dysząc, zaczął się modlić: „Mój Boże, niech nie będzie martwy! Panie, niechaj będzie mógł ozdrowieć!".

Dojrzawszy leżące na ziemi ciała, Joan nie mógł złapać tchu, nie tyle ze zmęczenia, ile z żalu, który gniótł go w piersi. Odnalazł ojca w tym samym miejscu, w którym powalił go straszliwy grzmot. Leżał z otwartymi ustami na kolczastych gałęziach sosny, cały we krwi. Oczy miał zamknięte, a rękami zatykał ogromną ranę między dolną częścią żeber a brzuchem. Na nic się nie zdała kolczuga, choć Joan sądził, że jest zaczarowana, a Ramón dbał o nią z taką czcią.

— Tato! — szepnął.

Nie było odpowiedzi. Chłopiec pochylił się, by dotknąć jego policzka. Oczy ojca otworzyły się z wysiłkiem i spojrzał na niego.

— Joan — wyszeptał słabo. — Joan.

— Żyjesz! — zawołał chłopiec. Odwrócił się do towarzyszy, którzy właśnie się zbliżali. — Mój ojciec żyje! — krzyknął.

Ujął jego rękę. Była bardzo zimna.

Podbiegł Tomás. Jego zaczerwienione oczy na widok przyjaciela napełniły się łzami. Ożywienie Joana z każdą chwilą mijało. Stan jego ojca musiał być bardzo ciężki.

— Trzeba go uleczyć! — zawołał.

Nikt nie odpowiadał.

— Wody — poprosił Ramón. — Dajcie mi wody.

— Wody! — zakrzyknął chłopiec.

Jednym szybkim ruchem złapał bukłak, który niósł Daniel. Wlał ojcu trochę wody do gardła, ale ten zaczął się krztusić. Ramón westchnął i zamknął oczy.

— Tato, tato. Wyzdrowiejesz.

— Gdzie są mama i dzieci?

— Na górze, bezpieczne, w wieży — skłamał Tomás, nie dając chłopcu odpowiedzieć.

Joan pamiętał ojca silnego i pełnego energii. Zawsze wydawał mu się niezniszczalny. Żal dławił go, gdy usiłował ogarnąć myślą to, co było nie do pojęcia.

Saraceni zabrali kusze, ale zostawili włócznię ojca, która chłopcu wydawała się tak potężna.

— Joanie — wyszeptał Ramón, wykręcając głowę, by móc spojrzeć synowi w oczy.

— Tak, tato?

— Jesteś bardzo odważnym chłopcem, jestem z ciebie dumny. — Westchnął głęboko. — Powiedz matce i rodzeństwu, że bardzo was kocham.

Zakaszlał. Z ust pociekła mu krew.

— Nie umieraj! Zabierzemy cię do wieży.

Dysząc ciężko, Ramón patrzył w niebo.

— Mewy — powiedział, szukając ich wzrokiem. — One są wolne od urodzenia, ale my musimy walczyć.

Ramón oddychał z trudem. Joan załkał.

— Obiecaj mi, że będziesz wolnym człowiekiem.

— Obiecuję. Ale nie umieraj, tato. Nie umieraj, proszę.

— Zaopiekuj się nimi — wyszeptał mężczyzna.

— Tak, tato.

Ojciec zamknął oczy z łagodnym uśmiechem i zamilkł. Joan ze smutkiem gładził jego zimną dłoń.

— Wiem, że sobie poradzisz — z wielkim wysiłkiem dodał Ramón.

Nabrał znów powietrza i mocno je wypuścił. Jakby zamykał za sobą drzwi, upuszczał ciężar, którego nie mógł unieść. Nie spojrzał już na chłopca. Joan dopiero po chwili zrozumiał, że umarł. Przytłoczył go potworny smutek.

4

Klęczał tak naprzeciwko ojca, kołysząc w ramionach jego włócznię. Nie mógł uwierzyć, że zmarł. Chciał się pomodlić, ale przypomniał sobie rozmowę prowadzoną tydzień wcześniej w tym samym miejscu, gdzie tego ranka ojciec pokazywał mu chmury.

— Spójrz na sosny i na skały — rzekł wtedy Ramón.

Morze burzyło się niespokojne, niebieska woda rozbryzgiwała się o skały, tworząc białą pianę. Sosny rosły to tu, to tam pomiędzy głazami, niektóre wyłaniały się z niesamowitych szczelin, otwierając sobie drogę z niewiarygodną siłą, niekiedy wisząc dziwacznie nad morzem.

— Widzę je, tato.

— Spójrz, synu. Sosna jest silna, ale nie może się ruszać. Nie jest wolna. Skały są jeszcze potężniejsze, ale nie żyją, a w tym, co martwe, nie ma wolności.

Joan słuchał go uważnie. Z tonu ojca wnioskował, że to, co mówił, było ważne.

— A teraz spójrz na mewy.

Ujrzał, jak się wznoszą, szybują nieruchomo w powietrzu, a po chwili opadają, by natychmiast znów się wzbić. Oddalały się, powracały, wznosiły się i opadały, pląsając w radosnym i tajemniczym tańcu.

— Tak, widzę je.

— Są wolne. Lecą, dokąd chcą. Nie są ani twarde jak skała, ani mocne jak sosna, ale fruwają i nikt nie może ich zatrzymać ani oswoić.

Ramón umilkł w zamyśleniu. Joan patrzył nań uczepiony jego słów. Po chwili, wskazując na horyzont pokryty wzgórzami na zachodzie, ojciec kontynuował:

— Tam mieszkają ludzie, być może nawet tak silni jak te sosny, ale nie mogą iść, dokąd chcą. Są jak te drzewa przytwierdzone korzeniami do ziemi.

Chłopiec zapragnął wyobrazić sobie to dziwaczne plemię. Spojrzał na rosnące wokół wielkie drzewa i przypomniawszy sobie zasłyszane w izbie przy ogniu baśnie, zapytał:

— Czy to olbrzymy, którym spętano nogi?

Ramón zaśmiał się serdecznie.

— Nie, Joanie, to nie olbrzymy. To ludzie tacy jak my.

— Jak my?

— Z wyglądu tacy jak my, ale całkiem inni.

— A czym się od nas różnią?

— To chłopi pańszczyźniani.

— A co to znaczy „pańszczyźniani"?

— To znaczy, że podlegają panu, dla którego pracują. Należą do właściciela tak samo jak ziemia. Nie mogą odejść, są przywiązani do ziemi.

— I nie uciekają?

— Niewielu próbuje, gdyż kara, jaka ich za to czeka, jest bardzo surowa.

— I się boją — wywnioskował chłopak.

— Tak, Joanie, zrozumiałeś to. To strach powoduje, że zapuszczają korzenie, które są ich łańcuchami. Nie pozwól nigdy, by strach uczynił cię niewolnikiem.

Joan skinął głową. Dobrze znał historię swego przodka, który uciekł od poddaństwa, zaciągając się do almogawarów, oddziałów najemnych, które ponad wiek wcześniej zdobyły chwałę i bogactwo w Grecji. Ów prapradziad powrócił z kiesą dość wypchaną, by kupić łódź i stać się wolnym w Llafranc. Ulubioną bronią almogawarów była włócznia rzutna, krótka i ciężka, która miała taki sam drzewiec jak harpun. Dla rodziny Serra ta broń była symbolem wolności.

Chłopiec stał zadumany, spoglądając na wolne i radosne mewy

latające nad morzem. Słychać było ich krzyk, szum fal i szelest bryzy pieszczącej drzewa.

— Posłuchaj mnie uważnie, Joanie — powiedział Ramón po chwili. — My jesteśmy jak te mewy. Trzeba nam tylko skał i kawałka ziemi, by uwić na niej nasze gniazda. Jesteśmy istotami szerokiego morza i zmiennych wiatrów. Jesteśmy wolni jak one. Chłopiec przyjrzał się hałaśliwym białym ptakom i znów zachwycił się ich lotem.

— Stają się wolne, odkąd tylko nauczą się latać — ciągnął ojciec. — A człowiek nie. Czy urodzisz się wolny, czy poddany, nikt nie daruje ci wolności: musisz zdobywać ją każdego dnia odwagą i siłą rąk. Mężczyzna odpowiedzialny jest za wolność swoją i swojej rodziny. Zapamiętaj to sobie, synu.

Joan odetchnął głęboko, jakby wchłaniał słowa ojca. Uznał, że go zrozumiał, i powiedział z determinacją:

— Chcę nauczyć się rzucać włócznią jak ty.

— Z pewnością ci się uda — z uśmiechem odparł Ramón. — Pewnie nawet lepiej niż mnie.

Wtedy wątpił, że kiedyś mu się to uda. Teraz trzymał włócznię ojca w swoich rękach. A ojciec był martwy.

„Obiecaj mi, że będziesz wolnym człowiekiem" i „Zaopiekuj się nimi" to ostatnie słowa Ramóna. Chłopiec ugiął się nad włócznią, aż dotknął ziemi czołem. Ból, który rozdzierał serce, promieniował na całe ciało. Joan nie czuł się na siłach dotrzymać obietnicy.

෴

— On nas już nie potrzebuje — odezwał się Tomás, podnosząc chłopca, by go przytulić. — Musimy zająć się żywymi. Bardzo mi przykro, Joanie, ale nie możemy tracić czasu.

Chłopak był oszołomiony, osłupiały. Miał oczy pełne łez. Nie był w stanie przyjąć do wiadomości śmierci ojca, ale zareagował, myśląc o matce i siostrach. Drugi znaleziony człowiek miał strzałę wbitą w ramię i udawał nieżywego. Saraceni zajęci własnymi rannymi i łapaniem jeńców nie zadali sobie trudu, żeby wszystkich podobijać. Trzeci był trupem. Więcej ciał w tym miejscu nie znaleźli. Zapewne zdrowi lub ranni pouciekali albo zostali schwytani.

Podczas gdy Joan klęczał przy ojcu, usiłując się modlić, Tomás i Daniel zajęli się rannym, wyciągając mu strzałę i opatrując jak najstaranniej ranę. Obiecali, że po niego wrócą, zostawili mu wodę i poszli ostrożnie w dół aż do miejsca, z którego rozciągał się widok na całą plażę.

— Czy nie wydaje ci się dziwne, że ich nie dobili? — zwrócił się Tomás do Daniela.

— Tak, to dość niezwykłe. Tym bardziej że Ramón ciął włócznią Maura.

&

Saraceni zgromadzili jeńców na plaży. Było tam dwanaście kobiet w różnym wieku i dwóch chłopców nieco starszych od Joana. Trzymano ich związanych pod strażą kilku piratów. Inni ładowali na łodzie toboły, zwierzęta i wszystko, co zrabowali z domów.

— Kogo rozpoznajesz? — zapytał Tomás.

Trudno im było rozróżnić twarze, ale Joan miał młode oczy. Tam na piasku dostrzegł swoją matkę. Próbowała nakarmić piersią płaczącą Isabel. Chłopiec wzdrygnął się, ujrzawszy powróz, którym miała ściśniętą szyję. Obok niej siedziała zapłakana María. Rozpoznał też Elisendę i Martę, córkę i żonę Tomása. Z trwogą obserwowały otaczających je mężczyzn. Dostrzegł także siostrę Daniela. Joan wymienił wszystkich jeńców.

— Mój Boże! — zawołał Tomás wstrząśnięty, słysząc, że jego żona i córka zostały pojmane. Miał nadzieję, że gdzieś się ukryły.

— Musimy coś zrobić! — powiedział Joan. — Trzeba je uwolnić!

— Czekają na przypływ, aby wyruszyć na pełne morze — domyślał się Daniel. — Mało brakuje, a w ten sposób oszczędzą sobie trudu. Nie napadną na wieżę. Mają już łup. Podzielą się tak, by strzec tego, co udało im się zrabować przed atakiem z lądu.

— Ale trzeba je ratować! — upierał się Joan.

— Nie możemy nic zrobić. Ani my, ani reszta na górze — rzekł Daniel. — Zabiliby nas w mgnieniu oka.

— Nasza jedyna szansa to pomoc z Palafrugell — dodał Tomás. Daniel wsparł głowę na ramionach. Chyba w to nie wierzył.

— Chodźmy po nich! — zawołał Joan.

— To mniej niż trzy mile — zauważył Daniel. — Gdyby chcieli, już by tu byli. Od dłuższego czasu nasz dzwon bije na ratunek. Musieli usłyszeć, bo dzwony w wiosce Palafrugell też biją na alarm. Pewnie nie chcą ryzykować. Obawiają się zasadzki.

— Chłopak ma rację — powiedział Tomás. — Jeśli wyjdziemy im na spotkanie i wyjaśnimy sytuację, poczują się bezpieczniej.

— Nie pomogą nam — odparł Daniel.

— Muszą! — wykrzyknął Tomás zażarcie. — Przeor Świętej Anny jest naszym panem, ściąga od nas podatki i jego obowiązkiem jest nas chronić.

— Chodźmy po nich! — nalegał Joan.

— Wy idźcie. Ja zostanę na straży — rzekł Daniel.

5

Gdy zbiegali w stronę Palafrugell, Joan modlił się żarliwie o to, by mieszkańcy wioski stanęli w obronie jego rodziny. Wkrótce napotkali dwóch jeźdźców. Była to straż przednia oddziału ochotników, którzy uformowali się na wezwanie do broni. Chłopiec zaznał pociechy. Powiedzieli im, co się stało, gdzie są piraci i że trzeba szybko działać.

— Musimy poinformować zarządcę, on zadecyduje — oświadczył ten, który zdawał się dowodzić, i wsadził Joana na zad swego konia. Tomás poszedł za nimi pieszo.

Prawie natychmiast wpadli na oddział, który czekał na nich milę dalej. Zarządca Palafrugell był brzuchatym duchownym o imieniu Dionís. Sprawował pieczę nad całym obszarem w imieniu konwentu Świętej Anny z Barcelony. Joan spostrzegł, że jest ubrany do walki. Na pół łysej, pół wygolonej głowie miał hełm, na korpusie zbroję, która nie zakrywała brzucha, a u pasa miecz. Towarzyszyło mu kilku konnych, ale większość stanowili ochotnicy z ludu uzbrojeni w dzidy, kusze, łuki i miecze.

— Pojmali wiele kobiet i dzieci! — wykrzyknął Joan podniecony. — Trzeba je natychmiast ratować, zaraz je wywiozą!

Zarządca kazał mu się uspokoić i wszystko opowiedzieć. Joan zrobił to szybko i poprosił o pośpiech.

— To arkebuz — powiedział brat Dionís. — Do twojego ojca strzelano z arkebuza. Jak armata, tylko mniejszy.

— Nigdy nie widzieliśmy nic podobnego — rzekł Tomás. — Przestraszył nas.

Duchowny wypytywał ich o tysiące szczegółów, zdaniem chłopaka niemających najmniejszego znaczenia, jak wygląd galery oraz strój i uzbrojenie Saracenów.

— Błagam, zaraz je wywiozą! — prosił Joan zmęczony.

— Odpowiadam za tych ludzi. Pojedziemy ostrożnie. Nie chcę wpaść w zasadzkę i mieć więcej trupów.

W końcu brat Dionís wydał instrukcje i oddział ruszył bez pośpiechu. On sam jechał na koniu, prowadząc tuzin jeźdźców z drobnej szlachty i bogatego mieszczaństwa. Pozostali, prosty lud i chłopstwo, szli piechotą. Joan umierał z niecierpliwości i bez przerwy się modlił. Po pewnym czasie zakonnik nakazał się zatrzymać i czekać na wiadomości od zwiadowców.

— Uciekną z naszymi rodzinami! — napadł na niego Tomás.

— Ty nie znasz się na wojowaniu — odparł klecha. — Milcz!

Tomás podszedł do zarządcy niebezpiecznie blisko i Joan myślał już, że go uderzy, ale dwóch żołnierzy się wtrąciło, odciągając mężczyznę do tyłu.

— Tchórzu! — wrzasnął Tomás. — Nie zatrzymujesz się, żeby na kogoś czekać, ale żeby pobrać podatki, prawda?

Żołnierze odepchnęli go znowu i grożąc, kazali zamilknąć. Tomás spojrzał na Joana niebieskimi zapłakanymi oczami i zaciskając pięści, z wściekłością rzekł:

— Chodźmy, ty i ja.

I pobiegł, a Joan za nim. Dzwon z wieży Świętego Sebastiana zabił znów nagląco, na alarm, wzywając pomocy. Chłopak wziął to za zły omen. Gdy zdyszani dobiegli tam, gdzie zostawili Daniela, ujrzeli więźniów wsiadających na łodzie, które piraci wypychali na morze, by potem uwiązać sznurami do galery.

W pewnej chwili Eulalia, która nie chciała odstawić córeczki od piersi, popchnęła jednego z Maurów, a María, Elisenda i kilka innych dziewczyn wykorzystały okazję, aby się uwolnić z powrozów i uciekać.

— Musimy coś zrobić — powiedział Joan zrozpaczony.

— Chodźmy, Danielu! — krzyknął Tomás.

— Nic nie możemy zrobić.

— Zabierają mi żonę i córkę!

33

— A także moją siostrę, ale nie chcę, żeby mnie zabili. Jestem potrzebny reszcie rodziny.

Tomás nic nie powiedział. Wyszedł z kryjówki i wziął kuszę. Ruszył w stronę plaży.

— Tomásie, nie idź!

Gdy Daniel próbował go powstrzymać, Tomás uwolnił się jednym uderzeniem ręki i biegiem puścił się w stronę piratów. Joan chciał pobiec za nim, ale Daniel chwycił go i mimo jego sprzeciwów poradził sobie z dzieckiem.

Chłopiec widział, jak dwóch piratów z wściekłością bije jego matkę, podczas gdy trzeci ciągnął ją, zaciskając powróz. Musiała upuścić Isabel. Ciągnąc za sznur, zmusili ją do wejścia do morza i wspięcia się na drabinę. Joan krzyknął zrozpaczony, chcąc pójść za Tomásem, bezsilny wobec zdecydowania Daniela. Na własnym ciele czuł ciosy zadawane matce; jakaś niewidzialna pięść wgniatała mu się w serce.

Saraceni pojmali uciekające dziewczyny, z radością i śmiechem założyli im ponownie powrozy na szyje i ciągnąc za nie, powlekli na statek. Bryza znów przyniosła silny odór zgnilizny, wydalin i ludzkiej niedoli bijący od galery i Joanowi przewracał się żołądek. Chłopiec pomyślał, że taki właśnie musi być zapach piekła.

— Patrz, tam są ochotnicy. — Daniel wskazał palcem. — Widzieli, jak dziewczyny próbowały uciekać, ale nic nie zrobili.

Oddział stał z drugiej strony wioski i obserwował.

— Na co oni czekają? Mój Boże, niech je ratują! — wymamrotał chłopiec.

Wtedy na dziobie statku pojawiła się chmura dymu i zagrzmiało. Kolumna pyłu i gruzu wzniosła się tuż obok oddziału milicji dowodzonego przez zakonnika. Mężczyźni rozbiegli się w popłochu. I to wszystko. Ochotnicy z daleka przyglądali się, jak piraci zabierali mieszkańców wioski, jak wniwecz obracali ich życie. Nie kiwnąwszy palcem.

Gdy Tomás zdyszany wpadł na plażę, Saraceni ładowali ostatnich jeńców. Joanowi wydało się, że słyszy krzyk ze statku. Chyba krzyczała Marta, jego żona.

— Odejdź, Tomásie.

On jednak nie odpuścił i ciężkim truchtem pobiegł po piasku w stronę statku, z załadowaną bronią, nawet nie celując. Był już na odległość strzału z kuszy od galery, gdy huknął znów grom i piasek wzbił się u jego stóp. Tomás się zatrzymał. Joan pomyślał, że zranili go tak jak jego ojca. Mężczyzna znieruchomiał jak kamienny posąg, a muzułmanie więcej nie strzelali. Wszyscy jeńcy byli już na pokładzie, a ostatni Saraceni na plaży spychali *Mewę* do morza. Zabierali ją.

Tomás wreszcie otrząsnął się i powoli, chwiejnym krokiem jak lunatyk ruszył w stronę statku, upuszczając kuszę na ziemię. Saraceni podnosili kotwicę.

— Marta! Elisenda! — wykrzyknął przeraźliwie.

Ktoś odpowiedział, ale głos zginął we wrzawie rozkazów, uderzeń i trzasków. Przypływ unosił statek. Rozległ się dźwięk rogu i po chwili sto pięćdziesiąt wioseł uniosło się, by zanurzyć się w wodzie. Wszystkie naraz, ze złowieszczym pluskiem. Okazała galera wyszła w morze.

— Marta! Elisenda! — wył Tomás jak szalony.

Joan widział, jak biegnie w stronę galery, skacząc przez fale. Gdy był już na głębokiej wodzie, z desperacją rzucił się do pływania. Człowiek w porównaniu ze statkiem był czymś maleńkim i nic nieznaczącym.

Galera wykręciła po wypłynięciu z zatoczki i wyprostowała dziób. Morze było zbyt piękne i błękitne w obliczu takiej tragedii. Joan poczuł się tak, jakby Saraceni zabierali z wioski życie. Wyrwali jej serce i nigdy już się nie odrodzi, nigdy nie będzie taka sama. Nikt nigdy już nie będzie taki sam.

Zabrali też zapasy na zimę i *Mewę*, przepiękną łódź ojca Joana. Zostawili za sobą płacz, rozpacz i głód.

Daniel puścił Joana. Bezsilny, rozdarty, ze łzami ściekającymi po policzkach patrzył, jak statek się oddala, aż całkiem zniknął. Na piasku zostawili porzuconą malutką Isabel, zakrwawioną, próbującą raczkować. Krzyczała wniebogłosy, a jej płacz rozdzierał martwą ciszę wioski.

Joan podbiegł do niej chwiejnym krokiem, wziął na ręce i padł na piasek. Kołysał dziecko, patrząc w niebo, na którym nie było już chmur, tylko nieskalany błękit, i zalewał się łzami. Był wycieńczony i pękało mu serce. Nigdy nie wyobrażał sobie nawet, że można tak cierpieć. Jego ojciec, jego matka, jego siostra. Widział ich twarze, a żal mącił mu kłębiące się myśli. Ale wkrótce paniczny lęk przezwyciężył rozpacz: Joan zastanawiał się, co powiedzieć małemu Gabrielowi, gdy zapyta o rodziców.

6

Ci, którzy przeżyli, wraz z przyjaciółmi i krewnymi przybyłymi z Palafrugell czuwali przy ciałach zmarłych w ich domach. Modły przeplatały się z płaczem i lamentami. Ludzie nie mogli pojąć przyczyny takiego nieszczęścia. Joanowi serce ściskało się z żalu po stracie ojca, ale wkrótce pojął, że ból z powodu uprowadzenia najbliższych był jeszcze większy.

— On już nie cierpi — mamrotała sąsiadka, której nie wzięli, bo była za stara.

Młode i sprawne ucho Joana wychwytywało szmery we wszystkich kątach jego domu, składającego się tylko z jednej izby bez wewnętrznych ścian, pośrodku której stało łoże z ciałem ojca.

— Biedaczki, które zabrali, te to się nacierpią — mówiła dalej kobieta.

Joan nie chciał myśleć o tym, czym była ich męczarnia, ale twarze siostry, matki i Elisendy, córki Tomása, a jego towarzyszki zabaw, pojawiały mu się raz po raz w umyśle. Bał się o nich zapomnieć, wydawało mu się, że wtedy one też umrą. Więc wyobrażał sobie ich cierpienie, jak mówiła staruszka, i widział pełne bólu oblicza.

— Zabrali najpiękniejsze kobiety z wioski — mruczał mężczyzna o ogorzałej, pokrytej zmarszczkami twarzy do swojego towarzysza, który potwierdził skinieniem głowy.

Joan chciał spędzić całą noc na czuwaniu przy nieruchomym ciele ojca, żegnając się z nim, ale męczący dzień i monotonia modłów wyczerpały go i zasnął na kolanach oparty o ścianę. W końcu Tomás wziął go na ręce i położył do łoża, obok brata.

ॐ

Obudziło go posępne bicie dzwonu z wieży Świętego Sebastiana. Usłyszał głosy w izbie. Leżał z zaciśniętymi powiekami, chciał dalej śnić sen, w którym ojciec wciąż żył, a matka szykowała śniadanie. Wspomnienia pirackiej napaści były tylko sennym koszmarem, a za chwilę miał obudzić się w świecie, w którym cała rodzina będzie znowu razem. Jak zawsze, jak każdego z przeżytych dotąd dni. Ale tak się nie stało.

— Joanie, Gabrielu! — Tomás budził ich delikatnie. — Wstawajcie, chłopcy.

Okna były otwarte i wpadała już jasność dnia. Dwie kobiety mruczały wciąż modlitwy, siedząc na ławie pod kominkiem. Świeca na stole była wypalona.

— Pożegnajcie się z ojcem, będą oblekać go w całun.

Po tych słowach Joan poczuł się tak, jakby ktoś uderzył go w pierś. Widział, że szykują prześcieradła, i zrozumiał, że już nie zobaczy ojca. Podniósł się, żeby spojrzeć nań z nieutulonym żalem. Rysy twarzy układały się tak samo, miał spokojną minę. Prześcieradło przykrywało ciało od piersi aż do stóp i gdyby nie to, że łoże wystawione było na środku izby, można by pomyśleć, że ojciec śpi. Joan pocałował go w policzek, a gdy poczuł chłód, przeszył go dreszcz. Pomacał silne ramię, które rzucało harpun i włócznię. Pozbawiona ciepła sztywność sprawiła, że ogarnął myślą to, co było nie do pojęcia. Ta istota, według jego dziecięcych wyobrażeń niezniszczalna, ów mężczyzna, który kochał go i chronił, został pokonany i zaraz zniknie na zawsze.

Gabriel nie chciał dotknąć ojca.

— Tato — zaszlochał.

Joan widział, jak bardzo jest mu ciężko, wiedział, że powinien go pocieszyć, ale uznał, że nie potrafi, nie jest tak silny jak jego ojciec. W bólu połączył się z Gabrielem. Objął go, aby mógł płakać na jego piersi, i obaj zanieśli się nieutulonym szlochem. Mając przed sobą ostatni widok ojca, nim prześcieradła przykryją go na zawsze, Joan wrócił wspomnieniem do przeszłych zdarzeń.

Była wiosna i wieloryby płynęły morzem wzdłuż zatoki na północ, ale mieszkańcy Llafranc nie polowali na nie. Były za wielkie i zbyt silne. Jednakże Ramón zaproponował załodze, żeby spróbować, bo na nowej łodzi mogło im się udać. Większość się zgodziła. Joan wyruszył z nimi.

Byli na pełnym morzu cały dzień i już miała zapaść noc, gdy w końcu je dojrzeli. Chłopcu serce rosło z przejęcia. Zwierzęta wypuszczały wielkie fontanny wody i były olbrzymie, dwa razy większe od ich łodzi. Ostrożnie wiosłując, podpłynęli bliżej i gdy znaleźli się już dość blisko jednego z tych gigantów, Ramón stanął na dziobie. Trochę manewrowali, zanim osiągnęli właściwą odległość, po czym chłopiec ujrzał, jak naprężają się mięśnie prawej ręki ojca, gdy unosił harpun, by z całej siły cisnąć nim i wbić w ciemną i lśniącą skórę wieloryba. Krew zbroczyła niebieską przezroczystą wodę, a mężczyźni zakrzyknęli z radości. Olbrzym zaczął ciągnąć łódź z niewiarygodną siłą. Ramón wyrzucił kolejny harpun, by dobrze go uwiązać. Wieloryb ciągnął ich przez długi czas z wielką szybkością. Nie wiosłowali, modlili się tylko, żeby ich nie zatopił, a gdy zaczął się uspokajać, postawili żagiel, aby szybciej go zmęczyć. W końcu zwierzę padło i popłynęli do Llafranc, pomagając sobie wiosłami i żaglem.

Joan zdał sobie sprawę z wielkości wieloryba, gdy cała wioska musiała połączyć swoje siły, by wydobyć cielsko na ląd. Czekała ich wielka uczta.

Dumny ze swego ojca, chłopiec zapragnął upamiętnić jego czyn, rzeźbiąc na dziobie *Mewy* podobiznę Ramóna rzucającego harpunem. Zabrało mu to dużo czasu, ale warto było.

Wyrwany ze słodkich wspomnień, na widok spowitego już w całun ciała ojca potrząsnął głową, nie mogąc się pogodzić z gorzkim doświadczeniem. Nie może być, powtarzał raz po raz w myślach.

෴

— Bardzo żałuję — powiedział eremita z kaplicy Świętego Sebastiana do zgromadzonych na małym cmentarzu. — Nie mogłem powiadomić was wcześniej. Zobaczyłem nadpływającą galerę po modłach o wschodzie słońca. Nie mam pojęcia, gdzie ani kiedy wylądowali ci, którzy ukryli się na zboczu wzgórza. Przepraszam was, wybaczcie mi.

Pomruk zrozumienia rozszedł się wśród zgromadzonych. Zasadzka zaskoczyła wszystkich. Zarządca Palafrugell nie przybył na pochówek, więc modły odprawiał pustelnik. Szept modlitw łączył się z ponurym, powolnym biciem dzwonu pustelni, któremu wtórował niczym echo odległy, choć potężniejszy dźwięk z kościoła w Palafrugell. Dzień był ponury, wietrzny i chmurny, krzyk mew niósł się nad cmentarzem. Joan patrzył, jak ziemia opadała na biały całun. Pomyślał, że ojciec wolałby być zatopiony w morzu, kołysany falami wśród niedostępnych skał, jak martwe mewy. Chciał zachować wolność jak one i umarł, będąc wolnym człowiekiem, i dopóki żył, wolna była także jego rodzina. Teraz Joan powinien zająć jego miejsce. Ale jak, kiedy ledwo mógł rzucić włócznią na odległość paru kroków?

Gdy ceremonia dobiegła końca, Tomás podszedł do chłopców.

— Wasz ojciec był mi jak brat. — Oczy miał pełne łez. — I wiem, Joanie, że kochałeś moją córkę. Ja nie mam już córki ani żony. Wy nie macie ojca ani matki. Pozwólcie mi być waszym wujem, bo Ramóna nigdy wam nie zastąpię. Chodźcie ze mną, ja się wami zajmę.

— Dzięki, Tomásie — odparł Joan, gdy był już w stanie zrozumieć, co do nich powiedział.

Objął ich. Nie jest podobny do ojca, pomyślał Joan. Był wyższy i bardziej opanowany. Tam gdzie u Ramóna poczuć można było twardość mięśni, u Tomása wyczuwał tylko kości i ścięgna. Jego propozycja była mu pociechą, ale Joanowi nie spodobał się brak nadziei w słowach.

— One wrócą. My mamy wciąż matkę i siostrę, a ty masz Elisendę i Martę — powiedział, gdy już przestali się obejmować. — Wyruszymy po nie, prawda, Tomásie?

Pokręcił głową.

— Wrócą! — prawie krzyknął Joan.

Mężczyzna spojrzał na niego niebieskimi oczami, przełknął ślinę i nic nie powiedział.

Potem udali się do wioski, gdzie brat Dionís odprawił uroczystą mszę, na której modlono się również za jeńców i rannych.

— Taka była wola boska — rzekł w kazaniu z ambony w wypełnionym kościele. — Wywiązujmy się należycie z nakazów Świętego Kościoła, aby nie powtarzało się to zło.

Mówił rozochocony, gestykulując zawzięcie. Joan, który stał obok Tomása, widział, jak wzbierał w nim gniew z powodu tych słów.

— Nieszczęścia te to owoc naszych grzechów. Niewolnictwo, głód i śmierć to kary, które zadaje nam Pan. Żyjmy wedle Jego praw, a On nas uratuje.

— Uratuje?! — krzyknął Tomás.

Zarządca zamilkł zaskoczony. Nikt nie przerywał kazań. Zapadła kompletna cisza, Joan nawet nie oddychał.

— Napaść piratów ma być karą boską za nasze grzechy?! Wy ocaleliście dzięki murom i rycerzom, a nie waszym cnotom!

Joan uznał, że Tomás ma rację.

— Jakież to grzechy popełniła moja córka, aby zasłużyć na niewolnictwo? A jakie moja żona? — Podszedł pod samą ambonę. — Teraz są niewolnicami przez wasze tchórzostwo, a nie przez swoje grzechy. Dlaczego nie pozwoliliście ochotnikom na zaatakowanie piratów? Tchórzu! — I wbiegł po schodach na górę.

— Nie dotykaj mnie! — zawył duchowny. — Na zawsze będziesz płonął w piekle!

Kobiety zapiszczały. Joan pomyślał, że Tomás zepchnie brata przez barierkę. I zrobiłby to, gdyby nie żołnierze, którzy zawsze chodzili z zarządcą. Wbiegli spod wejścia do świątyni. Gdy dopadli Tomása, trzymał klechę za szyję. Jego twarz była już purpurowa. Padło wiele ciosów i sporo z nich dostał zarządca.

— Wygnać go z kościoła! — krzyknął, dusząc się, gdy zabierali Tomása. — I nie wracaj, zostajesz wyklęty!

7

Dopiero następnego dnia Joan zaczął zdawać sobie sprawę z ogromu nieszczęścia, które ich przygniotło. Tomás przeniósł się do chłopców, zabierając ze sobą część dobytku. Mówił, że nie może znieść wspomnień, tak żywych w jego domu, i pustki, która w nim panuje. Dom chłopców też skrywał dawne radości obrócone w smutki. Każda rzecz przypominała szczęśliwą przeszłość. Joan nie mógł przestać myśleć o rodzicach, o siostrze i o Elisendzie. Isabel zabrano do Palafrugell, bo w wiosce nie było kobiety, która mogłaby dać jej pierś. Mieszkała u mamki, która karmiła ją za pieniądze płacone przez zarządcę, ale maleństwo ledwie jadło, nie mogła dojść do siebie po strasznym lęku.

Włóczyli się we trzech z domu na plażę i z plaży do domu. Nie mieli już *Mewy*, nie było co robić. Chodzili przygnębieni, apatyczni. Gabriel nie chciał się nawet pobawić, gdy Joan mu coś proponował. Nie byli sami w wiosce. Saraceni zostawili trzy niewielkie łodzie, ale na wszystkich razem nie można było złowić nawet jednej czwartej tego, co na łodzi Ramóna. Joan pomyślał, że gdyby zostawili *Mewę*, osada mogłaby wrócić do pracy i dziewięć mieszkających w niej rodzin miałoby jakąś przyszłość. Chłopiec z tęsknotą wspominał łódź.

Mewę zbudowano na plaży Llafranc przed dwoma laty. Sezon rybacki był udany i ojciec Joana postanowił, że za pieniądze odkładane przez lata ze sprzedaży czerwonego koralu zbuduje nową łódź — z ośmioma wiosłami i mocnym ożaglowaniem łacińskim. Ramón był szefem i właścicielem, toteż gdy był dobry połów i zbywało ryb, dzielono je na jedenaście części, z czego jemu przypadały trzy, a reszcie rybaków po jednej. Gdy jednak połów był skąpy, dzielono wszystko na dziewięć części i Ramón zabierał jedną jak każdy.

Zatrudnił znanego na wybrzeżu szkutnika z Palamós. Przybycie mistrza któregoś poranka pod koniec zimy było wielkim wydarzeniem. Cała wioska pomagała wyładowywać narzędzia i drewniane części zwane szablonami. Jak się później okazało, były modelami tego, co stać się miało kilem i wręgami.

Praca nad nową łodzią zaczęła się od zaledwie kilku kresek na ziemi, które mistrz nakreślił blisko brzegu morza, dość jednak daleko, by fale nie dosięgły ich, nawet gdy nadejdzie sztorm. Pomagali wszyscy. Stolarze z Palafrugell dostarczali drewna dębowego na wręgi i kil oraz drewna sosnowego na obicie. Wtedy właśnie Joan, naśladując stolarzy, zaczął rzeźbić w kawałkach drewna najpierw małe statki, które puszczał po morzu, potem zwierzęta. Zachwycony patrzył, jak łódź rosła. Z początku przypominała mu leżący na piasku szkielet wieloryba: wręgi były żebrami, a kil kręgosłupem. Stopniowo łódź nabierała właściwego kształtu.

Pewnego ranka Tomás powiedział Joanowi w imieniu załogi, że osiągnął już wiek odpowiedni do tego, by wyuczyć się fachu, ale żeby go przyjęli, musi dostarczyć im kota. Na łodzi rybackiej potrzebny był kot do oczyszczania jej z resztek ryb i szkodników, zwłaszcza gryzoni. Marynarze nie chcieli jednak byle jakiego kota: aby przynosił im szczęście, musiał być kradziony. Taki był zwyczaj, i koniec. Joan nie miał pojęcia, jak się do tego zabrać, ale pomogła mu Elisenda, córka Tomása. Razem zdobyli małego rudego kotka, którego parę tygodni wcześniej powiła kocica szewca z Palafrugell. Elisenda miała tyle samo lat co Joan, niebieskie oczy po ojcu, była jednak wyższa, szybciej biegała, wszystko wiedziała i nikt ani nic nie mogło się przed nią ukryć. Rodzice obojga dzieci bardzo się przyjaźnili i dla wszystkich było oczywiste, że gdy nadejdzie właściwy czas, Elisenda i Joan się pobiorą. Razem dorastali, byli sobie bardzo bliscy, a ich rodzice nie odczuwali niepokoju, gdy znikali wśród skał na plaży.

Wkrótce odbyła się uroczystość wodowania. Odtąd, gdy morze było spokojne, Joan wypływał z rybakami na łodzi. Kiedy dobiegł końca jego pierwszy dzień pracy i nadszedł czas dzielenia się połowem, Tomás podczas ceremonii wśród braw i ukłonów uroczyście wręczył chłopcu srebrzystą sardynkę, mówiąc, że to zapłata za pierwszy dzień pracy rybaka. Drugą taką samą, również z ukłonem, dał kotu. Wszyscy się śmiali, a Joan z dumą zaniósł rybkę do domu, by matka ją przyrządziła. Był to jego pierwszy zarobek. Miał dziesięć lat.

Minęły tylko dwa lata od tamtego zdarzenia i wszystko tak tragicznie się zmieniło.

Najgorsza była bezczynność. Ludzie zbijali się w gromadki, w których dzielili się żalem po stracie zmarłych i pojmanych, lękiem przed niepewną przyszłością i tęsknotą za przeszłością, która kiedyś zdawała się czasem ciężka, teraz jednak wspominali ją niczym raj.

— Z czego będziemy żyć, gdy przyjdzie zima? — pytała jakaś kobieta. — Te łodzie przynoszą bardzo niewiele. Jeśli im się nie poszczęści, nawet ich właściciele nie będą mieli co jeść.

— A Maurowie zabrali wszystko, cośmy mieli — lamentowała druga.

— Musi nam pomóc brat Dionís — wtrącił jeden z sąsiadów ojca Joana. — Ściągał przecież z nas podatki.

— Oni też za wiele nie mają — rzekł Daniel. — Żniwa nie były udane, a głód ciągnie się od wojny domowej.

— Zarządca? — z pogardą w głosie zapytał Tomás i splunął na ziemię. — Jakiej pomocy oczekiwać możemy od tego tchórza, który pozwolił na pojmanie naszych rodzin?

— Tobie na pewno nie pomoże — rzekła jedna z kobiet. — Po tym, co zrobiłeś w kościele, nic ci nie da.

— Zrobiłbym to znów — odparł z wściekłością. — Gdybym tylko mógł, poderżnąłbym mu gardło. Prędzej umrę z głodu, niż miałbym coś przyjąć od tego nędznika. Aby ukryć swoje tchórzostwo, z ofiar robi winnych, a siebie czyni sędzią, który tłumaczy wolę Boga.

— Masz rację — zgodził się Daniel i większość mężczyzn

przytaknęła. — Ale pomyśl o chłopcach, których masz teraz pod opieką. Będąc wyklętym, nie należysz już do Kościoła i wiesz, że nie wolno nam z tobą nawet rozmawiać. Nikt nie może udzielić ci pomocy.

— Poproś go o wybaczenie — wtrącił inny. — Choćby tylko ze względu na chłopców. Jeśli będą z tobą, nie dostaną nic od zarządcy.

— Nie, tego nie zrobię! — krzyknął Tomás rozwścieczony. — Nie obchodzi mnie, co się ze mną stanie, a od chłopców wyniósłbym się, gdyby miała stać im się przeze mnie krzywda. Ale brat Dionís jest niegodziwcem. Donieśmy przeorowi klasztoru Świętej Anny, jak zachował się ten tchórz! Niech go odwoła!

Pozostali spoglądali po sobie ukradkiem, po czym wbili wzrok w morze.

— Przykro mi, ale to nie czas, by sprzeciwiać się zarządcy — powiedział ktoś. — Będzie nam potrzebny do przeżycia tej zimy.

Te słowa były jak sygnał do rozejścia się. Tomás został sam, patrząc w punkt, w którym znikła galera z jego żoną i córką na pokładzie.

∂~

Przez następne dni Tomás z chłopcami skupili się na zdobywaniu pożywienia. Jedzenie było ważne, ale jeszcze ważniejsze było zajęcie się czymś, żeby nie myśleć. Chodzili po pobliskim lesie, szukając grzybów i szyszek, zapuszczali się też głębiej, tam gdzie rosły kasztany i żołędzie, choć były jeszcze zielone. Nie bacząc na to, zbierali je, mielili i z mąki wyrabiali placki. Miały gorzki smak. Ze skał zarzucali wędki do morza i całe godziny spędzali na oczekiwaniu, aż jakaś ryba weźmie. Przeszukiwali przybrzeżne skały: małże, raki, jeżowce... Nie przepuścili niczego, co można by zjeść. Oczywiście reszta mieszkańców robiła to samo i znaleziska nikogo nie mogły nasycić.

Wszyscy wyczekiwali trzech łupinek, łudząc się, że ich właścicielom się poszczęści i z połowu będzie jakaś nadwyżka. Z Palafrugell przywożono chleb, zawsze za mało, na grzbiecie mulicy strzeżonej przez czterech żołnierzy zarządcy.

45

— Tomásowi nic nie możemy dać. Chłopcom też nie damy, dopóki z nim będą — zapowiedzieli już pierwszego dnia.

Od tamtej pory ani Tomás, ani chłopcy nie zbliżali się do mulicy. Z daleka obserwowali żołnierzy rozdających bochenki i dopiero później, gdy już odeszli, sąsiadki potajemnie dawały chłopcom chleba.

Ogólnie panujący żal zdawał się z czasem narastać, a wiadomość o śmierci małej Isabel tylko pogorszyła sytuację.

Joan przypomniał sobie jej ciepłe i zakrwawione ciałko, gdy podniósł je z piachu, by ją ukołysać. Chciał, by przestała płakać, ale tylko zaraził się jej płaczem. I przypomniała mu się jej mała bezzębna buzia, gdy śmiała się w ramionach matki. I jak matka patrzyła na nią, a potem uśmiechała się do niego.

Wieść przynieśli żołnierze, którzy przyszli z chlebem, i szybko rozeszła się wśród sąsiadów. W końcu to Clara zebrała się na odwagę, by przekazać ją chłopcom. Gabriel nie mógł przestać płakać, a Joan usiłował być silny i ukoić żal brata, ale nie udawało mu się ani jedno, ani drugie. Już tylko we dwóch zostali z rodziny.

Tomás nie był w stanie pocieszyć chłopców, którzy często znienacka wybuchali płaczem, jego zaś widywali zaciskającego tylko pięści ze złości.

— Wrócą — powtarzał Joan, chcąc go pocieszyć. — Kiedyś po nie wyruszymy i przywieziemy je z powrotem.

— Nie, nie wrócą — odpowiadał Tomás uparcie. — Już ich nie zobaczymy.

— Ależ tak. Gdy dorosnę, zostanę żołnierzem, stanę się silny i po nie wyruszę. Obiecuję.

Mężczyzna spoglądał na niego z cieniem uśmiechu. Chwilami wydawało się, że mu wierzy, ale potem w milczeniu kręcił głową.

Rybak każdego dnia coraz bardziej nienawidził przeklętych Saracenów i podłego klechy, który nie uczynił nic, żeby pomóc pojmanym. Jego wściekłość była zaraźliwa. Joan przekonał się, że nienawiść łagodziła smutek i żal, nauczył się zaciskać pięści jak Tomás, nienawidzić i złorzeczyć.

8

— Koral to nasze złoto — pewnego dnia powiedział Tomás Joanowi. — Ukryłem coś, chodź.

Zaprowadził go wąwozem do dawnego szałasu i pokazał ubitą ziemię.

— Jeśli kiedyś będzie ci to potrzebne, a mnie nie będzie, weź. To dla ciebie i dla twojego brata. Nie ma tego wiele, ale niektóre gałązki są sporo warte.

Joan wiedział, że jego ojciec też trzymał koral pod podłogą. Łowiono go w skałach i rafach za pomocą krzyża świętego Andrzeja — narzędzia z krzyżakiem, które przeciągano po skałach, by wyciągać koralowinę. Owo czerwone złoto zbierano w siateczkę. Była to delikatna praca, przy której morze musiało być spokojne, żeby łódź nie roztrzaskała się o skały.

Chłopak przypomniał sobie dwa lata na *Mewie*, na której można było wypływać daleko. Płynęli na północ, na wyspy Medes, też własność klasztoru Świętej Anny w Barcelonie. Wokół wysp morze wyglądało jeszcze piękniej niż w Llafranc, woda była jasna i przezroczysta, a dno dobrze widoczne w miejscach niezbyt głębokich. Czerwonego koralu było w bród, nieraz nawet poławiano go, nurkując. To tam Tomás i Ramón nauczyli się robić głęboki wdech, by móc dłużej przebywać pod wodą. Joan dawał nura i zachwycał się morzem, przejrzystym i spokojnym. Tak niedawno wrócili z wysp, zaledwie parę tygodni temu. Ale jakże odległe wydawały się te szczęśliwe dni!

Teraz Tomás z dnia na dzień był coraz chudszy. Jego zwinna, szczupła sylwetka zaczynała przybierać wygląd kościotrupa. Niemal wszystko jadalne, co udawało im się znaleźć, było dla chłopców, a mimo to chodzili spać głodni.

— Przebywanie ze mną wam nie służy — zaczął mawiać Tomás. — Zarządca da wam jeść, gdy odejdę.

Joan odpowiadał jednak, że z nikim nie będzie im lepiej niż z nim. Z czasem Tomás zaczął łączyć w jedno nienawiść do Saracenów i do zarządcy.

— Chciałbym umrzeć jak wasz ojciec — powtarzał — broniąc swej rodziny. Ale zląkłem się, słysząc ten grzmot... To było dla mnie nowe doświadczenie i uciekłem, gdy zobaczyłem, jak upadł wasz ojciec. Zabrali Elisendę i Martę, gdy ja zmykałem jak tchórz.

— Na nic nie zdałaby się twoja śmierć — pocieszał go Joan. — Uratowałby je tylko nagły atak ochotników.

— A co ja teraz jestem wart? Nie mam łodzi, nie mam jak was wykarmić i przeze mnie ten nędznik zarządca pozbawia was odrobiny chleba, którą rozdziela w wiosce.

— Wszystko się polepszy — podnosił go na duchu Joan. — Za parę lat Gabriel i ja będziemy starsi i wszyscy trzej będziemy się mogli zaciągnąć na królewskie galery. Odbijemy niewolnice i przywieziemy z powrotem maurytyjskie skarby, tak samo jak nasz przodek almogawar.

Słysząc to, Tomás się uśmiechał, jego niebieskie oczy rozbłyskały, a wychudła twarz promieniała.

&

Ta kolacja musiała być wyjątkowa. Joan złowił na wędkę sporych rozmiarów rybę i przyrządzał ją na ruszcie. Mieli trochę chleba, trochę ziół, raczej twardych, ale po ugotowaniu nadawały się do zjedzenia, i nieco kasztanów. Tego popołudnia chłopiec wymyślił sobie historię o tym, jak we trzech uratują kobiety, gdy Gabriel i on dorosną. Chciał, żeby Tomás i Gabriel się cieszyli, chciał widzieć ich uśmiechy. Ale zapadł zmrok, a Tomás nie wrócił. Joan wysłał Gabriela, żeby sprawdził, czy nie zatrzymał się u któregoś z sąsiadów. Chłopiec wrócił nocą, nie znalazłszy go.

— Gdzie on może być? — niepokoił się Gabriel.

— Pewnie się gdzieś zasiedział, nie martw się. Księżyc świeci, znajdzie drogę. Zjedzmy kolację.

Po kolacji położyli się na sienniku, ale Joan był bardzo niespokojny. Nagle coś przeszło mu przez myśl. Jakby doznał olśnienia. Upewnił się, że Gabriel śpi, ubrał się i wyszedł w noc. Czysty księżyc w ostatniej kwadrze lśnił na usianym gwiazdami niebie. Lodowaty powiew wiatru przyprawił chłopca o dreszcz. Wahał się. Nie miał odwagi wejść do domu Tomása, choć tam go nie szukali. Miał przeczucie. Zrobił parę szybkich kroków i popchnął drzwi, które otworzyły się z trzaskiem. Z zewnątrz wpadało słabe światło, ale w środku panowała ciemność.

— Tomás — powiedział półgłosem.

Nikt nie odpowiedział. Powtórzył głośniej. Pomyślał, że go nie ma. Postanowił wyjść, ale uznał, że skoro niepokój wygnał go z ciepłego siennika w zimną jesienną noc, to nie po to, żeby pogadał sobie w pustym domu, zrezygnował i niczego się nie dowiedział.

Zrobił parę kroków po omacku. Wpadł na stół i namacał kilka stołków. Drzwi były wciąż otwarte i wpadało przez nie słabe światło. Nie pozwalało mu wprawdzie widzieć rzeczy, ale dawało trochę orientacji. Przeszedł na drugą stronę izby, gdzie znajdowały się posłania. Może tam spał Tomás. Czubkiem stopy trącił siennik, ciałem dotknął czegoś, co się ruszyło. Joan poczuł serce w gardle i krzyknął. To coś wróciło. Było zimne, sztywne i chwiejne. Przypominało mu w dotyku ciało ojca przed złożeniem do grobu. Pomyślał, że to Tomás. Przerażony wybiegł obudzić Daniela.

Przy świetle kaganka ujrzeli nad siennikiem, na którym sypiał ze swoją żoną, wiszące na belce chude ciało Tomása. Kołysało się jeszcze lekko po dotknięciu chłopca.

Daniel i jego żona nie byli w stanie ukoić Joana, który spędził noc na czuwaniu przy sztywnym ciele przyjaciela złożonym na sienniku. Modlił się, płakał, czasem zasypiał osłabiony. Gdy jego brat zbudził się rano, o wszystkim powiedziała mu żona Daniela. Joan nie miał odwagi.

༄

Brat Dionís zabronił pochować Tomása na wioskowym cmentarzyku. Był przecież ekskomunikowanym samobójcą: jego dusza została skazana na wieczne potępienie, a ciało miało zgnić w jakimś niedostępnym zaułku, gdzie rozłoży je robactwo. Joan wspiął się do kapliczki Świętego Sebastiana błagać eremitę.

— Tomás był dobrym człowiekiem. Nigdy nikomu nie zrobił krzywdy, pomagał każdemu, jak mógł, przygarnął mnie z bratem, gdy straciliśmy rodziców. — Łzy napływały mu do oczu. — Proszę, pochowajcie go na ziemi pustelni.

— Wiem, synu — odparł mężczyzna, gładząc białą brodę. — Wiem o tym. Ale istnieją kanony w sprawie samobójców i wyklętych. To prawo kościelne, a ja, jak zresztą wszyscy, muszę go przestrzegać.

— Jedynym jego grzechem było to, że kochał. Tak kochał swą rodzinę, że nie zniósł jej utraty — nalegał chłopak. — Bóg miłosierny musi mu wybaczyć, bo Tomás nie uczynił nic, by zasłużyć na taką karę.

— Wiem to, wiem, że był dobrym człowiekiem — mamrotał pustelnik. — Przyjmował wszystkie święte sakramenty, jego żona zawsze przynosiła mi jedzenie, nigdy nic złego o nim nie słyszałem.

— Pochowajcie go więc na ziemi pustelni, ale tak, żeby brat Dionís się nie dowiedział.

Eremita zaczął w zamyśleniu przechadzać się między sosnami porastającymi szczyt wzgórza z wieżą strażniczą, u której stóp stała kaplica. Joan w milczeniu chodził za nim i słyszał, jak mruczy coś sam do siebie. Pewnie w samotności przyzwyczaił się głośno myśleć. Było przepiękne popołudnie. Ze szczytu rozciągał się widok na bezmiar niebieskiego morza i samotne, pokryte drzewami skały. A w górze mewy. W Joanie obudziły się wspomnienia. Zabolało. Łzy potoczyły mu się po policzkach.

— Proszę — błagał, ciągnąc za rękaw wyświechtanego habitu. — Był mi jak ojciec. Bóg z pewnością mu wybaczył, to nie grzech tak kochać.

— Przeklęty dzieciak! — wybuchnął w końcu mężczyzna. — Przestań wreszcie płakać, bo sam się zaraz rozpłaczę. Jak to możliwe, że w tak młodym wieku jesteś taki przekonujący?

— Proszę!

— To wbrew prawu, wbrew tradycji! Brat Dionís wyrzuci mnie stąd, jak się dowie!

— Proszę!

— No dobrze! — zgodził się po chwili zirytowany. — W końcu po to mieszkam tutaj sam, żeby nie podporządkowywać się bezsensownym zasadom!

&

Z Danielem i trzema innymi sąsiadami wnieśli ciało na górę. W ścisłej tajemnicy, choć trudno utrzymać coś w tajemnicy w małej osadzie, ale Tomása wszyscy lubili i nikt nie zamierzał wydać pustelnika. Zwłoki były lekkie. Joan pomyślał, że nie mogły ważyć więcej niż on sam z bratem razem wzięci. W wąwozie pod stosem kamieni przyjęła go niczym matczyne łono ziemia, której chciano mu odmówić. Eremita odprawił modły, takie same jak na pogrzebie Ramóna. Jednakże tego dnia nie bił dzwon. Nikt nie chciał robić hałasu. Dopiero następnego dnia zabił. Samotnie, powoli, smutno, długo. Zapłakał nad Tomásem, a wieśniacy we łzach pomodlili się nad morzem.

&

— Oto los, jaki czeka nieszczęśników, którzy nie szanują Kościoła i duchownych! — grzmiał z ambony brat Dionís. — Samobójstwo to jeden z najstraszniejszych grzechów. Dusza tego człowieka płonie w piekle, a ciało gnije niepochowane.

Ludzie z osady wmieszani w tłum szukali nawzajem swoich spojrzeń. Cieszyła ich niewiedza zarządcy. Ale Joan, którego nie mogło cieszyć nic, co miało związek z tym człowiekiem, zaciskał pięści z wściekłości. Tomás nauczył go nienawidzić tego tchórza, winnego niewoli jego bliskich, a teraz też śmierci przyjaciela.

— Nauczcie się szanować wolę boską, w pokorze przyjmując próby, na jakie On was wystawia. To wasze grzechy przynoszą wam niedolę! Patrzcie na przypadek Tomása. Przez sprzeciwienie się Kościołowi i głupi upór zasłużył sobie na karę boską.

Joan nie mógł się już powstrzymać i podszedł do ambony, wykrzykując te same oskarżenia, które kiedyś wypowiedział Tomás:

— To nieszczęście nie wydarzyło się przez nasze grzechy! To z winy Saracenów i z waszej, że nas nie obroniliście! — Oskarżycielsko wbił w niego wskazujący palec. Szalał z wściekłości. — To przez wasze tchórzostwo nie uratowano jeńców!

Zakonnik nie reagował, do tego stopnia zaskoczyło go to, że jest besztany przez dziecko. Zapadła absolutna cisza. Jako jedyny poruszył się Daniel, który przyszedł razem z Joanem. Opuścił mu rękę i poprosił, by się uciszył, ale chłopiec wyrwał się z siłą, którą daje gniew.

— Tomás był dobrym człowiekiem i mówił prawdę! Bóg nie ma z tym nic wspólnego! To kłamstwo!

Żołnierze rzucili się na chłopca i w mig zabrali go z kościoła.

— On kłamie! — Gdy go wyprowadzali, zdążył jeszcze wykrzyczeć słowa tysiąc razy słyszane od przyjaciela. — Posługuje się Bogiem, by nas ujarzmić!

Brat Dionís odpowiedział grzmiąco:

— Widzicie, jak od zgniłego jabłka psuje się zdrowe? Teraz ten chłopak popełnił ten sam grzech.

෴

— Lejemy dzieciaka? — spytał jeden z żołnierzy dowódcę.

— Nie. Daj mi go. — Złapał Joana za ramię i biorąc go na bok, krzyknął: — Przyjdź znów do kościoła, a rozbiję ci łeb! Uparciuch z ciebie taki sam jak ten głupiec Tomás! — Pociągnął go znów, po czym wskazał palcem na drzwi świątyni, mówiąc: — Patrz!

Chłopiec spojrzał tam, sądząc, że ktoś wychodzi, gdy nagle siarczyste uderzenie w policzek powaliło go na ziemię. Dowódca pomógł mu wstać, a gdy chłopiec skulił się w oczekiwaniu na kolejny cios, powiedział do niego cicho, tak by inni nie słyszeli:

— Ale jesteś mądry i odważny jak twój ojciec. I masz rację, przeklętą rację! Masz całkowitą rację, ale bądź rozsądny. Życzę ci szczęścia, synu. Zasługujesz na nie.

Joan czuł smak własnej krwi.

9

Zarządca zdecydował o jego losie po odprawieniu nabożeństwa. Żołnierze zaprowadzili Joana przed jego oblicze. Gniew zakonnika zdawał się zelżeć na widok zbroczonych krwią ust chłopca.

— Nie mogę zostawić ciebie i twojego brata w wiosce — rzekł z udawanym spokojem. — Tej zimy będzie głód, a nie macie rodziny. Poza tym trzeba nauczyć was szacunku dla Kościoła i władzy. Gdybyś był parę lat starszy, dałbym ci lekcję, której byś nie zapomniał. Jesteś zgniłym jabłkiem. Jeśli się nie zmienisz, twoja dusza smażyć się będzie w piekle, a nie chcę, byś zarażał sąsiadów. Są dobrymi poddanymi.

— Nie są poddanymi. Są wolni jak mewy — odparł chłopiec.

— Rybacy są poddanymi przeora klasztoru Świętej Anny w Barcelonie.

— Są wolni. Jeśli przeor miał do nich jakieś prawo, to je stracił, bo nie pomogliście nam bronić się przed piratami, co było waszym obowiązkiem.

Dowódca uderzył Joana w kark, aż ten stracił na chwilę zarządcę z oczu.

— Milcz! — skarcił go. — I słuchaj, głupcze.

Joan był pewien, że zakonnik kłamie. Ojciec nauczył go, że silni próbują zdominować biednych, a Tomás utrzymywał, że ten człowiek chce podporządkować sobie rybaków. Ale pomyślał, że dowódca rozwalił mu wargę, aby uchronić go przed czymś gorszym, i że miał rację — opłacało się milczeć.

— Dalej jesteś taki bezczelny! — zawołał zarządca. — Nie będę tracił czasu na dyskusję z chłystkiem, który gada jak stary heretyk. I nie zamierzam czekać. Mam zaufanego kupca, który wyjeżdża właśnie do Barcelony. Zapłacę mu, żeby was zabrał. Będę miał cię z głowy, zajmie się tobą przeor klasztoru Świętej Anny.

Barcelona! — pomyślał Joan zaskoczony. Tyle słyszał o tym wielkim mieście!

❧

Spakowanie tobołków było proste. Mieli niewiele. W wielką chustę zawinęli drewnianą łyżkę, garnek z palonej gliny, z którego pili i jedli, oraz skąpy przyodziewek: parę koszul, kapotę i parę chustek — pamiątkę po matce. Związawszy wszystkie cztery rogi, Joan zawiesił chustę na czubku włóczni ojca, by w ten sposób móc nieść pakunek, opierając go na ramieniu. Gabriel zawiesił swoje zawiniątko na harpunie Tomása. Przed wyjściem Joan zabrał cenne gałązki czerwonego koralu i ukrył między szmatkami w tobołku.

Sąsiedzi żegnali ich czule, uściskali, dali chleba, żołędzi, rodzynków i kasztanów na drogę. Niewiele, ale dla nich było to dużo.

— Uważajcie na siebie, moje dzieci — mówiła zapłakana Clara, żona Daniela, całując ich ponownie. — Co z wami będzie?

— Jak dorośniemy, zostaniemy żołnierzami i wyruszymy do królestwa Saracenów odzyskać nasze rodziny — upierał się Joan. — Prawda, Gabrielu?

Jego brat wypiął pierś i pokiwał głową.

— Tak, wrócimy z mauryjskim skarbem — dodał, uśmiechając się od ucha do ucha.

— Biedne dzieci! — zawołała inna kobieta.

— To już mężczyźni — przypomniał Daniel, usiłując przekonać innych.

— Powrócimy! — powiedział Joan na pożegnanie, ale twarze wieśniaków mówiły coś wprost przeciwnego.

Wszyscy zebrali się na plaży w tym samym miejscu, gdzie wodowali *Mewę*, symbol ich utraconej wolności. Dzień był pochmurny, morze trochę pomarszczone, dmuchał lekki *garbí*, idealny do żeglowania na południe. Sąsiedzi stali na plaży, pozdrawiając ich i życząc im szczęścia, aż znikli z oczu. Wtedy Gabriel zaczął płakać, a Joan wkrótce do niego dołączył.

&

— Dobrze, że jesteście rybakami — oświadczył bosman na powitanie. — Przynajmniej nie zanieczyścicie mi pokładu wymiocinami.

Łódź — feluka — mogła pomieścić sześć osób i miała miejsce na towar. Dowodził stary bosman o imieniu Ferrán. Był chudy i zgryźliwy, odzywał się rzadko i zwykle po to, aby złajać marynarza słowami, które zawstydziłyby zarządcę Palafrugell. Ale widać było, że zna swój fach. Gdy zobaczył, że bracia płaczą, powiedział:

— No i dobrze. Im więcej będą płakać, tym mniej będą sikać.

Za to pan Bartomeu Sastre, kupiec, pod którego pieczę oddał ich zarządca, był mężczyzną mniej więcej trzydziestoletnim, wysokim, przystojnym, o ciemnych oczach, orlim nosie, bacznym spojrzeniu drapieżnego ptaka i ogolonej twarzy. Joan przyglądał mu się z ciekawością. W wiosce żaden mężczyzna się nie golił, a w miasteczku tylko zarządca i paru innych. Jego włosy nie były ani krótkie jak u mężczyzny, ani długie jak u kobiety. Poza tym dziwnie mówił, ledwo można go było zrozumieć. Z pewnością był uprzejmy. Pokazał im, gdzie mogą położyć tobołki i usiąść. Zaczekał, aż chłopcy wygodnie się usadowią, porozmawiają z nim chwilę, i dopiero gdy się trochę oswoili, nakłonił ich, by opowiedzieli mu swoją historię. Joan zauważył, że mężczyzna, choć starał się to ukryć, parę razy wzruszył się podczas jego opowieści.

— Saraceni wrócili? — ze zdziwieniem dopytywał się bosman, gdy Bartomeu mu to powiedział.

— Tak, splądrowali wieś tych chłopców, zabili ich ojca i wzięli wielu jeńców.

— Ale Saraceni? — zapytał znów marynarz.

— Tak — potwierdził Joan.

— Dziwne — rzekł stary. — Od dawna nic o nich nie słyszeliśmy. O genueńczykach i Francuzach tak, ale nie o Maurach. Jesteś pewien, że to byli Maurowie?

— Tak, to byli oni.

Bosman zamilkł i poszedł ciągnąć linę żagla, mrucząc coś przez zęby.

— Skąd wiesz, że to byli oni? — zapytał po chwili.

— Mieli turbany, a brat Dionís, zarządca, powiedział, że to byli Saraceni.

— Zarządca? Tfu! — Bosman splunął z pogardą za burtę.

10

Wygląd Bartomeu, jego sposób poruszania się i noszenia, osobliwy, choć męski, fryzura i ogolona twarz — wszystko to zadziwiało chłopców. Zwłaszcza Gabriel obserwował kupca z uśmiechem, którego nie ukrywał.

— Widziałeś? — śmiejąc się, zapytał brata. — Ma rękawiczki! Widziałeś, żeby ktoś nosił rękawiczki na statku? Co za głupota! Przecież nawet nie jest zimno.

Nim wydarzyła się tragedia, Gabriel był dzieckiem radosnym, skłonnym do śmiechu. Joan pierwszy raz zobaczył, że znów się śmieje, i poczuł się szczęśliwy.

— A to dziwoląg! — powiedział, śmiejąc się wraz z nim.

— Co za wytworniś! — nie przestawał Gabriel.

Stanął za plecami kupca i zaczął przedrzeźniać jego gesty. Mężczyzna nie zdawał sobie z tego sprawy, a Joan się zaśmiewał. Stary bosman stał przy sterze łodzi, za Gabrielem. Zbliżył się do niego bez słowa i wymierzył mu klapsa, aż Gabriel przysiadł. Joan zerwał się jednym susem w obronie brata, ale Ferrán wrócił już do steru.

— Co się stało? — spytał Bartomeu. Nie miał pojęcia, co działo się za jego plecami.

Usłyszawszy ton jego głosu i dziwny akcent, Gabriel nie mógł się powstrzymać, by nie parsknąć śmiechem. Joan się uśmiechnął. Widocznie bosman nie uderzył brata zbyt mocno.

Po południu, gdy Bartomeu zszedł na ląd, bosman, marszcząc groźnie brwi, zwrócił się do chłopców:

— Kupiec może wydawać się wam dziwny, ale nie jest cudakiem.

— Nie? — zdziwili się obaj.

— Nie. Po prostu jest eleganckim młodzieńcem z Barcelony, a oni tak się ubierają. A mówi tak, jak mówi się w mieście.

— Tak tam mówią? — Bracia spojrzeli po sobie osłupiali ze zdumienia.

— Tak — odparł stary. — I lepiej go szanujcie. Odznaczono go za odwagę. Walczył w lekkiej kawalerii podczas wojny domowej i prawie go zabili. W służbie króla i ludu przeciwko panom ciemiężącym chłopów.

Bracia znów spojrzeli po sobie.

Przy pierwszej nadarzającej się okazji Gabriel zapytał kupca z ciekawością:

— Panie Bartomeu, czemu nosicie rękawice na statku? Nikt tak nie robi.

— Czyżby was to dziwiło? — Kupiec się zaśmiał. Chłopcy skinęli głowami. — To z powodu słońca.

— Z powodu słońca?

— Moim klientom nie podobają się ciemne ręce.

— Sprzedajecie ręce? — dopytywał się Gabriel.

Teraz to Bartomeu wybuchnął śmiechem. Nawet bosman się uśmiechnął.

&

Feluka żeglowała zawsze przy brzegu, na tyle jednak daleko, żeby nie wpaść na podwodne skały. Bosman często spoglądał na horyzont w obawie przed piratami. Chrząknął z zadowoleniem, gdy się dowiedział, że chłopcy potrafią wiosłować. Choć mieli mało siły, to zawsze ich ręce okazałyby się pomocne, gdyby trzeba było uciekać w kierunku plaży.

Żegluga rozpoczynała się o wschodzie słońca, po południu wyciągali łódź na brzeg przy następnym miasteczku, gdzie Bartomeu wykorzystywał okazję do handlu. Kupiec regularnie przemierzał tę trasę, przewożąc produkty, które Święta Anna z Barcelony wysyłała do Palafrugell i na odwrót, robiąc przy tym własne interesy.

To, czym handlował ów człowiek, bardzo zaskoczyło Joana: książki. Nie znał nikogo, kto miałby choć jedną, z wyjątkiem eremity i zarządcy. Widział ich z książkami podczas obrzędów religijnych, ale nie przyszło mu nigdy do głowy, by ktoś je kupował i sprzedawał. Nie pojmował, że ludzie pragnęli mieć książki i w dodatku wydawali na nie pieniądze.

— Do czego służą książki? — spytał kupca, gdy obdarzył go zaufaniem.

— Wyjaśniają rzeczy, których ludzie chcą się dowiedzieć, i opowiadają bardzo ciekawe historie — z uśmiechem odparł kupiec.

— Kiedy chciałem się czegoś dowiedzieć, pytałem o to rodziców, Tomása albo eremitę — odrzekł Joan zdumiony. — Oni też opowiadali nam historie. Poza tym książki nie mówią.

Bartomeu się zaśmiał, a Joan zmarszczył brwi.

— Są rzeczy, których rodzice i przyjaciele nie są w stanie wyjaśnić — odpowiedział kupiec. — I nadejdzie dzień, w którym książki przemówią i do ciebie.

— Nie mają przecież głosu — upierał się Joan.

— Ależ mają, synu — powiedział Bartomeu, gładząc go po głowie. — Tylko że nie usłyszysz go, dopóki nie nauczysz się czytać.

— Czytać? — ze zdziwieniem zapytał Joan.

Spojrzał najpierw na Bartomeu, który przytaknął kiwnięciem głowy, potem na Gabriela, który nie rozumiejąc rozmowy, przysłuchiwał się jej w milczeniu. Młodszy brat wzruszył ramionami. Joan nie dopytywał się już więcej, nie chciał wyjść na głupca, ale dało mu to do myślenia. Książki skrywały tajemnicę.

Parę dni później, gdy bosman nie słyszał, Bartomeu wrócił do tematu napaści.

— Jak wyglądała galera?

— Nie wiem, co macie na myśli — odrzekł Joan.

— Duża? Mała?

— Nie wiem.

— Ile dział miała na dziobie?

— Trzy.

Bartomeu wykonał dziwny gest.

— To jednak duża — rzekł w zamyśleniu.

— Co się stało? — zapytał Joan.

— Saraceni zwykle nie mają takich wielkich galer, chociaż ci porwali chrześcijanki. Wolą mniejsze, bardziej zwrotne.

෯

Kiedy zatrzymali się w Tossie, chłopcy z ciekawością zwiedzali otoczone murem miasteczko, bogate i tętniące życiem. Zgodnie z instrukcjami bosmana wrócili na statek przed zachodem słońca. Bartomeu nie pojawił się do wieczora, ale przysłał chłopaka z jedzeniem i pieczywem. Bosman wciąż marudził coś o kupcu, wspominał też o jakiejś wdowie, używając słowa „cudzołóstwo". Joan nie wiedział, o co chodzi, ale stary zrzęda nie chciał mu wyjaśnić.

Gdy tylko zaczął się dzień, Bartomeu pojawił się na szerokiej plaży Tossy. Łódź gotowa była do wypłynięcia. Pluskając pośród fal, jednym susem wskoczył na pokład.

— Kiedyś skończycie w lochach któregoś z tych miasteczek — rzucił mu stary.

Kupiec zaśmiał się wesoło i poklepując go po plecach, powiedział, że jeśli nie przestanie się tak martwić, to będzie pomarszczony jak rodzynek.

Bazary odbywały się w określone dni, ale Bartomeu na to nie zważał, zahaczał o wszystkie miejscowości, które pojawiały się na trasie. Mężczyzna tak rozmowny i inteligentny umiał przysporzyć sobie przyjaciół i wspólników, handlował mimo wszystko i nie wahał się przed wręczaniem niewielkich łapówek lokalnym urzędnikom. Niepokoiło to marynarza, który obawiał się, że zostanie uwikłany w jego interesy lub utraci cenny ładunek klasztoru Świętej Anny. Kupiec wynagradzał mu jednak hojnie ponoszone ryzyko.

Ryby łowione na wędkę przez chłopców trafiały się rzadko, on zaś ze swych interesów uzyskiwał rzeczy, które dla nich były delicjami. Popołudniami gotowali kolację, a Bartomeu przynosił nieraz króliki lub kury, które sam szykował, wypełniając plażę smakowitymi zapachami. Był wspaniałym kucharzem i używał czegoś dla chłopców nowego i zaskakującego, co nazywał przyprawami i co nadawało jedzeniu niespotykany smak. W wiosce mięso jadali tylko z okazji świąt Bożego Narodzenia i było to wielkie wydarzenie. Potem Bartomeu opowiadał im historie, z wielkim przejęciem i żywo gestykulując, a chłopcy słuchali z szeroko otwartymi buziami, dopóki nie zgasł ogień, po czym układali się do snu na łodzi lub na piasku. Zapominali wówczas o swojej niedoli, a Joan zasypiał w iluzji, że wszyscy na łodzi są rodziną.

11

Noc przed przybyciem do Barcelony była zimna i deszczowa. Nie wyspali się na plaży Badalony, usiłując schronić się przed deszczem pod zapasowym żaglem. Joan czuł, jak dygocze ciało jego brata, które przyciskał do siebie, żeby się ogrzać, nie mogąc zasnąć. I nie tylko z powodu deszczu czy dygotania Gabriela, ale też z podniecenia, że następnego dnia znajdzie się w wielkim mieście. Ogarniała go również trwoga. Co z nimi będzie?

Dzień wstał pośród burych chmur i choć morze było nieco wzburzone, wypłynęli zaraz po świcie. Po jakimś czasie kupiec, wskazując ziemię na horyzoncie przed nimi, rzekł:

— To, co tam widzicie, to Barcelona.

Na plaży po prawej stronie ujrzeli zarysy odległych budowli, które po pewnym czasie okazały się wieżami i murami.

— Miasto otoczone jest murami, a to jest bastion Levante. Najwyższa wieża, którą stąd widać, nosi imię twojego patrona, świętego Joana, a druga co do wysokości, najbliższa morzu, świętego Mikołaja.

W miarę jak się zbliżali, widać było coraz więcej szczegółów. Wyłaniały się odległe dzwonnice wystające zza fortyfikacji, jak Santa María del Mar. Już przed samym miastem musieli podpłynąć do piaszczystej wyspy Mayans, która była połączona ze stałym lądem pomostem Santa Creu i dawała pewną ochronę przed północnymi prądami statkom zacumowanym w południowej części.

Wciąż siąpił deszcz. W szarym świetle dnia objawił im się w końcu prawdziwy obraz: mury od strony morza miały ogromne wyrwy, a szeroką plażę pokrywały kamienne bloki, które w pewnym momencie zaczęły tworzyć część murów; plaża wrzynała się w głąb miasta, aż do jego pierwszych zabudowań, jakby chciała je wchłonąć. Joan oczekiwał, że oczarują go widoki wspaniałych budowli, które zresztą tam były, ale nawet jako wiejski chłopiec widział tylko upadek i zgniliznę.

— Nie zawsze tak to wyglądało — przepraszającym tonem powiedział Bartomeu, jakby odgadywał jego myśli. — Dwadzieścia lat temu, nim rozpoczęła się wojna domowa i wybuchły zarazy, w czasach Alfonsa Piątego, to miasto było inne, bogate, potężne... Teraz nie jest w stanie nawet odbudować murów po wielkiej burzy.

Gdy wyszli na brzeg, Bartomeu wynajął paru tragarzy zwanych *bastaixos* do przeniesienia na plecach towarów do klasztoru Świętej Anny, na drugi koniec miasta. Uspokajając Joana, Bartomeu wyjaśnił, że przekazanie tym chłopakom towaru było powierzeniem go w pewne ręce. Broniliby go własnym życiem i nigdy nie zażądaliby zapłaty wyższej niż ustanowiona przez ich bractwo, jedno z najbardziej poważanych w Barcelonie.

W miejscu, gdzie kończyły się piaski plaży, wznosił się budynek, który zaimponował chłopcom swoimi rozmiarami. Wyglądało na to, że czasem dosięgały go fale. Bartomeu powiedział im, że to Giełda. Parę kroków dalej ujrzeli wielki plac pokryty piachem i porośnięty gdzieniegdzie chaszczami. Kupiec pokazał im otaczające go budynki. Poza Giełdą wymienił: Dom Generała, Konsulat Morski i Urząd Celny. Do tego ostatniego wraz z tragarzami udał się Bartomeu, żeby uzgodnić wysokość opłat celnych, które ze względu na przynależność towaru do Kościoła miały być dużo niższe.

Chłopcy czekali, z trwogą i odrazą przyglądając się wznoszącej się na środku placu szubienicy, na której wisiało do połowy objedzone przez ptaki ludzkie ciało.

— Miejsce to zwą placem Kłamczuchów, a także placem Zdrajców — powiedział bosman feluki, splunąwszy w kierunku nieboszczyka. — Kłamczuchów, bo tutaj zbieramy się my, marynarze, a mieszczanie mówią o nas, że przesadzamy i zmyślamy. A druga nazwa ma informować, że wiesza się tu tyle samo zdrajców, ile przestępców. Wisielcy są powitaniem i ostrzeżeniem dla przybywających z morza.

Joan wzdrygnął się na widok chłopaków rzucających kamieniami w padlinożerne ptaki krążące wokół zwłok. Dzieciaki wyglądały dość nędznie. W mieście musiał panować głód. Czuł rękę Gabriela kurczowo ściskającą jego dłoń i patrzył na nieboszczyka z mieszaniną fascynacji i obrzydzenia.

Szary dzień, wisielec i złowieszcze otoczenie napawały Joana strachem. Wziął to wszystko za zły omen i przeraził się. Co zgotuje im los w tym mieście? To on był odpowiedzialny za brata. Ścisnął jego rękę, by dodać mu otuchy. Pytał sam siebie, czy jest w stanie chronić go tak, jak obiecał rodzicom.

҂

Bartomeu wrócił zadowolony z ustaleń miejskich urzędników. Ukrył własny towar razem z klasztornym i zaoszczędził sporo pieniędzy.

— Tędy — rzekł do tragarzy, którzy wyszli już naprzód.

Skręcili w ulicę Cambis Vells, gdzie Bartomeu zatrzymał pochód, by wymienić zebrane w podróży pieniądze na walutę barcelońską. Gdy ruszyli w dalszą drogę, wyjaśnił, jak ważni są bankierzy i jak trudno byłoby się połapać, gdyby w obiegu były monety lokalne i cudzoziemskie. Bankierzy urzędowali przy stołach, które zwali bankami, na Cambis Vells i Cambis Nous, i obowiązywała ich uczciwość. Na bankowych stołach lśniły nożyce z ostrej blachy, którymi musieli zniszczyć każdą napotkaną fałszywą monetę. Jeśli udowodniono któremuś oszustwo, miejscy urzędnicy niszczyli jego stół, co nazywano publicznym bankructwem. Jeżeli bankierowi udawało się zyskać przebaczenie, to nigdy już nie mógł rozłożyć się na Cambis Vells, a jedynie na Cambis Nous i w ten sposób ludzie byli ostrzegani o jego nagannej przeszłości.

Wkrótce po minięciu skrzyżowania z Cambis Nous chłopcy podziwiali wspaniałą fasadę kościoła Santa María del Mar, z bramą z łukami i rozetą. Przypomnieli sobie dzwonnice, które widzieli jeszcze z łodzi. Tragarze przeżegnali się, bo mijali swoją patronkę, ale nie zatrzymali się, jak chciał zrobić Joan. Poszli dalej ulicą Argentería, na której jubilerzy mieli swoje warsztaty, a prace wystawiali na straganach.

— Szkoda, że nie widzieliście tego dwadzieścia lat temu, przed wojną domową — wyjaśniał Bartomeu. — Ulica była cała zastawiona straganami. Teraz zostało tylko parę, i to bez bardziej wartościowych sztuk. Większość jubilerów i bankierów była Żydami, którzy wiek temu po rzezi zmienili wyznanie i stali się nowymi chrześcijanami; zwą ich konwertytami.

Joan zobaczył srebrne i złote naszyjniki wysadzane czerwonym koralem i na moment zatrzymał się, żeby się im przyjrzeć. Nigdy nie widział takich rzeczy i zaskoczyło go ich piękno. Zwrócił uwagę na jakość koralu i z zadowoleniem stwierdził, że koralowina, którą miał w swoim tobołku, była lepsza. Wtedy dostrzegł dziewczynkę, może trochę młodszą od niego, która pilnowała towaru, podczas gdy jej ojciec zajęty był rzeźbieniem w srebrze przy sąsiednim stole. Była bardzo ładna. Miał ochotę zapytać o cenę klejnotów, żeby zyskać pojęcie, jaką wartość może mieć jego koral, ale się nie odważył. Był to nieznany świat i czuł się niepewnie. Pomyślał, że nadarzy się lepsza okazja. Dziewczynka zauważyła jego zainteresowanie i ich spojrzenia na moment się spotkały, by rozejść się natychmiast. Joan dalej oglądał wyroby jubilerskie, ale nie myślał już o cenie koralu, tylko o niej. Bartomeu wraz z tragarzami wyprzedzili chłopców.

— Chodźcie, nie ociągajcie się, bo się zgubicie! — zawołał kupiec.

Joan spojrzał na nią jeszcze raz. Ubrana była w elegancką tunikę, która zaznaczała jej smukłą talię, miała białą skórę i czarne włosy, podkreślające lśniącą zieleń oczu. Uśmiechnęła się, zatrzymując na nim wzrok, i prześliczne dołeczki pojawiły się na jej policzkach. Joan pomyślał, że nigdy nie widział nikogo tak pięknego, tak urzekającego wdziękiem, i doszedł do wniosku, że to miasto o ponurym na początku wyglądzie jednak zapraszało go do siebie. Chłopiec odwzajemnił uśmiech i wciąż się uśmiechając, złapał brata za rękę i pobiegł w górę ulicy do grupy ginącej już wśród przechodniów.

Oddalając się, poczuł się winny z powodu przyjemności, jaką sprawił mu dziewczęcy uśmiech. Elisenda była jego dziewczyną, a teraz znajdowała się w mauryjskiej niewoli razem z jego matką i siostrą. Ku nim powinien był kierować swoje myśli. Nie mógł jednak się powstrzymać, żeby nie odwrócić głowy. Pragnął schwycić obraz dziewczynki, a potem utrwalić go w pamięci.

～

Anna pomagała swoim rodzicom, wykonując prace, których nie wykonywała służąca, chodziła na przykład po wodę do studni. Owego ranka, widząc, jak chłopiec rzuca jej ostatnie spojrzenie, zamyśliła się. Choć dopiero co ukończyła dwanaście lat, świadoma była potęgi swoich zielonych oczu i swego uśmiechu. Dlatego też, jak radziła jej matka, uśmiechała się tylko do kobiet i do mężczyzn w słusznym wieku. Starsi chłopcy przechadzali się po ulicy, pusząc się przed nią, i chociaż było wśród nich kilku, którzy przyciągali jej wzrok, przy nielicznych okazjach obdarzała ich jedynie bardziej uważnym spojrzeniem i uśmiechem. Jej rodzice mówili, że ma dość wdzięku, by wyjść za mąż za bogatego mieszczanina, a może nawet za szlachcica, i że powinna czekać na odpowiedniego kandydata. Ten wychudły chłopaczyna o prostym i mocnym nosie, ciemnych oczach i kasztanowych kręconych włosach pojaśniałych na słońcu był zupełnym przeciwieństwem kawalera. Ciemna skóra na twarzy i rękach oznaczała, że należy do niskiego stanu, że jest jednym z tych, którzy pracują pod gołym niebem. Na koszuli nosił kubrak z nieobrobionej wełny, przepasany skórzanym rzemieniem, a na nogach proste espadryle. Miał tobołek zawieszony na końcu czegoś, co przypominało krótką dzidę. Musiał być dopiero co przybyłym do miasta wieśniakiem. Prowadził za rękę chłopca podobnego do siebie, z wielkimi oczami o barwie jasnego miodu.

Anna powinna była patrzeć na tych dwóch, jakby byli przezroczyści, jakby ich tam nie było. Ale tak nie zrobiła. W oczach starszego dostrzegła coś szczególnego: mieszaninę smutku, determinacji i siły, a zarazem wrażliwości. Chcąc nie chcąc uśmiechnęła się do niego i od razu zdała sobie sprawę z wrażenia, jakie na nim zrobiła, bo jego policzki się zarumieniły. Chłopiec utrzymał z nią kontakt wzrokowy, pięknie się uśmiechnął, pożegnał ją lekkim skinieniem głowy i pośpieszył ze swoim bratem w górę ulicy. Zapytywała sama siebie, dlaczego uśmiechała się kokieteryjnie do kogoś, kogo jej rodzice uznaliby za wiejskiego prostaka.

12

Na końcu ulicy Argentería Joan z zaskoczeniem ujrzał potężne mury, które wyglądały na bardzo stare, z oknami i łukami w górnej części. Bartomeu powiedział, że to fragment starej fortyfikacji otaczającej wzgórze, na którym znajduje się centrum miasta. Nie zatrzymując się, minęli mały placyk zwany del Blat, by pod łukiem przekroczyć mury i wejść do starego miasta. Poszli w górę ulicą Especiers zapełnioną kramami wychodzącymi bezpośrednio z drzwi domów. Pod daszkami mieniącymi się różnymi kolorami ustawione były rozmaite naczynia, woreczki i pudełka z ziołami i przyprawami, które napawały powietrze dziwnymi zapachami.

— W Barcelonie przyprawy są bardzo ważne — wyjaśnił Bartomeu z zapałem doświadczonego kucharza. — Lubimy dobrze zjeść, nawet w latach nieurodzaju, jak teraz, czy nędzy, która ciągnie się za nami od wojny domowej. Należyte wykorzystanie przypraw to cała nauka, a gdy brakuje żywności lub jest ona w kiepskim stanie, najedzenie się do syta staje się prawdziwą sztuką.

Te zapachy, w większości nieznane, wprawiały Joana w ekstazę. Starając się słuchać kupca, jednocześnie zadawał mu pytania; interesowało go, co zawierały owe naczynia, niektóre z wyrytymi napisami lub malutkimi kawałeczkami pergaminu. Przypomniał sobie słowa Bartomeu wypowiedziane o książkach i pomyślał, że gdy nauczy się czytać, będzie znał zawartość każdego słoja.

Rozstawione stragany i tłum utrudniały poruszanie się. Tragarze zaczęli torować sobie drogę, pokrzykując na przechodniów i przepychając się bez zbytnich ceregieli. Joan ze zdumieniem zauważył, że na położonej w samym centrum ulicy znajdowały się zrujnowane domy. Poprosił Bartomeu o wyjaśnienie.

— To ich właściciele je zniszczyli.

— Ale po co? — zapytał zdziwiony.

— Dlatego że wielu umarło wskutek zarazy lub uciekło przed głodem na wieś. Ludzi w mieście mamy coraz mniej, a domów za dużo. Mieszkańcy muszą płacić za wynajem ziemi, która ogółem należy do duchowieństwa. Wolą więc zburzyć domy i mieć spokój z zapłatą.

To wytłumaczenie zaskoczyło chłopców, ale próbowali przestać się wreszcie dziwić wszystkim nowym rzeczom, które czekają ich w Barcelonie. Zaczęło z lekka siąpić i handlarze chowali towary do sklepów, gdy spojrzenie Joana zatrzymało się na wielkiej otwartej księdze, umieszczonej na specjalnym pulpicie pod czerwonym daszkiem. Przedstawiała Zwiastowanie. Było to niezwykłe malowidło, kolorowe, ze złoceniami, ukazujące pięknego anioła ogłaszającego dobrą nowinę Maryi Dziewicy w niebieskiej szacie; słuchała go w skupieniu. Na następnej stronie znajdowały się rzędy liter, eleganckich i ozdobnych. A więc to tym handluje Bartomeu, pomyślał. Nigdy wcześniej nie widział czegoś tak pięknego. Postanowił nauczyć się czytać.

— Chodźmy, nie ociągajcie się! — poganiał ich kupiec.

Droga kończyła się placem, ale tragarze poszli dalej w prawo ulicą Diputación, która przylegała do pałacu o takiej samej nazwie. Joan chciał zatrzymać się przed jego wielką bramą, na której wśród pinakli, gargulców i kamiennych zdobień wyróżniała się wielka płaskorzeźba przedstawiająca świętego Jerzego zabijającego smoka. Jeden ze strzegących wrót żołnierzy spojrzał na swego towarzysza i ruchem głowy wskazał braci, po czym obaj uśmiechnęli się na widok zbaraniałych min wiejskich dzieci. Joan nigdy nie przypuszczał, że można wykonać z kamienia coś podobnego. Była to przepiękna rzecz, nie miała nic wspólnego z jego nędznymi figurkami rzeźbionymi w drewnie.

— Ale cudne, prawda? — zainteresował się Gabriel.

Joan kiwnął głową.

— Idziemy! — ponaglił Bartomeu, Joan jednak go nie słuchał, był oczarowany. — Chodźmy, bo zgubimy tragarzy! — powtórzył kupiec, ciągnąc Gabriela, który trzymał mocno za rękę Joana. — Kiedy indziej przyjdziecie to obejrzeć.

Poszli dalej tą samą ulicą szybszym krokiem. Po prawej stronie wznosiła się katedra. Joan dostrzegł piękny krużganek przez otwarte drzwi.

&

— Tutaj odbywały się nawet turnieje podczas wielkich świąt. Pełno tu szlacheckich pałaców — powiedział Bartomeu, gdy przybyli na plac Świętej Anny. — Patrzcie, na tym rogu mieszkają Castellvellowie, tam dalej ród Besora.

Gdy znaleźli się obok zakonu Montsió, kupiec wyjaśnił, że mieszkają tam siostry dominikanki, ale wcześniej był to zakon Braci Augustynów Żebrzących, których ludzie nazywali braćmi w worach z powodu grubych habitów. Mieli tylko po jednym i nie mogli ich prać ani cerować, nosili je, aż zostawały z nich strzępy.

— A wiecie, jak nazywa się ulica za nami? — zapytał ze śmiechem.

Chłopcy wzruszyli ramionami.

— Trzepiworów! Bo każdego ranka bracia otrzepywali kurz ze swoich worów przez tylne okna zakonu.

Puścił oko do chłopaków, a oni uśmiechnęli się do niego, wyobrażając sobie nagich mnichów.

Wokół ziemia zamieniła się w bajoro i wyglądało na to, że stan ten utrzymywał się od paru dni. Nogi grzęzły w błocie i Joan żałował, że włożył espadryle, aby lepiej wyglądać. Przyzwyczajony był do chodzenia boso, i gdyby nie to, że i tak były ublocone, natychmiast by je zdjął.

— To pałac rodu Mur. Zamieszkał w nim król Ferdynand Drugi, gdy przybył nadać prawa i przywileje jako hrabia Barcelony... A to rodu Sos... Ten należy do biskupa Urgell.

Joan przypomniał sobie ziemię z kamyczków i piachu wokół domu w Llafranc; zawsze była czysta, nawet gdy padało.

— To przecież wielcy panowie, ale gdy tylko przekroczą próg swego pałacu, toną w błocie — rzekł.

Po drugiej stronie placu zaczynała się ulica wiodąca do Portal del Ángel. Przechodziło się nią przez mury w kierunku północno--zachodnim. Rano otwierano ją pierwszą i wieczorem zamykano ostatnią. Przeszli już prawie całe miasto. Skręcili w lewo, w ulicę Świętej Anny.

— Tu mieszkam, na końcu ulicy, obok Porta dels Bergants, która wychodzi na Ramblę przez drugie mury Barcelony — oznajmił Bartomeu. — Za szpalerem domów po prawej stronie znajduje się klasztor Świętej Anny.

Ulica biegła prosto i widać było ją całą, od początku do końca. Na widok pierwszych domów bracia pomyśleli, że nie będzie tu wielkich pałaców.

— Czy wasz dom jest bardzo duży? — zapytał Gabriel i złapał kupca za rękę.

Bartomeu zatrzymał się i spojrzał na niego.

— Trochę większy od tych, które tu widzicie — odparł uprzejmie.

— A macie już dzieci? — dopytywał się chłopczyk.

Joan pomyślał, że brat podziela jego uczucia do kupca, i wstrzymał oddech w oczekiwaniu na odpowiedź.

— Nie, nie możemy ich mieć.

— Ach! — odpowiedział Gabriel, próbując ukryć zadowolenie. Nie pytał już o nic więcej, puścił jego rękę i ruszył dalej ze szczęśliwym wyrazem twarzy.

Ulica sprawiała wrażenie opustoszałej, pewnie z powodu deszczu, wyglądała ponuro i posępnie. Wiało chłodem. Tylko w kilku domach drzwi pozostały niedomknięte, większość była pozamykana.

Wkrótce tragarze z kuframi zniknęli im z oczu.

— To tu — rzekł po chwili Bartomeu.

Wskazał szeroką bramę między domami z oknami w górnej części. Była na tyle duża, żeby mógł przejechać przez nią powóz, i wyglądała na wejście do wielkiego domostwa.

Joan spojrzał z przestrachem. Tylko jedne drzwi bramy były

otwarte, w środku panowała ciemność. Wyobraził sobie, że to ogromna, głodna paszcza, która chce ich pożreć. Oto nasze przeznaczenie, pomyślał i stanął zatrwożony. Zatęsknił za nadmorską wioską. Przypomniał sobie dom i rodzinę. Łzy napłynęły mu do oczu. Ścisnął rękę brata, który musiał czuć się tak samo.

— Chodźmy! — zachęcił Bartomeu. — Przemokniemy do suchej nitki!

Gabriel spojrzał pytająco, Joan pomyślał, że nie ma innego wyjścia, i poszedł za kupcem, oddając się w opiekę świętemu Sebastianowi, chroniącemu przed najazdami i zarazami, patronowi eremity.

Kilkoma krokami przeszli przez zadaszoną część, która kończyła się łukiem wspartym na dwóch kolumnach zwieńczonych małymi kapitelami przywierającymi do ściany. Bartomeu zatrzymał się tam, chroniąc się przed deszczem, i rzekł:

— Oto klasztor Świętej Anny.

Znaleźli się na wewnętrznym placyku za szpalerem domów, które minęli, przechodząc przez bramę. Naprzeciwko stał kościół o wyglądzie prostym, lecz harmonijnym, zdobiony łukami i wizerunkiem królującej Dziewicy. Z prawej strony wznosiła się kampanila, a dalej mur z wielkim, łukowatym oknem. Dzień był bardzo ponury. Deszcz się wzmagał.

— Za mną! — krzyknął kupiec.

Puścił się biegiem, chlapiąc wodą. Chłopcy ruszyli posłusznie za nim. Poprowadził ich uliczką w lewo, potem w prawo, aż dotarli do muru z solidnego kamienia. Były w nim drzwi, nad którymi widniał herb z czteroramiennym krzyżem patriarchy Jerozolimy.

Gdy weszli, znów znaleźli się pod dachem. Mimo posępnego dnia i dręczących obaw Joan nie mógł nie zachwycić się harmonią panującą w środku. Byli w krużganku. Smukłe kolumienki z rzeźbionymi kapitelami podtrzymywały cienkie łuki gotyckie otaczające kwadratowy ogród z fontanną, palmami i drzewkami pomarańczowymi. Wyglądało to ślicznie nawet podczas deszczu. Krużganek miał jeszcze piętro, ale było w budowie.

— To obsesja przeora Gualbesa — skomentował kupiec, jakby

odgadł myśli Joana. — Nawet w tych biednych czasach pragnie ukończyć wszystkie rozpoczęte budowy. Tacy już są ci szlachcice, im bardziej imponujący jest pałac, tym czują się ważniejsi.

— To szlachcic?

— No pewnie! Jest nim z urodzenia, a jako przeor Świętej Anny, dziedziczy tytuły barona Palafrugell, ze wszystkimi prawami feudalnymi, nawet do karania szubienicą, i pana na Miralles.

Na drugim końcu krużganku tragarze wyładowywali towar, pod nadzorem grubego mnicha w czarnym habicie i z tonsurą. Bartomeu rozmawiał przez chwilę z duchownym, zapłacił tragarzom, po czym zawołał chłopców, którzy zatrzymali się w pewnej odległości.

— To są Joan i Gabriel z Llafranc w Palafrugell — powiedział, przedstawiając ich mnichowi. — Zostali bez rodziny i przysyła ich brat Dionís z listem do przeora Gualbesa. — I zwracając się do braci, rzekł: — A to brat Jaume, poza modłami zarządza kuchnią i zaopatrzeniem.

Chłopcy milczeli. Joan spoglądał na duchownego. Uśmiechał się do nich i miał przyjazny wygląd. Potem Joan spuścił wzrok jak jego brat.

— No, chłopaki, pocałujcie brata w rękę! — nakazał Bartomeu.

Posłuchali, a mnich, podsuwając im grzbiet swej dłoni, by przyjąć wyrazy szacunku, pogładził ich pieszczotliwie po głowach.

— Jesteście przemoczeni! Wejdźcie do środka — powiedział, wskazując drzwi. — Kuchnia jest tutaj.

Znaleźli się w wielkim pomieszczeniu oświetlonym z jednego końca silnym ogniem, a z drugiego światłem wpadającym przez duże okno.

— Zmieńcie te mokre ubrania! — namawiał ich brat Jaume. — Jak to, macie tylko po jednej koszuli i jednym kubraku? Nie macie płaszcza?

Odzież w tobołku też była wilgotna. Mnich wyszukał im stare suche sutanny i wskazał miejsce na ławie przy ogniu. Były na nich za duże, ale to im nie przeszkadzało.

— Przyjechaliście po szeście — mówił Jaume. — Bracia już zjedli i mają teraz sjestę, ale coś się jeszcze dla was znajdzie.

Z kociołka stojącego przy ogniu nałożył im na talerze cieciorki z boczkiem, dał drewniane łyżki i po kawałku chleba. Potem do kubka nalał trochę wina i wymieszał je z wodą. Podziękowali Panu i z zapałem zabrali się do jedzenia. Gdy Joan wymienił z bratem spojrzenia, zobaczył, że się uśmiecha, i pokrzepiło go to trochę. Może będzie im tu dobrze, może będą szczęśliwi.

Brat Jaume pozwolił im na dokładkę i wkrótce ułożyli się na pustych workach przy ogniu. Gabriel zasnął natychmiast przytulony do Joana. Joan też usnął, ale przedtem usłyszał rozmowę Bartomeu z bratem Jaumem.

— Przeor Cristòfol de Gualbes wyjechał — szeptał mnich. — A superiorowi to się nie spodoba. Będzie zły.

13

— Nie możemy wykarmić jeszcze dwóch gąb!

Chłopców obudziły krzyki. Gabriel popatrzył niespokojny na Joana.

— Zabierajcie mi ich natychmiast!

— Ależ, bracie Antoni — słyszeli głos Bartomeu. — Brat Dionís, zarządca Palafrugell, zobowiązał mnie, bym przywiózł ich do przeora.

— Przeor powinien dbać o spiżarnię jak należy, a troszczy się tylko o wystawność i ukończenie budowy. Zabierzcie stąd chłopców, to kuchnia zakonników i nie możemy żywić nikogo więcej.

Gabriel bezgłośnie załkał ze strachu, Joan podniósł się, żeby zobaczyć, co się dzieje. Przed kupcem i bratem Jaumem stał mnich w czarnej tunice, wysoki, szczupły, o krzaczastych brwiach i rzadkich włosach. Minę miał srogą, a jego twarz była zaczerwieniona z gniewu.

— Nie mogę ich zabrać, przyjechali z bardzo daleka i nie mają rodziny — odparł Bartomeu. — Poza tym to polecenie przedstawiciela przeora w Palafrugell, nie sądzę, byście mieli dość władzy, by odmówić wykonania go.

— Oczywiście, że mogę! — odparł mnich. — Jestem superiorem, reprezentuję zgromadzenie mnichów. To my utrzymujemy kuchnię, a przeor nie może przysyłać nam dodatkowych stołowników. Musi nam to wynagrodzić. A płaci późno i niewiele. Poza tym ten Dionís był zawsze protegowanym przeora. Nie obowiązuje mnie to, co on zadecyduje.

— Na miłość boską, bracie Antoni! — zawołał Bartomeu. — Przecież to bezbronne dzieci.

— To weźcie je do siebie do domu. Tutaj daliśmy już schronienie paru biedakom.

— Nie mogę tego zrobić. Poza tym wykonuję rozkazy.

Joanowi ścisnęło się serce. Nikt ich nie chciał. Pomyślał ze strachem o deszczowym, szarym dniu, o zabłoconych ulicach. Gdzie pójdą, jeśli zakonnik ich wyrzuci? Gabriel płakał, więc Joan objął brata, żeby go pocieszyć.

Zapadła niezręczna cisza. Mnich i Bartomeu mierzyli się wzrokiem.

— Bracie — wtrącił brat Jaume z pokorą w głosie. — To jeszcze dzieci, jedzą mało. Możemy dać im zajęcia tu w kuchni i w ogrodzie warzywnym, nim przyjedzie przeor i da nam środki na ich utrzymanie. Ponadto, jeśli ich wygnacie, przeor użyje tego przeciwko wam przed swoimi zwierzchnikami z Santo Sepulcro we Włoszech. Wiecie, jakie ma wpływy.

Mnich wydał z siebie ryk i utkwił zamyślony wzrok w Jaumem, który też patrzył na niego z dłońmi splecionymi na brzuchu i błagalną miną.

— Nie sądzę, by przeor zwrócił nam wartość tego, co zjedzą ci dwaj chłopcy — powiedział w końcu superior z większym już spokojem. — Przyjmę ich na razie, ale pod dwoma warunkami.

— Jakimi? — spytał brat Jaume.

— Niech pan Bartomeu znajdzie starszemu pracę poza zakonem, żeby mógł płacić za siebie, a młodszy niech pracuje w kuchni i warzywniku. I mam nadzieję, że przeor załatwi sprawę.

— Dobrze — rzekł Bartomeu.

— Amen! — podsumował brat Jaume. — Chłopcy, ucałujcie rękę superiora!

Joan i Gabriel podnieśli się nieśmiało.

— No, dalej!

Całując rękę tego człowieka, Joan poczuł obrzydzenie, jakby całował węża. Była zimna.

❧

Zaraz po popołudniowych modłach Bartomeu włożył płaszcz i kaptur, szykując się do wyjścia. Deszcz padał w dalszym ciągu. W mglistym świetle nadchodzącego wieczoru wszystko wydawało się jeszcze bardziej szare i smutne. Chłopcy poczuli się słabi i bezbronni.

— Bartomeu, nie odchodźcie, nie zostawiajcie nas tu samych — prosił Gabriel, ciągnąc go za rękę.

Joan bał się tak samo, ale milczał. Był już dość duży, by zdawać sobie sprawę, że błaganie na nic by się nie zdało, nie zmieniłoby ich losu.

— Nie bój się — ze smutkiem odrzekł mężczyzna. — Spodoba się wam w klasztorze.

— Bartomeu, proszę, weźcie nas do siebie! — powiedział mały, zalewając się łzami.

— Nie mogę, Gabrielu. Moja żona was nie zechce, a dom należy do niej. Nie martw się, mieszkam blisko, odwiedzę was.

Chłopiec nic nie odpowiedział, tylko płakał i ściskał mocno jego dłoń. Joan pojął nagle, jak wiele czułości otrzymali od Bartomeu przez te kilka dni. Historie, które im opowiadał, lekki uśmiech, jego troska o nich, bezpieczeństwo, które przy nim czuli. Wszystko to najbardziej przypominało rodzinę. Teraz, gdy Bartomeu miał odejść, Joan poczuł się równie zalękniony, jak jego brat.

— Idziemy, Gabrielu, idziemy — rzekł brat Jaume grubym głosem. — Bartomeu musi już wracać do domu. Czekają na niego. Słuchajcie, po modlitwach przedstawię was nowicjuszowi. Jest od was trochę starszy, ale zaprzyjaźnicie się.

Bartomeu pogłaskał Gabriela po głowie, a brat Jaume delikatnie ich rozdzielał. Kupiec z czułością pocałował Joana w policzek.

— Wkrótce się spotkamy. Zostańcie z Bogiem — rzucił ze wzruszeniem na pożegnanie.

Gabriel chwycił za rękę Joana i patrzyli, jak Bartomeu wkłada kaptur i skacze przez kałuże. W paru susach pokonał dziedziniec i zniknął im z oczu.

Joan czuł, jak Gabriel ściska jego dłoń, i widział łzy spływające po policzkach chłopca.

— Nie smuć się, będę się tobą opiekował — obiecał i przytulił go mocno.

— Nie mógł wziąć was do siebie, choćby chciał — powiedział brat Jaume, gdy kupiec odszedł. — Nie upierajcie się. Ojciec go wydziedziczył, a że jest mądry i przystojny, ożenił się z piękną i bogatą kobietą. Jest bardzo zazdrosna i rządzi w domu, wszystko, co tam jest, należy do niej.

— Ale dzieci nie mają! — skarżył się Gabriel.

— W tym właśnie kłopot — odparł zakonnik. — Nie mają, ale gdy chciał zaadoptować dziecko, surowo mu zabroniła.

— A skąd wy to wiecie? — spytał Joan.

Zakonnik się zaśmiał.

— My tutaj znamy wszystkich sąsiadów i wszystko o nich wiemy. Przychodzą na msze i spowiadają się.

— A dlaczego ojciec go wydziedziczył? — zainteresował się Gabriel.

— To bardzo zawiłe — odparł mnich, kichając. — Nie zrozumiecie tego.

Chłopcy patrzyli pytająco, więc gadatliwy Jaume nie mógł się powstrzymać.

— Barcelona stała się wielka i potężna dzięki rodom nieustraszonych kupców, którzy ustanowili konsulaty handlowe nad całym Morzem Śródziemnym, a nawet nad Morzem Północnym. Bartomeu Sastre pochodzi z rodziny z takimi właśnie tradycjami. Ale ostatnie pokolenia wielu rodów wolały kupować sobie szlacheckie tytuły i żyć z rent, nie martwiąc się o to, czy ich statek nie rozbije się albo nie zostanie napadnięty przez piratów. Tak zrobił ojciec Bartomeu, ale on, najmłodszy syn, zapragnął kontynuować kupiecką tradycję. Potem rozpętała się wojna domowa i podczas gdy jego rodzina stanęła po stronie ziemian, on walczył u boku króla, którego wspierali również chłopi. Król wygrał wojnę. Niestety, ojciec wydziedziczył Bartomeu. Handel dobrze mu idzie, choć daleko mu do bogactwa jego ojca i żony.

Uznając wyjaśnienie za zakończone, mnich dał chłopcom znak, by się pośpieszyli.

— Chodźmy! Bo się spóźnimy na nabożeństwo.

Mury kościoła były wysokie. Przez okna wpadało szarawe światło, które nie rozpraszało panującego wewnątrz półmroku.

Przed ołtarzem oświetlonym palącymi się świecami stali tyłem do nich zakonnicy ubrani w czarne habity, niektórzy w kapturach. Mnich z zakrytą głową podszedł do ołtarza i zaczął prowadzić modły. Po wychudłej sylwetce Joan rozpoznał w nim superiora. Modlitwy ciągnęły się pół godziny. Chłopiec odniósł wrażenie, że znalazł się w miejscu nierzeczywistym i ponurym. Jakże tęsknił za niebieskim morzem, sosnami wznoszącymi się na wzgórzach i skałkach, jasnym niebem i obłokami, w których kryły się piękne, niezwykłe stworzenia! Jak bardzo brakowało mu ojca i czasów, w których uważał go za niezniszczalnego, gdy unosił swój harpun, stojąc na dziobie łodzi! Pomyślał o tym, co stało się z jego ukochaną matką, siostrą Marią i Elisendą.

Tak bardzo pragnął w tym momencie, aby on i Gabriel jak najprędzej urośli i mogli opuścić ten straszny zakon, zostać żołnierzami, walczyć z Maurami i uwolnić je. Modląc się, pytał Pana, dlaczego pozwolił na takie nieszczęście. Poczuł, jak powraca nienawiść do Saracenów, i prosił Boga o moc, żeby mógł pozabijać ich wielu, setki, i żeby cierpieli i oni, i ich rodziny. I żeby nikczemny pan Dionís został ukarany. W duszy chłopca zapanował jeszcze większy mrok niż w kościele. Czuł pustkę w piersi i pięść gniotącą mu trzewia. Bolała go zaciśnięta szczęka i dławiła wściekłość.

෴

Po skończonych modłach brat Jaume przedstawiał im po kolei wychodzących z kaplicy mnichów: Llorença, Nicolau, Miguela, Francesca, Melchora i drugiego Jaumego. Chłopcy całowali każdego w rękę, a oni odpowiadali, jedni witając ich serdecznie, inni błogosławiąc. Superiora już znali. Poszedł w stronę krużganku, nie pozdrawiając ich.

Było jeszcze trzech parobków i jeden chudy chłopak. Miał na sobie ciemną tunikę, która nie była habitem, i przepasywał się sznurem. Okazało się, że to nowicjusz, którego Jaume przedstawił jako Perego. Musiał być parę lat starszy od Joana, miał rozbiegane niebieskie oczy i sprawiał wrażenie nieobecnego.

— Na razie będziecie spać w jego celi — powiedział brat Jaume.

Cele mnichów łączyły się z krużgankiem, ale cela nowicjusza była od strony dziedzińca, musieli więc przenieść wypchane słomą sienniki i swoje tobołki w lejącym deszczu. Brat Jaume dał im płaszcze z kapturami, za duże, ale ochroniły ich przed przemoknięciem.

Izba okazała się malutka i miała tylko jedne drzwi i wychodzące na dziedziniec okienko. Nie było mebli — poza jednym taboretem i murowaną półką, na której stał kubek i miska. Od razu rzucili sienniki pod ścianę naprzeciwko tej, pod którą nowicjusz miał swój, a tobołki do kąta. Zostało bardzo mało miejsca, trudno było się przemieszczać. W pokoiku unosił się odór wilgoci i mokrych ubrań.

Brat Jaume dał im miski i drewniane łyżki, ostrzegając, żeby ich pilnowali, bo bez nich nie będą mogli jeść. Potem zadzwonił, wzywając na kolację. Zakonnicy w milczeniu ustawili się w szeregu przy wejściu na kręcone schody wiodące na piętro. Chłopcy stanęli za nowicjuszem. Znaleźli się w dużej sali, szerokiej i tak długiej jak kaplica. Podtrzymywały ją trzy ogromne łuki gotyckie. Cztery wielkie okna zakończone ostrołukami oświetlały salę dogasającym światłem deszczowego wieczoru.

Na środku stał główny stół, a na nim chleb pokrojony na kawałki, drewniane kubki i półmiski z jabłkami i figami. Na małym, znajdującym się przy schodach stole parobkowie ustawili duży kociołek. Mnisi podchodzili z miskami i kucharz nalewał im zupy z brukwi, jarzyn, cieciorki i boczku. Chłopcy, gdy dostali swe porcje, zajęli miejsca obok służących. Wszyscy wstali, żeby pobłogosławić posiłek, a jeden mnich, przyświecając sobie kagankiem, zaczął czytać jakąś świętą modlitwę. Jedli w milczeniu. Słychać było tylko uderzania łyżek o miski i stukot dzbanków z wodą i winem. Po skończonym czytaniu mnich zabrał się szybko do swojej zupy, żeby mu nie wystygła. Sala wypełniła się gwarem rozmów.

Chłopcy siedzieli przy posiłku razem z kucharzem, ogrodnikiem i jeszcze innym służącym.

— Ci mnisi to tylko się modlą — powiedział ogrodnik. — W innych klasztorach, owszem, pracują, ale ci umieją tylko modlić się i żebrać.

Po kolacji zakonnicy umyli swoje miski i łyżki w beczce z wodą i pochowali w obszernych kieszeniach habitów. Potem stanęli w szeregu i zakapturzeni, niosąc płonące kaganki, zeszli do kaplicy, intonując psalmodię. Odmówili kompletę i poszli spać. Mimo zmęczenia i emocji noc była dla Joana niespokojna. Jakieś głosy obudziły go w ciemności. Dopiero po chwili zrozumiał, że to nowicjusz gada przez sen, jęczy, błaga. Chciał uwolnić go od koszmarów i lekko nim potrząsnął, ale wtedy Pere zaczął wrzeszczeć. Gabriel zbudził się i aż podskoczył ze strachu. Joan też się bał. Przytulili się do siebie. Tamten nie przestawał krzyczeć ani na chwilę, choć spał cały czas. Przeraźliwe odgłosy przyprawiały braci o dreszcze. Następnego dnia Pere niczego nie pamiętał i obraził się, gdy Joan się dopytywał.

14

Dzwony biły niestrudzenie.

— Wezwanie! — zawołał nowicjusz, zrywając się jednym susem.

Zaspany Joan nie ruszył się, aż Pere krzyknął po raz wtóry. Było jeszcze ciemno. Joan nie mógł pojąć, dlaczego Perego zbudził tak niewielki hałas, podczas gdy przez całą noc nie mógł wyciągnąć go z koszmaru. Nowicjusz po omacku wziął swoją szatę i ostrzegł ich:

— Na wezwaniu trzeba być. Pośpieszcie się.

Gabriel leżał nieruchomo. Joan spytał go, czy już się obudził.

— Tak — odparł niechętnie. — Trzeba się śpieszyć.

Po omacku znaleźli pożyczone szaty. Włożyli je, starając się nie pomylić góry z dołem. Nowicjusz otworzył drzwi i słabiutkie światło nocne wpadło do celi. Wybiegli, unosząc poły, by ich nie przydeptać. Nie padało już, ale bruk był mokry. Chlupotali, czując kamienie pod podeszwami bosych stóp. Podążali za nowicjuszem, który szybko kierował się do krużganku, skąd widać było już światła.

Brat dzwonnik podchodził z kagankiem do drzwi każdej celi, aby mnisi mogli zapalić swoje lampy. Ustawili się w szereg i ze śpiewem, w kapturach, obeszli krużganek i weszli do kaplicy. Nowicjusz stanął na końcu, a chłopcy za nim.

Modły trwały pół godziny. Gdy wychodzili, Joan spytał nowicjusza:

— Kiedy będzie śniadanie?

— Po modlitwach na prymę, gdy tylko wstanie świt.

Joan pomyślał, że wykorzystuje się jak najwięcej światła dziennego, żeby oszczędzać olej do lampek, a świec i gromnic używa się tylko przy ołtarzach i uroczystościach. Im więcej wosku się stopi, tym ważniejsza ceremonia. Po ciemku odbywała się też jutrznia, na której nie musieli być, bo nie złożyli jeszcze ślubów. Niebo obsiane było gwiazdami i choć po trochu zaczynało już świtać, wrócili na swe ciepłe sienniki, bo nic innego nie mieli do roboty. Gabriel zasnął natychmiast. Joana swędziało całe ciało, więc leżał, zastanawiając się, co przyniesie im los.

&

Może dzwon, a może zachowanie brata wyrwało Joana z drzemki, w którą w końcu zapadł.

— Biją! — krzyknął Gabriel.

I jednym susem, nie wkładając nawet okrycia wierzchniego, wybiegł na dziedziniec w samej koszuli, z gołymi nogami i ramionami. Zatrzymał się w miejscu, z którego widział kampanilę z huśtającymi się dzwonami. Ale zawiódł się bardzo. Po pierwszym alarmie duży dzwon zabił jeszcze tylko raz, a mały w ogóle się nie poruszył.

— Tylko raz? — zapytał rozczarowany. — Wczoraj biły długo, ale nie mogłem ich zobaczyć, bo było ciemno i padało. A teraz, kiedy je widać, zabiły tylko raz. Spóźniłem się!

— Bo to pryma, głupcze! — śmiejąc się, powiedział nowicjusz. — A pryma to znaczy pierwsza. A skoro pierwsza, to dzwon bije tylko raz.

— Dzwon z Palafrugell bił tak samo — przypomniał Joan, broniąc brata. — Ale on tego nie pamięta, bo nasza osada była daleko od wioski i prawie nie było go słychać.

— Cóż za para wieśniaków! — Nowicjusz znów się zaśmiał. — Ciemniaki!

W Joanie zaczął się budzić drzemiący w nim gniew. Unosząc palce prawej stopy, by ich nie uszkodzić, bo był bez butów, wymierzył mu kopniaka w kolano podstawą wielkiego palca. Pere krzyknął tylko „aj!" z bólu i zaskoczenia i upadł. Joan miał już uderzyć go pięścią w twarz, ale Gabriel złapał go za rękę. Powstrzymał się. Wiedział, że zawinił, ale złość zrobiła swoje.

— Dlaczego mnie pobiłeś? — skarżył się nowicjusz, leżąc na ziemi i trzymając się za kolano. — Powiem bratu Antoniemu i was stąd wyrzuci.

Joan się przestraszył. Nie był u siebie na wsi. A Pere nie był jego kolegą. Tutaj, w zakonie, wszystko mogło wyglądać zupełnie inaczej niż na plaży.

— Ale przecież nic ci nie zrobiłem. — Joan próbował się przyjaźnie uśmiechnąć. — Pokaż, czy masz siniaka albo ranę.

Tamten uniósł tunikę, żeby obejrzeć kolana, odkrywając przy okazji wstydliwe miejsca. Niechcący prosił się o następnego kopniaka. Joan wciąż miał w sobie gniew i zaczynał już gardzić tym płaczkiem.

Kolano było tylko trochę zaczerwienione, więc nowicjusz zgodził się, że nie było powodu do rozpaczy.

— Widzisz, że nic ci nie jest? — ciągnął Joan. — Poza tym nie powiedziałbyś chyba bratu Antoniemu, że obraziłeś nas i dałeś się pobić młodszemu, prawda?

Tamten przemyślał sytuację, a Joan, który uważnie go obserwował, uznał, że superior przeraża Perego.

— Niech będzie — powiedział w końcu. — Ale więcej tak nie rób.

— Przyjaciele? — Joan wyciągnął do niego rękę.

— Dobrze — odparł, podając mu swoją, żeby wstać.

Joan nie lubił tego chłopaka, ale uznał, że dobrze mieć go po swojej stronie.

Znowu zaswędziały go kostki. Drapiąc się po nich, odkrył czerwony okrąg wokół jednego punktu. Drugi dostrzegł na nodze, trzeci jeszcze wyżej.

— Co to takiego? — pytał przestraszony.

Nowicjusz spojrzał na niego, śmiejąc się.

— To ukąszenia pcheł! Co to są pchły, też nie wiecie?

Joan przypomniał sobie, że kiedyś jakiś pies włóczęga przyniósł je do wioski i że kobiety pozbyły się ich, nim stały się plagą.

— Skaczą i piją krew — poinformował chłopak.

— To już wiem — rzucił Joan, zaczynając znów się denerwować. — Powiedz mi lepiej, co zrobić, żeby z nimi skończyć.

— Nic — powiedział Pere, wzruszając ramionami. — Nie można z nimi nic zrobić, tylko zabijać, gdy którąś złapiesz. I raptem uderzył się w czoło.

— Modły na prymę. Zapomniałem! Szybko, ubierajcie się, bo zostaniemy bez śniadania!

&

Po porannym posiłku brat Jaume ostrzegł ich surowo, by nie spóźniali się więcej na modlitwy, po czym ze słodkim uśmiechem spytał, czy życzą sobie, by oprowadził ich po klasztorze. Uradowani chłopcy odpowiedzieli, że tak. Deszcz z poprzedniego dnia ustąpił przed słonecznym porankiem, lęki ulotniły się i wszystko wydawało się piękne.

Teren klasztorny miał kształt krzywego prostokąta. Najdłuższy z jego boków tworzył szpaler domów, których okna wychodziły na ulicę Świętej Anny. Klasztor mieścił się za nimi i jedynym do niego wejściem była brama między budynkami. Mieszkańcy płacili czynsz przeorowi, gdyż ziemia należała do wspólnoty zakonnej. Pozostałe boki to ściana odgradzająca teren od biegnącej wzdłuż murów miejskich ulicy, rusztowanie drugich murów, które dzieliło zakon od Rambli, oraz ogrodzenie kończące się uliczką biegnącą od placu Świętej Anny do drogi przy murze.

Mnich zaprowadził ich do krużganku. Ogród wyglądał cudownie. Wspaniałe drzewka pomarańczowe i pnące się wysoko palmy. Joan zachwycił się znów strzelistymi łukami opierającymi się na smukłych kolumienkach. Podziwiał z osobna każdą rzeźbę na kapitelach.

— Wiecie, krużganek to centrum zakonu. Tędy bracia mogą przechodzić w każde miejsce i nie zmokną, gdy pada deszcz — mówił brat Jaume.

I rzeczywiście, rozmaite drzwi prowadziły na wejściowy dziedziniec, do cel mnichów, do dużego budynku, w którym znajdowały się infirmeria, kuchnia i refektarz, do kaplicy, do sali kapitulnej, były nawet drzwi do łaźni i do warzywnika.

— Najważniejsze budynki już znacie. Reszta to magazyny i obory.

Zabiły dzwony i twarz Gabriela rozpromieniła się w uśmiechu. Nic nie mówiąc, pobiegł na dziedziniec, z którego widać było dzwonnicę.

— Tercja — rzekł mnich. — Pora mszy. Wzywamy sąsiadów.

Dzwony biły wesoło, gdy szli do kościoła. Dźwięk zdawał się wypełniać wszystko wokół. Dużą salę jadalną, schody, kuchnię. Rozchodził się w krużganku, wdzierając się przez główny dziedziniec, gdzie słońce pieściło palmy promieniami. Mnisi ustawili się jak zwykle. Po wybiciu trzech donośnych uderzeń zaczęli śpiewać, wkraczając majestatycznie w szeregu do kaplicy, gdzie czekało już około pięćdziesięciu parafian.

Gabriel dołączył do brata i obaj podążyli za nowicjuszem do wnętrza kościoła.

— Czyż to nie piękne, gdy mały dzwon towarzyszy dużemu? Prawda, że razem brzmią weselej? — mówił radośnie.

Joan przyznał, że ma rację. Zaskoczyło go upodobanie Gabriela do dzwonów.

15

Po skończonej mszy brat Jaume pozwolił im zwiedzić resztę włości zakonu.

— Pójdzie z wami Pere — powiedział. — Muszę nadzorować kuchnię i iść na kapitułę. Możecie chodzić, gdzie chcecie, i korzystajcie, póki możecie, bo po południu zaczniecie pracę.

Obeszli ogród warzywny. Był całkiem spory. Grządki z jarzynami równiutkie, a drzewa owocowe okazałe: jabłonie, migdałowce, grusze. Owoce miały jednak wśród swych liści tylko figowce i winorośle. Odcienie zieleni, niektóre uderzające nawet w tony żółci, lśniły w słońcu. To miejsce napawało spokojem. Gdy nowicjusz odszedł za potrzebą, Gabriel znienacka zapytał Joana:

— Dlaczego go pobiłeś?

— Bo śmiał się z ciebie wtedy przez te dzwony.

— Nie przeszkadzało mi to.

Joan spojrzał ze zdziwieniem na młodszego brata. Po raz pierwszy dopytywał się o jego czyny. W jego słowach brzmiał jakiś niemy wyrzut.

— A poza tym go nie lubię — dodał Joan. — Zresztą nic mu nie zrobiłem.

Gabriel popatrzył dziwnie, ale nic nie powiedział. Nie, to nie prawdziwy powód, pomyślał Joan. Prawda była taka, że czuł w sobie wściekłość, straszną wściekłość, pewnie jeszcze po napaści piratów, która rozsadzała mu piersi, i nie wiedział, jak sobie z nią poradzić.

Ruszyli na dalszy spacer. Pere pokazał im studnię z kołem czerpakowym i osiołkiem, który wprawiał je w ruch. Mechanizm napełniał wielką kadź, w której gromadzono wodę używaną zarówno do podlewania, jak i do picia dla ludzi i zwierząt. Po warzywniku przechadzały się kury, kapłony i kilka kogutów. Stanowiły dla zakonników główne źródło mięsa.

Po posiłku mnisi udali się do swych cel na odpoczynek. Nowicjusz, Joan i Gabriel szli razem, śmiejąc się, do celi Perego.

— A wy dokąd? — zaskoczył ich pełen złości głos, gdy stali u drzwi.

— No, na sjestę — odparł nowicjusz bojaźliwie.

— A kto ci powiedział, że oni mogą spać w twojej celi? — Pytania zadawał superior.

— Brat Jaume. — Głos Perego był coraz słabszy.

— No to mogą już zabrać swoje rzeczy. — Mnich beształ nowicjusza, jakby popełnił jakiś błąd, nie zważając na obecność chłopców. — My, mnisi, śpimy samotnie, i ty też.

— Ale brat Jaume... — wybąkał Pere.

— Niech to zrobią! — uciął szorstko. — Bratem Jaumem zajmę się ja.

I poszedł w stronę krużganku.

Pere spuścił smutno wzrok i po chwili rzekł:

— Szkoda, cieszyłem się, że będę miał towarzystwo w nocy.

— Nie martw się — odpowiedział Gabriel, biorąc go za rękę. — Będziemy widywać się w dzień.

Po chwili przyszedł brat Jaume, mrucząc coś pod nosem.

— Słyszeliście, zaszła zmiana, zabierzcie wasze tobołki i sienniki — powiedział.

— Są całe zapchlone! — poskarżył się Joan.

— A to ci wytworniś! — prychnął mnich, biorąc się pod boki.

— Pere mówi, że nie da się z nimi nic zrobić, ale moja matka umiała się ich pozbyć.

— Jak?

Joan wzruszył ramionami.

— A ja wiem! — ryknął zakonnik. Był strasznie zły.

Trzej chłopcy musieli przydźwigać sienniki i ubrania do umywalni, która znajdowała się z tyłu, za salą kapitulną i świątynią, na krańcu północnym. Tam kazał im wyciągnąć słomę z sienników, zwalić w kącie na kupę i spalić. Potem musieli namoczyć odzież w wodzie, zostawić ją tam na całą noc i wyszorować się porządnie wiechciem z esparto. Brat Jaume dał im czystą odzież i powiedział:

— Jutro wypierzecie ubrania w mydle, nie tylko wasze, ale też habity mnichów, i wysuszycie je na słońcu. Kucharz pokaże wam, jak się to robi. A teraz chodźcie, zaprowadzę was tam, gdzie będziecie spać.

Był to mały składzik koło stajni. Dochodził tam zapach koni i odgłosy ich rżenia, ale chłopcom to nie przeszkadzało.

Gdy zakonnik odszedł, nowicjusz powiedział:

— Nie da rady pchłom. — Uśmiechnął się.

— A skąd wiesz? — spytał Joan.

— Patrz. — Mocno pacnął się w pierś.

Potem, pocierając ostrożnie w tym samym miejscu jedną ręką i pomagając sobie drugą, złapał coś, co pokazał im w palcach. Był to błyszczący robaczek z nóżkami, maleńki.

— Ta jest czarna — oznajmił. — Ale są też jasne. Pokażę wam jedyny sposób na to, żeby z nimi skończyć.

Zręcznie umieścił pchłę między paznokciami kciuków i ścisnął. Dał się słyszeć trzask, wytrysła mała kropelka krwi. Z triumfalną miną pokazał ją braciom i wytarł palce o tunikę. To ogromnie uradowało braci, którzy spojrzeli po sobie z uśmiechem. Joan pomyślał, że zaczyna już lubić nowicjusza.

16

— A więc ojciec Dionís przysyła was tutaj, bo jesteście bez-
czelni i nie umiecie być posłuszni.

Przeor spojrzał na chłopców surowo, a oni jeszcze niżej pochylili
głowy. Stali w kapitularzu, między bratem Jaumem i superiorem.
Przeor siedział naprzeciwko za stołem, na którym rozłożony był
list od zarządcy Palafrugell. Joan miał ochotę coś odpowiedzieć,
ale bał się, że ten człowiek może wyrzucić ich z klasztoru.

Przeor Cristòfol de Gualbes był mężczyzną pod pięćdziesiątkę
i miał na sobie elegancki czarny habit z czerwonym krzyżem
jerozolimskim wyhaftowanym na piersi i czerwonym pasem z przepiękną klamrą. Z szyi zwisał mu srebrny krucyfiks, a gdy chłopcy
całowali go w rękę podczas przywitania, Joan zauważył gruby
złoty pierścień lśniący na palcu. Jakaż różnica w porównaniu ze
skromną tkaniną mnisich habitów, ze sznurami, którymi się prze-
pasywali, i całkowitym brakiem klejnotów. Teraz rozumiał, czemu
mówiono, że to szlachcic.

— Za młodzi na szubienicę — mruczał niby sam do siebie, ale
tak, żeby wszyscy słyszeli. — Choć pewnie na niej skończą.

Joanowi stanęła gula w gardle. Dyskretnie wziął Gabriela za
rękę. Mały dygotał.

— A więc dobrze! — powiedział duchowny, podnosząc głos
i zwracając się do chłopców. — Tutaj nauczycie się posłuszeństwa. I nie udzielę wam schronienia dłużej niż do ukończenia
czternastu lat.

— To będziecie musieli ich utrzymywać — wtrącił się superior. Brat Jaume wbił wzrok w sufit, błagając niebiosa. Wiedział już, co się szykuje.

— To dzieci, nie dorośli — odparł przeor. — Dostaniecie jedną rację więcej z tego, za co płacę, wiecie, oliwa, czosnek i reszta.

— To dwie racje i powinniście płacić też za to, co daje wspólnota — podnosząc głos, odpowiedział brat Antoni.

— Za część wspólnoty płacicie tym, co dostajecie z jałmużny, za świąteczne spowiedzi, pochówki i inne posługi.

— Wiecie, że jałmużny maleją. Nie możemy wyżywić dodatkowych dwóch gąb.

— Odprawcie więc kucharza, ogrodnika i trzeciego służącego, a ich prace niech wykonują mnisi — odrzekł przeor z uśmiechem. — A poza tym w ogrodzie są miejsca, w których nic nie rośnie. Jest was ośmiu, możecie się tym zająć. Dziewięciu razem z nowicjuszem. W ten sposób zyskacie więcej jedzenia i będziecie mieli mniej gąb do wykarmienia.

Brat Antoni najpierw rzucił przeorowi nienawistne spojrzenie. Potem przemówił powoli, cedząc każde słowo:

— Dobrze wiecie, że nie jesteśmy żołnierzami ani robotnikami. Naszą misją jest modlić się do Pana, by był litościwy dla naszych ludzi i chronił ich. Nie zażądacie chyba od kawalera, żeby pracował w ogrodzie, nieprawdaż?

— Widać nie dość się modlicie, skoro jałmużny są coraz mniejsze.

Brat Jaume przeżegnał się i nie przestając patrzeć w sufit, zaczął poruszać ustami, modląc się po cichu. Joan zrozumiał, że to nie o nich chodzi w tym sporze, nikt nawet na nich nie patrzył. Z zaciekawieniem obserwował teraz rozmówców. Uścisnął rękę brata, aby dodać mu otuchy; malec był bliski płaczu.

— Jak możecie tak mówić! — zagrzmiał superior. — Wiecie dobrze o biedzie, którą cierpi miasto po wojnie domowej, także o zarazach i zakonnikach kaznodziejach, franciszkanach i dominikanach, którzy zagarniają mnóstwo z tego, co kiedyś dostawaliśmy my.

— U mnie to samo — odparł przeor Gualbes, wzruszając ramionami. — Straciłem wiele czynszów z opuszczonych domów, dochody są mniejsze, a ceny żywności wzrosły skandalicznie podczas wojny. Uprawiajcie ogródek.

— Naszym obowiązkiem jest modlitwa, nie prosta robota! Jeśli chcecie, byśmy pracowali własnymi rękami, dajcie nam przykład jako przeor. Mogę dać wam motykę.

Gualbes zrobił się czerwony, połowiczny uśmiech, który pląsał dotąd na jego ustach, ulotnił się w okamgnieniu. Z wściekłością zacisnął zęby. Wyglądał na bardzo zagniewanego.

— Jak śmiecie?!

— A wy jak śmiecie? — Brat Antoni był już bardziej opanowany, usatysfakcjonowany tym, że cios zabolał przeora. — Wierni, którzy uczynili klasztor Świętej Anny bogatym, ofiarowując ziemie i majątki, pragnęli, byśmy modlili się o wybaczenie ich grzechów, żeby zapewnić im miejsce w niebie i błogosławieństwo na ziemi. Bogactwa zgromadzone przez wieki są własnością wspólnoty, nie przeora. Wy i wasi poprzednicy przywłaszczyliście je sobie, zarządzacie nimi, jak wam się podoba, i wydzielacie nam żywność.

— Moim obowiązkiem i przywilejem jest zarządzać majątkiem dla dobra klasztoru. Wypełniam go bezwzględnie, służąc dobru mnichów — sprzeciwił się przeor tonem urażonej dumy. — Dobrze wiecie, że wiele z tych włości zostało sprzedanych właśnie na utrzymanie zakonników, a to, co zostało, daje niewielki dochód.

— Jeśli więc jesteście tacy ubodzy, to dlaczego tak zależy wam na ukończeniu budowy piętra nad krużgankiem? Czemu nie sprzedacie waszego pałacu i nie przyjdziecie do nas zamieszkać w celi?

— Godność klasztoru i moja, jako przedstawiciela zakonu, wymagają odpowiedniej wystawności — broniąc się, odparł przeor.

— Klasztor? Wspólnota? Ha! Cóż my was obchodzimy? Chcecie być tylko wielkim panem, ot co! Powiadają nawet, że macie utrzymankę.

— Bracia! — wtrącił się nagle brat Jaume. Obaj spojrzeli na niego zaskoczeni. Zapomnieli, że on też znajduje się w sali. — Bracia, na miłość boską, na miłosierdzie — prosił brat Jaume, składając dłonie i zniżając błagalnie głos. — Mamy tu dwoje dzieci, które zesłała nam opatrzność, musimy zaopiekować się nimi. Bóg nas pokarze, jeśli tego nie zrobimy.

Ton głosu zakonnika i jego odwołanie do Najwyższego ostudziły nieco emocje, bliskie już fizycznej agresji. Oponenci posunęli się za daleko i przywołanie ich do porządku przyniosło zamierzony skutek. W milczeniu patrzyli na mnicha o dobrodusznym wyglądzie, z nadzieją, że znajdzie wyjście z gąszczu oskarżeń.

— Bracie Antoni, przyjmijcie chłopców, tak jak się umawialiśmy, pod warunkiem że będą pracować w ogrodzie. Bartomeu obiecał, że znajdzie pracę dla starszego, by mógł opłacić swoje utrzymanie. A wy, bracie Gualbesie, dajcie nam dwie racje więcej z waszej puli. Spełnicie obowiązek wobec Boga i wobec ludzi. Co powiedzą wierni, jeśli porzucimy dwie sierotki, które przysłano nam z naszych włości w Palafrugell? A jeśli dowiedzą się wasi zwierzchnicy z Santo Sepulcro w Perugii? Co na to król Ferdynand?

— W porządku — szybko zgodził się przeor. — Ale tylko do ukończenia czternastu lat.

— Niech tak będzie — rzekł brat Antoni. — Ale niech przeor nie opóźnia dostaw, jak to robi zazwyczaj.

— Chłopcy, pocałujcie przeora w rękę — w pośpiechu powiedział brat Jaume. Chciał wyjść stamtąd jak najprędzej.

— Nauczcie się posłuszeństwa dla waszego dobra — ostrzegł Gualbes na pożegnanie.

— Ci dwaj zawsze jak pies z kotem. — Brat Jaume zaśmiał się, gdy wyszli. — Ta kłótnia nie była o was, moje dzieci, to ich sprawy.

Zabrał chłopców do ogrodu i kazał usiąść nad brzegiem zbiornika wodnego, skąd patrzyli na drzewka i osiołka ciągnącego koło czerpakowe.

— A teraz powiedzcie mi, co wydarzyło się w Palafrugell — poprosił. — Nie obchodzi mnie, co napisał brat Dionís w liście. To już znam. Chcę dowiedzieć się wszystkiego z waszych ust.

Powoli, z żalem, Joan zaczął rozkopywać swoje życie, opisał napaść, nieszczęścia i to, co wydarzyło się później. Gabriel wtrącał się czasami, by dodać jakiś szczegół. Obaj mieli zaufanie do brzuchatego mnicha, miłośnika kuchni. On słuchał ze zrozumieniem, robiąc różne miny, czasami wyrywał mu się jakiś okrzyk współczucia.

— Dziękuję wam. Teraz wiem już wszystko — powiedział na koniec. — Zostaniecie u nas, ale wiecie już, że musicie być posłuszni i przestrzegać zasad. Słyszeliście dyskusję. Sytuacja finansowa jest niedobra, pokrycie kosztów utrzymania to trudne zadanie. Dwa lata temu konflikt między wspólnotą a przeorem narósł tak bardzo, że doszło do rękoczynów. Musiały interweniować rady miejskie i władze zakonu z Santo Sepulcro we Włoszech, w Perugii. W końcu podpisaliśmy umowę i zawarliśmy ugodę.

Joan pokręcił głową z niedowierzaniem. Mimo swej ignorancji słyszał o tym, że niektórzy ludzie zmęczeni życiem skrywali się w murach zakonu, aby odzyskać spokój. Ale okazuje się, że w klasztorze o spokój jest trudniej niż we wszystkich innych miejscach.

— To chyba niedługo będziecie musieli podpisać drugi dokument, co? — zapytał uszczypliwie.

Zakonnik parsknął śmiechem. Potem zrobił pauzę, patrząc na Joana podejrzliwie.

— Wiesz co? — powiedział. — Za mądry jesteś jak na swój wiek i to przysporzy ci kłopotów.

17

Tego dnia Bartomeu przyszedł załatwić sprawy z przeorem Gualbesem, a potem spotkał się z chłopcami. Znalazł ich przy pracy w warzywniku pod kuratelą klasztornego ogrodnika.

— Dzień dobry, moi ulubieni marynarze — rzekł żartobliwie.

— Bartomeu! — zawołali radośnie na jego widok.

Rzucili na ziemię koszyk i pobiegli się z nim przywitać.

— Chwileczkę! — zatrzymał ich z uśmiechem. — Jakkolwiek święta byłaby ta ziemia, nie pozwolę, byście zabrudzili nią mój nowy kaftan.

Bartomeu ubrany był na ciemnozielono, do tego granatowe pończochy i skórzany pas ze srebrną klamrą. Kaftan rozpięty na szyi odkrywał białą koszulę i złoty łańcuch, na którym zwisała gałązka czerwonego koralu dość pokaźnych rozmiarów. U pasa wisiały miecz i sztylet oraz sakiewka, sądząc po wyglądzie, dość pełna. Skórzane ciżmy, zielony kapelusz do kompletu z kaftanem i granatowe rękawice dopełniały stroju.

Poza Gualbesem chłopcy nie widzieli dotychczas nikogo tak dostatnio odzianego, co Joan od razu przypisał spotkaniu z przeorem. Bez wątpienia Bartomeu wiedział, jak obchodzić się z duchownym.

Kupiec potarmosił włosy Gabriela, a Joanowi dał parę sójek w bok, wypytując ich o życie w nowym otoczeniu. Potem powiedział do starszego:

— Wykąp się i wdziej niedzielny strój. Znaleźliśmy ci pracę.

Joan uradowany pobiegł się przebrać. Miał wielką chęć wydostać się wreszcie z zakonnego więzienia. Niewiele ubrań miał do wyboru. Zmienił skórzane sandały na sznurkowe espadryle, których nie lubił nosić, wolał chodzić boso. Włożył czystą koszulę, a na wierzch ciemną kapotę przepasaną sznurem. Gdy wyszedł na uliczny gwar, zdał sobie sprawę, że choć klasztor znajdował się w mieście, to były to dwa różne światy. Ludzie chodzili tam i z powrotem, pełno było sklepów, mijały ich powozy. Chociaż Bartomeu wciąż twierdził, że Barcelona miała za sobą lepsze czasy, dla Joana wszystko było zadziwiające, miał oczy szeroko otwarte, a każda rzecz była dlań powodem do zachwytu i nauki.

— Niedługo skończysz trzynaście lat, ale dopóki nie będziesz miał czternastu, nie możesz zostać uczniem — rzekł Bartomeu. — Ponadto przyjęcie na ucznia danego fachu wymaga poręczenia za ciebie. Musi to zrobić ktoś znajomy.

— Kim więc będę?

— Zostaniesz pomocnikiem w księgarni Antoniego Ramóna Corra.

— W księgarni!

— Nie myśl sobie, że znalezienie zajęcia dla młodzika to łatwe zadanie w dzisiejszych czasach. Ale Antoni Ramón to mój wspólnik w handlu książkami.

— A co to znaczy być wspólnikiem?

— Wiesz, że jestem kupcem, zarządzam również interesami zakonu Świętej Anny. Choć dużo włości już sprzedano, to sporo jeszcze zostało, od wysp Medes po Walencję przez Palafrugell, Tortosę i Garraf. Jeżdżę więc po wybrzeżu na koszt przeoratu, a przy okazji kupuję i sprzedaję różne towary. Moja specjalność jednak to księgi. Gdy sprzedaję książki od Corra, pobieram prowizję i na tym właśnie polega nasza spółka.

— Ale czy to nie przeor powinien osobiście zarządzać majątkiem?

Bartomeu zaśmiał się z lekka i odrzekł:

— Cristòfol de Gualbes jest szlachcicem i zatrudnia mnie, bakałarza po Uniwersytecie w Lleidzie, do handlu i administracji.

— Kiedyś przeor z superiorem kłócili się o pieniądze. Gualbes twierdził, że zakonnicy powinni uprawiać ogródek, superior się obraził i powiedział mu, żeby sam uprawiał, a przeor obraził się jeszcze bardziej. A w końcu wysłali do pracy w ogrodzie mnie i mojego brata.

Bartomeu ponownie się zaśmiał.

— Tak samo jest z administracją: przeor uważa, że to zajęcie niegodne jego, ale ja lubię się tym zajmować.

— Superior twierdzi, że istnieją trzy rodzaje ludzi. Rycerze i szlachta, których zadaniem jest zbrojna obrona ludu i nie mogą uprawiać ziemi; duchowni, których zadaniem jest modlić się do Boga i też nie mogą nic innego robić; no i pozostali, którzy mogą. Nie rozumiem. Co wobec tego robicie wy?

— No, dobrze. To trochę przestarzałe, tak było kiedyś, gdy wszystko wydawało się prostsze. Wojownicy do walki, duchowieństwo do modlitwy, a chłopi do karmienia wszystkich. Teraz trochę się to skomplikowało, nawet bogaci chłopi kupują sobie szlacheckie tytuły od króla, żeby inni musieli zaharowywać się na ich polach. Biedni chłopi czynszowi walczą o swą wolność nie tylko ze szlachtą, ale też z zamożnymi chłopami starającymi się o szlachectwo. My, kupcy i rzemieślnicy, jesteśmy innym stanem. Istnieliśmy od zawsze, ale teraz jesteśmy dużo ważniejsi i nadejdzie dzień, gdy pokonamy szlachtę. A ty spisuj się dobrze, rób wszystko jak należy, to w niespełna dwa lata zostaniesz uczniem, później czeladnikiem, a gdy będziesz mistrzem, spod twoich rąk zaczną wychodzić piękne księgi. Jeśli kiedyś dorobisz się własnej księgarni, to zostaniesz nie tylko rzemieślnikiem, ale i kupcem.

— A mój ojciec, który łowił ryby, kim był?

— Był wolnym człowiekiem, miał własną łódź, wiedzę i umiejętności. To jest fach.

— A nauczę się czytać? — zapytał Joan rozmarzony.

Bartomeu zamilkł i zatrzymał się. Spojrzał chłopakowi prosto w twarz i rzekł:

— Nie, nie możesz. Przynajmniej nie na razie.

— Ale jak mogę zostać księgarzem, nie umiejąc czytać?

— Główna część fachu księgarza Corra i innych pracujących w jego warsztacie polega na zszywaniu kart białego papieru lub pergaminu i wkładaniu ich do okładek, czasem bardzo ozdobnych. Sprzedaż czystych ksiąg, piór, atramentu i innych przyborów do pisania wciąż idzie bardzo dobrze, nawet teraz, po zarazach i wojnach. Księża potrzebują ich do notowania zgonów, ślubów i chrztów. Używane są do spisywania testamentów, procesów, prowadzenia ksiąg rachunkowych czy akt miejskich. Żeby oprawiać białe księgi, nie musisz umieć czytać.

— Ale żeby zostać prawdziwym księgarzem, muszę — upierał się Joan. — Chcę się nauczyć.

— Żeby obchodzić się z zapisanymi księgami, musisz nie tylko umieć czytać, ale też znać łacinę w mowie i piśmie i trochę klasyków. To nie na twoje możliwości.

Joan spojrzał na niego zawiedziony. Pamiętał niezwykłą księgę wystawioną przed księgarnią na ulicy Especiers i przepiękne litery, które dla niego były tajemniczymi, niezrozumiałymi znakami. Zapragnął poznać tajemny świat, który książki skrywały wśród swych kart.

— Ale ja chcę!

— Nie! — odrzekł Bartomeu bardzo poważnie. — I nie wspominaj o tym więcej! Nie nauczysz się czytać. Słyszysz?

Położył mu rękę na ramieniu i potrząsał.

— Słyszałeś mnie?

Chłopiec nigdy wcześniej nie widział tak władczej i złej miny Bartomeu. Kupiec kojarzył mu się z uśmiechem i żartami. Był zaskoczony zmianą i bolało go surowe spojrzenie kogoś, kogo uważał za przyjaciela.

— Słyszałeś? — powtórzył Bartomeu.

— Tak, ale nie pojmuję...

— Bądź posłuszny, Joanie! Musisz uczyć się i słuchać, a jeśli tego nie pojmujesz, natychmiast oddam cię z powrotem do zakonu do uprawiania ogródka. Będziesz posłuszny?

Chłopiec odwrócił wzrok od utkwionych w nim oczu Bartomeu i spuścił głowę. Bolały go jego słowa, przerażał ton głosu, ale przede wszystkim bał się, że kupiec przestanie go lubić, że zostawi jego i Gabriela i nigdy się do nich nie uśmiechnie. Nie mógł tego znieść.

— Tak, będę posłuszny — odpowiedział ze łzami w oczach.

— Dobry chłopiec — odparł kupiec, ujmując go teraz czule pod ramię i ruszając w dalszą drogę. — Jeśli nie będziesz wykonywał tego, co każe ci księgarz Corró, od razu wyrzuci cię z domu. Niech będzie to dla ciebie jasne. Wiem już, że miałeś kłopoty z zarządcą Palafrugell, i nie chcę, by powtórzyły się tutaj. Inna okazja, żeby zostać rzemieślnikiem, może ci się już w życiu nie przydarzyć.

Przez chwilę szli w ciszy i w końcu Bartomeu rzekł:

— Jeśli będziesz się dobrze spisywał w pierwszych dniach, to może nauczą cię pisać.

— Pisać?! — zawołał Joan zaskoczony. — Jak można pisać, nie umiejąc czytać?

Bartomeu zatrzymał się znowu i badawczo popatrzył chłopakowi w twarz.

— Z tego powodu mogłem znaleźć ci pracę.

Joan zamilkł w oczekiwaniu na dalsze wyjaśnienia. Był zbyt zaskoczony, żeby układać pytania.

— Antoni Ramón Corró nie potrzebował pomocnika, ale powiedziałem mu o twoich zdolnościach artystycznych i pokazałem parę drewnianych figurek, które wyrzeźbiłeś. Sądzimy, że jeśli trochę poćwiczysz, nauczysz się kaligrafii... romańskiej czy też gotyckiej. Jeżeli okażesz się zdolny, księgarz Corró każe ci przepisywać księgi, przydałby mu się dobry kopista.

— Byłbym lepszym kopistą, gdybym umiał czytać.

— O tym już rozmawialiśmy! — powrócił do ostrego tonu. — A poza tym to nie tak. Litery to rysunki, a ty będziesz tylko kopiować te rysunki. Nie rozumiesz, że może mu zależeć na tym, żeby mieć kopistę, który nie umie czytać?

Joan pomyślał, że to dziwne. Nieznany mu świat. Ale jego przyszłość zależała od posłuszeństwa, więc postanowił zachować swoje pytania na inną chwilę. Bał się, żeby Bartomeu znów się nie rozgniewał.

18

Joan szedł zmartwiony rozmową z Bartomeu, ale miasto fascynowało go i po chwili jego uwaga rozproszyła się na wszystko, co przynosiły mu wzrok, węch i słuch. Napawał go lękiem widok tylu ludzi tak różnych i zupełnie obcych. W osadzie i w Palafrugell wszyscy się znali; anonimowość wielkiego miasta wykraczała poza jego doświadczenia. Ponadto dziwiło go, że wszyscy dobrze ubrani mężczyźni mieli ogolone twarze jak duchowni.

Przechodząc koło bramy kościoła wychodzącej na krużganek, ujrzał dwóch ślepców, którzy śpiewali, prosząc o jałmużnę, przygrywając sobie na gitarze i tamburynie. Przy wejściu do Pałacu Parlamentu nie stali już ci sami wartownicy co poprzednim razem, więc znów zaczął się zachwycać płaskorzeźbą z dominującym na niej motywem świętego Jerzego. W końcu dotarli na plac Sant Jaume, skąd Bartomeu poprowadził do ulicy Especiers. Prawie przy samym placu znajdowała się księgarnia Ramóna Corra. Ta sama, która pierwszego dnia przyciągnęła wzrok Joana. A przy wejściu dostrzegł księgę z tą niesamowitą ilustracją. Umocowana na ruchomym podeście wystawionym teraz na ulicę, chroniona przed słońcem pod czerwonym daszkiem. Joan pomyślał, że musi być bardzo cenna i że to znakomita reklama wabiąca przechodniów. Na stole stojącym przed księgą wyłożono inne książki, jedne we wspaniałych skórzanych okładkach, inne otwarte, ukazujące biel stronic. Najwięcej jednak było ułożonych w stosiki zwykłych zeszytów w kartonowych okładkach, z pewnością tańszych. Znajdował się tam też spory wybór białych gęsich piór wyciętych tak, żeby wygodnie było nimi pisać, parę bażancich, a nawet trochę piórek metalowych osadzonych na drewnianych uchwytach. Za wystawą, obok księgi, stała kobieta w średnim wieku, o wąskich ustach i ciemnych oczach, ubrana w suknię z dobrej tkaniny. Włosy skrywał czepek. Jej twarz rozjaśniła się na widok Bartomeu.

— Dzień dobry, panie Bartomeu — powiedziała, uśmiechając się i schylając głowę na powitanie.

— Dzień dobry, pani Joano — odpowiedział Bartomeu uprzejmie. — To jest Joan i przychodzimy do pani męża.

Uśmiechnęła się do chłopca, mówiąc, że znajdą go w sklepie.

— To żona właściciela — wyjaśnił Bartomeu, ściszając głos. — Mają jedną zamężną córkę i jednego syna na studiach na Uniwersytecie w Lleidzie.

Ściany sklepu pełne były półek, na których piętrzyły się księgi, zwoje pergaminu, kałamarze, skrobaczki, nożyce i wszelkiego rodzaju przedmioty powiązane z czytaniem i pisaniem.

Ramón Corró siedział za biurkiem ustawionym na dwuschodkowym podwyższeniu. Ze swojego stanowiska mógł bacznie obserwować, co dzieje się w rozległej księgarni oraz na ulicy. Był to krzepki mężczyzna z szeroką twarzą, niewielkim nosem i szarymi oczami. Czerwony berecik nie zdołał ukryć łysiny.

— Dzień dobry, Bartomeu — powiedział, chowając pióro do szuflady biurka. — Czy to ten pomocnik, o którym mi mówiłeś?

— Dzień dobry — odpowiedział kupiec. — W rzeczy samej, to właśnie jest Joan Serra de Llafranc. Joanie, przywitaj pana Corra.

Joan podszedł do księgarza, który zdążył już zejść z podium, i pocałował go w rękę.

— Dobrze, Joanie — rzekł mężczyzna. — Będziesz musiał dowieść umiejętności, które jak twierdzi pan Bartomeu, masz, żeby móc zostać w mym domu. Chodź tutaj.

Dał mu znak, by podszedł do biurka. Tam pokazał mu papier z wypisaną frazą.

— Co tu jest napisane?

Joan spojrzał na rząd czarnych fałdek o różnych grubościach w zależności od ilości tuszu i wyszeptał cichutko:

— Nie wiem, panie Corró, nie umiem czytać.

— A ta litera — powiedział księgarz, zanurzając pióro w kałamarzu, by narysować gotycki wzorek. — Znasz ją?

— Nie umiem czytać, panie — odparł Joan przekonany, że zostanie przyjęty.

— A ta? — nalegał księgarz, tym razem pokazując literę romańską.

— Przykro mi, panie, nie wiem — coraz ciszej mruczał Joan.

— A więc nie znasz liter? — surowo dopytywał się pan Corró.

— Nie, panie.

— Dobrze, weź pióro i odwzoruj na tym papierze pierwszą literę, którą napisałem.

— Nie umiem pisać, panie.

— Nieważne, spróbuj.

Joan spojrzał na Bartomeu, który skinął głową. Z bijącym sercem zanurzył pióro w kałamarzu tak samo jak księgarz i oparł o papier, próbując skopiować literę. Atrament wyciekł z rurki, tworząc plamę.

— Przykro mi, panie — wymamrotał chłopiec. — Po raz pierwszy używam pióra.

— To widać. Pióra się tak nie trzyma — odpowiedział księgarz, kładąc na kleksie papierek, który wchłonął atrament. — Ale to nie szkodzi, spróbuj jeszcze raz.

Joan, usiłując opanować drżące ręce, narysował na papierze marną imitację gotyckiej litery.

— Teraz skopiuj drugą literę.

— Ale pierwsza mi nie wyszła — powiedział Joan.

— Nieważne, skopiuj drugą.

Zrobił to jak wcześniej, z opłakanym skutkiem. Księgarz z uwagą przyglądał się pracy chłopca.

— Dobrze — powiedział w końcu, patrząc na Bartomeu. — Obyście mieli rację i kiedyś uczynimy go wielkim kopistą. Przyjmę go do swego domu, bo to wy za niego ręczycie.

Bartomeu nic nie powiedział, tylko skinął głową na znak zgody.

— Chłopcze, wezmę cię na pomocnika — zwrócił się teraz do Joana. — Jeśli będziesz posłuszny, pracowity i sumienny, zostaniesz mym uczniem, gdy skończysz czternaście lat, a potem, jeśli będziesz robił postępy, uczynię cię czeladnikiem i mistrzem. Oto moje warunki: uczeń pobiera dziewięćdziesiąt dukatów rocznie, do tego wikt i nocleg w moim domu. Pracuje od świtu do zmierzchu z przerwą na obiad, ale ty, jako że jesteś jeszcze mały, będziesz pracował tylko rano, nie będziesz jadł kolacji ani spał tutaj, tylko w klasztorze, dlatego dam ci sześćdziesiąt dukatów rocznie, pięć miesięcznie. Twoją wypłatę będę oddawał superiorowi na pokrycie wydatków na ciebie u Świętej Anny. On zadecyduje, czy coś z tego ci da.

— A nie możecie przekazać jej panu Bartomeu, żeby on już dogadał się z przeorem?

Księgarz spojrzał na niego zdumiony, po czym uśmiechnął się do kupca. Jego szare oczy zalśniły, a wokół nich pojawiły się liczne zmarszczki. Sugestia chyba przypadła mu do gustu. Bartomeu odwzajemnił uśmiech.

— Dobrze. Zdaje się, że to dobra myśl. Ale zanim cię przyjmę, musisz mi przyrzec, że nie nauczysz się czytać bez mojego pozwolenia.

Joan i Bartomeu wymienili między sobą spojrzenia. Warunek nie spodobał się Joanowi, ale rozmawiali już o tej sprawie. Kiwnął głową.

— Przyrzekasz? — nalegał księgarz.

— Tak, przyrzekam.

— A więc od tej chwili należysz do mojego domu. Przyjdź jutro o świcie.

— Tak, panie Corró.

— Powinieneś mówić „tak, mój panie" — poprawił go Bartomeu.

— Ja nie mam swojego pana, nie jestem chłopem pańszczyźnianym — oburzał się Joan, gdy odeszli od księgarni dość daleko, by nikt nie widział, że się kłócą. — Ojciec mówił mi, że mam walczyć o swą wolność.

Bartomeu popatrzył na niego, najpierw się zdziwił, potem zamyślił, a w końcu odpowiedział z uśmiechem:

— Joanie, twój ojciec miał rację. Ale my, ludzie wolni, też

pełnimy służbę. Służymy Bogu, królowi, przestrzegamy praw i dotrzymujemy składanych obietnic. Zawarłeś właśnie pakt. Będziesz służył panu Corrowi i jego rodzinie, a on da ci zapłatę. A jeśli wykażesz posłuszeństwo i spiszesz się dobrze, będziesz mógł nauczyć się fachu. Masz wolność w wyborze drogi, jest jeszcze czas na to, byś postanowił, czy nie wolisz pracować w klasztornym ogrodzie. Czy tego pragniesz? Pracować w ogródku pod rozkazami superiora?

— Nie, nie chcę. Ale nie chcę też nazywać nikogo „moim panem".

— Słuchaj, jesteś jeszcze malcem, który nic nie wie o życiu — rzekł kupiec poważnie. — Zarządca Palafrugell miał trochę racji. Jesteś buntowniczy i zuchwały, chociaż nie masz na to nawet dość lat. Ale pokazałeś mi też, że jesteś mądry, polubiłem cię i dlatego ci pomagam. Ucz się, bo jeśli nie, skończysz zakuty w kajdany, wiosłując na galerze. Rozumiesz?

Joan wytrzymywał jego wzrok, nie odpowiadając. Starał się przyswoić słowa kupca. Lubił tego człowieka i wiedział, że pragnie jego dobra, ale nienawidził wszystkiego, co wiązało się ze służalczością. Ojciec mówił mu, że mężczyzna musi walczyć o wolność swoją i swojej rodziny. Nazywać kogoś „swoim panem" oznaczało sprzeciwić się naukom ojcowskim. Bartomeu przerwał jego rozmyślania.

— Słuchaj, Joanie, pojmij to wreszcie — odezwał się ostro. — Pan Corró jest panem w swoim domu. I dlatego tak się do niego mówi, nie dlatego, że jest twoim feudałem. I będziesz nazywał go „panem", dopóki będziesz u niego pracował i należał do jego domu. Winieneś mu nie tylko posłuszeństwo, ale też szacunek i wierność. Czy wiesz, czym jest wierność?

Chłopiec milczał dalej. Bartomeu uderzył go lekko w pierś.

— Rozumiesz, czym jest wierność?! — Kupiec podniósł głos.

Joan wzruszył ramionami.

— No to ci powiem. Wierność komuś to nieoszukiwanie go i wykonywanie zobowiązań w stosunku do kogoś. I jeśli ty będziesz wierny rodzinie Corrów, ona będzie wierna tobie. Czy teraz to rozumiesz?

Joan przytaknął kiwnięciem głowy, ale kupcowi to nie wystarczyło.

— Powiedz, że rozumiesz, albo oddam cię do ogródka superiora!

— Tak, rozumiem to — wybełkotał Joan, ociągając się.

— Więc dobrze, pan Corró jest twoim panem, jego żona jest twoją panią, a ich syn Joan Ramón, kiedy wróci z Lleidy, będzie synem pana. I będziesz im wierny. Powtórz!

Chłopak powtórzył z wielką niechęcią.

19

Tej nocy Joan spał źle. Z niepokojem czekał na swój pierwszy dzień w księgarni. Poszedł na modlitwy poranne wraz z Gabrielem i nowicjuszem, w pośpiechu zjadł śniadanie, braciszek go uściskał, a brat Jaume pobłogosławił, po czym chłopak wybiegł przez otwartą bramę. Dopiero co wstał dzień, słońce słabo oświetlało dzwonnice katedry, czuć było chłód poranka.

Wyższy od niego, chudy i kościsty chłopak zamiatał podłogę przed księgarnią, polewając ją wcześniej wodą, by nie wzbijać kurzu. Joan zapytał go o właściciela, na co tamten spytał go o imię. Odpowiedział, dodając, że jest nowym pomocnikiem. Chłopak zmierzył go wzrokiem od stóp do głów, po czym się uśmiechnął.

— Mam na imię Lluís, do tej pory to ja byłem pomocnikiem. Jako że ty przybyłeś, biorą mnie na ucznia — rzekł, prężąc dumnie pierś. — Poczekaj tutaj, w sklepie, zaraz mu powiem.

Wrócił po chwili i przekazał, żeby czekał cierpliwie, bo pan Corró je śniadanie, a potem, pokazując miotłę, rzekł z zadowoleniem:

— Od tej pory będzie twoja.

Joan czekał, przyglądając się, jak Lluís wypełnia swe obowiązki. Dostrzegł przepiękną księgę i służące za wystawę stoły. Czekały, aż wyciągną je na ulicę. Podszedł, by pozachwycać się równymi gotyckimi literami, złoceniami i różnobarwną ilustracją, która pokrywała w całości jedną ze stron. Znowu pożałował, że nie umie czytać, a jeszcze bardziej złożonego przyrzeczenia.

Usłyszał dobiegające z zaplecza śmiechy. Uczeń powiedział mu, że właściciele jedzą śniadanie na górze, a pracownicy posilają się na dole, w warsztacie. Chłopiec zastanawiał się z niepokojem, jak zostanie przyjęty.

— Dzień dobry, Joanie — przywitał go pan Corró. — Chodź obejrzeć warsztat.

Minęli korytarz, który oddzielał księgarnię od zaplecza i z którego ciągnęły się szerokie schody na piętro. Pomieszczenie, tak samo jak sklep, pełne było półek, na których ułożono książki i najrozmaitsze materiały piętrzące się pod sam sufit. Następnie znaleźli się w warsztacie. Był dość szeroki i łączył się z podwórzem trzema dużymi łukami, przez które wpadało światło dzienne. Kiedy weszli, jakaś dziewczyna sprzątała naczynia po śniadaniu, a trzej mężczyźni wynosili na podwórze różne narzędzia.

— Wygląda na to, że będzie ładny dzień. A im więcej światła, tym lepiej się oprawia — wyjaśnił księgarz.

Przedstawił Joana Guillemowi, mistrzowi introligatorowi, który zbliżał się do trzydziestki, i Pau, jego czeladnikowi, mężczyźnie mniej więcej dwudziestoletniemu, po czym nakazał Joanowi spełniać polecenia mistrza. Następnie, podnosząc głos, przedstawił uczniów: prawie osiemnastoletniego Felipa, tęgiego mężczyznę z rudymi włosami, i dwóch młodszych, Jaumego i Lluísa, którego już poznał. Wróciwszy do sklepu, napotkali właścicielkę. Joan przywitał ją pocałunkiem w dłoń. Uśmiechnęła się miło i kazała mu opróżnić dzbany w warsztacie i księgarni i napełnić je świeżą wodą ze studni. Kuchennymi dzbanami zajmowały się służące.

Kiedy Joan wykonał polecenie, kobieta wysłała go po klej do handlarza na ulicy Especiers, tej samej, na której znajdowała się księgarnia. Joan pomyślał sobie, że takie wycieczki będą dla niego znakomitą okazją do zwiedzenia ulic tego fascynującego miasta i przyjrzenia się jego sklepom i ludziom, musi tylko pamiętać, by nie zamarudzić zbyt długo.

Gdy wykonał zadanie, aż do obiadu pomagał czeladnikowi w warsztacie. Jak urzeczony obserwował pracę. Papier wyrównywano do określonego rozmiaru ogromnymi nożycami i układano w równe stosy. Za pomocą specjalnych imadeł złożonych z drewnianych desek i dźwigni ściskano mocno kartki, by zszyć je wzdłuż jednego brzegu. Następnie łączono stosiki, klejono je i oprawiano. Najczęściej stosowano oprawę z pergaminu, ale robiono też okładkę z kartonu lub z kombinacji kartonu i pergaminu. Większość zszywanych książek miała białe stronice, nie była zbyt elegancka. Ale oprawiano też kartki zadrukowane, a nawet zapisane ręcznie, zaopatrując je w okładkę ze skóry, na której wyciskano wyryty na metalowym stemplu rysunek. Niekiedy posługiwano się techniką koła z wyrytym na nim ornamentem, który przez toczenie po mokrej skórze pozostawiał na niej powtarzający się wzorek. Tego rodzaju zdobienia złocono lub kolorowano. Najcenniejsze księgi zaopatrywano w drewniane daszki pokryte wyprawioną, wytłaczaną skórą. Dla Joana wszystko to było czymś niepojętym. Jego praca ograniczała się do pomocy przy przycinaniu kartek.

Musiał wytężać całą swą uwagę, by zrozumieć polecenia czeladnika. Prosił go o przyrządy, których nazw Joan w życiu nie słyszał, a wydając polecenia, używał słów niezrozumiałych dla chłopca. Joanowi wydawało się, że jest całkowicie bezużyteczny w tej pracy.

— Ogarnij się, chłopaku! — beształ go mężczyzna z poważną miną.

Gdy nadeszła godzina obiadu, Joan odetchnął z ulgą. I to nie z powodu głodu, tylko dlatego, że chciał już wracać do klasztoru Świętej Anny. Nie było to miejsce zbyt gościnne, ale przebywał tam jego brat, a także nowicjusz i brat Jaume, stanowiło namiastkę domu. Za dużo nowości jak na jeden dzień. Joan czuł się niepewnie, musiał poukładać sobie wszystko w głowie. Natomiast nie miał wątpliwości co do jednej sprawy: książki fascynowały go, te zapisane, rzecz jasna. Jakież skrywały tajemnice? Zakaz nauki czytania budził w nim przeogromne pragnienie złamania go.

Młodzi ludzie uprzątnęli stoły do pracy i każdy wyjął swoją miskę. Powiedzieli Joanowi, skąd może wziąć miskę dla siebie. Wkrótce pojawiła się służąca z kociołkiem i napełniła naczynia zupą z soczewicy, warzyw i mięsa. W tym czasie inna służąca ułożyła na stole pokrojony chleb i ustawiła dzbany z wodą i winem oraz jabłka.

U szczytu stołu usiedli mistrz i czeladnik, a dalej uczniowie i pomocnicy według wieku. Joan zajął miejsce naprzeciwko Lluísa.

I wtedy pojawił się dziwny mężczyzna w podeszłym wieku. Miał na sobie suknię sięgającą do stóp, z długimi rękawami, luźno opadającą, bez pasa. Nosił turban i prawie całkiem siwą brodę.

— Smacznego — powiedział z osobliwym akcentem.

Mistrz i czeladnik odwzajemnili życzenie, ale uczniowie nie odpowiedzieli. Przez chwilę spojrzenia Joana i owego człowieka się spotkały. Miał pomarszczoną twarz, a jego głęboko niebieskie oczy uwydatniała lekko ciemna cera. Starzec zajął miejsce przy swoim stole, a służąca podała mu obiad.

— To biały Saracen — wyjaśnił Lluís.

Biały Saracen! Joan poczuł, że kiszki mu się przewracają. Jak ci, którzy napadli na osadę, zamordowali ojca i porwali kobiety.

— A co on tu robi? — zaciekawił się.

— To niewolnik, ale właściciel bardzo go szanuje. Nie je świniny, nie pije wina, ale jest tolerowany. Gdyby zechciał się przechrzcić, puściliby go wolno. Ale nie chce zostać chrześcijaninem.

— To parszywy niewierny — wtrącił się Felip, najstarszy z uczniów. — Właściciel na wiele mu pozwala. Już ja bym mu dał. Potrzymać go z miesiąc bez jedzenia, a przestałby wybrzydzać.

— Masz rację — zgodził się Joan.

I zaczął się zastanawiać, w jaki sposób mógłby odegrać się na starym za krzywdy, które Saraceni wyrządzili jego rodzinie.

— A co on robi? — spytał po chwili.

— Zna dużo języków: arabski, łacinę, francuski, kastylijski i jakiś jeszcze. Tłumaczy książki i kopiuje na specjalne zamówienia — odparł Lluís.

— A ty, Joanie? — przerwał Felip, podnosząc głos. — Ty też dziwnie wyglądasz. Nie jesteś czasem ukrytym Saracenem, szpiegiem?

Wszyscy przy stole wybuchnęli śmiechem.

— Ja? — Joan był zaskoczony. Czuł, że się zaczerwienił.

— Patrzcie, jak się ubiera — ciągnął Felip. — Ma kubrak jak saraceński, tylko gorszy, i skórzany rzemień w pasie.

— Tak się ubiera w mojej wiosce — próbował bronić się Joan przy wtórze śmiechów obecnych.

— Tak, jasne. Tak noszą się Maurowie — upierał się Felip. —
A widzieliście, jaką ma ciemną skórę i jak dziwnie mówi?

Joan zauważył już, że w mieście, poza duchownymi i małymi
dziećmi, ludzie ubierali się inaczej niż on. W Barcelonie mężczyźni
nosili kaftany, które sięgały im do bioder, a na nogach pończochy.
Zamierzał kupić sobie odpowiedni ubiór, kiedy tylko będzie miał
pieniądze, ale nie spodziewał się, że będą się z niego śmiać.
Wiedział też, że inaczej mówiło się na północnym wybrzeżu niż
w Barcelonie, i zamierzał się upodobnić, żeby się nie wyróżniać.
Nie przypuszczał, że zostanie napadnięty, dał się zbić z tropu.
Wszyscy z uśmiechem czekali na jego odpowiedź.

— Nie nazywaj mnie Maurem — odezwał się srogo.

Siedzący przy stole zaśmiali się ukradkiem, wyczuwali wściekłość w słowach chłopca.

— Ale dla mnie to ty nim jesteś — odrzekł grubas. — Biały
z wierzchu, czarny w środku jak ten tutaj. Saracen.

To mówiąc, wskazał na jedzącego samotnie mężczyznę, który
przysłuchiwał się rozmowie. Felip siedział na drugim końcu stołu
i uśmiechał się złośliwie.

— Jestem dobrym chrześcijaninem! — krzyknął Joan, zrywając
się zza stołu. — I nie waż się mnie obrażać.

Rudzielec zaśmiał się w głos, a pozostali uśmiechali się kpiąco.
Chociaż wstał, chłopiec był niewiele wyższy od potężnej postury
siedzącego ucznia.

— Odważny ten słabeusz! — uszczypliwie podsumował Felip. — Świetnie, człowieczku, skoro jesteś chrześcijaninem, i do
tego tak walecznym, to musisz być chłopkiem pańszczyźnianym.

— Pańszczyźnianym chłopem też nie jestem! Mój ojciec był
wolnym rybakiem, miał własną łódź i nie miał nad sobą pana, i ja
też nie!

— Ale skoro jesteś chrześcijaninem i mówisz tak prostacko,
to nie możesz być nikim innym. Tak cię będziemy nazywać.

— Dosyć już, zostawcie te spory — odezwał się mistrz Guillem. — Wykorzystajcie przerwę na odpoczynek.

— Nie jestem chłopem pańszczyźnianym! — z uporem powtórzył Joan.

Chłopiec słyszał, że chłopi pańszczyźniani z północy Katalonii, pod wodzą niejakiego Perego Joana Sali, napadali na posiadłości panów, z których wielu mieszkało w Barcelonie. Rebelia napawała miasto strachem i nazywanie kogoś chłopem pańszczyźnianym stało się obelgą.

— Koniec tej dyskusji! — przerwał mistrz. — Joanie, skończyłeś pracę na dzisiaj, wracaj do klasztoru.

Chłopiec spuścił głowę i posłusznie ruszył do wyjścia. Gdy był już w drzwiach, ktoś popchnął go, mówiąc:

— Do jutra, chłopku pańszczyźniany. — To Felip. Śmiał się lekceważąco.

Gdy Joan wrócił do zakonu, nowicjusz z Gabrielem już czekali, ciekawiąc się, jak wyglądała jego praca w księgarni. Opowiedział im pokrótce, nie wspominając jednak o przykrym incydencie z Felipem. Słuchali go z zazdrością. Gabriel cały ranek pracował w ogrodzie, a Pere zajęty był posługami religijnymi i naukami teologicznymi z bratem Melchorem. Joan zazdrościł Peremu: umiał czytać! A wkrótce będzie władał łaciną! Opowiedział mu o niechęci do księgarza z powodu zakazu nauki czytania.

— To proste! — wyjaśnił nowicjusz. — Kaligrafia, precyzyjny szkic każdej litery, wymaga koncentracji. Zrozumiałe, że jeśli masz kopiować księgi, nie chcą, byś rozpraszał się czytaniem.

20

Następnego dnia rano Joan zastał niedomknięte drzwi księgarni, przy których czekała już na niego miotła. Usłyszał głosy siedzących przy śniadaniu rzemieślników. Głos Felipa górował nad innymi. Joan wolał nie wchodzić. Bał się, że znowu się zacznie. Otworzył drzwi na oścież i zaczął zamiatać ulicę przed sklepem jak Lluís poprzedniego dnia.

Po chwili pojawił się właściciel i widząc chłopca przy pracy, przywitał go szerokim uśmiechem. Niewiele później wyszła pani Joana szykować uliczne stanowisko wystawowe.

— Jadłeś śniadanie, synu? — spytała kobieta.

— Tak, pani. W klasztorze.

— A dlaczego nie jesz śniadania tutaj?

— Umowa z panem Correm była taka, że tutaj jem tylko obiad, a resztę posiłków w klasztorze.

— Dobrze, ale mnie to nie obchodzi — odparła matrona nie-znoszącym sprzeciwu tonem. — Rośniesz i musisz się dobrze odżywiać. A co mogli ci dać zakonnicy... Od razu idź na piętro i niech służące dadzą ci chleba, mleka i sera.

— Ale...

— Żadne „ale", słuchaj mnie.

Joan podziękował i wbiegł na górę. Jego żołądek nigdy nie był dość pełny. Uwielbiał tę kobietę. Była grubsza od jego matki, ale przypominała mu ją ciemnymi oczami i czułym sposobem mó-wienia.

Następnie musiał posprzątać resztę sklepu, magazyn i warsztat. Tam natknął się na Felipa, który nazwał go chłopkiem pańszczyźnianym i umyślnie rzucił na podłogę resztki pociętego papieru. Joan nic nie powiedział, ale się rozgniewał i gdy miał już podejść do osiłka, Lluís dał mu znak, żeby tego nie robił.

— Musisz znosić te docinki, nim zostaniesz zaakceptowany w warsztacie — powiedział. — Im bardziej będziesz się puszył, tym gorzej.

— Felip nie ma umiaru.

— To prawda, ale to ostatni, z którym należy zadzierać. Nawet mistrzowie się go boją. Jest hersztem bandy na tej ulicy. Są bardzo groźni.

— Należysz do tej bandy?

— Jasne. Jeśli nie jesteś z nimi, nie dadzą ci żyć.

❧

Z jakąż ochotą wyszedł z warsztatu, gdy posłano go po wodę do studni. Po drodze ujrzał tłum kłębiący się na placu Królewskim, przed pałacem. Ludzie wykrzykiwali coś z oburzeniem, a żołnierze obserwowali ich niespokojnie.

— Precz z kastylijską inkwizycją! — gardłowali.

— Chcemy dawnej inkwizycji! — wrzeszczeli inni. — Niech król przestrzega naszych praw!

Joan nic z tego nie pojmował, więc podszedł do jakiegoś sympatycznie wyglądającego mężczyzny i zapytał, o co chodzi.

— Król Ferdynand chce ustanowić nam inkwizycję na wzór kastylijski — odpowiedział. — A to wbrew prawu, którego przyrzekł przestrzegać. Chcemy dawnej, z Korony Aragonii, tolerancyjnej, uwzględniającej obronę oskarżonych i działającej tylko w przypadkach oczywistych. Przed kastylijską nie możesz się bronić, a czasem nie wiesz nawet, o co jesteś oskarżony. Więżą ludzi, torturują, palą na stosach i konfiskują ich majątki. Nowa inkwizycja działa już w Walencji. W naszym mieście pełno teraz walenckich przechrztów, którzy uciekają przed terrorem. Tutejsi będą się bać i uciekną do Francji, a ponieważ to dość zamożni ludzie interesów, ich ucieczka ściągnie jeszcze większy niedostatek na Barcelonę. Jakby nie dość nam było nędzy.

— A król nie daje się przekonać?

— Radni miejscy od miesięcy piszą do niego listy i wysyłają posłańców, ale nikogo nie słucha. Wszyscy mają być mu posłuszni. Nowa inkwizycja nie zaczęła jeszcze działać, bo opieramy się jej. Ale Juan Franco, inkwizytor mianowany przez Torquemadę, grozi miastu królewskim wojskiem.

Joan podrapał się w głowę. Wyglądało to poważnie. Nagle rozwrzeszczany tłum ruszył w stronę placu Sant Jaume. Joan postanowił nie wdawać się w żadne awantury. Podziękował mężczyźnie za wyjaśnienie i poszedł po wodę.

&

Gdy wrócił do warsztatu, wykonał wszystkie prace zlecone przez panią Corró i zakończył sprzątanie. Następnie wziął się do pomagania w prostych czynnościach przy oprawianiu książek. Po jakimś czasie mistrz Guillem zwrócił się do niego:

— Powiedz Pau, czeladnikowi, żeby dał ci kwadratową igłę o trzech ostrzach, którą zszywa się przezroczysty pergamin.

Pau twierdził, że ma ją Felip. Ten dał Joanowi kuksańca i rzekł:

— Chyba ma ją Lluís, chłopku pańszczyźniany.

Chłopiec zniósł obelgę i udał się do Lluísa, który powiedział mu, że ma ją Jaume, a ten z kolei, że zabrał ją Maur Abdalá. Gdy zmęczony tym krążeniem wrócił do mistrza, ten zrobił niezadowoloną minę i zawołał:

— Przeklęty Maur! Znowu nam ją zabrał, a myśmy nic nie widzieli! Musisz iść po nią na górę, ale tak, żeby właściciele nie zauważyli. Jak się dowiedzą, że nam ją zabrał, bardzo się na nas pogniewają. I nawet gdy ci powie, że jej nie ma, nie wracaj bez niej, bo Maur to kłamczuch i będzie chciał cię oszukać.

Sprawa była delikatna, bo muzułmanin pracował na drugim piętrze, na samej górze, a Joan chciał szybko wejść i zejść, żeby nie natknąć się na gospodarzy. Była też pilna, bo bez igły nie można było zabrać się do najdelikatniejszej roboty.

Joan szedł ostrożnie, uważając, by go nikt nie widział, z duszą na ramieniu, cały drżąc na myśl, jaką katastrofą skończyłaby się jego wpadka. Służące były zajęte w kuchni, a właściciele w sklepie, więc dwie pierwsze przeszkody ominął bez kłopotów. Na końcu schodów była klapa, która otwierała się, skrzypiąc przeraźliwie.

Pomieszczenie było jasne, ale chłodne. Jesień przechodziła już w zimę i choć w oknach były szyby, to czuło się podmuch zimnego powietrza. Stało tam kilka stołów roboczych. Maur siedział za biurkiem. Był to osobliwy mebel o wielofunkcyjnym charakterze, z blatem, siedziskiem i szafkami osłaniającymi od przeciągów. Służył też do zawieszania i utrzymywania w porządku rozmaitych przyborów pisarskich i na dole miał podgrzewacz do stóp.

Zdumiony starzec podniósł wzrok znad papierów, zdjął z nosa dziwny przyrząd ze szkłami, przez parę chwil przyglądał się chłopcu, po czym rzekł:

— A więc to ty jesteś tym nowym pomocnikiem, prawda?

Joan przytaknął skinieniem głowy. Właz był otwarty. Stał połową ciała na schodach i połową w izbie. Kontemplował ów nieznany świat, nie mogąc zebrać się na odwagę, by wejść.

— Zastanawiałem się, kiedy przyjdziesz — powiedział mężczyzna.

Joan pokonał resztę schodków.

— Zamknij, proszę, klapę, bo wieje.

Chłopiec zrobił, o co go prosił Maur, po czym utkwił w nim wzrok. To tacy jak on zabili jego ojca i uwięzili jego rodzinę. Któregoś dnia znajdzie sprawców, lecz na razie może tylko zemścić się na kimś takim jak ten. Pragnął wyrządzić mu krzywdę, chociaż nie wiedział jak. Bał się też narażać właścicielowi, który podobno bardzo poważał muzułmanina. Musiał postępować ostrożnie.

— Oddaj mi kwadratową igłę o trzech ostrzach — powiedział. — Zabrałeś ją z warsztatu.

— Ach! A więc chodzi o kwadratową igłę o trzech ostrzach. Tę, którą zszywa się niewidzialny pergamin, prawda?

W dziwnym akcencie tego człowieka pobrzmiewała nutka drwiny, co rozdrażniło Joana.

— Daj mi igłę. Zabrałeś ją bez pytania, a mistrzowi potrzebna jest do pracy.

— A jeśli ci powiem, że jej nie mam?

— Ostrzegali mnie, że jesteś kłamcą. Nie uwierzę ci.

— To weź ją sobie.

Joan stał zakłopotany. Nikt nie powiedział mu, jak wygląda ta igła. Wydawała się czymś pospolitym, dobrze znanym, i nie przyszło mu do głowy poprosić, żeby ktoś ją opisał.

— Ojej! Nie powiedzieli ci, jak wygląda! — Mężczyzna udawał zaskoczenie, ale dało się wyczuć, że nabija się z chłopca.

— Nie wiem, jak wygląda, ale ty wiesz. Daj mi ją.

— Skąd wobec tego będziesz wiedział, że nie dałem ci czegoś innego?

Joan wzruszył bezsilnie ramionami. Zachował się bezmyślnie i teraz ten człowiek miał go w swoich rękach.

— No dobrze, jesteś nowy, więc dam ci tę kwadratową igłę o trzech ostrzach do zszywania niewidzialnego pergaminu. Ale na przyszły raz lepiej się dowiedz, po co idziesz.

I natychmiast wyciągnął spod stołu metalowe narzędzie, które podał chłopcu.

— Ma tylko dwa ostrza!

— Nie liczyłeś górnego.

— Ale to na górze nie kłuje jak igła, poza tym wcale nie jest kwadratowa.

— Nie wszystkie igły kłują, a kwadratowy jest papier, którego używa się z igłą.

Wyciągnął kawałek papieru, zamoczył pióro w kałamarzu i coś napisał. Gdy atrament wyschnął, zawinął narzędzie w papier.

— Masz, daj to mistrzowi Guillemowi. A jeśli nie będzie mu pasować, to niech porozmawia ze mną przy obiedzie.

Nie pozostało mu nic innego, jak wyjść. A zatem poszedł sobie, nawet nie podziękował. Wrócił do warsztatu tą samą drogą. Wszyscy otoczyli go, gdy podawał paczuszkę mistrzowi Guillemowi.

Kiedy odwinięto papier, rozległ się głośny wybuch śmiechu.

— To cyrkiel, głupcze! Maur zakpił sobie z ciebie!

Joan nie miał pojęcia, do czego może służyć cyrkiel. Poczuł się oszukany i wściekły. Felip i uczniowie zaczęli popychać go i krzyczeć:

— Dureń! Świeży!

Mistrz Guillem przeczytał, co było napisane na kartce. Nic nie powiedział, tylko zgniótł ją i cisnął w kąt.

— Dosyć, chłopaki! — rzekł z poważną miną. — Wszyscy do pracy! — A zwracając się do Joana, rzekł: — To był kawał. Nie ma igły o trzech ostrzach ani przezroczystego pergaminu. Zapamiętaj, chłopcze.

Wszyscy się roześmiali i wrócili do pracy, ale Felip zdążył wymierzyć Joanowi kolejny cios; mógłby wydawać się nawet przyjazny, gdyby nie był tak bolesny.

— Głupiutki chłopek pańszczyźniany — powiedział.

Sprzątając warsztat, Joan podniósł kartkę. Zapisana była rzędami gotyckich liter, których nie mógł rozszyfrować, mimo to schował ją.

Spojrzenia chłopca i muzułmanina skrzyżowały się przy obiedzie, ale żaden nie wyraził chęci do rozmowy. Joan znalazł chrabąszcza w swojej misce i wszyscy znów zaczęli się śmiać. Musiał to być kolejny żarcik Felipa. Ze spokojem przyjął dowcip, jak i kolejne docinki osiłka, ale oczy wypełniały mu się łzami. Upokorzenie stawało się nie do zniesienia. Chciał już wracać do Świętej Anny.

Gdy znalazł się w klasztorze, udał się do celi, którą dzielił z bratem. Wziął włócznię ojca i poszedł do ogrodu, gdzie na drzewie zawieszony był kawałek drewna służący za tarczę. Choć włócznia była ciężka, zaczął rzucać z wściekłością w sam środek tarczy. Najpierw wyobrażał sobie, że deska to Felip, potem stała się Maurem, który zabił mu ojca, a w końcu pierwszym lepszym muzułmaninem. W krótkim czasie zziajał się niemiłosiernie. Przypomniał sobie kwadratową igłę o trzech ostrzach. Odszukał nowicjusza i poprosił go, aby odczytał mu to, co napisał Maur.

— „By odnaleźć to, czego szukasz, musisz wiedzieć, co to jest. Niechaj nie zwodzą cię nazwy rzeczy, sprawdzaj, czym są naprawdę" — przeczytał Pere.

Joan się zamyślił. Rozumiał związek frazy z jego poranną przygodą, ale podejrzewał, że odnosi się ona do czegoś jeszcze, co musiało mu umknąć.

— Kto to napisał? — zaciekawił się Pere.

— E tam! Niewierny — odpowiedział chłopiec.

Postanowił jednak ukryć papier w bezpiecznym miejscu.

21

Tego dnia Bartomeu przyszedł do klasztoru omówić z przeorem Gualbesem sprawy, które załatwiał podczas podróży po południowym wybrzeżu. Zakon miał posiadłości w Garraf, o dzień drogi od Barcelony, i w Tortosie, mieście o wielkim znaczeniu ekonomicznym. Bartomeu jeździł nawet do Walencji, bo choć tamtejsze posiadłości dawno zostały sprzedane, to wciąż pozostawały zaległe opłaty. Czynił to z ochotą, jako że stolica nad Turią przeżywała czasy splendoru i było zapotrzebowanie na różnego rodzaju księgi drukowane. Bartomeu handlował książkami wszelkiego rodzaju, ale jego specjalnością były manuskrypty — dzieła unikatowe, różnorodne i drogie. W istocie wiele z nich kopiowano na zamówienie. Tak samo jak w podróży na północ, zatrzymywał się we wszystkich miastach i miasteczkach wybrzeża, gdzie od lat utrzymywał kontakty handlowe.

Chłopcy przywitali kupca uradowani. Był dla nich łącznikiem z wielkim światem. Podziwiali go. Do tego stopnia, że Joan starał się naśladować jego akcent i maniery. Bartomeu zapytał, jak żyją, szczególnie interesowała go praca Joana w warsztacie państwa Corrów.

— Lubię to, co robię, właściciele są dobrymi ludźmi, pani opiekuje się mną — opowiadał Joan. — Ale ten Felip nie daje mi żyć i jest mi bardzo ciężko.

— Znam go — odparł kupiec. — Byliśmy towarzyszami broni z panem Correm i ojcem Felipa, który zginął na wojnie. Syn mu się nie udał. Świat pełen jest bandytów. Trzeba ich unikać, jeśli to możliwe, ale nigdy nie możemy zapomnieć o godności. Nie uciekaj przed nim, bądź twardy, a zobaczysz, że zostawi cię w spokoju. Na początek chodźmy kupić ci nowe szaty, żeby przestali śmiać się z twojego stroju. A akcentem się nie przejmuj, jesteś zdolnym chłopakiem i szybko zaczniesz mówić tak jak my.

Bartomeu chciał dać mu pieniądze na odzież, ale chłopiec odmówił. Wciąż miał schowane gałązki koralu, ale nie wiedział, ile jest wart.

— Nie martw się — powiedział Bartomeu. — Mam zaprzyjaźnionego jubilera, da ci uczciwą cenę.

Poszli na ulicę Argentería. Bartomeu zaprowadził chłopców prosto do sklepu, przed którym Joan zatrzymał się pierwszego dnia. Chłopakowi serce zabiło mocniej, gdy rozpoznał to miejsce. Kiedyś przyjdzie tu, żeby z daleka popatrzeć, nie będąc widocznym. I zrobi to z mieszaniną wstydu i poczucia winy. Elisenda, jego przyjaciółka z wioski, była w mauryjskiej niewoli, więc nie powinien interesować się inną kobietą. Nie mógł jednak przestać myśleć o dziewczynie od jubilera.

Na wystawie znajdowały się różne wyroby ze srebra, kielichy, tace, sztućce i drobna biżuteria ze złota. Niektóre kolczyki wysadzane były kawałkami czerwonego koralu, inne kamieniami mieniącymi się różnymi kolorami. Bogato ubrana kobieta pilnowała towaru, którego tylko niewielką część wystawiono na widok publiczny. Jej małżonek pracował przy innym stole, polerował broszę, zamierzając następnie wyłożyć ją perłami. Dziewczyny nie było widać. Joan odetchnął z ulgą. Nie chciał, aby zobaczyła go znowu w wiejskim odzieniu.

Bartomeu przywitał oboje właścicieli, odpowiedzieli mu serdecznie, po czym przedstawił chłopców jako swych przyjaciół z Llafranc, którzy chcą sprzedać dobry koral po przyzwoitej cenie. Przed wyjściem z klasztoru wybrali dwa kawałki. Jubiler przyjrzał się im uważnie przez szkiełko zamontowane na metalowej obręczy, które przypominało Joanowi przedmiot używany przez Maura do czytania. Gabriel był urzeczony całym tym blyskiem i wziął z wystawy złoty łańcuszek, by przyjrzeć mu się z bliska. Przestraszony Joan kazał mu natychmiast odłożyć go na miejsce. Nie chciał, żeby tak miła kobieta zwróciła im uwagę.

— Za ten większy dam wam funta i dwa dukaty, za ten mały... dwanaście dukatów — powiedział w końcu mężczyzna. — W sumie funt czternaście.

— Niech będą dwa funty — rzekł Bartomeu. — Wspomożecie sieroty.

Jubiler pokręcił głową, odmawiając uprzejmie.

— Przykro mi, ale straciłbym na tym. Ponieważ jesteśmy przyjaciółmi, niech będzie funt piętnaście.

Joan stanął jak wryty, widząc dziewczynę wychodzącą z mieszkania. Powiedziała „dzień dobry", skłoniwszy się lekko, i uśmiechnęła się ujmująco, gdy jej zielone oczy zatrzymały się na Joanie. Na pewno go pamiętała. Joan wybełkotał przywitanie, czując, jak się czerwieni. Po raz drugi ujrzała go ubranego jak wieśniak! Na pewno dostrzegła, że się zmieszał z jej powodu, i bardzo ją to bawiło.

Odzyskał trochę spokoju, dopiero gdy Bartomeu żegnał się po wytargowaniu funta szesnastu dukatów i sześciu dinarów walenckich. Skinęła mu łagodnie głową na pożegnanie i gest ten wydał się Joanowi szczytem wdzięku.

— Mamy więcej, niż potrzeba, żeby ubrać was obu i kupić jeszcze bieliznę na zmianę — z zadowoleniem powiedział kupiec.

Minęli drugie mury miejskie i wyszli na Ramblę przez Portal de la Bocharia. Przeszli przez bazar mięsny wśród nawoływań sprzedawców i krzyków kupujących. Najwięcej sprzedawano mięsa koziego, które wydzielało silny zapach. Nazwa bazaru pochodziła od słowa *boch*, czyli samiec kozy. Targ miał pewną strefę, w której zapach był jeszcze bardziej przejmujący, a wygląd towaru odrażający.

— Tutaj sprzedaje się mięso ostatniego rzędu — wyjaśnił Bartomeu.

— Mięso ostatniego rzędu? — dopytywał się ze zdumieniem Joan.

— Tak. Pochodzi od zwierząt, które nie zostały ubite przez człowieka. Pewnie zdobycze psów czy wilków. Chociaż kto to wie.

Gabriel ścisnął Joana za rękę, wołając:

— Fuj! Co za obrzydliwość!

— Ale kto to kupuje? — zdziwił się Joan.

— Nie zapominajcie, że w mieście panuje głód. Wielu mieszkańców marzy, żeby jak wy znaleźć się na garnuszku zakonu.

Joan wiedział, co znaczy cierpieć głód, szedł więc dalej w milczeniu, cichą modlitwą dziękując Bogu.

Gdy znaleźli się w dzielnicy Raval, poszli w pobliże Porta de Sant Antoni, przejścia przez trzecie mury. Tam znajdował się bazar z używaną odzieżą. Najprzeróżniejsze szaty zwisały z wieszaków i leżały rozłożone na stołach.

— Skąd się to wszystko bierze? — spytał Gabriel.

— Nie chciałbyś wiedzieć — śmiejąc się, odrzekł Bartomeu. — Na twój i twojego brata rozmiar pewnie będzie po dzieciach, które z niej wyrosły. Ale odzież dla starszych przeważnie należała do osób, które nie mogą jej już nosić.

— Nieboszczyków? — przestraszył się Joan.

— A tak. Upierzcie ją, jak wrócicie do zakonu.

Widząc miny chłopców, Bartomeu zapragnął złagodzić swoje słowa i dodał:

— To normalne. Tylko bogacze kupują nowe szaty, ale nawet szlachcice przerabiają drogie dzianiny z płaszczy i ubrań w dobrym stanie po swoich zmarłych krewnych.

— Moja matka szyła ubrania dla mnie i Gabriela z odzieży ojca — dodał Joan, by uspokoić brata.

— Znajdziemy coś w dobrym gatunku i przystępnej cenie — mówił dalej Bartomeu, mając nadzieję, że chłopcy przestali się już przejmować. — Materiału jest w bród. Po wojnach, głodzie i zarazach w ostatnich dwudziestu latach to miasto widziało więcej pochówków niż narodzin. A przy panującej biedzie ubrań się nie wyrzuca.

Podszedł do kramu, w którym wisiał przepiękny kaftan na Joana. Ten spojrzał na Gabriela, na którego twarzy malowała się mieszanina strachu i obrzydzenia. Poklepał go po ramieniu.

— Zobaczysz, jakie wspaniałe szaty sobie sprawimy. Będziesz przystojny. — A potem dodał: — Nie przejmuj się, porządnie je wypierzemy, odmawiając *Ojcze nasz* za duszę tego, kto je nosił.

Gdy opuszczali bazar, byli bardzo zadowoleni z zakupów. Po dwie pary pończoch i po dwa kaftany dla każdego, pasy, ciżmy, bielizna i płaszcze z kapturami na zimę, która była tuż-tuż. Jeden z kaftanów i jedna para pończoch nie miały żadnych śladów i wydawały się czyste, więc Joan postanowił od razu je włożyć i poczuć się mieszczaninem. Szedł dumny w prawie nowych szatach i uznał, że wypierze je dopiero, gdy będzie zmieniał strój. Przypomniał sobie, co Bartomeu opowiadał mu o przechrztach, i wspomniał o tłumie sprzeciwiającym się nowej inkwizycji. Bartomeu potwierdził słowa mężczyzny z placu, w zupełności się z nim zgadzał.

— Ale dlaczego król nie szanuje naszych praw i przywilejów? — dopytywał się Joan. — Powinien przecież być sprawiedliwy, prawda?

— Dlatego że Ferdynand jest panem Aragonii, Walencji, Katalonii, Majorki, Sardynii i Sycylii — odparł kupiec rozogniony. — A każde terytorium ma inne prawa i przywileje, których zażarcie broni. Król chce ustanowić jedną inkwizycję, za pomocą której władał będzie podług swojego kaprysu, jako że Bóg jest ponad wszystkim i pozwala kpić sobie z praw. Poza tym inkwizytorzy rekwirują całe majątki nieszczęsnych konwertytów, których oskarżają o *relapsos*, czyli o recydywę. Ponad połowa ich fortun trafia do królewskiego skarbca, a resztę przywłaszczają sobie inkwizytorzy na własne potrzeby. Znakomity interes!

Joan zdumiony zapalczywością i oburzeniem kupca nie odważył się już o nic pytać. Jednakże gdy stanęli w bramie zakonu, Bartomeu oświadczył twardo:

— Bez względu na to, jak wielkim byłby królem, nie zdoła narzucić nam swych inkwizytorów. — Po czym dodał nieco refleksyjnym tonem: — Nawet jeśli dostanie rozkaz od papieża.

22

Następnego dnia Joan przyszedł do księgarni strojny w prawie nowe szaty. Pani Corró, gdy go zobaczyła, powiedziała, że wygląda ładnie i schludnie, i wysłała na drugie śniadanie na piętro. Tam wypił kubek mleka i zjadł chleb z serem, a służące pochwaliły jego nowy strój. Sprawiło mu to wielką radość. Wreszcie był taki jak wszyscy.

Kiedy poszedł posprzątać warsztat, przywitały go okrzyki skrywanego zachwytu, a Felip powiedział:

— Patrzcie, pańszczyźniany chce być jak my.

Joan udał, że tego nie słyszy, i kontynuował pracę. Nie oczekiwał od osiłka innego komentarza, więc tym razem nie dał zbić się z tropu.

Gdy tylko nadarzyła się okazja, bo otrzymał polecenie załatwienia czegoś poza sklepem, przemierzył całą ulicę Argentería, chociaż nie było mu po drodze. Chciał, żeby zobaczyła go córka jubilerów, lecz ku jego rozgoryczeniu przy stoisku wystawowym stała tylko matka. Pozdrowił ją. Jeszcze dwa razy musiał tamtędy przejść, żeby spotkać w końcu jej córkę, ale zdawała się go nie dostrzegać.

Zmartwiony wrócił do sklepu. Rozczarowanie zamieniło się w gryzące go całą drogę wyrzuty sumienia. Stroił się w eleganckie szaty, podczas gdy jego matka, siostra i Elisenda cierpiały okrucieństwa niewoli. Zdawał sobie sprawę, że dopóki nie dorośnie, nic nie może zrobić, ale przepych, na jaki sobie pozwolił, budził w nim poczucie winy. Zadręczały go gorzkie wspomnienia rodziny i świadomość własnej niemocy. Czym zasłużyli sobie na taką niedolę? Przeklęci Saraceni!

Do obiadu pomagał w warsztacie, wciąż przeżuwając swe żale. W końcu ujrzał starego Abdalę, gdy jak zwykle schodził na obiad. Jadł w pomieszczeniu z rzemieślnikami, choć osobno. Obliczając w myślach potrzebny czas, Joan siadł do stołu, po czym wstał, by sięgnąć po dzban z wodą i odsunąć, niby-niechcący, stołek Maura dokładnie w momencie, kiedy będzie siadał. Abdalá runął na plecy z głuchym jękiem, uderzając się przy tym w głowę. Nieudolna próba przytrzymania się stołu skończyła się ściągnięciem dzbana z wodą i miski.

Felip uczcił incydent wybuchem śmiechu i oklaskami.

— Świetnie! — zawołał. — Spisał się chłop pańszczyźniany!

Wszyscy wstali, aby spojrzeć na starego. Uczniowie śmiali się ukradkiem, wtórując rudzielcowi. Czeladnik uśmiechnął się lekko, ale Guillem, mistrz, z poważną miną podbiegł do mężczyzny, by go podnieść.

Abdalá leżał oszołomiony na ziemi. Spadł mu turban. Na głowie porośniętej skąpo siwymi włosami widniała krwawiąca rana. Guillem poprosił uczniów o czyste chustki i wodę, a sam starał się podnieść Abdalę z podłogi. Felip się nie ruszył i dorzucił jeszcze jakiś żarcik, ale Lluís i Jaume usłuchali mistrza.

Joan wstał. Wcale nie poczuł się tak dobrze, jak się spodziewał, ale uznał, że postąpił sprawiedliwie. Guillem opatrzył ranę, zdołał zatrzymać krwawienie i usadowił starca na krześle.

— Dziękuję, mistrzu Guillemie — powiedział ciężko Saracen z dziwnym akcentem. — Już czuję się lepiej.

Nie wyglądał jednak dobrze.

— Na co czekamy?! — krzyknął Felip. — Chodźmy jeść!

I wszyscy oprócz Guillema zasiedli do stołu i zabrali się do jedzenia, jakby nic się nie wydarzyło. Wyglądało na to, że uczniowie, a nawet czeladnik, zawsze robili wszystko, co kazał Felip. Mistrz przez jakiś czas przyglądał się staruszkowi, poprawił go na krześle, zawołał służące i kazał im przynieść wodę i drugą miskę.

— Zjedzcie trochę, Abdalo — namawiał, gdy wszystko było już w porządku. — Dobrze wam zrobi.

— Za wiele szacunku dla Maura! — mruczał przy stole zbir.

Muzułmanin spróbował trochę jedzenia, żeby zadowolić mistrza, i dopiero wtedy Guillem usiadł z innymi do obiadu. Felip był jak zawsze gadatliwy, ale złagodził swoje podejście do Joana. Mrugnął nawet do niego porozumiewawczo.

— Prawda, że pańszczyźniany bardziej przypomina chrześcijanina, odkąd ubrał się jak my? — powiedział.

Gdy po obiedzie wstali od stołu, mistrz wziął Joana za ramię i odciągnął na bok.

— Zrobiłeś to specjalnie — rzekł bardzo poważnym tonem. — Przeproś starego. Właściciel bardzo go ceni, a gdy się dowie o tym, co się stało, wyrzuci cię z domu.

Joan uwolnił się z jego uścisku. Nie miał najmniejszego zamiaru przepraszać.

— Jeśli się to powtórzy, sam mu o tym powiem — ostrzegł mistrz.

Rudzielec przyglądał się z daleka. Gdy mistrz się oddalił, podszedł z uśmiechem.

— Dobra robota — pogratulował. — Nie przejmuj się mistrzem Guillemem, on lubi Maurów. Za to ty możesz stać się jednym z nas.

To pocieszyło Joana. Felip chyba go w końcu zaakceptował.

෴

Następnego dnia Joan przyszedł do pracy zalękniony. A jeśli Abdalá powiedział właścicielowi? Corró wyrzuci go pewnie ze swego domu. Był bardzo niespokojny. Polubił już tę rodzinę i pracę. Ale właściciel przywitał go jak gdyby nigdy nic i dzień przebiegł zwyczajnie. Abdalá wyszedł na podwórze jak co dzień. Turban był tak uformowany, że odsłaniał miejsce opatrunku, a starzec chyba trochę wolniej się poruszał. Mistrz Guillem zapytał go o zdrowie, za co muzułmanin podziękował uśmiechem i skinieniem głowy.

— Dobrze, dziękuję bardzo — wymamrotał. — Niechaj Pan wam błogosławi.

Po obiedzie Felip powiedział do Joana:

— Dzisiaj, pańszczyźniany, wrócisz później do zakonu. Idziesz z nami.

W czasie poobiedniej przerwy uczniowie, a z nimi Joan, wyszli na ulicę, gdzie wraz z innymi chłopakami udali się do kościoła Świętego Justyna.

Joan ujrzał trzech mnichów ubranych w czarno-białe habity dominikanów. Stali w drzwiach kościoła, przed którym zebrała się grupa ludzi.

Jeden z duchownych pobłogosławił ich, wypowiadając parę wersów po łacinie.

— To brat Juan Franco, nowy inkwizytor.

— Będzie wygłaszał kazanie po łacinie? — zapytał Joan. — Nie zrozumiem go.

— Nie, jego współbrat go przetłumaczy. Franco nie mówi jeszcze po katalońsku.

Mnisi opowiedzieli historię jakichś Żydów, którzy torturowali chrześcijańskiego chłopca, zmuszając go do wyrzeczenia się wiary. Chłopiec zginął w mękach, nim zdołali osiągnąć swój cel. Wzruszeni cierpieniem dziecka ludzie dawali wyraz swojemu oburzeniu niegodziwością hebrajczyków. Felip krzyknął:

— Śmierć Żydom!

Wszyscy mu zawtórowali.

W tym momencie pojawił się oddział straży. Dowódca kazał się rozejść. Franco nie mógł wygłaszać kazań w mieście. Barcelona miała własnego inkwizytora.

— Nieprawda — odparł dominikanin, który służył za tłumacza. — Brat Tomás de Torquemada, inkwizytor generalny, odwołał poprzedniego i ustanowił obecnego tu brata Juana Franco inkwizytorem. Ma wszelkie prawa.

Na potwierdzenie tych słów Franco wymachiwał pergaminem z lakową pieczęcią.

— Miasto nie uznaje brata Torquemady! — zawołał dowódca. — Precz stąd!

— Odpowiecie przed królem Ferdynandem! — zakrzyknęli dominikanie.

I wtedy się zaczęło. Felip i jego ludzie próbowali obrzucać żołnierzy obelgami, na co ci wyciągnęli broń. Jeden chłopak chwycił kamień i miał już nim cisnąć, ale rudzielec go powstrzymał.

— Dzisiaj nie — rzekł. — I nie z nimi.

Znaczenie tych słów zrozumiał Joan następnego dnia, gdy po obiedzie Felip powiedział do niego:

— Dzisiaj się zabawimy. Idziemy na Żydów. Idziesz z nami.

— Uważajcie — ostrzegł czeladnik. — Miasto ich chroni.

— Dlaczego mamy walczyć przeciwko Żydom? — dopytywał się Joan.

— Ale jesteś głupi, chłopku pańszczyźniany! — zwymyślał go Felip. — Żydzi są jeszcze gorsi od Maurów.

I zaczął opowiadać o nikczemności hebrajczyków. Jako przykład podał to, co poprzedniego dnia słyszeli od mnichów. Sto lat temu ludzie dali im już nauczkę, napadli na żydostwo i trochę pozabijali, ale Barcelona skazała przywódców zamachu. Ci z Concell de Cent, organu władz miejskich, są przekupieni przez te szczury i ich chronią. Dobrzy ludzie muszą więc brać sprawy w swoje ręce i sami wymierzać sprawiedliwość.

Joan wiedział, że Żydów w Barcelonie już prawie nie ma. Jedni uciekli, a inni przeszli na chrześcijaństwo. Kiedy to powiedział, rudzielec splunął, mówiąc, że większość przechrztów to fałszywi chrześcijanie i że na tych też przyjdzie czas.

Wyjaśnił mu, że Żydzi mają obowiązek noszenia na piersi przyszytego koła, pół czerwonego, pół żółtego, a gdy jest zimno — specjalnych płaszczy, dzięki którym można ich rozpoznać. Większość tych, których można spotkać w Barcelonie, to przyjezdni w interesach, ich pobyt ogranicza się do piętnastu dni i muszą nocować w publicznym hotelu, a nie w prywatnych domach. Uznał swą argumentację za zakończoną okrzykiem:

— Ruszamy, późno się robi!

Na ulicy dołączyli do nich inni chłopcy. Zebrało się ich ponad dwudziestu. Niektórzy ukryli pałki pod płaszczami, inni nieśli kamienie. Joan uzbroił się w krótki kij. Na ich widok ludzie trwożnie schodzili z drogi. Joan doznał przyjemnego odczucia przynależności do silnej grupy. Osiłek wydawał rozkazy. Jeden z chłopaków wybiegł naprzód. Kiedy wrócił, powiedział, że przed hotelem widział grupę rozmawiających ze sobą Żydów. Zatrzymali się na rogu ulicy. Felip wychylił się, reszta pozostała w ukryciu.

— Są — szepnął Felip. — Rozpoznacie ich po brodach, naszytych kółkach i płaszczach. Jak powiem „już", biegniemy na nich. Nie krzyczcie. Kiedy ich dopadniemy, walcie mocno. Tylko po razie i szybko wracamy do naszych robót, jak gdyby nigdy nic. Żołnierze mogą być niedaleko, jak któregoś złapią, będzie źle. Zrozumiano?

Przytaknęli. Felip dał znak i puścił się biegiem, a reszta za nim. Joan ujrzał dwie grupy mężczyzn rozmawiających ze sobą i ich przestraszone miny, gdy pojęli, co się dzieje. Wielu z krzykiem biegło do hotelu. Joan, wywijając kijem, zaczął gonić jednego. Powtarzał sobie, że ukrzyżowali Jezusa i że są jak Maurowie, którzy zabili jego ojca, że zasługują na to. Rozległy się krzyki wściekłości, bólu, nienawiści, strachu i odgłosy ciosów. Joan dosięgnął swojej ofiary, gdy dobiegała już do drzwi hotelu, usiłując przecisnąć się wśród innych salwujących się ucieczką. Mężczyzna miał na głowie kaptur, spod którego wyglądały szare włosy. Był od Joana dużo wyższy, ale chłopak bez trudu mógł uderzyć go kijem w głowę. W ostatniej chwili jednak obniżył cios, starając się, żeby nie był za mocny, i uderzył w ramię. Zabrakło mu odwagi. Usłyszał jęk. Nie przestając biec, skręcił, żeby jak najszybciej się stamtąd wydostać. Serce waliło mu jak oszalałe, ale starał się opanować i spokojnie wracać do klasztoru. Musiał zachowywać się normalnie.

Gdy znalazł się na placu Świętej Anny, rytm jego oddechu się wyrównał, chociaż umysł dalej był zamglony. Mówił sobie, że gotów jest już robić to, co starsi, że okazał się tak samo odważny jak pozostali. Że zdobył szacunek Felipa. A jednak przed oczami miał widok broczącej krwią głowy. Rozum mówił mu, że ci ludzie nie zrobili nic ani jemu, ani jego rodzinie. Ale

129

zrobili Chrystusowi, powtarzał w duchu, żeby zagłuszyć wyrzuty sumienia.

Nazajutrz Felip poklepał go po plecach, może trochę za mocno, ale z uśmiechem.

— Dobra robota, chłopie pańszczyźniany — powiedział. — Ale następnym razem mocniej i w głowę.

Joan zrozumiał, że rudzielec cały czas go pilnował, chociaż wszystko działo się bardzo szybko. I poczuł się dumny z pochwały.

23

Święta były dla chłopców bardzo smutne. Z czego mieli się cieszyć bez rodziców i bez sióstr? Nie minęły nawet cztery miesiące od czasu, kiedy wszyscy razem mieszkali w Llafranc. Wtedy sądzili, że zawsze będą szczęśliwi, że nigdy nie spotka ich żadna krzywda. Dom chronił ich przed wzburzonymi morskimi falami, a przed innymi niebezpieczeństwami broniło ich silne ramię ojca, tak pewnie władające włócznią. Gabriel często płakał.

— Chcę do taty i do mamy! — mówił, dobrze wiedząc, że to niemożliwe. — Tęsknię za nimi. Za Marią i Isabel też.

Joan starał się go pocieszyć, ale i jego oczy napełniały się łzami. Skrywał żal przed bratem, nie chciał, żeby widział, jak płacze. Gabriel przestał nawet fascynować się dzwonami. Mnisi usiłowali chłopca pocieszać, zwłaszcza Jaume, który zawsze miał dla niego jakiś smakołyk.

Pamiętali Boże Narodzenie w swoim domu. I mały domowy ołtarzyk z obrazkiem Dzieciątka Jezus ustawiony blisko ognia, i cudowny pieniek, który zwali Wujem i obijali kijami, śpiewając kolędy, a on dawał im cukierki. Gdy Gabriel zdał sobie sprawę, że nie będzie Wuja, poczuł się jeszcze bardziej zawiedziony.

— Poproś mnichów, żeby ustawili Wuja. Damy mu kijem, zaśpiewamy i przyniesie łakocie — marudził, ciągnąc brata za rękaw kaftana. — Patrz, jakie mają wielkie pnie koło paleniska. Większe niż ten u nas. Powiedz im, oni pewnie tego nie znają.

Joan przypuszczał, że w kwestii cudów bracia nie byli tacy

głupi i znali te sprawy jak nikt. Ale starał się nie zniweczyć magii świąt i ostrożnie wypytał nowicjusza. Pere zaczął drwić, ale widząc minę Joana, opanował śmiech, bo nie chciał zarobić kopniaka.

— W zakonach Wujo nie przynosi łakoci — wytłumaczył Joan bratu. — Zostawia jałmużnę na tacy, żeby mnisi karmili biedaków.

— Aha, biedaków! — odparł Gabriel z zadumą. — A skoro już nie głodujemy, to nie jesteśmy biedni?

— Nie, nie głodujemy i nie jesteśmy biedakami. Trzeba modlić się i dziękować Bogu.

Gabriel skinął głową, ale na jego twarzyczce widać było, że spotkał go zawód.

~

Zawsze gdy przechodził ulicą Argentería, Joan sprawdzał, czy mała jubilerka jest w sklepie. Jeśli ją dojrzał, przystawał koło sklepu, rzucając jej spojrzenia. Liczył na to, że go pozna, że wymienią uśmiechy jak przy pierwszym spotkaniu. Ubierał się już elegancko, chciał więc, by go zobaczyła. Ale ona go nie zauważała. Szybko pojął, że nie chodziło o to, że go nie widzi, tylko o to, że nie chce go widzieć. Rozczarowany zaczął omijać tę ulicę. Zbyt bardzo bolało go lekceważenie.

~

Zakonnicy ozdobili główny ołtarz figurą Dzieciątka Jezus, gałązkami świerkowymi i czterema gromnicami; dwie dla świętej Anny, patronki, i dwie dla Dzieciątka. Ustawili jeszcze dwie lampy oliwne przy ołtarzu świętej Eulalii i dwie przy ołtarzu świętego Augustyna. Świece paliły się dniem i nocą. Był to zbytek, ale miał swój powód. Kategorię uroczystości mierzono ilością wypalonej oliwy, a Boże Narodzenie należało do najważniejszych świąt.

Modlitwy na nonę odmówiono przy stole. Tego dnia przeor Gualbes uczestniczył w obiedzie i panowała rozluźniona atmosfera. Spory finansowe między przeorem i wspólnotą odeszły w niepamięć. Doszło nawet do wymiany uśmiechów z superiorem.

Buzujący ogień ogrzewał zawsze chłodny zimą refektarz. Ciepło, jadło i napitek zagrzewały do czynu i rozniecały świąteczne uczucia. Podano zupę, a po niej kurę z nadzieniem i sosem z indyka. Potem duszone mięso z warzywami, a na koniec zapiekany ser i andruty. Aby wszystko dobrze strawić, pito w dużych ilościach napój z wina, miodu i ziół. Wśród śmiechów i rozmów posiłek się wydłużył i chłopcom pozwolono wrócić do celi. Panujący w refektarzu zaduch, obfite jadło i napitek sprawiły, że zasypiali już przy stole.

Joan po chwili się obudził. Gabriel krzyczał przez sen. Przypomniało to Joanowi pierwszą smutną noc, gdy dzielili celę z nowicjuszem. Miał dziwne przeczucie, że strapienie brata nie wzięło się tylko ze wspomnień straconej rodziny, że istniało jeszcze coś, co go martwiło, odebrało uśmiech i nawet wzruszenie na dźwięk bicia dzwonów. Gabriel nie chciał nic powiedzieć, ale Joan przysiągł sobie, że się dowie, bez względu na to, ile miałoby go to kosztować, nawet jeśli byłaby to ostatnia rzecz zrobiona w życiu. Malec był jedyną osobą, która mu została z rodziny, kochał go z całego serca i przysiągł się nim opiekować.

Felip wciąż nazywał Joana chłopem pańszczyźnianym, choć od czasu napaści na Żydów traktował go lepiej. Nie można mówić o szacunku, ale z jego strony było to i tak wiele.

— Osiłek zawsze musi komuś dokuczać — tłumaczył Lluís. — I dobrze, żeby nie padło na ciebie.

Pewnego dnia Felip powiedział mu, że choć jest chłopem, pozwoli mu uczestniczyć w bitwie bandy. Ulice podzielone były między rozmaite gangi, które walczyły ze sobą. Banda Felipa panowała w okolicach ulicy Especiers, od katedry do kościoła Świętego Justyna, i prowadziła wojnę z tymi z ulic Argentería i Regomir. Przez cały tydzień wysyłano przeciwnikom listy zagrzewające do bójki, tym samym wojując też na słowa.

Pole bitwy znajdowało się poza murami miejskimi od strony północno-wschodniej, niedaleko od morza, koło dzielnicy Canyet. Było tam trochę wolnych terenów, na których chłopcy bawili się w wojnę.

Każda banda miała swój proporzec, chłopaki z Especiers mieli niebieski. Przyszli uzbrojeni w tarcze tego samego koloru i pałki zatknięte za pasami niczym miecze. Główną jednak bronią były kamienie. Przyjęto najprostszą taktykę: rzucać nimi i nie zostać trafionym. Joan się niepokoił. Wszyscy tam byli od niego starsi, a zależało mu, żeby Felip go docenił, jako że przyjął go do swej grupy, mimo że był mniejszy. A może po prostu zrobił to, aby zwiększyć liczebność armii. Wyszli z miasta przez Portal Nou, omijając wrogie terytorium. Maszerowali jak małe wojsko, z chorągwią na czele, połyskując tarczami. Joan miał znów to przyjemne uczucie przynależności do grupy.

Gdy przybyli na miejsce, zatknęli w ziemi proporzec i czekali, aż pojawią się nieprzyjaciele. Wkrótce przybyli ci z ulicy Argentería i zajęli pozycje w umówionej odległości. Natychmiast skłonni do bitki zamachali żółtym proporcem.

— Gotowi jesteście, barany jedne?! — zakrzyknął Felip.

— Musimy nazbierać kamieni.

Zaczekali chwilę, aż każdy bojownik zgromadzi kupkę walających się wokół kamyków. Gdy mieli ich dość, herszt z Argentería zawołał:

— Jesteśmy gotowi! Rozgromimy was, cuchnące świnie!

— No to już! — zakomenderował rudy.

Joan rzucił kamieniem, ujrzał grad pocisków i zdążył tylko się schować, nim poczuł uderzenia na swojej tarczy. Gdy podnosił kolejny kamień, obleciał go strach — uderzenie czymś takim w głowę mogło zabić. Ale mimo wszystko pragnął dowieść Felipowi swej odwagi i uchwycił moment, żeby wychylić się i rzucić. Tym razem rzut był celniejszy. Wychylając się zza tarczy, ujrzał, że trafił przeciwnika, ale ten schował się w porę.

— Rozdzielcie się — zakomenderował Felip. — Będzie im trudniej.

Joan zajął pozycję z boku. Tam nie musiał już obawiać się tylu kamieni naraz. Walka przekształciła się wkrótce w pojedynek. Codzienne ćwiczenia w rzucaniu włócznią ojca do tarczy zaowocowały silnym ramieniem i znakomitą celnością. W niedługim czasie przekonał się o tym. Niemal wszystkie rzuty dosięgały tarczy lub nóg przeciwnika, który nie mógł pochwalić się zbytnią celnością. Chłopak był sporo większy i rzucał dużymi kamieniami, które leciały z ogromną siłą, ale Joan nie krył się nawet za tarczą, gdyż większość z nich padała daleko. Wkrótce zyskał przewagę. Mógł ciskać jeden kamień, gdy nadlatywał drugi, troszcząc się jedynie o to, by się przed nim uchylić, tymczasem jego przeciwnik musiał osłaniać się tarczą przed poprzednim pociskiem. Joan zaczął rzucać dwa kamienie, podczas gdy wróg w tym czasie zdołał cisnąć jeden. Przeciwnika to denerwowało. Rozkojarzony zapomniał o osłonie i wkrótce otrzymał cios w ramię.

Mimo panującej wrzawy Joan usłyszał przerażający jęk i ujrzał, jak jego rywal kuli się za tarczą. Widząc to, zaczął ciskać kamienie jeszcze szybciej. Tamten w końcu próbował się wycofać, kryjąc się za tarczą, nie oglądając się nawet. Ostatni kamień trafił go w kolano i poturbowany, utykając, opuścił pole bitwy. Teraz Joan mógł zaatakować kolejnego wroga, który walczył z Lluísem. We dwóch zdołali zranić mu głowę i już po chwili niebiescy przewyższali liczebnie żółtych, którzy mimo to bronili się dalej.

— Szturmem! — krzyknął Felip, widząc, że przeciwnicy są dość przetrzebieni.

I wywijając kijem, pognał na wrogów na czele ryczącej na całe gardło bandy. Żółci, przeczuwając klęskę, w popłochu rzucili się do ucieczki.

— Po proporzec — zakomenderował Felip.

I wszyscy wyruszyli na łowy. Ten, który trzymał chorągiew, poczuł się niczym zając ścigany przez charty i porzucił ją. Po chwili Felip wznosił dumnie proporzec pośród wiwatujących chłopców. Obrachunek strat wykazał jedną rozbitą głowę i wiele stłuczeń różnych części ciała, ale nikomu nie stało się nic poważnego. Był to ewidentny sukces i wszyscy się cieszyli.

— Masz cela, pańszczyźniany — powiedział rudzielec.

༺

Joan bacznie przyglądał się Gabrielowi. Zauważył, że trwożliwie spogląda na brata Nicolau zarządzającego pracami w ogrodzie. Był to łysiejący, grubawy mężczyzna po pięćdziesiątce, o bladym spojrzeniu i przesłodzonym uśmiechu. To zaniepokoiło Joana. Mógł pilnować Gabriela po południu i w nocy, ale rano mały pracował u ogrodnika, pod okiem brata Nicolau.

— Czy coś ci się dzieje? — zapytał Gabriela. — Powiedz, czy ktoś lub coś ci dokucza.

— Nie, nic mi nie jest — odpowiedział, nazbyt energicznie kręcąc głową.

— Gabrielu, powiedz mi. Jestem twoim bratem, kocham cię i chcę ci pomóc.

Mały popatrzył na niego smutno i pokręcił głową.

Joan poszedł do nowicjusza i zapytał bez ogródek:

— Co się dzieje z bratem Nicolau? Co on wam robi?

Na początku Pere nie chciał odpowiedzieć, ale Joan nalegał. Nowicjusz kazał mu przyrzec, że nikomu nic nie powie. Brat Nicolau nastraszył go wydaleniem z zakonu, gdyby ktoś się dowiedział. Mnich dotykał go i prowadził jego rękę, by Pere dotykał również jego, ale nic więcej.

— I to samo robi mojemu bratu?

Nowicjusz wzruszył ramionami i powiedział, że nie wie, ale że to możliwe.

— A superior? Co robi ci superior?

— Nic — odpowiedział Pere. — Daj mi już spokój!

Więcej mówić nie chciał. Niepokój Joana przerodził się w strach. Zaczął potajemnie śledzić brata, aż któregoś dnia zobaczył, jak mnich obmacywał pośladki biednego Gabriela. Chłopiec uciekł jednym susem.

Joan stanął jak wryty. Mimo swych podejrzeń nie przewidział, jak zachowa się w podobnej sytuacji. Chciał podbiec do mnicha i uderzyć go, ale nie zrobił tego, bo Gabriel uciekł. Zakonnik już zdążył odejść, a Joan stał w miejscu wściekły i zbity z tropu. Nie wiedział, co zrobić, i obwiniał się, że nie dość chronił brata.

Zastanawiał się, co przedsięwziąć. Donieść na mnicha? Nie odważy się na to, tym bardziej że reakcja nowicjusza sugerowała, że superior jest w to uwikłany lub na to zezwala. Wszystkiego się wyprą, nazwą go kłamcą. Jego słowo nic nie będzie warte przeciw słowom szanowanych zakonników. Zarówno jego brat, jak i on sam są na garnuszku zakonu Świętej Anny. Poza tym Gabriel jest tak zawstydzony i zastraszony, że nie powiedział o tym nawet jemu, nie może więc oczekiwać, że oskarży mnicha. Joan próbował nakłonić brata do mówienia, ale mały milczał jak zaklęty.

Odraza, jaką Joan czuł do Saracenów i zarządcy Palafrugell, przemieniła się we wstręt do mnicha, który zatruwał życie jego ukochanego brata. Joan wpadł w gniew. Miał zamiar udać się do Bartomeu, ale z powodu milczenia Gabriela uznał, że kupiec może nie uwierzyć.

Postanowił zrobić wszystko, żeby uwolnić Gabriela od tego człowieka.

24

Czwartego stycznia 1485 roku zbuntowani chłopi pańszczyźniani rozgromili królewskie oddziały z Barcelony, dziesiątkując konnicę i piechurów. Rebelia zwiększała zasięg. Kolejni chłopi pańszczyźniani odmawiali płacenia dzierżaw właścicielom ziemskim. Barcelońscy mieszczanie nazbyt dobrze znali głód i idącą z nim w parze zarazę, dlatego obawiali się przerw w dostarczaniu zaopatrzenia.

Rudzielec zaczął traktować Joana gorzej, wierząc, że jest chłopem. Nic nie pomagało tłumaczenie, że to wymysł samego Felipa, że Joan urodził się w rodzinie rybaków i że zawsze byli wolni. Zbir odnosił się do niego z pogardą i powrócił do dawnych kiepskich żartów.

— Każdy jest tym, kim jest — mówił. — Chłopi to poddani, a chłopskie dzieci muszą spełniać obowiązki swoich ojców.

Joan nie mógł się z tym pogodzić. Ojciec mówił mu, że trzeba walczyć o wolność, i to właśnie robili zbuntowani chłopi. Przy pierwszej okazji zagadnął o to Bartomeu. Kupiec był blisko związany z Concell de Cent i znał się na tych sprawach.

— Chłopów od wielu lat drażnią nadmierne przywileje panów — tłumaczył chłopcu. — Walczyli u boku króla w wojnie domowej przeciwko parlamentowi, który reprezentował wówczas prawa i przywileje feudalne. Jednakże po zwycięstwie król zapomniał, że to oni mu pomogli. Minęły już dwa lata, a sytuacja chłopów się nie poprawiła.

— To niesprawiedliwość — powiedział oburzony Joan.

— Tak, ale król bardziej woli być potężny niż sprawiedliwy. Teraz buntownicy już nie tylko sprzeciwiają się feudalnym prawom podległości, ale i odmawiają płacenia dziesięciny właścicielom ziemskim. Poborcy boją się zbliżać do opanowanych przez nich terenów, a gdy się już pojawią, odjeżdżają z pustymi rękami.

— Chciałbym, żeby Pere Joan Sala i jego ludzie zwyciężyli — podsumował Joan. — Walczą o wolność.

Bartomeu się uśmiechnął.

— O wolność, ale obawiam się, że i o coś jeszcze — odparł. — I radzę ci w Barcelonie głośno tego nie mówić.

Joan skinął głową. Wiedział o tym.

&

Przez pewien czas spod turbanu Abdali widać było opatrunek i Joan obawiał się, że właściciel dowiedział się o jego występku. Nie chciał wyrządzić muzułmaninowi aż takiej krzywdy i choć czuł do niego nienawiść, na razie nie zastanawiał się nad następną zemstą. Myślał o tym, jak uniknąć nieustających szykan Felipa i uwolnić Gabriela od brata Nicolau.

Mimo trosk Joan nie zapomniał o matce ani siostrze. Niestety, mając trzynaście lat, nie był w stanie ruszyć im na ratunek. Modlił się w ich intencji kilka razy dziennie, czasami razem z bratem, i wciąż miał nadzieję na to, że uwolni je, gdy będzie starszy.

Bartomeu powiedział chłopcom o braciach mercedariuszach, którzy zajmowali się uwalnianiem chrześcijan z saraceńskiej niewoli. Chłopcy błagali go, żeby wyjednał im u braci audiencję, na której poprosiliby o ustalenie miejsca pobytu niewolnic. Po jakimś czasie otrzymali od kupca wspaniałą wieść: wielki mistrz zgodził się ich wysłuchać.

Antoni Morell miał mniej więcej pięćdziesiąt lat, nosił biały habit i postanowił rozmawiać z nimi, spacerując po plaży. Było słoneczne popołudnie. W porcie cumowały trzy łodzie, wiele więcej pozostawiono na piachu. Fale uderzały łagodnie. Joan od wielu już dni nie widział morza. Zawsze gdy się nad nim znalazł, robiło mu się tęskno na sercu, bo powracały wspomnienia szczęśliwych dni z rodziną.

Chłopcy ucałowali rękę zakonnika i klęknęli przed nim, błagając o pomoc.

— Dlaczego uważasz, że piraci, którzy napadli na twą wioskę, byli muzułmanami? — wielki mistrz zwrócił się do Joana.

— No — odpowiedział — bo wszyscy mówili, że to Saraceni. Galery miały zielone wimple, poza tym zarządca, który ich widział, powiedział, że to Maurowie.

— Dziwne — odrzekł mercedariusz po namyśle. — Od dawna już Saraceni nie grasują na naszych wybrzeżach. A kiedy dokonali napadu?

— Pod koniec września.

— To czas, gdy galery przestają żeglować. Nie są gotowe na jesienne i zimowe burze — ciągnął duchowny. — A twoja osada leży bardzo daleko od ich baz. Poza tym to za górami, a oni bardzo boją się północnych wiatrów. To dziwne.

— Opowiadałeś mi, że byłeś bardzo blisko piratów — wtrącił się Bartomeu. — Słyszałeś, jak mówili?

Joan się zamyślił.

— Jeśli mówili, to nie w naszym języku, raczej niczego nie zrozumiałem — odrzekł.

— Bardziej prawdopodobne, że byli to prowansalscy lub genueńscy korsarze — wywnioskował mercedariusz. — Trzy lata temu Prowansalczycy najechali ziemie przylądka Creus, a parę lat wcześniej, gdy wybuchła wojna z Genuą, genueńczyk Batista napadł na miejscowości w pobliżu wybrzeży Barcelony, a nawet porwał galerę, którą admirał Bernat de Vilamarí wysłał, by go powstrzymać. Ale to było w lipcu, a my mówimy o końcu września. W tym czasie nie wypływają galery. Zresztą twoją wioskę dzieli tydzień żeglugi od Genui. Stawiałbym na Prowansalczyków. A skoro to byli oni, to my, mercedariusze, nic nie możemy zrobić.

— Czemu? — zdziwił się Joan.

— Bo my ratujemy bardziej dusze niż ciała. Wykupujemy jeńców chrześcijańskich lub wymieniamy za saraceńskich. Staramy się ocalić najpierw najsłabszych, aby nie ulegli pokusie wyrzeczenia się Naszego Pana. Zbawiamy ich dusze.

— I nic byście nie zrobili, gdyby piraci byli z Marsylii?

— Nie, nie możemy. To sprawa między chrześcijanami i nie ma groźby, że zniewoleni wyrzekną się wiary. Chrześcijanin nie może zniewolić drugiego chrześcijanina, chyba że prawosławnego, jak Grecy.

— W takim razie, jeśli Prowansalczycy są chrześcijanami, jak my, nie mogliby wziąć do niewoli ludzi z mojej wioski, prawda?

— Nie mogliby, ale nie mogą też porywać — odparł mnich. — A porywają. Niewola to zabranie komuś tego, co zaraz po duszy jest najcenniejsze, czyli wolności.

— Wobec tego czemu zarządca Palafrugell powiedział, że to Saraceni? — spytał Bartomeu. — On chyba umie odróżnić Maura od Prowansalczyka.

— Mógł się pomylić.

— Tak czy inaczej, błagamy was, bracie Antoni, o miłosierdzie. Dowiedzcie się, czy rodzina tych chłopców nie znajduje się na północy Afryki — powiedział Bartomeu.

— Nie odmawiam wam miłosierdzia, ale sądzę, że to daremne zabiegi — odparł mnich. — W tej sprawie widzę dziwne okoliczności. Jeżeli to byli Saraceni, to dlaczego zarządca Palafrugell nie zwrócił się do nas, byśmy odszukali jeńców?

Joan wzruszył tylko ramionami. Za dużo tych pytań.

&

Był deszczowy i mglisty poranek jednego z pierwszych dni lutego. Dzwony katedry się rozdzwoniły, ale nie wybijały godzin. Biły na alarm. Wkrótce dołączyły do nich dzwony kościoła Pi, potem Świętego Justyna. Potężny huk przygnębiał, budził trwogę. Joan rozpoznał też dzwony klasztoru Świętej Anny. W niedługim czasie wszystkie dzwonnice w mieście obwieszczały tragedię.

Z domu rodziny Corrów wybiegli na ulicę właściciele i pracownicy, żeby się dowiedzieć, co się stało. Sąsiedzi i rzemieślnicy, stojąc w deszczu, pytali jedni drugich. Wreszcie wieść nadeszła.

— Buntownicy Perego Joana Sali napadli na Granollers! Zdobyli miasto!

Joan zdziwił się tym rozgardiaszem. Przecież klęska oddziałów królewskich miesiąc wcześniej nie wywołała takiego popłochu.

Wkrótce pojął przyczynę. Granollers nie należało do żadnego pana. W mieście obowiązywały prawa i przywileje Barcelony. W istocie traktowane było jak jej jeszcze jedna ulica. Pere Joan Sala odważył się zaatakować miasto! To już nie była tylko wojna chłopów przeciwko panom. Przywódca buntowników popełnił błąd. Barcelona go zgładzi.

Po jakimś czasie dzwony katedry przestały bić smutno i poważnie. Zaczęły dzwonić uporczywie, ponaglająco. Pozostałe poszły za ich przykładem.

— To *via fora*!

Dzwony zdawały się przemawiać głosem miasta, które zapowiadało zemstę. *Via fora* to wezwanie obywateli do broni, do obrony Barcelony. Joan widział, jak twarze ludzi zmieniają się z przygnębionych i smutnych w gniewne. Natychmiast pojawiły się kusze, łuki i miecze. Pan Corró w hełmie, kolczudze i z lancą kazał przygotować konia i zebrał swoich przed sklepem.

— Lluís i Joan, zostańcie tutaj, jesteście za młodzi — zakomenderował. — Reszta za mną.

Dzwony biły ponaglająco, niespokojnie, a gdy ktoś zakrzyknął *via fora!* — odpowiadała mu wrzawa. Lluís i Joan postanowili ruszyć za starszymi, żeby popatrzeć. Nie mogli sobie tego darować.

Rzemieślnicze cechy pełniły kluczową funkcję w obronie miasta. Każdy zobowiązywał się do chronienia pewnej części muru. Była to sprawa honoru. Tchórzostwo lub bohaterstwo jednego z członków cechu mogło ściągnąć hańbę lub przynieść chlubę wszystkim jego towarzyszom.

Księgarze nie mieli jeszcze swojego cechu i obowiązywały ich prawa księgarzy i introligatorów z 1446 roku, ale połączyli się w bractwo czczące Świętego Hieronima, z kaplicą w kościele Trójcy Świętej na placu o tej samej nazwie. Tam właśnie udał się niewielki oddział pana Corra. Po drodze mijali uzbrojone grupy, które też udawały się w miejsca, gdzie ich patroni mieli swe kaplice. Wkrótce dołączyli do innych księgarzy. Przywitali się okrzykiem *via fora!* i wznieśli broń. Z daleka Joan wypatrzył Bartomeu, który jechał na koniu uzbrojony jak pan Corró.

Na placu księgarz natychmiast zameldował się u przywódcy

bractwa. Ten zanotował nazwiska jego ludzi i ich broń w spisie walczących, po czym udał się do Concell de Cent. Po powrocie ogłosił, że oddział może się już rozejść. Tym razem sam Destorrens, doradca burmistrza, poprowadzi wojsko mieszczan, które dołączy do oddziałów królewskich. Szykowała się długa kampania, była zima i cechy rzemieślnicze miały zająć się zaopatrzeniem. Gdy wszystko będzie gotowe, wojsko wyruszy, aby zmierzyć się z buntownikami Perego Joana Sali.

༈

Joan obserwował brata Nicolau. Patrzył na niego tak uporczywie, że mnich odwzajemnił mu spojrzenie z przesłodzonym uśmiechem. Chłopiec nie chciał, żeby zakonnik się połapał, jak wielkim napawa go wstrętem, więc półgębkiem też się do niego uśmiechnął. Pewnego dnia, kiedy mijali się na schodach do refektarza, Joan poczuł rękę mnicha na swoich pośladkach. Był to przelotny kontakt, lecz wzbudził w Joanie głęboką odrazę. Przypomniał sobie Gabriela uciekającego po takim incydencie i musiał pohamować gniew, by nie runąć na tego człowieka i nie zrzucić go ze schodów. Miał inny plan. Musiał chronić Gabriela i widział tylko jedno wyjście.

Pewnego popołudnia wyszedł z warsztatu, chowając pod płaszczem narzędzie do cięcia papieru i skóry. Był to płaski, wydłużony, lekko zakrzywiony żelazny przedmiot. Jeden z końców służył za uchwyt, drugi był cienki i bardzo ostry. Postanowił poderżnąć mnichowi gardło, gdy będzie spał, a potem ukryć ostrze w murze oddzielającym zakon od ulicy. Następnego dnia wyjmie go z drugiej strony i odniesie do księgarni. Zdawał sobie sprawę z ryzyka, ale był gotowy na wszystko.

25

Po kolacji mnisi udali się na spoczynek przed jutrznią. Chłopcy zrobili to samo. Joan poczekał, aż jego brat uśnie, i bezszelestnie, niosąc kaganek, który tlił się wątłym światłem, wyszedł na dziedziniec. Na niebie było więcej chmur niż prześwitów, a zimny wiatr czynił tę zimową noc jeszcze posępniejszą. Joan otulił się płaszczem, chowając kaganek i swą broń. Poczuł, że się trzęsie. Nie wiedział, czy to z zimna, czy ze strachu, ale dreszcze nie były w stanie go powstrzymać. Wyszedł na krużganek prowadzony słabym światłem nielicznych gwiazd, które migotały między chmurami. Tam wszystko było jeszcze ciemniejsze. Chłopiec trzymał płomień kaganka w ukryciu, ale i tak dobrze wiedział, gdzie są drzwi do celi brata Nicolau. Miał nadzieję, że znajdzie go uśpionego, a w świetle kaganka odnajdzie tętnicę szyjną, której przecięcie oznaczało śmierć. A gdyby mnich nie spał, wtedy uda, że przyszedł do niego umyślnie; z całą pewnością zostałby przyjęty. Wykonanie zadania byłoby trudniejsze, ale i tak w końcu odnalazłby tę tętnicę.

Drzwi do cel nie miały rygli. Joan popchnął je lekko, w lewej ręce trzymając kaganek, a w prawej broń. Modlił się w duchu, żeby drzwi nie zaskrzypiały. Ani drgnęły. Chłopiec przygryzł wargi, musiał nacisnąć mocniej, a zardzewiałe zawiasy mogły skrzypieć. Spróbował znów i udało mu się rozewrzeć je na dwa palce, nie robiąc zbytniego hałasu. Odgłos okazał się słabszy, niż można się było spodziewać, a dodatkowo zagłuszył go wiatr.

Joan zastygł w całkowitym bezruchu, nadsłuchując. W celi coś się ruszało. Mnich nie spał! Słychać było jakiś głos i miarowe dźwięki. Czyżby nie był sam? Pomyślał, że jeśli zakonnik jest czymś zajęty, może trochę szerzej otworzyć drzwi. Nie zauważy go. I bardzo powolutku otwierał, aż mógł zobaczyć, co dzieje się w środku.

— Panie mój! Boże! — wołał zakonnik półgłosem. — Uwolnij mnie od pożądania!

Joan usłyszał trzask bicza o wielu rzemieniach i ujrzał mnicha klęczącego przed niewielkim krucyfiksem. Po jego tłustych plecach ściekała krew. Kaganek oświetlał tę scenę kary, którą brat Nicolau sam sobie wymierzał.

— Odwiedź mnie od dzieci, Panie!

I Joan wzdrygnął się na stłumiony dźwięk metalowych szpiców, które rozdzierały skórę pleców. Cela była malutka. Chłopiec odsunął się od drzwi, bo bał się, że krew go obryzga. Gdy spojrzał znów, mężczyzna upuścił bat i chwiejnie opierał się o podłogę na łokciach i kolanach. Był zupełnie nagi. Cały się trząsł.

— Czemu stworzyłeś mnie takim? — pytał, popłakując. — Miej litość, uwolnij mnie od tej hańby!

Joan nie mógł uwierzyć, że to ten sam człowiek, który tak mdło się do niego uśmiechał. Był oszołomiony. Mnich natomiast, z wściekłością — i zdawało się, że resztką sił — chwycił bat prawą ręką i uderzył się w genitalia. Potem runął z jękiem i chyba zemdlał. Joan poczuł ten cios, jakby to jego ktoś walnął, i włosy stanęły mu dęba. Był przerażony, ale ścisnął mocno ostrze. Uznał, że to odpowiednia chwila do poderżnięcia zakonnikowi gardła. Pochylał się już nad bezwładnym ciałem, dzierżąc swoją broń, ale się powstrzymał.

Nie mógł tego zrobić, nie byłby w stanie zabić, choćby został tam całą noc. Przestał nienawidzić tego człowieka. Wrócił szybko do celi, ubolewając, że Bóg urządził świat tak niesprawiedliwie. Długo nie mógł zasnąć. Ciężko było mu się modlić. Nie pojmował, jak Pan mógł pozwolić na śmierć jego ojca. Ani dlaczego dopuścił do zniszczenia jego rodziny. I jak mógł stworzyć brata Nicolau właśnie takim. Jego gniew skierował się ku niebiosom.

❧

Wojsko zbierało się w północnej części Rambli zwanej placem dels Bergants. Dzwony biły na okrągło. Cały czas przychodzili i odchodzili piechurzy i konnica w towarzystwie swych rodzin i przyjaciół. Joan razem z Lluísem przepychali się przez tłum, żeby popatrzeć na żołnierzy. Przywódca bractwa zdecydował, że pan Corró z racji wieku ma pozostać w Barcelonie, a dom jego reprezentować będzie mistrz Guillem, który poprowadzi grupę, czeladnik i dwóch najstarszych uczniów. Joan pomyślał, że tak naprawdę dowództwo obejmie Felip, i złapał się na tym, że ma nadzieję, nieśmiałą, z wyrzutami sumienia, że buntownicy go zabiją. Słowa jego ojca o wolności i prześladowania ze strony Felipa sprawiły, że życzył dobrze zbuntowanym chłopom i pragnął, żeby zdołali chociaż uciec, by móc prowadzić dalej swą walkę.

Wtem ujrzał Bartomeu. Jechał wśród kawalerii na przepięknym rumaku. Miał na sobie lekką zbroję i hełm, miecz u pasa i lancę, której proporzec lśnił barwami miasta. Mistrz Guillem mówił mu, że Bartomeu w wieku zaledwie osiemnastu lat brał udział w wojnie domowej pod rozkazami samego pana Corra, walcząc w lekkiej kawalerii wraz z ojcem Felipa. Ojciec Felipa zginął w krwawej bitwie, w której Bartomeu odniósł rany. Księgarz uratował go, ryzykując życie, i od tej pory Bartomeu obdarzył go uczuciem, którym darzyłby swego ojca i starszego brata, gdyby się ze sobą kontaktowali. Teraz kupiec zajmował miejsce pana Corra jako oficer lekkiej kawalerii.

Joan wbiegł pomiędzy parskające niespokojnie konie. Życzył przyjacielowi szczęścia. Wraz z bratem będą się za niego modlić.

Dzwony przestały bić, gdy arcybiskup odprawiał mszę. Kiedy skończył, uderzyły znowu, a tłum zakrzyknął *via fora!* Oddziały przemaszerowały przed trybuną, z której biskup i inni duchowni skrapiali je wodą święconą. Wyszły przez Porta de Sant Sever. Wojsko ruszyło drogą wiodącą przez królewskie sady w stronę Trinitat, by udać się w kierunku Granollers na poszukiwanie agresorów. Po chwili zniknęło w tumanie kurzu.

෴

Ruch uliczny zmalał. Widać było, że brakuje wielu rzemieślników. Joan pomyślał, że zrobiło się pusto. Gdy wrócił do sklepu, właściciel rzekł:

— Mistrz z czeladnikiem poszli na wojnę. Nie będzie więc pracy w warsztacie, a tym, co zostało, zajmie się Lluís. Ty idź na poddasze. Będziesz pracował z Abdalą. On ci powie, co masz robić. Chłopak zmarszczył brwi. Wiedział, że choć mistrz na próbę wziął go do warsztatu, to przeznaczony był do pracy kopisty, a w tym domu księgi przepisywał muzułmanin. Joan nie przypuszczał jednak, że to on będzie wydawał mu instrukcje. Niewolnik! Ten człowiek budził w nim sprzeczne uczucia. Cenił go za to, że nie doniósł na niego panu Corrowi, ale był Maurem, jednym z tych, którzy skrzywdzili jego rodzinę. Pomyślał o tym przez chwilę i uznał, że im bliżej niego się znajdzie, tym więcej okazji będzie miał do zemsty. Tak pocieszając się w duchu, podreptał do *scriptorium*, jak nazywał właściciel poddasze.

Otworzył właz, wszedł do pomieszczenia i stanął nieufnie przed staruszkiem, który patrzył na niego przez okulary.

— Właściciel przysyła mnie, żebyś nauczył mnie pisać — rzekł twardo, podnosząc głos, aby Maur wiedział, że nie da sobą rządzić.

Starzec przyglądał mu się parę chwil, po czym z powrotem zabrał się do swojej roboty, nie zważając na niego. To zbiło chłopca z tropu. Zaczął się wściekać. Maur nie szanował go jak należy.

— Powiedziałem, że właściciel chce, byś nauczył mnie pisać — powtórzył, robiąc kilka kroków w stronę staruszka, żeby go nastraszyć.

Tamten wcale się nie przejął i robił swoje.

— Słyszysz?! — krzyknął chłopiec całkiem już rozzłoszczony.

Abdalá ignorował go w dalszym ciągu, a Joan się zastanawiał, czy nie rzucić w niego kałamarzem ze stołu. Powstrzymał się, dochodząc do wniosku, że nie spodobałoby się to właścicielowi, ale uznał, że musi coś zrobić, żeby ten człowiek go poważał.

W tym momencie stary podniósł na niego wzrok znad papierów i patrząc mu w oczy, przemówił tonem tak miękkim, że niemal szeptał:

— Słyszę cię, ale twe krzyki nie pozwalają mi zrozumieć, co mówisz.

— Nie rozumiesz mnie? — zapytał Joan, hamując się. — Przecież mówisz moim językiem.

— Mówię wieloma językami i rozumiem je, synu. — Uśmiechnął się do niego. — Oprócz języka krzyku.

— Dobrze, mówiłem, że właściciel chciał, żebyś nauczył mnie pisać — powtórzył Joan równie miękko jak stary.

— Aha! Tego chce właściciel. A ty czego chcesz?

Joan się zastanowił. Oczywiście pragnął umieć pisać, ale bardziej chciałby móc czytać.

— Chcę nauczyć się czytać i pisać.

— To mogę pomóc ci tylko połowicznie. Pan Corró prosił, bym nie uczył cię czytać, i sądzę, że już o tym wiesz.

Chłopiec zmarszczył gniewnie brwi. Ten Maur za dużo wie.

— Ale nie martw się, gdy już nauczysz się pisać, czytanie pójdzie ci łatwo — kontynuował starzec. — Pamiętaj jednak, że kiedy się złoży obietnicę, trzeba jej dotrzymać.

Joan pomyślał znowu, że ten mężczyzna wie za dużo.

— Zatem prosisz mnie, bym cię nauczył... — Abdalá zawiesił głos na parę chwil. — I tego właśnie chcesz. Czy tak?

Joan skinął głową.

— Jeżeli chcesz, żebym cię uczył, musisz spełnić dwa warunki.

— Nie muszę spełniać żadnego warunku. To polecenie właściciela, a ty jesteś niewolnikiem.

Stary uśmiechnął się, zanim odpowiedział.

— Polecenia pana Corra są dla ciebie. Nie dla mnie. A jeśli nie spełnisz moich warunków, możesz wracać już do warsztatu i powiedzieć właścicielowi, że cię nie nauczę.

Joan nie był w stanie pojąć, jak niewolnik może okazywać taką butę. Nie mógł jednak powiedzieć gospodarzowi, że Abdalá nie chce go uczyć. Wszyscy wiedzieli, jak wielkim szacunkiem darzył muzułmanina.

— Jakie są twoje warunki?

— Po pierwsze, żebyś mówił mi „mistrzu" i zwracał się do mnie na wy.

Tego Joan się nie spodziewał. Miał mówić „mistrzu" do muzułmańskiego niewolnika. Co na to Felip? Wszyscy będą się z niego śmiać.

— Nie mogę.

— Przykro mi. Możesz już zejść do sklepu.

— Zaczekaj! Nie mogę tego zrobić, bo Felip i reszta będą się ze mnie śmiać. Pewnie miałbym z nimi na pieńku.

— Dobrze. Rozumiem. Możesz nazywać mnie mistrzem, kiedy będziesz tu ze mną sam. Na dole w warsztacie możesz mówić mi Abdalá.

Chłopiec odetchnął z ulgą.

— A drugi warunek?

— Obserwuję cię. Twoja nienawiść do mnie nie jest taka jak Felipa. To coś więcej. Chcę się dowiedzieć, skąd w tobie niechęć do mnie, skoro nigdy nic złego ci nie zrobiłem.

Joan spojrzał na mężczyznę, zaciskając zęby. Przypomniał sobie swój ból. Przepełniała go nienawiść. Wylewała się z serca niczym woda z dzbana, gdy jest jej już za wiele. Nie chciał opowiadać mu o tym. Nie Maurowi. To przez Maurów jego rodzinę spotkało nieszczęście. Nie powie mu. Pomyślał, że prędzej już powie właścicielowi, że ten człowiek nie chce go uczyć.

— Spójrz mi w oczy — odezwał się starzec łagodnie.

Joan usłuchał go bezwolnie. Maur miał oczy niebieskie, trochę wypłowiałe przez lata, ale wciąż piękne i łagodne.

— Usiądź na tej ławeczce i opowiedz — nalegał.

Gdy siadał, poczuł, jak coś w nim pęka. Nagle słowa popłynęły same strumieniami, a z oczu pociekły łzy. Chmury i niebieskie morze, bijący dzwon eremity, spojrzenie jego ojca, ucieczka, huk wystrzału, śmierć, utrata matki, sióstr, Elisendy... Joan przeżywał to wszystko powtórnie. Mężczyzna czekał, a chłopiec chował twarz w dłoniach. Gdy skończył opowieść, były mokre od łez. Z płaczu dostał czkawki. Było mu wstyd. Nigdy jeszcze nie opowiadał o tym, co zaszło, tak bardzo cierpiąc.

— Przykro mi, Joanie — rzekł mężczyzna. — Bardzo mi przykro.

Chłopiec spostrzegł, że staruszek mówił do niego z bardzo bliska. Poczuł jego rękę na ramieniu. Była ciepła mimo chłodu, który panował w pomieszczeniu. Jakoś dodawała mu otuchy.

— Ale wierz mi. To nie muzułmanie napadli na twoją wioskę. Niech mnie Allah pokarze, jeśli się mylę.

— Co takiego? — Joan podniósł się jednym susem. Zgadzało się to z tym, co powiedział zakonnik mercedariusz. — Skąd wiecie? — To proste. Moi nigdy nie używają arkebuzów do walki na lądzie. Mój lud woli strzały, w strzelaniu nimi jest szybszy od każdego chrześcijanina. Gdyby byli to muzułmanie, nie mieliby nawet kusz, tylko łuki. Proch i kusze chowają do strzelania z pokładu statku do innego statku albo na odległość. Nie noszą tego na lądzie, wolą się szybko poruszać. Tak samo kawaleria. Wolimy ruch, szybkość: zaatakować, wycofać się i uderzyć znów. Niezbyt lubimy ciężką kawalerię. To samo dotyczy galer. Lubimy szybkie. Ta, którą ty opisałeś, była wielka i z artylerią zbyt liczną jak na nas.

Joan patrzył na niego z zaskoczeniem. Wcześniej odrzucał sugestie, jakoby piraci nie byli Saracenami. Nawet wielki mistrz mercedariuszy nie zdołał go przekonać, a teraz, z jakiegoś powodu, którego nie potrafił wyjaśnić, uwierzył Maurowi. Cała gromadzona miesiącami nienawiść do muzułmanów wciąż kryła się w jego wnętrzu, tylko że teraz nie miał pojęcia, jak ją rozładować. Był rozstrojony.

— Kiedy chcesz zacząć się uczyć? — Głos mężczyzny wyrwał go z rozmyślań.

— Kiedy tylko powiecie, mistrzu Abdalá — odparł chłopiec.

26

Fascynujący świat otworzył się przed oczami chłopca. Książki, dużo książek i dziwne narzędzia, którymi się je pisało. Nim nakreślił pierwszą literę, musiał zapoznać się ze wszystkimi przedmiotami w *scriptorium*. Podstawę dobrego pisania stanowiły pióra. Musiały być należycie przycięte. Najczęściej używano gęsich, ze względu na ich jakość i cenę. Dla zręcznego kopisty wartość miało jednak tylko pięć najdłuższych piór z lewego skrzydła, wyrwanych wiosną żywemu ptakowi i suszonych potem przez jakiś czas. Tylko te były odpowiednio zakrzywione. Łabędzie pióra ceniono wysoko, były jednak droższe i trudniejsze do zdobycia. Do dokładnych rysunków posługiwano się piórami kruczymi, choć używano też orlich, puchaczych i jastrzębich. Ostrza należało utrzymywać w odpowiednim stanie, aby uzyskać dobre przycięcie stępionego piórka. Dobre pióro nie wytrzymywało dłużej niż tydzień.

Pismo powinno być harmonijne i piękne. Duży wpływ na to miał także atrament. Trzeba było sprawdzać jego konsystencję, dodając wody, gdy wysychał. Istotne znaczenie miała też jakość papieru lub pergaminu. Pisano również na papirusie, ale był drogi, mniej trwały i w domu państwa Corrów go nie używano.

Przed pisaniem należało poliniować papier, aby litery nie biegły krzywo. Kreślono za pomocą linijek cieniusieńkie linie poziome, żeby podtrzymywały pismo. Jeśli strona miała zawierać litery początkowe wyróżniające się wielkością, zostawiało się na nie miejsce, tak samo jak na ilustracje.

W *scriptorium* poza stołem mistrza stały jeszcze trzy stoły z pochyleniem na książkę, w której się pisało, i miejscem na oryginał. Widząc niezagospodarowane stoły, Joan pomyślał, że kopiowanie ksiąg podupadło nieco ostatnimi czasy.

Pisało się w książkach już oprawionych i trzeba było bardzo uważać, by nie pobrudzić ich atramentem. Kałamarze były nieruchome, przytwierdzone do stołów, żeby atrament przez przypadek nie wylał się na cenną księgę. Pod stołami stały grzejniki, nie po to, by skrybie było ciepło, lecz by tusz szybciej wysychał.

Abdalá pokazał mu, jak trzymać pióro i jak zanurzać jego koniec, żeby do rurki nabrać odpowiednią ilość atramentu. Nie za dużo, ażeby nie zrobić kleksa. W końcu nauczył go, jak stosować ostrze. Było to płaskie metalowe narzędzie, które trzymać miał zawsze w lewej ręce, podczas gdy pisał prawą.

— Pisanie to praca dwóch rąk — powiedział Abdalá. — Tak samo jak zestrajasz obydwie nogi do chodzenia.

Joan podziwiał zdolności starego, zarówno pióro w jego prawej ręce, jak i ostrze w lewej. Ostrze służyło do przytrzymania papieru, bez brudzenia go tłuszczem rąk, ale było również pomocne, gdy upadło za dużo tuszu lub powstał jakiś błąd. W pierwszym wypadku zbierało się nim nadmiar, w drugim zaś skrobało się lekko papier, zanim atrament wysechł, by zasypać go następnie talkiem i nadpisać prawidłową literę.

Wszystko to fascynowało Joana. Rozejrzał się wokół, chcąc nacieszyć się widokiem *scriptorium*, i przypomniał sobie, jak urzekła go otwarta księga na wystawie sklepu państwa Corrów w dniu przyjazdu do Barcelony. Ależ była piękna! Teraz miał okazję, żeby się uczyć. Może kiedyś będzie mógł stworzyć coś równie cudnego. Pełen nadziei wypiął pierś i uśmiechnął się wesoło.

Liniowanie papieru przed zapisaniem go okazało się zadaniem powolnym i żmudnym, tym bardziej że robiło się to w oprawionej już książce. A było to główne zadanie Joana, jako że pisać jeszcze nie umiał, a mistrz nie chciał tracić swego czasu na podobne zajęcia. Linie musiały być zrobione starannie, według odległości ustalonych dla każdej książki. Abdalá był wymagający i surowy w ocenach.

Chłopiec nie skarżył się jednak, ponieważ mistrz uczył go też kreślić litery na niepotrzebnych kawałkach papieru lub pergaminu, które wcześniej kazał mu starannie poliniować. Joan pomyślał, że ucząc się pisać litery, musi poznać także ich nazwę, a to, jak podpowiadała mu intuicja, pierwszy krok do nauki czytania.

— Mistrzu Abdalá, dlaczego gospodarz nie chce, bym nauczył się czytać? — spytał kiedyś.

— Ma swoje powody i wyświadczysz wszystkim przysługę, jeśli dotrzymasz przyrzeczenia.

— Ale na co mi oprawiać kartki i tworzyć książkę w cudnej okładce, a potem przepisywać, może nawet pięknie ilustrować, jeśli nie będę rozumiał treści?

— Jesteś bardzo młody. Przyjdzie czas na to, byś czytał. Teraz ciesz się pięknem kaligrafii, jej harmonią, zapachem atramentu i dotykiem papieru. Na tym się skup. To jest ci dozwolone. Zarówno wygląd, jak i zawartość książki mają swoją wartość. Jedno i drugie trzeba umieć docenić. Książki są jak ludzie, mają ciała i dusze. Ważne jest jedno i drugie. Przeczytałem wiele ksiąg i niejeden raz większe wrażenie zrobiły na mnie wyglądem, zapachem i teksturą niż treścią.

— Ale ja chcę zostać księgarzem, a prawdziwy księgarz musi znać treść swoich książek i znaleźć osoby, do których są one skierowane. Jak pan Bartomeu.

Starzec uśmiechnął się i pogładził brodę.

— Tak, książka i czytelnik. Przyjemność lektury to harmonia między obojgiem. A ten, kto umie znaleźć książce czytelnika, a czytelnikowi książkę, nie jest zwykłym księgarzem. Jest czarodziejem. Alchemikiem, który w swym tyglu stapia dwie rzeczy w jedną. A to, co wychodzi, jest czymś jeszcze innym, bo odpowiednia książka wywołuje w czytelniku zasadnicze zmiany...

— Nie rozumiem — rzekł Joan.

Mistrz zdał sobie sprawę, że nie mówi do chłopaka, lecz dał się ponieść emocjom.

— Nie przejmuj się — powiedział w końcu. — Na razie rób, co ci polecono. Będziesz jeszcze miał czas na łowienie książek i ludzi.

Wywody te nie przekonały Joana, ale włożył cały swój zapał w naukę kaligrafii, zgodnie z radami mistrza. Wysilał się, kreśląc piórem owe litery tworzące nieznane mu słowa, z których zbudowane były ukryte przed nim zdania. Stopniowo wzmacniał swój nadgarstek, aż nadszedł czas, że mistrz pozwolił mu kopiować pierwsze teksty. Co znaczyły słowa, które przelewał na papier? O czym mogła być książka? Umierał z ciekawości.

Joan szybko się zorientował, że bez względu na to, jak dokładna byłaby kaligrafia, zarówno jego, jak i w oryginalnym tekście, nigdy nie będzie dwóch takich samych liter. Jedna wspierała się nieznacznie na sąsiedniej literze i odsuwała od następnej, inna była trochę wyższa i wychylała się do przodu lub do tyłu. Albo miała zdecydowany szkic, albo atrament w większej ilości zebrał się w jakimś jej punkcie. Wkrótce zaczął przypisywać literom uczucia, zamiary, charakter, stany. Wydawały się zadowolone, smutne albo złe. Litery miały własne życie i łączyły się ze sobą, tworząc rozmaite osobowości. Jedna zmawiała się z drugą przeciwko trzeciej. Czwarta była wściekła, piąta coś ukrywała, szósta się bała, kolejna się śmiała — i tak wszystkie razem i każda z osobna żyły w tekście. Był to świat osobliwy i cudowny, ale też własny i intymny. Joan się zastanawiał, czy ktoś jeszcze widzi mowę liter.

Pewnie to tylko owoc jego wyobraźni, myślał sobie smutny i zawiedziony. Interpretował humor literek, bo zabronili mu poznać ich prawdziwe znaczenie, które stworzyło tę cudowną więź między kimś, kto napisał tekst w przeszłości, i tym, kto w teraźniejszości go czytał.

ॐ

W owych dniach życie w zakonie stało się bardziej rygorystyczne. Więcej czasu spędzano na modlitwach, a modlono się za walczących i o zwycięstwo. Kościół był dłużej otwarty, żeby wierni mogli modlić się za swych krewnych na wojnie. Najcięższe jednak dla chłopców okazały się posty. Często nie było kolacji. Modły i poświęcenia były wsparciem, którego zakonnicy udzielali miastu w jego działaniach wojennych, ich formą walki. Dzięki tym wyrzeczeniom Pan miał być bardziej przychylny dla miejskich oddziałów. Na szczęście brat Jaume zawsze miał szeroki uśmiech i trochę jedzenia w zanadrzu dla chłopców i nowicjusza. Uważał, że Panu nie są potrzebne ofiary dzieci.

Joan wciąż uważał na brata Nicolau. Po tamtej nocy zaczął mu współczuć, ale odraza, którą w nim budził, była silniejsza. Widząc, że uśmiecha się do niego jak dawniej, pomyślał, że błagania zakonnika nie zostały wysłuchane przez niebiosa i że jego brat wciąż znajduje się w niebezpieczeństwie. Bardzo mu było żal nieszczęsnego mnicha, ale myśl, że zagraża Gabrielowi, stawała się nie do zniesienia.

Oprócz tej troski nachodził go jeszcze niepokój innego rodzaju. Co chwila jego palce rysowały coś na ścianach zakonu, na stole w refektarzu czy na innej napotkanej powierzchni. Były to szkice jakiejś sylaby, jakiegoś słowa, które tego samego ranka pisał atramentem. Jeśli nowicjusz był w pobliżu, nie mógł się powstrzymać i pytał go, jak to brzmi. Pragnął wymazać odpowiedź z pamięci, ale im bardziej się starał, tym bardziej utrwalały się w niej słowa i dźwięki.

27

W tych pełnych napiętego oczekiwania dniach wszyscy głodni byli wieści, które wędrowały od drzwi do drzwi, z ust do ust. A to o tym, że wyznaczono niewyobrażalną sumę pięciuset funtów za głowę przywódcy buntu, a to o tym, że wojsko zajęło już pozycje do ataku na Granollers... Mieszkańcy miasta otrzymujący wiadomości od swych krewnych w listach, które przybywały z kilkudniowym opóźnieniem, śpieszyli podzielić się nimi z resztą. Najczęstszym miejscem wymiany były studnie. Joan, napełniając dzban, nadstawiał ucha, a potem zanosił prędko wieści gospodyni, która wyczekiwała ich chciwie. Później przekazywała je mężowi i sąsiadkom.

Pracować dla państwa Corrów oznaczało należeć do rodziny. Każdy miał w niej swoje miejsce: państwo Corrowie byli właścicielami, a reszta się ich słuchała, ale właścicielka nad każdym roztaczała opiekuńcze skrzydła. Joan bardzo szanował panią Corró i jak tylko mógł, starał się sprawić jej przyjemność. Odwiedzał więc rozmaite studnie, zbierał wszędzie wiadomości, a następnie wybierał spośród nich te, które w jakiś sposób zaspokoiłyby jej pragnienie dowiedzenia się czegoś o swoich.

I stojąc tak kiedyś w kolejce, ujrzał nagle dziewczynę od jubilera. Po raz pierwszy spotkali się w jakimś innym miejscu niż sklep jej rodziców. Zamurowało go. Nim uciekła od niego wzrokiem, ujrzał zaskoczenie w jej oczach. Nie wiedział, co robić. Chciał do niej coś powiedzieć, ale poczuł się odrzucony. Więc napełnił dzban i poszedł, nie czekając.

Następnego dnia o tej samej godzinie Joan czekał przy tej samej studni, zdecydowany rozpocząć rozmowę. Ku jego rozczarowaniu, mimo że pokręcił się tam chwilę, nie pojawiła się. Parę dni później miał więcej szczęścia. Gdy ją zobaczył, ustawił się w kolejce. Musiała stanąć za nim. W ten sposób mógł okazać jej uprzejmość i przepuścić ją. W dowód wdzięczności uśmiechnęła się do niego słodziej niż anioł. Stanął za nią, czując suchość w ustach. Zastanawiał się, co powiedzieć, nie mogąc wydobyć z siebie słowa. Napełniła swój dzban i odeszła po cichutku, nie zatrzymując się, by porozmawiać z tymi, którzy przekazywali wiadomości. Poruszała się z wdziękiem. Wzrok miała opuszczony, jak przystało panience. W pewnej chwili podniosła jednak oczy i odwróciła się, by spojrzeć na Joana. Serce chłopca znów zabiło szybciej. Chciałby powiedzieć jej, jaka jest piękna i jak go oczarowała. Ale nie miał odwagi. Gdy znikła za rogiem, obraz jej uśmiechu z dołeczkami w policzkach, zielonego blasku spojrzenia i gładkich ruchów rąk pozostał z Joanem. Był z nim wciąż, gdy zamykał oczy, gdy chciał się pomodlić, nawet gdy myślał o swej matce i siostrze.

అ

Anna nie wiedziała, czemu ten chłopiec wydał jej się inny od reszty. Podczas pierwszych spotkań bez słów, kiedy miał pociemniałą od słońca skórę i wieśniaczy strój, wyczuwała w nim mieszaninę niepewności i determinacji, jego spojrzenie miało w sobie tyle siły, ile tragedii i nadziei. Nie wiedziała, dlaczego uśmiechnęła się do niego pierwszy raz, a potem drugi, gdy przyszedł sprzedać jej ojcu koral. Gdy jednak zobaczyła go ubranego jak pozostali kręcący się wokół niej chłopcy, jakby próbował ich naśladować, wydał jej się nudny i zaczęła patrzeć na niego, jakby był przezroczysty.

అ

Zdziwiła się, spotkawszy go przy studni, po tym jak zmęczony jej obojętnością od trzech tygodni przestał przychodzić przed sklep jej rodziców. Chodzenie po wodę było pracą dziewczyn i tylko w domach, gdzie ich nie było, robili to chłopcy. Widziała, jak się zmieszał. Udała więc, że go nie zauważyła, nie wiedząc, jak się zachować. To jedyny chłopak, którego zniknięcia pożałowała, po tym jak przez jakiś czas nie zwracała na niego uwagi. Był wyjątkowy.

Spotkanie przy źródle wywołało w niej niespodziewane uczucia. Zaczęła szukać wymówek, żeby przez następne dni po wodę chodziła służąca. Gdy jednak ponownie znalazła się przy studni, miała zamiar poznać go lepiej. Wokół Anny kręcili się przystojniejsi zalotnicy, Joan zresztą wciąż nie byłby z pewnością odpowiedni zdaniem jej rodziców, mimo że miał już jaśniejszą skórę i nosił kaftan. Ale Anna nie skończyła jeszcze nawet trzynastu lat, a zdanie rodziców nie obchodziło jej aż tak bardzo. Ten chłopiec był inny i pociągał ją.

༄

Po paru potyczkach w okolicach Granollers Pere Joan Sala zrozumiał, że powstańcy nie mogą stawić czoła wielkiej armii. Chciał wycofać swoje siły w sposób zorganizowany, ale zostały rozgromione podczas ucieczki na północ dwudziestego czwartego marca w Lleronie. Poniosły całkowitą klęskę. Dwustu ludzi zginęło na polu walki, a drugie tyle zostało pojmanych, wśród nich przywódca. Pozostali ratowali się ucieczką.

Gdy wieść dotarła do miasta, dzwony zabiły radośnie. Zabiły znowu, gdy powróciły zwycięskie oddziały witane przez wiwatujący lud. Zaledwie pół tuzina mieszczan poległo. Był to wielki triumf. Sąsiedzi gratulowali sobie wzajemnie na ulicach.

Do domu Corrów wszyscy powrócili cali i zdrowi, z wieloma przygodami do opowiadania. Felip tryskał radością, pysznił się zabiciem dwóch chłopów i nie przestawał opowiadać szczegółów.

— Daliśmy twoim nieźle w skórę, chłopie pańszczyźniany — powiedział do Joana na powitanie.

Stuknął przy tym Joana w głowę, ale nie mocno. Nie zabolało go i nic nie powiedział. Felip nie wiedział jeszcze, że Joan pracuje z Abdalą. Chłopiec obawiał się jego reakcji.

Bartomeu nie podzielał entuzjazmu rudzielca.

— To była rzeź — oznajmił. — Rozgromiliśmy ich konnicą.

Byli kiepsko uzbrojeni i wygłodzeni. Nasza piechota starła ich w pył. Zbyteczne widowisko.

— Smuci mnie, że z taką łatwością zostali pokonani — wyznał Joan. — Sytuacja pańszczyźnianych jest niesprawiedliwa. Obowiązkiem człowieka jest walka o wolność. Król winien temu zaradzić. Nie może zezwalać, by jego poddani byli czyimiś niewolnikami.

— Król chciał ich pogodzić, ale ani jedni, ani drudzy nie ustąpili. Poza tym buntownicy uważają, że król ich zdradził.

— A zrobił to?

Bartomeu wzruszył ramionami.

— Chyba tak. To dzięki buntownikom ojciec króla zwyciężył w wojnie domowej. W zamian oczekują wolności, ale suweren, zapominając o chłopach, dogadał się w końcu z pokonanymi magnatami. — Klepnął go w ramię z uśmiechem. — Dziwny z ciebie chłopak. Za młody jesteś, by zajmować się tymi sprawami. Ale nie martw się, walka chłopów pańszczyźnianych nie zakończy się wraz ze śmiercią Perego Joana Sali.

— Nie? — zapytał Joan z nadzieją w głosie.

— Buntownicy Perego Joana nie mieli do stracenia nic poza życiem. Byli najbiedniejsi i najbardziej zdesperowani. Byli też bardzo radykalni, dlatego odważyli się zaatakować Barcelonę. Główny przywódca buntu nazywa się Verntallat i trzyma się mocno na północy. Zdoła utrzymać powstanie, aż dojdzie do porozumienia.

❧

Gdy ogłoszono wiadomość o egzekucji Perego Joana Sali, wszyscy oświadczyli, że chcą zobaczyć widowisko, odbyli hańbiącą drogę na plażę, gdzie miał zostać poćwiartowany zgodnie z obrzędem okrutnej śmierci.

Pan Corró uprzedził pracowników, że męka tego człowieka potrwa długo i jeśli ktoś będzie chciał zobaczyć całą egzekucję, zostanie bez obiadu.

Kiedy Joan powiedział o egzekucji Abdali, ten rzekł, że widział już dość śmierci i że zostaje w warsztacie, po czym dodał:

— Nawet agonia rozróżnia stany. Ponieważ to biedny chłop,

robią z jego śmierci publiczne widowisko. Żeby biedota miała nauczkę. Gdyby skazaniec był jednym z nich, panów, zrobiliby to szybko i bez świadków.

❧

Śmiertelne przedstawienie rozpoczęło się w południe na placu del Blat, gdzie znajdowało się więzienie miejskie. Wszyscy się przepychali, aż żołnierze musieli reagować, żeby tłum nie przeszkodził pochodowi. Joan wykorzystał swój niewielki wzrost i twarde łokcie i prześlizgnął się między ludźmi; udało mu się zająć miejsce w pierwszym rzędzie.

Na środku stał wóz, a na nim wznosił się słup, do którego uwiązali człowieka. Mógł mieć około czterdziestu lat, był szczupły, krzepki, miał brodę i ciemne, smutne oczy. Choć dzień był ponury i zimny, skazaniec stał nagi, nie licząc opaski na biodrach, wyprostowany, z uniesioną głową. Na jego ciele widoczne były ślady tortur. Ludzie wykrzykiwali, obrzucali go wyzwiskami i śmieciami. W pewnym momencie nieszczęśnik splunął ze zdecydowaniem, tak mocno i celnie, że trafił prosto w twarz jednego z tych, którzy najbardziej mu dokuczali. Dało się słyszeć śmiechy i złorzeczenia. „Co za typ z tego chłopa!" — usłyszał Joan.

Ucieszył się, że Pere Joan Sala nawet w ostatnich chwilach okazał odwagę i waleczność. Agresywność tłumu wobec chłopa zmalała i Joan pomyślał, że nie tylko na nim skazaniec wywarł wrażenie.

W pewnej chwili bicie w bęben uciszyło ludzi. Miał zostać odczytany wyrok.

— Pere Joan Sala! — krzyknął sędzia. — Oskarżony o złodziejstwo, morderstwo, zdradę i napaść na Barcelonę... — Tu zrobił pauzę. — Skazany na okrutną śmierć! Twoje ciało zostanie poćwiartowane, a członki wystawione na widok dla przykładu.

Tłum przyjął wyrok owacją, ale Pere nie okazał niepokoju. Na wóz weszli ksiądz, kat i jego pomocnik. Oprawcy zaczęli pokazywać tłumowi swoje narzędzia. Kat wzniósł topór, który podał następnie pomocnikowi. Potem kilka wielkich noży, łańcuch, różne rodzaje szczypców i rozgrzane w piecu do czerwoności kawałki żelaza. Ludzie wrzeszczeli i bili brawa na widok każdego narzędzia, podczas gdy ksiądz rozmawiał ze skazańcem i dawał mu krucyfiks do ucałowania.

Kat cierpliwie czekał, aż ksiądz skończy. Wtedy, upewniwszy się, że ciało jest dobrze przywiązane do słupa, pomocnik uwolnił prawą rękę skazanego i mocno ją przytrzymał, a kat ustawił pod nią drewniany pieniek.

— Wolność dla chłopów! — zakrzyknął Pere Joan, zanim pierwsze uderzenie spadło mu na rękę.

Tłum zawył. Wszyscy spojrzeli na twarz skazańca, którą wykrzywiał ból. Wydał stłumiony jęk. Kat uniósł obciętą dłoń, żeby wszyscy ją zobaczyli, i wrzucił do koszyka, a tymczasem pomocnik tamował krew z kikuta. Musiał utrzymać ofiarę przy życiu jak najdłużej. Zadudniły bębny i orszak ruszył naprzód. Wóz turkotał, a skazaniec podskakiwał razem z nim na wybojach. Jechali ulicą Boria. Wszystkie okna były szeroko otwarte, a w nich ustawili się ciekawscy. Żołnierze musieli torować drogę wśród tłuszczy. Nie zatrzymywali się na wąskich ulicach, aż dotarli do placyku de Marcús. Przystanki umiejscowione były w najbardziej przestrzennych miejscach, żeby jak najwięcej osób mogło być świadkami każdego aktu tragedii. Kat szarpał skazańcowi piersi obcęgami ku wiwatom tłumu. Joan miał dość tego widoku. Wrócił do księgarni. Nadeszła godzina obiadu, ale nie mógł jeść.

Następnego dnia kawałki ciała Perego Joana Sali zostały powywieszane na bramach miejskich. Głowę wbitą na pal wystawiono na Portal Nou.

28

Felip zaczął dokuczać Joanowi, gdy dowiedział się, że pracuje z Abdalą, na co Joan odparł, że to decyzja właściciela i żeby to z nim porozmawiał, jeśli ma jakiś problem. Pan Corró był jedną z dwóch osób, których osiłek bał się i które szanował. A miał ku temu powody. Był towarzyszem jego ojca, wziął go do księgarni, kiedy był jeszcze młodziutki, tuż po śmierci matki. Mimo trudnego charakteru chłopaka traktował go jak syna. Poza tym to księgarz miał polecić go bractwu, aby dopuszczono go do egzaminu mistrzowskiego z introligatorstwa. Do uzyskania tytułu niezbędne były nie tylko wiedza i umiejętności, ale też dostojeństwo i cnoty moralne. A co do dwóch ostatnich wymogów pan Corró wątpił w rudzielca.

Joan w dalszym ciągu należał do bandy, ceniono jego celność w rzucaniu kamieniami. Byli to ci sami chłopcy, którzy uczęszczali na msze nowych inkwizytorów i czasami napadali na Żydów. Chłopiec nie lubił tego i sądził, że Bartomeu, Abdalá i pan Corró potępiliby go za takie postępki, ale osiłek i jego banda uważali je za dowód odwagi, którego oczekiwali od niego.

Drugą osobą, której Felip się bał, była wiedźma z Raval. Kobieta mieszkała w domku położonym w niezamieszkanej strefie pełnej drzew i krzewów, nad cichą dolinką, na końcu drogi zwanej Peu de la Creu. Mówiono, że wiedźma jest ślepa, ale zaprzedała duszę diabłu w zamian za kryształowe oko. Ten, na którego nim spojrzała, tracił wigor. Ostatecznym dowodem odwagi było zapukać do drzwi wiedźmy. Banda chciała, by Joan wystawił się na tę próbę. Zgodził się. Nie słyszał o nikim, kogo unieszczęśliwiłaby czarownica, znał zaś wielu zabitych lub kalekich od rzutu kamieniem. Cała banda stanęła przy wejściu na ścieżkę prowadzącą do chatki. Dróżka była prosta i niezarośnięta. Patrzyli na Joana. Ten podszedł z wolna do domku. Zapadł już ponury zimowy wieczór, unosił się dym z komina i kobieta z pewnością była w domu. Wziął spory kamień, w razie gdyby musiał się bronić, i zastukał nim dwa razy do drzwi, mocno, żeby koledzy słyszeli. Potem dołączył do nich, idąc szybko, zamiast biec jak wszyscy. Gdy był już na końcu dróżki, koledzy pochowali się, żeby nie zobaczyła ich wiedźma. Ale ona nawet nie otworzyła drzwi. Felip, na którym zrobiła wrażenie odwaga Joana, zaczął się odnosić do niego z szacunkiem, a ten poczuł się doceniony i szczęśliwy. Zaczął ufać Felipowi do tego stopnia, że opowiedział mu o kłopocie z bratem Nicolau.

Rudy wysłuchał go z wielkim zaciekawieniem i rzekł, że nie może pozwolić, aby brat jednego z jego chłopaków cierpiał z winy degenerata. Trzeba było wywabić mysz z dziury, a do tego potrzebna była przynęta.

Przynętą miał zostać członek bandy: niewiele starszy od Joana chłopiec o anielskich rysach. Zaczął chodzić na msze do Świętej Anny w niedziele i spoglądał na brata Nicolau to bezwstydnie, to trwożliwie. Mnich odczytał zainteresowanie, które budził w tym Aniołku, ale tylko patrzył i uśmiechał się. Z bezpiecznej odległości Felip obserwował każdy szczegół bezsłownego dialogu i po trzeciej mszy zaczął się niecierpliwić biernością zakonnika. Aby przejść do następnego etapu, Aniołek podszedł do mnicha i poprosił go o spowiedź. Ten spojrzał na niego zdumiony i odparł, że nie jest spowiednikiem. Na to chłopiec powiedział, że czeka na niego w uliczce, która wiedzie od placu Świętej Anny do murów miejskich za kościołem.

Ulica zakręcała cztery razy, dlatego na początku, gdy się na nią wyszło, nie było widać, co kryje się dalej. Jeden z jej boków stanowił parkan klasztorny, po drugiej stronie były podwórka i dwa opuszczone domy. Zakonnik szedł na śmierć pod murami miejskimi mało uczęszczaną uliczką, którą chadzało głównie wojsko. Doskonała zasadzka. I nieszczęśnik w nią wpadł. Nie spotkał Aniołka, lecz diabła. Gdy brat Nicolau ujrzał grupę chłopaków o zakrytych twarzach, zastępujących mu drogę, domyślił się, co się stanie, ale nie próbował uciekać. Odwrócił się tylko i zobaczył, że za nim szło jeszcze kilku chłopców. Nic nie powiedział. Przykrył głowę kapturem habitu, uklęknął i zaczął się modlić, prawie zwinięty w kłębek. Pierwszym kopniakiem Felip połamał mu zęby. Na początku słychać było tylko ciosy i jęki, potem zakonnik zaczął skarżyć się, wołając:

— Matko Boska! Święta Anno! Litości!

To nie powstrzymało kopniaków.

— Żebyś oduczył się molestować chłopców! — krzyknął Felip. I bił dalej.

— Zostaw go już — powiedział Joan, łapiąc go za rękę. — Zabijemy go!

Jednakże Felip wyrwał dłoń i podnosząc kamień wielkości pięści, zaczął okładać nim z wściekłością leżące ciało. Skargi i modlitwy były coraz cichsze.

— Dosyć! — prosił Joan. — Zostaw go.

Próbował odciągnąć Felipa, ale ten go odepchnął. Joan spojrzał na resztę grupy. Przestali tarmosić zakonnika i w ciszy patrzyli, jak wielkolud się na nim wyżywa.

— Pomóżcie mi. Trzeba go powstrzymać. Zabije go!

Nikt się nie poruszył. Jakby wszyscy się spodziewali takiego finału i patrzyli w odrętwieniu z mieszaniną perwersji i trwogi. Joan uczynił ostatni wysiłek, ale Felip pogroził mu kamieniem. Reszta czekała, aż ich szef poturbuje do reszty ten bezwładny, milczący wór, w jaki zmieniło się ciało mnicha.

Gdy odrzucił wreszcie kamień, miał rękę zbroczoną krwią i pokazał ją każdemu z chłopaków. Gdy zbliżył się do Joana, wymierzył mu nią policzek, aż chłopiec zatoczył się na parkan.

— Nigdy więcej. Nigdy nie próbuj mnie powstrzymywać — rzekł. — Powinieneś być mi wdzięczny. Zrobiłem to dla ciebie. Twój brat nie ma już kłopotu, a ty wyświadczysz mi przysługę. Gdy mężczyzna zaczyna coś robić, musi to zrobić do końca, naucz się tego. Ale ty oczywiście, chłopie pańszczyźniany, jesteś jeszcze dzieckiem.

Joan pobiegł do studni obmyć twarz, lecz woda nie uspokoiła jego duszy, nie zmyła poczucia winy. Był czas, że chciał zabić zakonnika, ale pomyśleć o czymś, a to zrobić, to wielka różnica. Chciał tylko, żeby mnich dostał nauczkę i zostawił jego brata w spokoju. Nie pragnął tego, co się wydarzyło. Brat Nicolau był nieszczęśliwym człowiekiem, Joan nie chciał jego śmierci.

Wspólnota zauważyła zniknięcie zakonnika w porze kolacji. Zaczęto szukać go w klasztorze, potem w okolicach i znaleziono jego ciało. Był nieprzytomny, ale ku zdumieniu wszystkich żywy. Wspólnota zaczęła modlić się za niego, a najwięcej ze wszystkich modlił się Joan. I cud się wydarzył. Przez wiele dni mnich nie odzyskiwał świadomości, potem długo nie mówił. W końcu powiedział, że nic nie pamięta i że nie widział napastników. Trzeba było miesięcy, żeby zaczął mówić. Nigdy nie wyzdrowiał do końca. Za to modlił się więcej niż kiedykolwiek wcześniej. Joan pomyślał, że tajemnicze są drogi, które wytycza Pan. Musiał zesłać chłopca o twarzy anioła i demona w postaci Felipa, aby dać mnichowi to, o co błagał, biczując się w celi. Stan atonii i otępienia odebrał mu raz na zawsze pociąg do dzieci i uwolnił od poczucia winy.

29

Najbardziej oczekiwaną i wzruszającą chwilą dnia była wyprawa do studni. Już dwie ulice wcześniej serce Joana zaczynało walić jak oszalałe i zniecierpliwiony przyśpieszał kroku. Chciał zobaczyć dziewczynę. Coś go do tego przymuszało. Jeśli jej nie spotkał, wracał do warsztatu przygnębiony. Jeżeli się pojawiła, gdy Joan stał w kolejce, ustępował jej miejsce. W pierwszych dniach przyjmowała to z uśmiechem, ale potem zaczęła odmawiać, kręcąc głową, jednakże z miną wciąż uprzejmą. Tak było nawet lepiej. Joan stawał za nią i przezwyciężając nieśmiałość, rozmawiał z nią o pogodzie albo o jakiejś sprawie, o której dyskutowano przy studni. Z początku wydobywał z siebie zduszony głos, jakby wielka łapa ściskała go za krtań. Za to ona odpowiadała uśmiechnięta i spokojna. Napełniała swój dzban i żegnała go szczególnym gestem ręki. Joan wracał do pracy z sercem przepełnionym radością, a potem wspominał ją, nie mogąc doczekać się następnego spotkania. Znał już jej imię. Anna. Jak święta patronka zakonu.

Anna była jedyną kobietą w świecie Joana. W zakonie kobiety widział tylko na obrazach ołtarza. Do bandy rudego nie miały prawa wstępu. Panią Corró traktował jak matkę, a służące były o wiele od niego starsze. Na ulicach widywał inne dziewczyny, ale ledwo je dostrzegał. Anna stała się uosobieniem kobiecości. Gesty, sposób patrzenia, ruchy pełne wdzięku tylko jej właściwe. Była cudowną tajemnicą.

Wspomnienia Elisendy stawały się coraz bardziej odległe i nużące. Pewnego dnia klęknął w kościele i pomodlił się za nią.

— Przykro mi — wymamrotał na koniec — ale kocham Annę.

෯

Życie w warsztacie płynęło dalej swoim torem. Felip nie przejął się zbytnio, gdy dowiedział się, że brat Nicolau przeżył. Trzymał swoich chłopaków tak mocno w garści, że nie obawiał się niczego. Po zajściu w zaułku znów zaczął traktować Joana pogardliwie, mimo że chłopiec brał udział w bitwach bandy. Dlatego Joan się cieszył, że większość czasu spędzał na poddaszu i rzadko go widywał.

Abdalá okazał się cierpliwym i czułym nauczycielem, jakkolwiek surowym. Przyglądał się pracy chłopaka krytycznym okiem i posługując się metalowym pręcikiem, nigdy palcem, korygował błędy. Gdy jakaś litera nie spełniała jego oczekiwań, uderzał Joana pręcikiem w lewą rękę, w której trzymał ostrze. Nigdy nie uderzał prawej, żeby atrament nie rozlał się na papier. Te razy nie sprawiały chłopcu bólu, ale martwiły go, bo uzmysławiały, że jego praca nie zadowala mistrza.

— Dbaj o staranność, czuwaj nad pociągnięciami, a powściągniesz emocje — powtarzał muzułmanin. — Kaligrafia to jedna z tajemnych dróg do Pana. Oczy i ręce to najdokładniejsze narzędzia, szczyt osiągnięć boskiego stworzenia. Gdy zdołasz przezwyciężyć to, co prostackie, niedbałe i leniwe w twoim piśmie, zapanujesz nad nałogami i grzechami, staniesz się lepszy. Kaligrafia danej osoby mówi o niej samej. Pismo odzwierciedla jej charakter. Gdy człowiek ulepsza swoje pismo, ulepsza też samego siebie, zbliża się zatem do Boga.

Chłopiec słuchał urzeczony, zastanawiając się, co dzieje się z ludźmi, którzy nie potrafią pisać. Nie wątpił w to, co mówił mistrz, ale jego myśli wędrowały nieraz dalej, wyprzedzały słowa.

— Ale nie sądzicie, mistrzu Abdalá, że gdy skryba postawi literę na papierze, zaczyna ona żyć własnym życiem?

I opowiedział mu, co widział w literach. Nie rozumiał znaczenia słów, które tworzyły litery, ale przemawiały do niego wyglądem.

Abdalá się zaśmiał, a Joan pomyślał, że źle zrobił, zdradzając mu swój sekret.

— Joanie, niech ci Bóg błogosławi — rzekł mistrz. — Do mnie też litery mówiły, gdy byłem dzieckiem. Chociaż całkiem inne. Popatrz.

Wziął trzcinkę, specjalną zaostrzoną słomkę, zanurzył jej koniec w atramencie i zaczął rysować jakieś symbole, od prawej do lewej, zupełnie odwrotnie niż Joan uczył się pisać. Kreseczki i zakrętasy wydłużone w nieznanym porządku, chociaż bardzo harmonijne.

— Co to? — spytał Joan oczarowany.

— Andaluzyjskie pismo arabskie — odpowiedział. — Wyraża zdanie zwane *Basmala*, które brzmi: „W imię Boga miłosiernego, litościwego".

— To wszystko jest tu napisane?

— Tak, Joanie. Mnie też litery mówiły różne rzeczy jak teraz tobie. Opowiadały o kimś, kto je napisał, o mnie samym. Były jak te stwory z nieba, które pokazywał ci ojciec. Ową iskrą twórczą, rozpalaną przez wyobraźnię, czymś, co dał Bóg człowiekowi i co odróżnia go od zwierząt. Potem, z upływem czasu, tracimy część tej świeżości... Zachowaj ją, Joanie, dopóty, dopóki będziesz mógł.

Zakłopotany chłopiec wpatrywał się w mistrza. Nie miał pewności, czy zrozumiał jego słowa. Abdalá położył mu rękę na ramieniu. Utkwił w jego oczach swoje niebieskie oczy. Jego powaga poruszyła Joana do tego stopnia, że aż wstrzymał oddech.

— Posłuchaj, synu — rzekł łagodnym, choć zdecydowanym tonem. — Teraz może mnie nie zrozumiesz, ale chciałbym, żebyś znał prawdziwe znaczenie tego, co robimy, ukryty sens sprawy. Kupcy wymyślili cyfry, żeby liczyć zyski. Litery wymyślili kapłani, żeby pisać o Bogu. Dlatego pismo jest święte. Boskie objawienie przekształciło się w znaki, żeby przekazywać je z pokolenia na pokolenie i utworzyć z nich święte księgi. W ten to sposób narodziło się pismo, które jest sztuką duchownych. A gdy się wysilam, żeby kreślić doskonałe litery, modlę się, usiłuję ujarzmić moje słabości. Mówię do Pana, a On przemawia do mnie.

Joan słuchał go z szeroko otwartymi ustami. Nigdy nie spodziewałby się, że usłyszy coś podobnego.

— Ewangelia świętego Jana rozpoczyna się zdaniem: „Na początku było Słowo, a Słowo było od Boga, i Słowo było Bogiem", co inni tłumaczą „Na początku było Słowo i Słowo było Bogiem". I takie też były pierwsze księgi. Utrwaleniem Słowa Bożego, żeby człowiek zapamiętał je na zawsze. Dlatego chrześcijańskiego Boga przedstawiano w dawnych czasach z książką w ręce i dlatego też nasz Prorok Mahomet nakazuje szanować „religie Księgi", to znaczy chrześcijan i hebrajczyków, którzy wierzą w Biblię. My, muzułmanie, mamy zakaz tworzenia rysunkowej podobizny Boga. Ale robimy to za pomocą Jego Słowa. Stąd też rozwijamy mnogość rozmaitych pięknych kaligrafii, by czcić Pana, by jak najbardziej zbliżyć się do boskości. Sztuka liter to sztuka tego, kto się modli w poszukiwaniu Wyższego Bytu.

Chłopiec starał się uchwycić to wszystko, ale nie był w stanie. Te słowa oczarowały go, ale i przestraszyły.

— Anioł nakazał naszemu Prorokowi Mahometowi: „Czytaj", a gdy odparł, że nie umie, powtórzył: „Czytaj, w imię twego Pana, który stworzył człowieka" — zakończył Abdalá.

To Joan zrozumiał natychmiast.

— Dlaczego w takim razie ja nie mogę nauczyć się czytać?

Abdalá spojrzał ze zdumieniem. Jakby przed chwilą nie mówił do Joana, jakby zapomniał, że chłopiec cały czas tam był i patrzył mu w oczy, jakby w jednej chwili wrócił ze świętego świata. Stary zamrugał, jak gdyby się przebudził. Potem się zaśmiał. Joan spojrzał na niego z niezadowoleniem.

— Popatrz, Joanie, jaki jesteś uparty — powiedział w końcu. — W porządku, złapałeś mnie, jesteś bystry. Ale w przeciwieństwie do mnie nie znasz odpowiedzi. Nie możesz się nauczyć, bo przyrzekłeś, że tego nie zrobisz. Wykazuj się w pracy, ulepszaj się jako kopista i jako człowiek, módl się do Pana, kreśląc litery. I nie niecierpliw się, bo we właściwym czasie nadejdzie twoja chwila.

30

Niepełnosprawność brata Nicolau odmieniła życie klasztoru. Nadzór nad ogrodem objął brat Jaume, tak jak i nad kuchnią. Twierdził, że wydając polecenia kucharzowi i ogrodnikowi, też się modli, i że Bóg czyni mu tę pracę miłą. Jako że reszta braci nie podzielała jego upodobań, nie było dyskusji, bo żaden nie chciał podjąć się tych prac.

Brat Nicolau z trudem chodził, ciężko było mu mówić i myśleć, mógł jednak powtarzać modły w świątyni. Uczestniczył we wszystkich obrzędach religijnych. Towarzyszyli mu nowicjusz lub Gabriel.

— Dzięki, synu — z trudem mówił mnich. Patrzył na nich ze słodkim uśmiechem. Godzinami mógł w otępieniu wpatrywać się w ich rysy.

— Biedny człowiek — litował się Gabriel. — Popatrz, jak go urządzili.

— Ale nie był wobec ciebie w porządku — powiedział mu Joan któregoś dnia.

Młodszy brat wzruszył ramionami i odparł:

— Teraz to inny człowiek. Trzeba mu pomagać.

Joana zdumiewała trochę opieka, którą jego brat roztaczał nad mnichem. Rankami opróżniał nocnik i przemawiał do niego czule, gdy prowadził go do kaplicy, lub przysuwał mu talerz i chleb przy stole.

Joan mówił sobie, że choć są braćmi, bardzo się od siebie różnią, Gabriel był od niego o wiele lepszy. Nie chował w sercu urazy, on zaś miał w sobie wiele gniewu. Pamiętał wciąż jednookiego mężczyznę, który zabił ich ojca, nie mógł uwolnić się od widoku bandyty bijącego ich matkę. Zaciskał pięści, pragnąc krwawej zemsty. Paliła go nienawiść, a ponieważ nie wiedział, kim byli piraci, nie miał pojęcia, gdzie ją skierować.

Gabriel wciąż powtarzał, że zostanie żołnierzem i że razem wyruszą odbić matkę i siostrę, przywiozą z powrotem je obie i mauryjskie skarby. Ale Joan zdawał sobie sprawę, że to się nigdy nie stanie. Jego brat w przeciwieństwie do niego nie mógłby nikogo zabić. Gabriel był lepszym człowiekiem, bliższym Bogu.

Dlatego też Joan sądził, że on sam nigdy nie zostanie tak dobrym kopistą jak Abdalá. Wątpił, żeby kiedykolwiek udało mu się uwolnić od uraz i nienawiści. Obawiał się, że tak samo jak kulawego poznać można po chodzie, jego pismo zdradzi gniew ukryty w sercu.

Mimo to jego litery doskonaliły się z każdym dniem, a staruszek uczył go nowych sztuczek. Tworzono kopie, posługując się pismem gotyckim, ale muzułmanin twierdził, że przyszłość należy do pisma włoskiego, wynalezionego ostatnio w Wenecji. Bliskość między literami pozwalała łatwiej rozpoznawać wyrazy pooddzielane od siebie przerwami, a rozróżnienie liter małych i wielkich pozwalało lepiej widzieć zdania. Czytało się łatwiej. Wypróbował ten rodzaj kaligrafii.

Joan pragnął jednak mimo wszystko zostać księgarzem, a wiedział, że sprzedaż książek, czy to drukowanych, czy kopiowanych, była skromna i że interes utrzymywał się z białych ksiąg i artykułów piśmienniczych. Niewiele księgarni miało drukarnie, a prawie żadna *scriptorium*, za to we wszystkich był warsztat introligatorski. Musiał nauczyć się fachu i właściciel pozwolił mu czasami pracować w warsztacie.

Aby uzyskać tytuł mistrza introligatorstwa, należało przedstawić komisji mistrzów starannie przygotowany projekt książki. Komisja miała prawo wprowadzić do niego swoje poprawki. Dopiero gdy projekt został zaakceptowany, uczeń mógł go wykonać. Rezultat powinien zachwycić komisję jakością i gdy zostawał jednomyślnie przyjęty, czeladnik otrzymywał tytuł mistrza.

Dzieło, dzięki któremu udawało się zdać ten rygorystyczny egzamin, nazywane było majstersztykiem. Procedura majstersztyków była bardzo podobna we wszystkich cechach. Kontrolowały one jakość wytwórstwa zgromadzonych w nich rzemieślników do tego stopnia, że jeśli klient reklamował, a cech decydował, że miał rację, obiekt sporu był publicznie niszczony. Wytwórca musiał zwrócić pieniądze i ryzykował wydalenie go z cechu, co oznaczało niemożność dalszej działalności w danej dziedzinie.

Joan wiedział, że do majstersztyku mu jeszcze daleko, nie był nawet czeladnikiem. Ale zapragnął już zrobić swoją pierwszą książkę. Poprosił mistrza Guillema o pozwolenie, na co ten odrzekł, że wkrótce będzie to możliwe i choć brak mu wprawdzie doświadczenia, to używając tylko resztek bezużytecznego papieru, może spróbować. Siłą rzeczy musiała to być książka niewielka, ponieważ nie było zbytecznych materiałów o dużych rozmiarach, nie większa od jego dłoni. Zbierał skrawki i po piętnastu dniach miał dwadzieścia kartek do zszycia. Najpierw ułożył je równo i przyciął nożycami do wybranego formatu. Potem musiał ścisnąć je imadłem i zszyć grzbiet w wielu miejscach. Poszywał kartki po dziesięć, by połączyć potem pergaminowymi wyklejkami. Z trzech kawałków skóry zrobił okładkę i grzbiet. Obłożył nią wyklejki, klejąc ze sobą skórę i pergamin, tak by nie były widoczne szwy, które wzmocnił dodatkowo klejem. Gdy jego dzieło przeschło, przyjrzał mu się jeszcze raz uważnie, nim pokazał je mistrzowi. Joan był zadowolony z efektu swojej pracy, ale Guillem po wnikliwej obserwacji wskazał mu wiele wad, wyjaśniając, co zrobić, żeby uniknąć ich w przyszłości. W końcu jednak rzekł z uśmiechem:

— Bardzo dobrze, Joanie. To znakomita praca jak na początkującego. Jak tak dalej pójdzie, pewnego dnia stworzysz swój majstersztyk.

Joan poczuł się dumny. Nieczęsto zdarzało się komukolwiek otrzymać gratulacje od mistrza. Guillem powiedział mu, że poprosi właściciela, aby pozwolił Joanowi zatrzymać swoje dzieło. Była to jego pierwsza praca, wykonał ją z odpadów i książka nie nadawała się do sprzedaży. Na drugi dzień mistrz poinformował go, że książka należy do niego. Joan zabrał ją do klasztoru i poprosił nowicjusza, żeby nauczył go pisać swoje imię i nazwisko. Zapisał w swym zeszycie „Joan Serra" eleganckim gotykiem. Spodobało mu się to i postanowił go schować. Nie chciał, żeby ktokolwiek wiedział, że po troszeczku, sylaba po sylabie, zaczyna rozumieć, co pisze.

Joan kładł książkę na wsporniku w celi i patrzył na nią z nabożeństwem, wspominając słowa Abdali. To była rzecz święta, magiczna. I należała do niego.

Parę dni później napisał na pierwszej stronie swojej książki notę, którą wręczył mu jego mistrz przy okazji kawału z igłą o trzech ostrzach. „By odnaleźć to, czego szukasz, musisz wiedzieć, co to jest. Niechaj nie zwodzą cię nazwy rzeczy, sprawdzaj, czym są naprawdę".

Joan schował książkę, gładząc czule jej grzbiet. Już odczytywał niektóre słowa. Po kilku dniach poprosił nowicjusza, żeby pokazał mu, jak się pisze „Anna", i zapisał to przepiękne imię. A ponieważ księgi mają magiczną moc, uwierzył, że w ten sposób zdobędzie dziewczynę. Nie potrafił narysować ani jej uśmiechu z dołeczkami w policzkach, ani trzepotania powiekami, ani zieleni oczu, ani owego ruchu jej ręki. Gdyby tylko umiał! Ale najwybitniejszy nawet poeta, najznakomitszy kaligraf nie zdołaliby wyrazić tego słowami. Było to tak cudowne, że nie dawało się wypowiedzieć. „Anna" — czytał głośno raz po raz. Nie mógł przestać o niej myśleć.

31

W miarę jak rósł szacunek chłopca do staruszka i jego głębokiej wiedzy, coraz więcej rzeczy budziło jego zdziwienie. Co spowodowało, że taka mądra osoba była niewolnikiem? Przy jakiejś okazji zapytał go, skąd pochodzi, a muzułmanin odpowiedział mu, że z Grenady. Joan wiedział, że król Ferdynand i jego żona królowa Izabela toczyli wojnę z Emiratem Grenady, a papież ogłosił przeciw niej krucjatę, i że w Barcelonie sprzedawano bulle, które odpuszczały grzechy żywym i umarłym w zamian za pieniądze na kampanię. Przez grzeczność chłopiec nie chciał więcej wypytywać, ale w końcu nie mógł dłużej wytrzymać i po paru dniach zapytał wprost, czy był jeńcem wojennym.

Muzułmanin odparł, że nie, że tocząca się obecnie wojna wybuchła w 1481 roku, a on poszedł do niewoli wcześniej. Abdalá wywodził się z arabskiego rodu Nasrydów, ale nad broń przedkładał pismo. Dworskie intrygi przekształciły się w bratobójcze walki, które królowa Izabela i król Ferdynand podsycali z daleka. Abdalá ze smutkiem obserwował upadek emiratu. Pragnął pomóc swej ojczyźnie i objął urząd ambasadora Grenady na francuskim dworze. Francja była odwiecznym wrogiem Aragonii na Morzu Śródziemnym i podbiła nawet część Katalonii, Roussillon i Cerdagne podczas katalońskiej wojny domowej. Misja dyplomatyczna miała wielkie znaczenie, gdyż jakakolwiek presja Francji oraz sprzymierzonej z nią Genui na śródziemnomorskie włości króla Ferdynanda odciągała część jego sił, które mógłby skierować na Grenadę. Abdalá ulokował się w Paryżu, ale podążał za dworem francuskim w jego podróżach i udał się z misją polityczną również do Włoch, dokładnie do Genui i Wenecji, które konkurowały z Aragonią na Morzu Śródziemnym. Jako człowiek wykształcony, władający doskonale arabskim, łaciną i hiszpańskim, z łatwością opanował również francuski, kataloński i rozmaite dialekty używane we Włoszech. To otworzyło mu drogę do poznania świata chrześcijaństwa i potężnego nurtu kulturowego zwanego renesansem, który narodziwszy się we Włoszech, błyskawicznie rozprzestrzeniał się po świecie i przenikał wszystkie gałęzie sztuki. Podczas jednej z podróży genueńskim statkiem zostali napadnięci przez flotę admirała Bernata de Vilamarí. Gdy król Ferdynand dowiedział się o pojmaniu Abdali, nakazał admirałowi trzymać go w niewoli, mimo wygórowanej sumy, którą Grenada oferowała za jego wyswobodzenie. Wiedza tego jeńca miała znaczenie strategiczne i opłacało się mieć nad nim kontrolę, poza tym rozliczne koneksje na rozmaitych dworach czyniły go niebezpiecznym.

Tak oto rozpoczęła się barcelońska niewola Abdali. Z uwagi na jego wysoką pozycję społeczną spojrzano na niego łaskawym okiem. Mógł pisać i wysyłać listy do żony we Francji i do syna w Grenadzie. Jednakże dostęp do książek miał bardzo ograniczony, co odczuł bardzo dotkliwie. Tragiczna śmierć jego żony w czasie podróży powrotnej do Grenady i zamordowanie syna podczas jednej z walk wewnętrznych w emiracie stały się źródłem jeszcze większego bólu. Z ojczyzny docierały do niego coraz to gorsze wieści, aż stracił wolę powrotu. Nie chciał stać się świadkiem upadku muzułmańskiej świetności w Hiszpanii. Niemniej nie zapomniał legendarnego piękna swego kraju: blasku słońca na ośnieżonych szczytach gór Grenady, szumu rzek, harmonii pałaców i brzmienia nasrydzkiej poezji.

Abdalá poznał księgarza Corra, gdy ten dowiedział się o jego osadzeniu w więzieniu królewskim na placu Królewskim i przybył poprosić go o tłumaczenie z arabskiego. Abdalá zgodził się chętnie. Ta praca dała mu oderwanie od więziennej codzienności, a także sprawiała przyjemność. Gdy księgarz chciał mu zapłacić, Abdalá odmówił, natomiast zwrócił się z prośbą o to, aby uczynił go swym niewolnikiem. Księgarz zdumiał się, że ktoś z dynastycznego rodu pragnie czegoś, czego nie chcą nawet najwięksi biedacy. Abdalá odparł, że nie ma nic gorszego nad nudę. Bierność umysłowa oznaczała zniewolenie duchowe dużo gorsze od niewoli fizycznej. Powiedział, że jeśli Corró uszanuje jego religię i zapewni dostęp do wszelkich ksiąg, będzie mu dobrze służył jako tłumacz i kopista. Zdając sobie doskonale sprawę z wartości tej propozycji, Ramón Corró zwrócił się do admirała Vilamaríego, któremu zawsze brakowało pieniędzy na flotę. Admirał z zachwytem przyjął ofertę stu dwudziestu funtów, trzykrotnie wyższą niż za każdego zwykłego jeńca. Królewski namiestnik w mieście zatwierdził błogosławieństwo króla, odebrawszy przysięgę od Abdali, że nie będzie próbował uciec. Wartość strategiczna jeńca zmalała, a przysięga na Koran muzułmanina z dynastycznego rodu stanowiła dla króla dostateczną gwarancję.

Gdy Abdalá przybył do *scriptorium* Ramóna Corra, pracowało tam już dwóch kopistów zadomowionych od lat. Byli to kontynuatorzy tradycji skrybów z zakonnych bibliotek i miniaturzystów. Od nich nauczył się chrześcijańskiej sztuki kopiowania. Pojawienie się w owym czasie druku, niemal jednocześnie w Walencji, Saragossie i Barcelonie, obniżyło koszty powstawania książek i umniejszyło rolę kopistów. Po śmierci obydwu staruszków Abdalá został więc w *scriptorium* sam.

Tłumaczył najczęściej wybrane księgi. Wiele z nich przywoził ze swych podróży Bartomeu. Pochodziły od kupców katalońskich i walenckich ze szlaków handlowych na Bliskim Wschodzie. Corró zlecał prace także innym pracowniom, lecz w niektórych wypadkach Abdalá kopiował książki sam, przeważnie gdy dotyczyły delikatnych spraw i księgarz nie chciał, by wychodziły poza mury jego domu.

Historia Abdali urzekła Joana. Szybko zrozumiał, że nauka u takiego mistrza to przywilej. Chłopiec podzielał jego żądzę wiedzy. Pomyślał, że tylko ten starzec może pomóc mu w spełnieniu marzenia, że tylko dzięki niemu któregoś dnia może stać się kimś takim jak Corró czy Bartomeu.

Pewnego wieczoru brat furtian powiedział Joanowi, że ma gościa. Gdy ujrzał biały habit mercedariuszy, serce zabiło mu mocniej.

— Wielki mistrz kazał cię powiadomić, że nie ma żadnych wiadomości o twojej rodzinie — rzekł zakonnik.

— Niczego nie udało się ustalić tam, gdzie ich szukaliście?

— Nie. Od wieków utrzymujemy ścisłe kontakty ze światem muzułmańskim. Mamy agentów we wszystkich portach Morza Śródziemnego, w których cumują muzułmańscy korsarze i piraci, od Stambułu po Fez, a także w Emiracie Grenady. Szanują nas, bo nigdy nie oszukujemy, wymieniamy niewolników, a za uwolnionych dobrze płacimy. O nikim z Llafranc nie ma wieści.

Joan już wiedział. Abdalá miał rację.

— Zapomnij o muzułmanach. To nie oni — ciągnął mercedariusz. — Nasz mistrz życzy ci powodzenia i chce, żebyś wiedział, że więcej nie może ci pomóc.

Joan poprosił Abdalę, by nauczył go francuskiego i genueńskiego. Mistrz zapytał go o powód, a Joan wyjaśnił, że skoro ci, którzy napadli na jego wioskę, nie byli muzułmanami, to musieli być genueńskimi lub prowansalskimi korsarzami. Powiedział też, że nadejdzie dzień, kiedy wyruszy swojej rodzinie na ratunek.

Stary pogłowił się chwilę nad odpowiedzią, po czym rzekł, że w Prowansji niewielu posługuje się paryską francuszczyzną, w Genui zaś powszechnym językiem jest odłam włoskiego zwany liguryjskim, który zna tylko na tyle, żeby się dogadać. Klasyczny arabski i nasrydzki, używany w Grenadzie, bardzo się od siebie różnią, natomiast wszystkie języki chrześcijan po tej stronie Morza Śródziemnego pochodzące z łaciny są do siebie podobne. Zaproponował więc, że najpierw słowo po słowie nauczy go łaciny, matki tych języków, potem francuskiego, kastylijskiego oraz słów, które pamięta z liguryjskiego i innych włoskich dialektów. W ten sposób łatwiej będzie mu zrozumieć rozmaite odmiany językowe, z którymi może mieć styczność.

Joan zgodził się z zachwytem. Żeby zostać księgarzem, należało znać łacinę. Poza tym znajomość tych języków pomoże mu odszukać rodzinę. Liczył na swoją dobrą pamięć do przyswajania słów.

ॐ

Spotkania z Anną zaczęły się wydłużać. Widywali się już nie tylko przy studni, ale też na mało uczęszczanej uliczce, trzy przecznice dalej w stronę jej domu. Dziewczyna nosiła chustę narzucaną na suknię. Gdy zatrzymywali się w jakimś ustronnym miejscu, żeby porozmawiać, przykrywała nią włosy, jak czyniły to mężatki. A gdy ktoś się pojawiał, jednym z końców chusty zakrywała usta. Nie chciała, żeby rodzice dowiedzieli się o jej spotkaniach z Joanem. Nie zawsze natrafiali na siebie przy studni, nie za każdym razem też starczało im czasu na to, by zatrzymać się w uliczce, ale po trochu zaczynali się poznawać. Chłopak bardzo to przeżywał, serce biło mu szybciej, były to najlepsze dla niego chwile dnia. Opowiadał jej o swoim życiu w Llafranc i tragicznej utracie rodziny. Stawała się wtedy tkliwa i zaczynała mu współczuć. Wiedziała już, skąd te dziwne odblaski w jego spojrzeniu, które tak zaciekawiły ją od pierwszego spotkania. Chciał jej zaimponować i powiedział, że zostanie księgarzem, choć był to tylko trudny do spełnienia sen, a wtedy uśmiechnęła się z zachwytem. Tak bardzo lubiła czytać!

Joan spojrzał na nią niepewnie. Anna umiała czytać, a on nie umiał. Nie mógł pojąć, jak będąc analfabetą, mógł twierdzić, że zostanie księgarzem. Poczuł się jak błazen.

Uczucie to spotęgowało się jeszcze, kiedy parę dni później przy studni potajemnie podała mu list i odeszła, gdy tylko napełniła dzban, śpiesząc się do domu i nic nie mówiąc. Nie zaczekała też na niego w uliczce. Joan bardzo się zasmucił, że nie rozumie, co napisała. Nie wiedział, czy to coś pilnego, czy wyznaczała mu spotkanie w innym miejscu. Widział tylko staranną gotycką kaligrafię osoby o świetnym wykształceniu.

Niecierpliwie wyczekiwał chwili, aż nowicjusz przeczyta mu wyrazy, których nie rozumiał. Na szczęście Anna nie pisała o żadnej pilnej sprawie. Tłumaczyła tylko, że ojciec ma pilną robotę, w której musi mu pomóc, i że przez następne dni zamiast niej po wodę będzie chodzić służąca.

Nauka czytania stała się obsesją Joana. Przechowywał w pamięci przepisywane wyrazy, a po przyjściu do klasztoru nowicjusz wyjaśniał mu, jak brzmią. Następnie zapisywał je w małej książeczce, którą nazwał książeczką ucznia. Wkrótce nauczy się czytać, każdego dnia robił postępy, było to nieuniknione mimo przyrzeczenia. Anna nie mogła się nigdy dowiedzieć o jego niedouczeniu.

Niestety, wtedy nawet nie pomyślał o tragicznych konsekwencjach beztroskiej niesubordynacji.

CZĘŚĆ DRUGA

32

Barcelona, 1487

W niedzielę piątego lipca roku 1487 inkwizycja triumfalnie wkroczyła do Barcelony. Ojciec Espina, którego Tomás de Torquemada mianował inkwizytorem, wznosił dumnie głowę, siedząc na grzbiecie muła. Towarzyszyli mu Henryk Aragoński, znany jako Infante Fortuna, pierwszy po królu i jego zastępca, oraz biskupi Urgell, Tortosy i Girony. Orszak z wielką fetą stanął w Porta de Sant Server. Na przodzie kroczył królewski urzędnik, dzierżąc laskę władzy, rozlegały się fanfary, niesiono wielki krzyż i herb Świętego Oficjum. Z tyłu sunął pokaźny zastęp kawalerii. Urzędnik okazał strażom dokumenty inkwizytora, a ci przepuścili orszak. Była to formalność równie pompatyczna jak zbędna. Pokonane miasto musiało otworzyć bramy przed zwycięzcą.

Zacięta walka między radą miejską a królem trwała trzy i pół roku. Wreszcie monarcha zadał ostateczny cios w postaci bulli papieskiej. Ojciec Espina był nietykalny, wkraczał do miasta w pełni władzy.

W owym czasie setki konwertytów z całymi dobytkami opuściły miasto, udając się do Francji lub do Włoch, żeby nikt ich nie niepokoił. Największy skandal wywołała ucieczka Antoniego de Bardaixi, rejenta Królewskiego Sądu Najwyższego w Barcelonie. Ten osobisty przyjaciel króla Ferdynanda uważany był za porządnego katolika i nic nie wiedziano o jego żydowskim pochodzeniu. Jeśli ktoś takiej rangi poczuł się zagrożony, to przyszłość przechrztów malowała się w ciemnych barwach. Nikt z rady miejskiej ani z deputowanych parlamentu katalońskiego nie wyszedł inkwizytorowi na spotkanie. Manifestowano w ten sposób niechęć oraz zamiar utrudniania ewentualnych działań.

Przy dźwiękach trąb i bębnów orszak posuwał się Ramblą w dół, oczekiwany przez mieszkańców. Jedni nastawieni byli wrogo, inni serdecznie witali gościa. Wśród tych, którzy bili brawo i wiwatowali, byli chłopcy z bandy Felipa.

— Teraz Żydzi, którzy udają chrześcijan, dostaną nauczkę! — mówił Felip, zachęcając swoich do wiwatowania.

Joan niechętnie bił brawo. Miał już piętnaście lat i w miarę jak rósł, strach przed rudzielcem przeradzał się w pogardę. Tylko patrzeć, a dogoni go wzrostem. Dzięki ciągłym ćwiczeniom z włócznią ojca miał szerokie plecy i silne ramiona. Nie śmiał jednak stawić czoła hersztowi bandy, bo wiedział, że to morderca. Patrzył tylko na niego, jak krzyczy na całe gardło i bije brawa jak szalony, dając innym znaki, by robili to samo. Bartomeu i inni ludzie, których Joan szanował, popierali radę miejską występującą przeciwko nowym inkwizytorom. Chłopiec podejrzewał, że to triumfalne przybycie nie zwiastuje nic dobrego.

W pracowni Ramóna Corra Joan poczynił postępy. Już od półtora roku był uczniem, pracował w pełnym wymiarze godzin i mieszkał w księgarni. Jego brat w dalszym ciągu zajmował się klasztornym ogrodem. Joan odwiedzał go prawie codziennie. Lubił też rozmawiać z jowialnym i brzuchatym bratem Jaumem, z bratem Melchorem, który razem z Abdalą nauczył go łaciny, i bratem Perem, dawnym nowicjuszem, a teraz mnichem, który potajemnie nauczył go czytać.

Kopiował już znakomitym pismem. Abdalá wciąż opowiadał mu o księgach i uczył języków. Joan patrzył na mistrza z wielkim podziwem i sympatią. Czasem pracował też w warsztacie, bo pragnął zdobyć tytuł mistrza introligatorstwa.

Nie podobało się to Felipowi. Miał już ponad dwadzieścia lat, a właściciel nie dopuszczał go do egzaminu, do którego on sam sądził, że się nadaje. Gdy zwracał się do pana Corra, ten odpowiadał mu, żeby bardziej starał się w codziennej pracy, był pobożny i robił dobre uczynki. Mistrz powinien dawać przykład nie tylko swoją pracą, ale też dobrymi zwyczajami i moralnością.

&

Joan od roku chadzał do portowych tawern. Na początku, gdy poprosił gospodarza o pozwolenie, ten odmówił, twierdząc, że nie ma w nich nic dobrego dla ucznia.

Udało mu się tylko dzięki poparciu Bartomeu.

— Chłopak chce wywiedzieć się o swojej rodzinie — powiedział przyjacielowi księgarzowi. — I jest już dość dojrzały, by nie narobić głupstw. — Potem z uśmiechem pogroził Joanowi palcem: — Tylko mało wina i żadnych kobiet.

Chłopiec próbował porozmawiać z marynarzami francuskimi i z rozmaitych włoskich państewek. Miał dobre podstawy językowe, a słowa, których nie rozumiał, notował na kawałku papieru grafitem umocowanym na metalowej rurce, używanym do liniowania książek. Potem, nie pokazując mu papieru, prosił Abdalę o wytłumaczenie tych słów. Starca zdumiewała dobra pamięć chłopca. Nie miał pojęcia, że jego uczeń od dawna już znakomicie umie czytać.

Joan wypytywał marynarzy o galery, które porywały chrześcijanki do niewoli, ale sprawa była dość trudna. Odpowiedzi, które otrzymywał, niczego nie wyjaśniały; wysłuchiwał pijackich bujd. Nie mógł sobie pozwolić na to, by chodzić do tawern co wieczór. Gdy stamtąd wracał, zwykle kładł się spać bez nadziei w sercu. Ale kiedy następnego ranka przybijał zamorski statek, znów pełen otuchy ruszał do portu.

To, co robił, posłużyło mu za wymówkę, żeby nie musieć szlajać się z bandą Felipa. Ten zbir nie uznawał dezercji.

W dniu, w którym właściciel oznajmił mu, że ma zamiar przyjąć go na ucznia, tylko jedna myśl zmąciła jego radość. Przestanie chodzić po wodę! Od długiego już czasu prawie codziennie spotykał się z Anną przy studni Sant Just. Jeśli z jakiegoś powodu któreś z nich nie mogło przybyć, dzień stawał się pochmurny, choćby świeciło słońce. Widząc go z daleka, dziewczyna się uśmiechała. Potem skromnie spuszczała wzrok, ale uśmiech tańczył dalej, kryjąc się w kącikach ust i dołeczkach na policzkach.

Anna wkrótce miała skończyć piętnaście lat. Jej ciało się wydłużyło, a zarazem zaokrągliło. Tunika uwydatniała wąską talię, ale teraz przylegała do wysokich i dobrze uformowanych bioder. Gesty i sposób poruszania się Anny były dla Joana czymś najpiękniejszym na świecie. Podchodził do studni, nie mogąc się doczekać, aż ich spojrzenia się spotkają, a wtedy zaczynało brakować mu powietrza, serce zaś biło tak szybko, jakby z radości chciało wyskoczyć z piersi. Ona chyba czuła coś podobnego. Czasami pomagał jej nieść dzban. Każdy przypadkowy dotyk jej rąk sprawiał, że myślał, iż umrze ze szczęścia.

Nie mógł zrezygnować z tych spotkań. Kiedy zdołał przekonać gospodarza, z pomocą pani Corró, i uzyskał jego zgodę na chodzenie po wodę dla warsztatu, odetchnął z ulgą. Mógł dalej cieszyć się najpiękniejszymi chwilami każdego dnia.

&

— Lubisz córkę jubilera, prawda?

Pytanie Bartomeu zaskoczyło Joana. Zdziwił się. Z kupcem, który wciąż czuł się trochę opiekunem braci, łączyły go zażyłe stosunki. W niedziele spotykali się w kościele Świętej Anny, a gdy przychodził do mistrza Corra w interesach, zawsze szedł na górę przywitać się z Joanem. Tym razem Bartomeu chciał zamienić z nim kilka słów i zaprosił go na spacer.

— Skąd wiecie...?

— To miasto jest mniejsze, niż się zdaje. Zawsze ktoś kogoś widzi, a ludzie gadają.

— Staramy się być dyskretni.

— Gesty mówią więcej niż słowa.

— Ale co w tym złego?

— A więc lubisz ją, prawda?

Chłopiec skinął głową.

— Przykro mi, ale mam dla ciebie wiadomość.

— Jaką? — zapytał Joan zaniepokojony.

— Jestem przyjacielem jej ojca, a on wie, że często się z tobą spotykam. — Bartomeu zrobił pauzę. — Chce, żebyś wiedział, że szuka męża dla córki i że wkrótce będzie zaręczona.

— A co to oznacza?

— Że ty nie jesteś na jego liście.

Joanowi nawet przez myśl nie przeszło żenić się z Anną. Pragnął ją tylko widzieć, rozmawiać z nią i cieszyć się, wiedząc, że i ona z przyjemnością spotyka się z nim. Myśl, że Anna mogłaby wyjść za innego mężczyznę, wydała mu się okropna, nie do zniesienia.

— A dlaczego nie? — zapytał, nie ciekaw odpowiedzi.

Bartomeu westchnął i zrobił niechętną minę.

— Posłuchaj, ludzie na tym świecie podzieleni są na stany i pobierają się w obrębie swojego stanu. Ojciec Anny jest zamożnym jubilerem, ma dobrze prosperujący sklep, poza tym jest kupcem. Dla swojej córki przewiduje na męża kogoś takiego jak syn państwa Corrów, a nie ucznia.

— Ale ja nie będę uczniem zawsze. Któregoś dnia zostanę księgarzem jak gospodarz — odparł Joan, prężąc dumnie pierś.

— Oby ci się udało — rzekł Bartomeu. — Zdolności ci nie brakuje, ale od podlegania panu do zostania panem wiedzie bardzo długa droga, trudna do pokonania. Jeżeli kiedyś osiągniesz swój cel, Anna wyjdzie już za mąż i będzie miała dzieci. Pan Roig chce, żebyś wiedział, że jego córka nie jest dla ciebie.

Szli dalej w milczeniu. Minęli drugie mury miejskie i weszli na bazar mięsny Rambli. Wokół sprzedawcy zachwalali swój towar, a kupujący spoglądali na niego krytycznymi oczami.

— Nie mogę bez niej żyć — wyznał Joan jednym tchem.

Bartomeu z niezadowoleniem pokręcił głową.

— Jest gorzej, niż myślałem — powiedział i przyśpieszył kroku w górę Rambli.

Szli dalej w milczeniu, aż do Porta Ferrissa, gdzie Bartomeu zatrzymał się nagle, odwrócił do Joana i rzekł:

— Słuchaj, powiem ci, co masz zrobić, jeśli chcesz ją w dalszym ciągu widywać.

— Co? — z nadzieją w głosie zapytał Joan.

— Powiedz mi, że zrozumiałeś i przestaniesz z nią rozmawiać.

— Kiedy nie mogę!

— Jeśli nie posłuchasz, jej ojciec ją zamknie, nie będzie mogła wychodzić z domu. Nie pójdzie więcej do studni, wyślą służącą. Rozumiesz?

Joan pojął to natychmiast. Jeśli nie będzie się do niej odzywał, jeśli będzie udawał, że jest mu obojętna, może będzie mógł ją widywać. Nie było innego wyjścia.

— Rozumiem — powiedział po jakimś czasie, w którym bezskutecznie szukał innego sposobu. — Powiedzcie jej ojcu, że szanuję jego i jego córkę i żeby wybaczył, jeśli zaszło jakieś nieporozumienie. Nie chciałem ich obrazić i nie będę więcej z Anną rozmawiał.

— Dobrze robisz — odrzekł Bartomeu. — Przykro mi.

&

Joan miał już pięć małych książek, które zrobił dla siebie. Każda kolejna była lepsza od poprzedniej i mistrz gratulował mu postępów. Wszystkie wykonywał w klasztorze, w miejscu sobie tylko wiadomym, i wypełniał tajnymi zapiskami. Tej nocy Joan napisał w jednej z nich: „Kocham ją". Kapiąca łza rozmyła ostatnią literę.

Następnego dnia Anna już się nie uśmiechnęła, nawet nie spojrzała na Joana, a on nie zrobił nic, żeby się do niej zbliżyć. Widocznie ojciec z nią też rozmawiał. Bez uśmiechu Anny ranek był ponury, ale przynajmniej mógł ją zobaczyć i wiedzieć, że ona też czuła jego obecność. Parę dni później, gdy spotkali się na prawie pustym placu, wyszeptał:

— Nie wolno mi z wami mówić.

— Mnie też nie wolno — cichutko odpowiedziała ukradkiem.

— Kocham was — wyznał.

Rzuciła mu spojrzenie pełne niepokoju, jej zielone oczy były matowo ciemne. Nie mówiąc nic, nie napełniwszy nawet dzbana, w pośpiechu uciekła z placu.

Joan złamał obietnicę. Zrozumiał, że pewnie nigdy już jej nie ujrzy. Przybył w to samo miejsce następnego dnia. Nie było jej. Ani przez kolejne dni. Stracił to, co kochał najbardziej, i nie wiedział, jak naprawić swój błąd.

33

Po powrocie z kolejnej podróży do Walencji i po uregulowaniu spraw z panem Correm Bartomeu odwiedził Joana. Chłopiec nie zdziwiłby się tą wizytą, bo kupiec robił tak zazwyczaj, ale tego dnia wszedł z bardzo poważną miną.

— Co się stało? — spytał zaniepokojony Joan.

— Chyba mam wieści — odpowiedział Bartomeu, wpatrując się w niego z powagą.

— Jakie wieści?

— Mogą cię poruszyć.

— O co chodzi? — niecierpliwił się Joan.

— Na południe od Garraf leży otoczona murem osada, nazywa się Sitges — wyjaśnił. — Najważniejsza w tamtych stronach, zawsze się tam zatrzymuję. Nigdy się jej nie przyglądałem, ale tym razem zauważyłem ją. Przypadkiem, spacerując po plaży.

— Co widzieliście?

— Widziałem łódź.

— A co było w niej szczególnego? — dopytywał się chłopak.

— Na jednej z belek na dziobie wyryty był obraz połowu wielorybów. Tylko że w Sitges nie łowi się wielorybów.

— Co takiego?

— Był taki sam jak na łodzi twojego ojca. Wymiary też się zgadzały.

— Jak to? — pytał Joan zdumiony. — Jak to możliwe?

Bartomeu wyjaśnił, że rzeźba przedstawiała mężczyznę rzucającego harpunem z lewej strony. Z prawej znajdował się wizerunek wieloryba. Łódź miała osiem wioseł i żagiel łaciński.

— To *Mewa*!

— Ale to nie jest pewne. Myślę, że musisz jechać do Sitges i przekonać się osobiście.

۲

Kupiec uzyskał pozwolenie pana Corra na wyjazd Joana i ze znajomym marynarzem umówił podróż. Po tygodniu Joan znowu stanął na pokładzie łodzi. Od ostatniego razu upłynęły trzy lata. Kochał morze. Czuł się tak, jakby wracał do domu, ale też odżyły w pamięci wspomnienia i ogarnęła go melancholia. Przed oczami stanęły cudowne lata z rodziną, łodzią i falami. Wdychał zapach morza, na skórze czuł ciepło słońca i chłód wody. Przymykał oczy i wyobrażał sobie, że jest jak dawniej, gdy nawet ryby złapane w sieci *Mewy* były szczęśliwe.

Łódź wzięła kurs na południe, w tyle zostały miejskie mury, wzgórze Montjuic, szuwary przy ujściu rzeki Llobregat, długie piaszczyste plaże z gęstymi zagajnikami Castelldefels i urwiska Garraf. Wreszcie w oddali zamajaczyła otoczona murem osada. Wznosiła się na wzgórzu, które opadało niemal horyzontalnie na południe i wschód, na wychodzących z morza skałach. Od zachodu Sitges otwierało się na szeroką plażę.

Zbliżając się, Joan chciwie szukał wzrokiem łodzi ojca, nie zauważył jednak żadnej, która by ją przypominała.

Łódź, którą przypłynął, wiozła wyroby rzemieślnicze z Barcelony i zatrzymywała się w Sitges na dwa dni. Z powrotem miała zabrać wino i produkty rolne. Oprócz poręki kapitana Joan miał ze sobą glejt od przeora Pia Almoina z Barcelony, instytucji religijnej, która miała prawa feudalne do miasteczka. Z wejściem do grodu nie miał więc trudności. Poruszał się swobodnie zarówno po starej części wznoszącej się na wzgórzu nad morzem, jak i po północnej, również otoczonej murem, do której ze starszej przechodziło się mostem. Od strony morza murów strzegły dwie armaty. Joan pomyślał sobie, że aby przetrwać na wybrzeżu, miasto musiało być dobrze chronione. Gdyby mieszkał w Sitges, jego rodzinie nie musiałoby przytrafić się tak okropne nieszczęście. W tej silnej osadzie prężnie rozwijał się handel i rzemiosło, ale Joan nie mógł się zatrzymać na dłużej, by to wszystko podziwiać. Spojrzał na słońce. Obliczył, że niebawem wrócą łodzie rybackie. Udał się na plażę.

෪

Ujrzał znajomą sylwetkę. Słońce oświetlało bakburtę łodzi sunącej szybko z rozwiniętym żaglem. Od razu poznał, że to *Mewa*, tylko łaty na żaglu miała trochę inne. Łzy stanęły mu w oczach. Przez chwilę miał złudzenie, że gdy jej kil zaryje w piachu, ujrzy ojca, Tomása, Daniela i innych. Ale to należało do przeszłości. Łódź się zbliżała. Widział, jak spuszczono żagiel i dobijano do brzegu tylko siłą wioseł. Po chwili spoczywała na piasku jak w Palafrugell. Nie musiał się nawet ruszać. Pojawiła się u jego stóp niczym pies przy panu, którego od dawna nie widział. Na rybaków czekały kobiety. Robiąc wrzawę, mężczyźni zaczęli podawać im kosze pełne ryb. Połów się udał i wszyscy byli szczęśliwi. Tak samo jak w Llafranc, pomyślał Joan. Tak samo. Przymknął oczy i wyobrażał sobie, że to jego rodzina i przyjaciele. Cofnął się o kilka kroków, żeby nie przeszkadzać, i chłonął widok przymglonym od łez wzrokiem.

Gdy skończyli wyładunek, założyli jarzma wołom i wyciągnęli łódź tak, by nie dosięgnął jej przypływ. W wiosce Joana robiono to samo, tyle że siłą ramion i przy pomocy sąsiadów.

Joan wiedział, że to ona, *Mewa*. Nie potrzebował się upewniać. Gdy rybacy odeszli do domów, mimo wszystko wskoczył do łodzi. Była tam jego płaskorzeźba. Pieszcząc jej powierzchnię, wybuchnął nagle nieutulonym szlochem. Poczuł obecność ojca i jego kolegów.

— Panie, czemu na to pozwoliłeś? — szeptał między jednym a drugim łkaniem.

Siedząc w kucki, oparł głowę o wyrzeźbiony obraz, żeby pozwolić bólowi odejść razem ze łzami.

— Czemu? — pytał z goryczą. — Czemu?

Zapadał zmrok. Ciemność miała niczym całun spowić jego ból. Nagle zaskoczył go uścisk dłoni na ramieniu.

191

— Chłopcze, co ty tu robisz?

Spojrzał w górę. Przed pełnymi łez oczami pojawił się mężczyzna o szarej brodzie, ten, którego słuchali rybacy: kapitan łodzi. Joan nie wiedział, co odpowiedzieć. Patrzył tylko na niego i czuł rękę ściskającą mocno jego ramię. Nie przypomina ojca, pomyślał. Nie wydawał się godnym kapitanem *Mewy*. Joana ogarnął gniew. Już miał jednym uderzeniem strącić dłoń, kiedy rybak znów zapytał:

— Co z tobą, synu? — W jego głosie brzmiała troska.

Słysząc słowo „synu", Joan ponownie wybuchnął płaczem. Łzy leciały mu ciurkiem. Mężczyzna ukłęknął i powtórzył miękko:

— Co ci jest?

— To była łódź mojego ojca — odrzekł Joan po chwili. Nie mógł przestać płakać.

— Co?! — zawołał zaskoczony mężczyzna. Wyglądał, jakby go ktoś uderzył.

— To łódź mego ojca! — wykrzyknął Joan. — To *Mewa*! Sam pomagałem ustawić w piasku kil na drewnianych kołkach, a gdy zamontowaliśmy węgi, wyglądała jak szkielet wieloryba. Widziałem, jak powstawała, była najlepszą łodzią na całym wybrzeżu.

Podniósł się. Mężczyzna zrobił to samo.

— Nie może być! — zawołał rybak.

— Sam ukradłem kota na łódź i to mój nóż wyrzeźbił postać ojca, jak rzuca harpunem do wieloryba. Tutaj go macie.

— Skąd jesteś, synu?

— Z Llafranc, dużo dalej na północ od Barcelony, jeszcze za Tossą. To wioska w Palafrugell, w Ampurdán, przed Begur.

— Tak, słyszałem, że w tamtych okolicach są rybacy, którzy wiosną poławiają wieloryby fiszbinowe — rzekł zamyślony. — Przysięgam ci, że kupiliśmy tę łódź, sądząc, że została złupiona wrogom ojczyzny.

— Nie byliśmy waszymi wrogami.

— Siadaj i opowiedz mi, jak to było.

Usadowili się naprzeciwko siebie na ławach łodzi i Joan, bełkocząc i łkając, opowiedział swoją historię.

— Jakże mi przykro! To straszne! — powtarzał mężczyzna,

w miarę jak Joan wyłuszczał tragedię. W jego oczach też stanęły łzy.

Gdy Joan skończył, kapitan łodzi powiedział:

— Kupiliśmy ją za trzysta funtów z galery Bernata de Vilamarí, niedługo miną trzy lata. Musieliśmy się zadłużyć i jeszcze nie spłaciliśmy kredytów, ale wydała nam się bardzo dobrą łodzią. Powiedziano nam, że została porwana korsykańskim rybakom, sojusznikom Genui, wrogom naszego króla.

— Bernat de Vilamarí, królewski admirał!

— Ten sam!

— Kiedy dokładnie ją kupiliście?

— Parę miesięcy przed świętami Bożego Narodzenia. Pod koniec października.

— Łódź nigdy nie była na Korsyce! — z wściekłością rzucił Joan. — Prosto z mojej wioski popłynęła do Sitges.

— A więc to nasi napadli na twoją wioskę? — zapytał stary wciąż z niedowierzaniem.

— Nie mógł być to nikt inny. — Joan poczuł, jak znowu wzbiera w nim gniew.

— Słyszałem, że wcześniej działy się takie rzeczy — dodał mężczyzna. — I że Vilamarí mustruje załogi siłą. Ale nie przypuszczałem, że jest zdolny do takich okropieństw.

Joan nie odpowiedział. Ukrył twarz w dłoniach. Szczęki zaciskał tak mocno, że myślał, iż popękają mu zęby. Mocno zacisnął też powieki, bo wszystko widział w czerwieni. Czerwieni krwi. Nie miał pojęcia, gdzie jest jego rodzina, ale wiedział już, kogo nienawidzić.

— Nie mogę oddać ci łodzi — rzekł mężczyzna. — Żyjemy z niej. Ale zrobię dla ciebie wszystko, co leży w mojej mocy.

Joan poprosił go, aby pozwolił mu spać tej nocy na *Mewie* i następnego dnia zabrał na połów. Stary odpowiedział, że z przyjemnością. Zaproponował mu kolację z rodziną, ale Joan chciał pozostać na łodzi. Rybak przyniósł mu koc i wiązkę słomy, żeby lepiej mu się spało. Była ciepła letnia noc, ale chłopak nie mógł zasnąć. Rękami dotykał desek. Wiedział, że zrobione były z sosen z jego wioski. Te sosny widziały, jak rósł on i jego rodzeństwo, a wcześniej ojciec. Były świadkami jego szczęścia. Łódź była jak członek rodziny. Czuł na niej obecność ojca i jego towarzyszy. Wspominał, jak w letnie niedziele wypływali wraz z matką i rodzeństwem i jak ona się śmiała, chlapiąc wodą na dzieci. Szczęśliwa przeszłość jawiła mu się w obrazach, które nie pozwalały zasnąć. Joan wierzył w magię słów. Wierzył w moc słów pisanych. Następnego dnia na pełnym morzu, atramentem wytoczonym ze schwytanej w sieć kałamarnicy, napisał haczykiem w książeczce, którą miał przy sobie: „Kocham cię, tato. Pomszczę cię i będziemy wolni". Wiedział, że dla Ramóna ta łódź stanowiła symbol wolności. Wyrwał stronicę, wysuszył ją na słońcu, a potem pocałował, zwinął w kulkę i ze łzami w oczach rzucił na fale. Patrzył, jak nasiąka i topi się w morzu. Był pewien, że jego ojciec słyszy przyrzeczenie. I wierzył, że on, Joan, je spełni. Poczuł spokój i zdrzemnął się w kącie pod ojcowskim wzrokiem starego kapitana. Po powrocie przyjął zaproszenie na kolację z rodziną rybaka. Pod wieloma względami przypominała mu własną. Ułożył się na *Mewie*, myśląc o ojcu, matce i rodzeństwie, o Tomásie, jego córce i reszcie przyjaciół. Następnego dnia, żegnając się ze starym rybakiem, rzekł:

— Jesteście dobrym człowiekiem, godnym łodzi mego ojca. — Uścisnęli się. — Dbajcie o *Mewę*!

— Będę o nią dbał. Obiecuję ci.

Gdy Joan spojrzał w oczy starego, dostrzegł w nich łzy.

34

Po powrocie do Barcelony Joan udał się do domu Bartomeu, żeby opowiedzieć mu, co wydarzyło się w Sitges. Kupiec przytakiwał, kiwając głową, i Joan zrozumiał, że opowieść go nie zaskoczyła.

— O wszystkim wiedzieliście. Prawda? — zapytał.

— Tak, spytałem rybaków, skąd pochodzi łódź, i powiedzieli mi to samo. Ale konieczne było, żebyś zobaczył to na własne oczy, usłyszał na własne uszy i poczuł swoim sercem.

— Kim jest ten Vilamarí? Wielki mistrz mercedariuszy mówił, że admirał walczył z prowansalskimi korsarzami, a Abdalá, że trzymał go w niewoli po pojmaniu na genueńskim statku.

— To admirał naszej floty. Wielu ma go za bohatera. Dzięki niemu król zwyciężył w wojnie domowej. W niejednej bitwie pobił Turków.

— A ja tak nienawidziłem muzułmanów, że pragnąłem śmierci Abdali!

Bartomeu wzruszył ramionami.

— No widzisz. Często się mylimy. Łatwo ulec zaślepieniu. Nie można uprzedzać się do kogoś dlatego, że należy do jakiejś grupy.

— Dlaczego brat Dionís, zarządca Palafrugell, powiedział, że to Maurowie? — naciskał chłopak, nie zważając na morały handlarza.

— Zastanawiałem się nad tym — marszcząc brwi, odpowiedział Bartomeu. — Brat Dionís musiał wiedzieć, że statek należy do floty Vilamaríego, myślę nawet, że wiedział to już, zanim go zobaczył.

— Myślicie zatem, że kłamał, tak?

Przypomniał sobie, jak zarządca zatrzymał oddział ochotników. To z tego powodu nie można było uratować jeńców. Nigdy mu tego nie wybaczy.

— Tak. — Bartomeu smutno pokiwał głową.

— Ale dlaczego? Po co kłamał?

— Bernat de Vilamarí jest panem z Palau, w zatoce Rosas, obok wysp Medas, skąd pochodzi też przeor klasztoru Świętej Anny. Obaj są szlachcicami z Ampurdán, sąsiadami i przyjaciółmi. Gdy rozpoznał królewską galerę, zarządca nie odważył się zaatakować, może ze strachu, ale i z uwagi na przyjaźń między przeorem i admirałem. Postanowił ukryć pochodzenie piratów i zwrócić się do przeora. Wszystko wskazuje na to, że gdy ten się dowiedział, kazał mu dalej siedzieć cicho.

— A jak to możliwe, by królewskie galery napadały na poddanych króla?

— Królowi kończą się finanse. Prawie wszystko wydaje na wojnę z Grenadą. Najważniejsza jest flota admirała Requesensa, która razem z Kastylijczykami blokuje porty muzułmańskie, żeby nie mogły otrzymać wsparcia z północnych wybrzeży Afryki. Zapewne Vilamarí chwyta się piractwa z braku prowiantu i pieniędzy.

Joan przez chwilę milczał.

— I morduje mojego ojca, porywa moją rodzinę do niewoli i rabuje wszystko, nasz cały dobytek — wycedził przez zęby.

Kupiec popatrzył na niego z troską. Wyczuł rozpacz, smutek, urazę i żądzę zemsty chłopaka.

— Uważaj na siebie, Joanie — rzekł łagodnie. — Nie pozwól, by zaślepiła cię nienawiść.

Chłopiec był zatopiony w swoich myślach. Nie słuchał go.

— Myślicie, że Bernat de Vilamarí był na tej galerze?

— Może nie. Admirał ma ze sobą zwykle więcej statków.

— Ale musiał wiedzieć o tym, co robią jego ludzie.

Bartomeu uczynił niepewny gest.

— Słyszałeś powiedzenie: nie wie lewica, co czyni prawica?

— Nie.

— Vilamarí gra w grę, której zasady ustala król. A suweren wymaga od niego gotowości floty. Gdy skargi poszkodowanych dochodzą do króla, poucza go, grozi mu albo nawet go karze. Trzy lata temu kazał zmniejszyć flotę o połowę, bo nie było pieniędzy na jej utrzymanie. Ale gdy pojawią się korsarze albo Turcy, chce, żeby Vilamarí był gotów do walki. Kiedy Turcy oblężyli Rodos, jak myślisz, kto zdołał przebić się z posiłkami i prowiantem? Admirał Bernat de Vilamarí.

Joan się zamyślił. To wszystko nie było takie proste. Zabójcy jego ojca, dla niego najpodlejsi ludzie na świecie, dla innych uchodzili za bohaterów. Ale to nie miało znaczenia. Ponosili winę za jego nieszczęście. Zemści się na nich.

— Gdzie teraz znajduje się flota Vilamaríego?

— Na północy Włoch. Odwiedzając tawerny, nie spotkasz ich.

— Któregoś dnia wrócą do Barcelony — odparł chłopiec z determinacją. — Poczekam.

&

Joan nie porzucił nadziei na ujrzenie Anny. Dwa dni po powrocie z Sitges spotkał ją przy studni. Nie zbliżył się do niej, ale czuł, że ona szuka go wzrokiem. Gdy ich spojrzenia się spotkały, Anna natychmiast odwróciła oczy. Nie zrobił ani kroku w jej stronę, ale przelotny uśmiech, którym obdarowała go dziewczyna, wypełnił go szczęściem. Jego niepohamowane wyznanie wcale jej nie obraziło! Napełnili dzbany i poszli w tę samą stronę, chociaż utrzymując dystans. Zatrzymali się w uliczce. Mimo że rodzice rozmawiali z Anną, postanowiła utrzymywać tę znajomość, zachowując większą ostrożność. Będą rozmawiali ze sobą rzadziej, tylko gdy nie będzie ludzi na placu, a ich spotkania w zaułku będą trwać krócej. Jeśli rodzice się dowiedzą, że w dalszym ciągu potajemnie spotyka się z tym chłopcem, zamkną ją w domu. Nie wspomniała ani słowem o jego wyznaniu miłości, a i on do tego nie wracał. Bał się reakcji podobnej do tej, jakiej doświadczył poprzednim razem. Pożegnali się szybko, ale Joan szedł do pracowni szczęśliwy. Jednakże w następnych dniach zaczął odczuwać niepokój. Wiedział, że rodzice Anny rozglądali się za mężem dla niej. A jemu przestawały już wystarczać spojrzenia i ukradkowe uśmiechy, nawet potajemne spotkania. Pragnął czegoś więcej. Pocałunku, uścisku. A przecież wiedział, że to niemożliwe.

∾

Obecność nowej inkwizycji stała się wyczuwalna. Strach konwertytów się nasilał. Uciekali z miasta, tyle że teraz potajemnie. Królewscy żołnierze otrzymali rozkaz od inkwizytora, żeby nie zezwalać na ucieczki, miasto jednak na nie pozwalało.

Inkwizytorzy wygłaszali kazania, bezkarnie podgrzewając nastroje i podjudzając przeciwko przechrztom, którzy zaczęli być podejrzewani o uprawianie praktyk judaistycznych. Felip zapomniał już o Żydach i zajął się konwertytami, na razie nietykalnymi, lecz już niespokojnymi. Należała do nich duża część jubilerów. Osiłek ze swoją bandą przechadzali się ulicą Argentería, zastraszając ich, żądając małych prezentów albo kupując klejnoty za bezcen. Bano się go. Zaczął manipulować informacjami o żydowskich korzeniach niektórych rodzin. Po niemal stu latach spokojnej integracji ze społeczeństwem chrześcijańskim potomkowie Żydów zaczęli znowu być podejrzani.

Pewnego dnia w porze wypoczynku po obiedzie Joan rozmawiał z Abdalą, gdy nagle coś go tknęło. Jakby miał przeczucie. Felip z chłopakami wyszli na przechadzkę. Joan ruszył w stronę placu Sant Just. Tam ich dogonił. Z daleka dojrzał Annę przy studni. Domyślił się, co się może stać. Przyśpieszył kroku, ale osiłek był pierwszy.

— Witaj — powiedział Felip do Anny.

Woda powoli lała się do dzbana. Spojrzała na niego krótko, nic nie odpowiadając, i czekała, aż naczynie będzie pełne, żeby je wziąć i odejść ze spuszczonym wzrokiem. Poznała go. Był jednym z tych chłopaków, których lekceważyła. Zastąpił jej drogę.

— Nie wiesz, że Żydówki muszą nosić żółto-czerwone kółko? — zapytał.

— Mylicie się — odparła. — Nie jestem Żydówką, jestem chrześcijanką.

— Musicie nosić kółko tutaj.

To mówiąc, ścisnął jej pierś. Przestraszona dziewczyna chciała uciec, ale reszta bandy zagrodziła jej drogę.

— Zostaw ją! — krzyknął Joan, biegnąc w ich stronę.

Rudzielec spojrzał na niego, zauważył, jak na niego patrzyła, i od razu pojął, że coś ich łączy. Uśmiechnął się złośliwie i mocno złapał za pośladek odwróconą do niego tyłem dziewczynę. Ocierał się o nią w nieprzyzwoitej pozie, mówiąc:

— Nie jesteś chrześcijanką, jesteś hebrajką!

Odwróciła się, żeby mu się wyrwać, a dzban wypadł jej z rąk i rozbił się na kawałki. Joan podbiegł i odepchnął Felipa od Anny.

— Powiedziałem, że masz ją zostawić!

Wszystkich wokół aż zamurowało. Jak Joan mógł przeciwstawiać się Felipowi? Czy oszalał?

— Nie zostawię jej — odparł zbir, łapiąc ją za ramię. — I co mi zrobisz?

— Masz ją zostawić, padalcu! — Popchnął go obiema rękami z całych sił.

Felip stracił równowagę, co Anna wykorzystała, żeby mu się wymknąć.

— Brać ją! — rozkazał. — Jego też.

Jeden z chłopaków złapał dziewczynę. Joan poczuł, że wykręcili mu ręce do tyłu. Pięść Felipa wylądowała mu na twarzy, kiedy bezskutecznie próbował się wyrwać. Potem druga.

— Żebyś nauczył się mnie słuchać!

Uderzył go w żołądek. Joan się zgiął. Anna patrzyła na przerażającą scenę, szarpiąc się.

— Wiecie? — powiedział osiłek. — Pańszczyźnianemu spodobała się Żydówka! No to oddamy mu przysługę. Ściągnijcie mu pończochy!

Joan zaparł się z całych sił, ale złapali go jeszcze mocniej. Wolałby umrzeć, niż pozwolić na to, co się szykowało. Nie istniało większe upokorzenie.

— Zrobimy mu dobrze na oczach Żydówki! — śmiejąc się, powiedział rudzielec.

Niektórzy też się zaśmiali. Chłopiec wierzgał, krzyczał, by go puścili, i klął na zbira. Ściągnęli mu pończochy, Felip złapał jego członek i zaczął go masturbować. Zebrała się grupka ciekawskich, którzy obserwowali całą scenę. Niektórzy byli poważni, inni się śmiali, ale nikt się nie wtrącił.

— Patrz, co ma, Żydówko — mówił do dziewczyny. — To dla ciebie.

Przyciągnęli ją bliżej. Znalazła się naprzeciwko Joana. Zamknęła oczy i kręciła głową, prosząc, by ich zostawili. Felip potrząsał dalej sflaczałym członkiem, mocno, aż sprawiał ból, i mówił:

— Widzicie? Przecież on nie może! Wiedźma musiała na niego spojrzeć swoim szklanym okiem. Jak taki zniewieściały eunuch może ośmielać mi się przeciwstawiać?

— Zostaw go, Felipie, już dość — powiedział Lluís. Reszta grupy go poparła.

— Dobrze, zostawię go, ale jeszcze czegoś go nauczę.

Uderzył znów w twarz, brzuch, genitalia. Gdy Joan padł wykończony, osiłek złapał go za włosy i spytał:

— Nauczyłeś się być mi posłuszny?

Joan skinął głową. Wtedy puścił go, obmacał Annę, po czym rozkazał:

— Puśćcie Żydówkę.

Zrobili to, ale wcześniej dotknęło jej wiele rąk. Dziewczyna zniosła to, nie skarżąc się, a gdy odeszli, pobiegła do studni zamoczyć chusteczkę, obmyć rany Joana. Potem pomogła mu się ubrać. Chłopak czuł się pohańbiony. Rany na ciele były niczym w porównaniu z plamami na honorze.

— Przykro mi, że nie byłem w stanie was obronić — wymamrotał, nim wydał z siebie gorzki szloch, z wściekłości, ze smutku, wstydu.

Pocieszyła go.

— Okazaliście wielką odwagę — rzekła, z oczami mokrymi od łez.

Dla Joana był to najlepszy w świecie lek. Wstał z jej pomocą.

— Muszę wracać — szepnęła. — Jak ojciec się dowie, zamknie mnie.

— Nie, proszę! — zawołał Joan.

— Przykro mi. Ale jeśli zdołam wyjść, przyjdę znów do studni.

Joan wiedział, że Felipa już nic nie powstrzyma. Kiedy będzie miał okazję, znów ją wykorzysta.

— Nie, nie przychodźcie do studni — powiedział. — Pójdę w pobliże sklepu waszego ojca, ale będę ostrożny, żeby mnie nie zobaczył.

— Muszę iść — powtórzyła.

— Idźcie z Bogiem.

— Ja też — dodała.

— Co też?

— Też was kocham.

I pobiegła. Joan, utykając, wrócił do pracowni. Rany były nieważne. Serce wesoło galopowało mu w piersi.

Gdy wszedł, uczniowie spojrzeli na niego wyczekująco, a mistrzowie i właściciel byli zaskoczeni.

— Co ci się stało? — spytał pan Corró, widząc go w takim stanie.

— Upadłem — odpowiedział. To była właściwa odpowiedź w podobnych sytuacjach. Wśród uczniów panowała zmowa milczenia.

Więcej nikt się nie dopytywał. Wszyscy wiedzieli, że to nieprawda. Jedynym, który nie odpuszczał, był Felip.

— Upadłeś, chłopie pańszczyźniany? — zapytał drwiąco.

35

Trzydziestego września księgarze obchodzili święto swego patrona, świętego Hieronima. Dzień był wolny od pracy. Państwo Corrowie razem ze swymi pracownikami udali się na mszę do kościoła Trójcy Świętej na placu o tej samej nazwie. Kościół mieścił się na miejscu starej synagogi spalonej podczas napadu na dzielnicę żydowską i został wzniesiony w roku 1394 przez bractwo konwertytów. Tego roku w powietrzu unosiła się trwoga i niepokój. Nie było rzeczą zwyczajną, by księgarze zbierali się w kościele konwertytów. Wielu nimi było i to nad nimi wisiała groźba inkwizycji.

Po mszy państwo Corrowie wraz z domownikami zasiedli do uczty na cześć świętego patrona. Na podwórzu ustawiono długi stół, przy którym usiedli Ramón Corró, jego małżonka Joana, mistrzowie, uczniowie i nawet Abdalá, choć był muzułmaninem. Wszystkim dopisywał humor, rozlegały się śmiechy, wznoszono toasty na cześć świętego. Ale nawet w tych okolicznościach Joan nie zaznał spokoju od docinków Felipa.

Potem chłopiec poszedł do klasztoru Świętej Anny odwiedzić brata. Było piękne popołudnie i miał ochotę przejść się po mieście. Gabriel dowiedział się, że w warsztacie w Raval odlewano wielki dzwon, i poprosił Joana, aby wybrał się z nim go zobaczyć. Wciąż fascynowały go dzwony.

Nie mieli daleko i Joan uznał, że ciekawie byłoby przyjrzeć się pracy cechu tak innego niż księgarze. Działalność metalurgiczna

Barcelony rozwinęła się po drugiej stronie Rambli, w dzielnicy, którą wzniesiono za drugimi murami miejskimi, teraz chronionej przez trzecie mury. Tam miasto nie miało tak zwartej zabudowy jak w starszej części, były wolne pola i otwarte przestrzenie, a więc dym i hałasy towarzyszące wytopom wydawały się mniej dokuczliwe. Tallers była długą i prostą ulicą, zgodnie ze swą nazwą obsianą warsztatami niemal wyłącznie ludwisarskimi. Wielu rzemieślników pracowało przy drodze i słychać było nieustające bicie młotów kowalskich.

Szli, rozglądając się ciekawie, i po jakimś czasie po lewej stronie ukazała się brama prowadząca na wielkie podwórze. To było miejsce, którego szukali. Weszli przez nikogo niezatrzymywani. Znaleźli się na dziedzińcu przypominającym plac otoczony z trzech stron budynkami: warsztatami i hutą. Czwarty bok otwierał się na pole ograniczone stojącymi w oddali domami i płotami z trzcin i desek. Robotnicy wyciągali właśnie z formy odlewniczej potężny dzwon, wyższy od człowieka. Chłopcy dostrzegli dwa ogromne kamienne łuki krzyżujące się na podwórzu. Każdy z nich na sklepieniu miał zaczepiony żelazny pierścień. Dwie grupy ludzi ciągnęły za sznury przechodzące przez pierścienie olbrzymią bryłę brązu, unosząc ją do pozycji pionowej. Trzecia ekipa zdejmowała resztki formy. Dzwon miał stanąć na drewnianym rusztowaniu, gdzie zostanie poddany wstępnej obróbce i szlifowi.

Bracia przyłączyli się do grupy, która obserwowała w skupieniu podnoszenie dzwonu. Pomruk zachwytu gapiów zlewał się z sapaniem ciągnących za sznury, a nad wszystkim górowały okrzyki starszego mężczyzny wydającego polecenia.

— Czy to nie wspaniałe? — szepnął Gabriel.

Joan skinął głową, z otwartą buzią kontemplując przedsięwzięcie, i w tym momencie zauważył, że lewy sznur zaczął się rozdzierać w miejscu, w którym stykał się z żelazną obręczą.

— Lina się rwie! — krzyknął. — Uwaga!

— Wyjdźcie spod dzwonu! — ryknął mistrz, słysząc te słowa.

W kilku krótkich chwilach wydarzyło się wszystko naraz. Zdawało się, że dzwon wisiał jeszcze przez jakiś czas, a robotnicy, którzy usuwali resztki formy, odskakiwali na boki. Nagle grupa ludzi ciągnąca za sznur z lewej strony upadła na plecy z zerwaną liną w ręku. Olbrzymi kawał brązu utrzymujący się wciąż na drugim sznurze zamiast runąć, wychylił się jak wahadło w prawo, wprost na mężczyzn, którzy, nie mogąc utrzymać ciężaru, zostali pociągnięci w stronę masy brązu wiszącej teraz nad nimi.

— Puśćcie linę! — wrzeszczał mistrz. — Wyłaźcie stamtąd!

Dla wielu było za późno. Z ponurym metalicznym hukiem dzwon spadł na rusztowania, miażdżąc je, a potem na kamienny murek, razem z belkami, zamykając ludzi w trumnie z kamienia, drewna i metalu.

Zapadła cisza, a po chwili rozległ się chór krzyków, lamentów, skarg i próśb do Pana, Dziewicy i świętego Eligiusza.

Mistrz podbiegł najpierw do zakleszczonych, a potem do ocalałych. Zabrano się do wyciągania desek i gruzu. Okazało się, że dzwon tkwi w rusztowaniu i murkach w taki sposób, że nie da się wyciągnąć go poziomo. Spod desek podtrzymujących ciężar brązu napływały lamenty.

— Trzeba znowu podnieść! — bez wiary zawołał najstarszy mężczyzna.

— Nie ma czasu, poumierają! — rzucił jeden z robotników.

— Jeśli ruszymy nim z boku, przygniecie ich i może potoczyć się na innych ludzi — wyjaśnił mistrz. — Trzeba przewlec nowy sznur przez pierścień, żeby unieść go pionowo.

— Nie mamy takiej wysokiej drabiny!

— Musimy postawić rusztowanie.

— To za długo potrwa, zginą! — upierał się robotnik.

— Nie chcę narażać więcej ludzi.

— Twój syn jest pod tymi deskami!

— Wszyscy jesteście moimi synami. Wzniesiemy rusztowanie i niech święty Eligiusz ma nas w swej opiece — odrzekł twardo mistrz ze łzami w oczach. — Prędko, przynieście belki!

Zgromadzeni gapie obserwowali cały dramat w milczeniu, z sercami w gardłach. Niektórzy modlili się, inni, zwłaszcza krewni, płakali cicho, powstrzymując szloch.

Joanowi rzuciło się w oczy pewne narzędzie składające się ze szpikulca i drzewca o rozmiarach i kształcie bardzo zbliżonym do włóczni ojca. Przyszła mu do głowy pewna myśl. Bez wahania zabrał się do roboty. Chwycił dzidę, podniósł ją. Przekonał się, że ma odpowiednią wagę. Wśród sznurów wyszukał cienką, długą i wytrzymałą linę. Nikt go nie powstrzymywał, wszyscy byli zajęci zbieraniem desek na rusztowanie.

Potem znalazł młotek i parę gwoździ, ale gdy chciał je wziąć, jeden z robotników odepchnął go.

— Zabieraj się stąd, szczeniaku! — warknął. — Jeśli będziesz przeszkadzał, zdzielę cię w łeb!

Joan posłusznie zszedł mu z oczu, zabierając ze sobą swą zdobycz. Szybko uczepił linę do drzewca i podrzucając w ręku zaimprowizowany naprędce harpun, ważył go. Odetchnął z zadowoleniem, po czym rzekł do Gabriela:

— Idź za mną z kłębkiem sznura.

— Co chcesz zrobić?

— Przerzucę ten harpun przez obręcz.

— Co takiego?

— Idź za mną! I pilnuj, żeby sznur dobrze się rozwijał.

Joan zaczął biec z dzidą w ręku, krzycząc:

— Z drogi!

Po krótkiej chwili ciszy w tłumie rozległ się pomruk przekleństw, gróźb, ostrzeżeń. Wokół pełno było ludzi, którzy przyglądali się w napięciu, nie wtrącając się. Stali w pewnym oddaleniu, z powagą śledząc przebieg wydarzeń. Wiadomość o wypadku szybko się rozeszła i ściągnęła rzemieślników z całej ulicy. Porzucili swoje zajęcia i przybyli do odlewni. Nikt jednak nie zatrzymał Joana, może ze strachu przed bronią, którą wznosił.

— Z drogi! — powtórzył.

Znalazł się na pozycji i bez chwili zastanowienia cisnął harpunem. Broń szybowała przez chwilę, która trwała wieczność. Zabrzmiał metaliczny dźwięk, gdy ostrze zderzyło się z pierścieniem. Chybił.

Nagle Joan poczuł silny cios i padł na plecy. Mężczyzna, który go przed chwilą zbeształ, siadł mu na piersiach i miotając przekleństwa, uniósł z wściekłością pięść, by roztrzaskać mu twarz.

— Zostaw go! — krzyknął mistrz.

Mężczyzna zatrzymał pięść w powietrzu. Pragnął zmiażdżyć twarz intruza, który przeszkadzał w ratowaniu jego umierających towarzyszy.

— Na rany Chrystusa! — prosił stary. — Puść go, może nam pomóc!

I jednym ruchem odepchnął mężczyznę, któremu gniew odebrał rozum. Mistrz podał Joanowi rękę, pomagając mu wstać.

— Spróbuj jeszcze raz, chłopcze, i niech Bóg ci dopomoże.

Gdy Joan wzniósł harpun ponownie, zapadła absolutna cisza. Słyszał tylko jęki uwięzionych i bicie swego serca. Wszystkie oczy wpatrzone były w niego. Poczuł wtedy, że ręka mu drży. Przeraziła go możliwość niepowodzenia. A jeśli się nie uda i ludzie umrą z jego winy? Cel znajdował się wysoko. Przyzwyczajony był do obliczania trajektorii lotu w rzutach horyzontalnych, ale teraz było dużo trudniej. Poczuł zamęt, oczy mu się zamgliły. Nie mógł dojrzeć wyraźnie pierścienia. Pomruk zniecierpliwienia przeszedł przez tłum. Ludzie zaczęli się zastanawiać, na co czeka. Wtem poczuł silną dłoń na swoim ramieniu i usłyszał głos mistrza:

— Dalej, chłopcze, uda ci się!

To dodało mu otuchy. Wziął głęboki wdech. W okamgnieniu sprawdził, czy Gabriel stoi za nim gotowy szybko wypuścić sznur. Uniósł ramię, odchylił do tyłu i rzucił.

Broń zatoczyła łuk i trzasnęła o kamienne sklepienie, dokładnie nad samym żelaznym pierścieniem. Tym razem rozległ się pomruk niezadowolenia, padły nawet pojedyncze nieprzyjemne okrzyki.

Mistrz podniósł z ziemi broń i podał ją chłopcu. Jego gest uciszył głosy, mimo to tłum wciąż był wzburzony i podenerwowany. Czuć było wiszący w powietrzu niepokój.

Joan spróbował znów. Dał się słyszeć nieprzyjemny metaliczny szczęk i dzida, choć nieco zboczyła ze swego kursu, to wyleciała z drugiej strony, przewlekając sznur. Tłum wzniósł okrzyk triumfu. Mimo szybkości, z jaką Gabriel rozwijał sznur, dzida zakreśliła w powietrzu łuk wahadłowy, nim zaryła w ziemię.

Mistrz podniósł ją i zaczął wydawać polecenia. Po chwili drugą linę, odpowiednio grubszą, przywiązano do cienkiej i przewleczono przez obręcz. Stary wykrzykiwał rozkazy i wszystko poszło za-

dziwiająco sprawnie. Do pomocy ruszyli rzemieślnicy spoza odlewni. Widać było, że należą do jednego cechu i znają się na
robocie.

Podczas gdy jedni utrzymywali na swych barkach i głowach
ogromny ciężar, inni przesuwali ostrożnie deski i bale, żeby delikatnie wydobywać zakrwawione ciała kolegów. Pojawiły się nosze
sklecone z belek i szmat.

— Do szpitala Santa Creu! — zawołał stary, chociaż wszyscy
dobrze wiedzieli, gdzie ich trzeba zanieść.

Uratowanych, jednego po drugim, układano na zaimprowizo-
wanych noszach i ludzie biegiem przenosili ich do szpitala na
ulicy Carme, naprzeciwko zakonu, gdzie miał swój ołtarz święty
Eligiusz, patron cechu. Gdy wydobyto czwartego mężczyznę,
ostatniego z rannych, mistrz poszedł z nim, tłum ruszył za nimi,
a bracia zostali na dziedzińcu sami, wyczerpani, nie wiedząc, co
robić. Postanowili wrócić do klasztoru Świętej Anny.

Większość rzemieślników z bractwa po odprowadzeniu rannych
udała się do kaplicy świętego Eligiusza, aby się pomodlić, ale gdy
bracia przechodzili przez Ramblę, minęli się z mężczyzną, który
ich rozpoznał.

— Dobra robota! — powiedział.

W swojej książce Joan zapisał: „Ćwiczyłem ramię, by zemścić
się na nieprzyjaciołach. Bóg jednak zechciał, żeby dziś posłużyło
mi do ratowania ludzi".

36

Joan podtrzymał zwyczaj odwiedzania tawern. Siadał samotnie przy stoliku, z którego widać było cały szynk. Słuchał i patrzył. Jeśli rozmowa była tego warta, cały zamieniał się w słuch. Jeśli nie, wybierał sobie rozmówcę do pogawędki, a jeżeli marynarz okazywał się cudzoziemcem, starał się rozmawiać w jego języku, co od razu czyniło go przyjacielem. Kilka razy nie mógł odmówić picia i po paru pijaństwach i wymiotowaniu na ulicy postanowił z tym skończyć. Nie chodził do tawern, żeby się napić, tylko żeby się czegoś dowiedzieć. Choć wkrótce zyskał przydomek Małopitka, to barmani polubili go, gdyż był klientem stałym i niekłopotliwym.

Wydarzenia w Sitges odmieniły Joana. Nosił w sobie głęboką urazę, którą potęgowało tłumione pragnienie zemsty. Teraz wiedział już, że jest na właściwej drodze. Doszedł do wniosku, że jego rodzina musi przebywać we Włoszech. Dokładnych informacji mógł zasięgnąć tylko u marynarzy admirała, więc niecierpliwie wyczekiwał powrotu jego floty. Jako że była daleko, walcząc z Turkami, zajął się marynarzami włoskimi. Wypytywał ich o sytuację polityczną i ekonomiczną, zwłaszcza o ośrodki handlu niewolnikami. Zapamiętywał skrzętnie wszystkie dane, zwłaszcza słownictwo i rozmaite akcenty w dialektach używanych we Włoszech. Odnajdzie rodzinę i w końcu spełni daną ojcu obietnicę.

Parę dni później pytano o niego w księgarni. Okazało się, że to mistrz z odlewni.

— Ależ się ciebie naszukałem, chłopcze — rzekł, kładąc mu rękę na ramieniu. — Odeszliście, nim zdążyłem wam podziękować.

— Niepotrzebne były nam podziękowania. Gdy zapytaliśmy w szpitalu i powiedziano nam, że wszyscy przeżyli, bardzośmy się ucieszyli.

— Tak, dzięki świętemu Eligiuszowi, tobie i twojemu bratu skończyło się na połamanych kościach. Pozrastają się.

— Cieszę się.

— Mamy wobec was dług. Jeśli jest coś, w czym moglibyśmy wam pomóc, tylko powiedzcie.

Joan się zamyślił. Bractwo świętego Eligiusza, które łączyło niemal wszystkie cechy zajmujące się obróbką metalu, było bardzo potężne, ale nie miał pojęcia, w jaki sposób mogłoby pomóc mu w odnalezieniu rodziny. Potem pomyślał o Gabrielu i rzekł:

— Moglibyście wziąć mojego brata na ucznia? Uwielbia dzwony. Twierdzi, że po pierwszym uderzeniu rozpoznaje każdy dzwon w Barcelonie.

— Dzwony mają różne głosy. Twój brat ma rację — odrzekł mężczyzna z uśmiechem. — Ich dźwięk zależy od rozmiaru, kształtu, rodzaju stopu, z którego są wykonane. Wytapiamy wielkie bryły brązu, które w większości służą do wyrobu broni artyleryjskiej. Jesteśmy puszkarzami.

— Nie sądzę, by mojemu bratu przeszkadzało robienie armat, jeśli czasem będzie mógł wykonać dzwon.

— Powiedz mu więc, by jutro do mnie przyszedł. Przyjmę go jak syna.

Gdy Gabriel się dowiedział, skoczył w górę z radości. Kiedy dorośnie, odleje dzwon o najpiękniejszym brzmieniu na świecie!

❧

Inkwizytor Espina, już w pełni władzy, wybrał piątek czternastego grudnia 1487 roku na pierwsze wielkie wystąpienie inkwizycyjne.

Miał to być uroczysty akt wiary i wybaczenia zbłąkanym duszom przyjmowanym na łono Kościoła. Penitentami byli konwertyci, którzy zastraszeni wieściami z Walencji zgłaszali się dobrowolnie, oskarżając się o stosowanie judaistycznych praktyk.

Uczniowie pana Corra przybyli obejrzeć wielką procesję, która rozpoczęła się w kościele Świętej Katarzyny i szła aż do katedry.

Procesję otwierał zakonnik ze sztandarem inkwizycji przedstawiającym krzyż, po którego prawej stronie widniał miecz, symbol losu należnego heretykom, po lewej zaś oliwna gałązka jako znak pojednania ze skruszonymi. Za nim szła grupa śpiewających ministrantów i ojciec Espina w otoczeniu czterech żołnierzy w służbie inkwizycji. Dalej kroczył kolejny zakonnik z wielkim krzyżem i pięćdziesięciu penitentów, skruszonych, błagających o łaskę. Znajdowali się wśród nich ludzie znani, na ogół rzemieślnicy, od krawców do fryzjerów, większość jednak stanowiły kobiety, między innymi wdowy po królewskich doradcach. Ubrani byli w czerwono-żółte szaty pokutne, rodzaj szkaplerza z otworem na głowę, na której nosili szpiczaste, czerwono-żółte czepce. Szli, śpiewając, niektórzy chłostali plecy batami. Był to widok nowy i niesamowity. Ludzie pokazywali sobie palcami tych, których znali, niektórzy pokpiwali z ich dziwacznego wyglądu.

— Tym się upiecze — powiedział Felip z zawodem w głosie.

Joan pomyślał, że zbyt wielką karą jest takie upokorzenie kogoś, kto przyznał się ze skruchą do winy.

Za penitentami kroczyli dominikanin z krzyżem i liczny orszak skrybów, sędziów, notariuszy, komisarzy i współpracowników hiszpańskiego Świętego Oficjum.

Po dotarciu do katedry ojciec Espina wspiął się na schody i przed całą procesją wygłosił kazanie, na którego końcu przyjął skruszonych na łono Kościoła.

Na tym jednak kara się nie skończyła. Skruszeni musieli uczestniczyć w procesjach i nie mogli zdejmować szat pokutnych w dzień ani w nocy przez rok, aby znaleźć się pod dozorem pozostałych obywateli, którzy powinni doglądać, czy nie wyznają na nowo heretyckich poglądów.

Poza tym nie wolno im było nosić złota, srebra, pereł, drogich kamieni, bursztynu ani dostojnych szat z jedwabiu i z czystej wełny, także ubrań w kolorze czerwonym. Zabroniono im obejmowania stanowisk publicznych, nie mogli zostać lekarzami, cyrulikami, sklepikarzami, kupcami korzennymi, prokuratorami, bankierami, notariuszami, skrybami. Nie mogli też jeździć konno ani nosić broni.

— Robią wszystko, żeby upokorzyć penitentów publicznie — zauważył Bartomeu w rozmowie z Joanem.

— Bardziej przypomina to karę niż przebaczenie.

— Poza tym inkwizycja każe im płacić pieniądze w ramach pokuty.

— Ale przecież zgłosili się dobrowolnie w wyznaczonym terminie?

— Tak — odrzekł Bartomeu. — Miasto wysłało posłańców do króla Ferdynanda z protestem przeciwko temu nadużyciu, ale nic nie wskórają. Ojciec Alfonso Espina dalej będzie wyczyniał to, na co mu przyjdzie ochota.

— Władza tego zakonnika jest niewiarygodna.

— To najpotężniejszy człowiek w Barcelonie — przyznał Bartomeu. — Sam biskup nawet przekazał mu swe kompetencje. Ale to nie król ani papież czyni go tak przerażającym. Powodem jest możliwość zastraszania, sprawiania, by nikt nie czuł się bezpiecznie. Strach to jego najskuteczniejsza broń. Posługuje się strachliwymi do grożenia pozostałym. Widziałeś tych wszystkich, którzy szli w pokutnych szatach i czepcach?

— Tak.

— Czy sądzisz, że ojciec Espina darował im winy tylko w zamian za pieniądze, publiczną hańbę i upokorzenie?

Joan wzruszył ramionami.

— Nie! — wściekał się Bartomeu. — Musieli wydać innych! Zostali donosicielami! Inkwizytor nie odpuszcza, dopóki nie dostanie nazwisk.

Chłopak zrozumiał i przeraził się.

— Jeśli chcesz ocaleć, musisz wydać przyjaciela, sąsiada, małżonka...

Joan pokręcił głową oszołomiony.

— Poza tym donosy są tajne. Nie wiesz, kto cię oskarża ani o co — ciągnął Bartomeu. — Nie możesz się bronić, jesteś w rękach inkwizytora. Wyobrażasz sobie panikę, w jaką wpadłbyś, mając coś do ukrycia? Dlatego wielu zgłasza się, zanim ktoś na nich doniesie. A wtedy muszą donieść na innych.

Joan spojrzał na kupca, nie wiedząc, co na to powiedzieć. Ten dodał:

— Staraliśmy się odeprzeć inkwizycję wszystkimi możliwymi środkami. Ale przegraliśmy. Teraz terror rozsiewa się także w Barcelonie. Stanie się miastem donosicieli.

Wieczorem Joan zapisał w swej książce: „Strach. Miasto kapusiów".

֍

Następnego dnia statek niejakiego Gelaberta odpłynął z portu Barcelony wbrew rozkazom inkwizytora z dwustoma uciekającymi konwertytami na pokładzie. Miasto obiegła pogłoska, że ojciec Espina dostał ataku szału. Groził nawet radnym miejskim.

Parę dni później zakonnik urządził kolejny wielki publiczny pokaz. Z klasztoru Dominikanów wyruszyła procesja ze sztandarami i krucyfiksami. Nowością było, że penitenci mieli twarze osłonięte ciemnymi welonami i mimo grudniowego chłodu gołe plecy. Chłostali się przez całą drogę aż do kościoła Santa María del Mar. Tam wysłuchali mszy i kazania ojca Espiny, a potem wrócili do klasztoru, biczując się na ulicach.

Po kilku dniach do Włoch ruszyła następna galera z innymi przechrztami. Ojciec Alfonso Espina zademonstrował siłę niewiele później. Dwudziestego piątego stycznia 1488 roku odbyło się pierwsze autodafe na placu Królewskim. Inkwizytor wygłosił kazanie, na koniec skazał czterech „przestępców" na śmierć na stosie razem z oskarżonymi, którzy uciekli. Na Canyet, nieopodal morza, w miejscu, gdzie toczono bitwy na kamienie, skazańcy zostali spaleni żywcem; spalono również podobizny zbiegów.

Felip, Joan i reszta przybyli obejrzeć widowisko. Ludzie tłoczyli się, żeby popatrzeć, ale podczas tej egzekucji zachowywali ciszę; krzyki palonych słychać było w domach miejskich koło Portal de Sant Daniel.

Gdy wrócili do miasta, Barcelona wydawała się inna. Chłód i trwoga uczyniły ją smutną i zamkniętą. Nieliczni przechodnie na ulicach spoglądali na sąsiadów z lękiem i podejrzliwością. Ojciec Alfonso Espina zwyciężył. Joan zastanawiał się, ilu obywateli zostanie od tego dnia donosicielami.

37

Wspólne życie w domu państwa Corrów stało się bardzo trudne dla Joana od czasu pobicia przez Felipa. Rudzielec zmuszał go do usługiwania nawet w drobnych sprawach, jak przysunięcie dzbanka czy podanie chleba. Tylko jego. Uczniowie wiedzieli, że były to rozkazy. Zwracał się pogardliwym tonem. Joan znowu stał się nieokrzesanym chłopkiem pańszczyźnianym, którego należało wychować. Widząc, że chłopak się poddaje, Felip wymagał coraz więcej. Chciał okazać wszystkim swą władzę nad nim.

Praca na poddaszu z Abdalą dawała Joanowi wytchnienie. Odprężał się dzięki spokojnemu sposobowi bycia muzułmanina. W tym miejscu istniał inny świat, uporządkowany, tu oddawano cześć zarówno duszy zawartej w literach, jak i ciału, czyli księgom, ich nieodzownemu opakowaniu. Poddasze było gniazdem kultury, tu Joan czuł się wolny, każdego dnia poznawał nowe słowa i zwroty w różnych językach i skrywał je pieczołowicie.

Abdalá nie zapytał o rany i siniaki na twarzy, ale przyglądał mu się w ciszy. Widząc, jak oderwany od rzeczywistości Joan kolejny raz moczył pióro w atramencie, nie wyciągając go, zareagował:

— Co ci jest, chłopcze?

— Nic.

— Jakikolwiek trapiłby cię smutek, nie jesteś pierwszym na świecie, który cierpi — nalegał mistrz. — Może mógłbym ci pomóc.

Joan nic nie odpowiedział i przystąpił do kopiowania. Jakież rozwiązanie mógłby mu podsunąć pokojowo nastawiony Abdalá? Wydawało się, że to się nigdy nie skończy. Mijały tygodnie, osiłek wciąż mu dokuczał, a Joan, znając karę, jaka czeka go za nieposłuszeństwo, podporządkowywał się. Felip nie uznawał dezercji w swojej bandzie, ale Joan migał się, jak tylko mógł, mówiąc, że potrzebują go w Świętej Annie. Tam szedł do zakątka w ogrodzie, gdzie z furią ćwiczył rzuty do tarczy włócznią ojca, wyobrażając sobie, że miota w Felipa. Z jakiegoś powodu, którego nie umiał sobie wytłumaczyć, chował broń ojca w klasztorze. Czuł, że tam jest bezpiecznie ukryta.

Anna nie przychodziła do studni, ale on udawał się na ulicę Argentería codziennie, w nadziei, że ją ujrzy. Gdy się w końcu doczekał, nawet nie próbując się zbliżyć, poczuł się szczęśliwy. Jej twarz rozjaśniał uśmiech, co napawało chłopaka rozkoszą. Nie okazywał swych emocji, aby jej rodzice nie zauważyli wymiany spojrzeń. Nie mógł pozwolić na to, by zamknięto ją w sklepie. Któregoś razu, gdy przesyłali sobie potajemne znaki, Joan ujrzał panikę malującą się na jej twarzy. Anna weszła szybko do domu. Poczuł uderzenie w plecy i usłyszał:

— Twoja Żydówka podoba mi się coraz bardziej. — Był to głos Felipa. — Zobaczysz, co z nią zrobię, jak ją dorwę następnym razem.

Zaśmiał się. Joan krzyknął ze strachu. Rudzielec zaskoczył go.

— Nie pozwolę jej uciec. Da mi to, czego ty pragniesz — dodał.

Zbir rozkoszował się strachem chłopca. Joan nie wiedział, co zrobić ani co powiedzieć. Wpadł w panikę. Felip nie żartował.

෨

— Joanie, nie podoba mi się to, co Felip ci zrobił ani jak cię traktuje — szepnął Lluís, gdy osiłka nie było w warsztacie.

Chłopiec spojrzał na niego zdumiony.

— Nie? — zapytał.

— Nie. Dosyć mam jego chamstwa. Musiałem również przez to wszystko przejść, gdy zaczynałem. Ale byłem za mały, żeby się bronić, i nigdy nie odważyłem się zrobić tego co ty.

— Bałeś się go, prawda?

— Tak, i słusznie — odrzekł Lluís. — Jest silniejszy i nie zna litości.

— Też się go boję — powiedział Joan.

Tej nocy nie mógł spać. Gdy udawało mu się przysnąć, budził się przestraszony. Widok Felipa gwałcącego Annę raz po raz stawał mu przed oczami. Serce biło mu szybciej, brakowało powietrza.

— Co ci było tej nocy? — rano spytał go Abdalá. — Ciągle wierciłeś się na sienniku, nie mogłeś spać.

— Skąd wiecie? — dopytywał się chłopiec. — Też nie mogliście spać?

— Spałem. Ale my, starzy, śpimy mniej. W nocy przymykam oczy i śnię na jawie o mojej Grenadzie. Wracam do niej, przemierzam jej ulice. Do Grenady z czasów, gdy byłem dzieckiem. Nie ma piękniejszego miejsca na świecie.

— Ja też nieraz marzę o mojej wiosce, morzu, mojej rodzinie.

— Powiedz mi, co się dzieje — łagodnie zwrócił się do niego mistrz.

Joan nie mógł dłużej wytrzymać i ze łzami w oczach opowiedział mu o podłościach Felipa i o strachu, jaki wywoływała w nim groźba pod adresem Anny.

Stary słuchał uważnie, po czym popadł w zadumę.

— Strach zniewala nas bardziej niż łańcuchy. Strach i niewiedza — rzekł w końcu. — Nie możesz dalej żyć w takiej trwodze.

— Tak, wiem o tym. To samo mówił mój ojciec — odparł chłopiec niepocieszony. — Ale co ja mogę zrobić? On jest dużo silniejszy. Pobił mnie, upokorzył przed wszystkimi, odebrał mi godność.

Abdalá obserwował go, ważąc w duchu jego słowa.

— Odarł cię z godności, grozi kobiecie, którą kochasz, trzyma cię w strachu... — W jego słowach pobrzmiewał rozkazujący ton. — I ty mu na to pozwolisz?

— Ja?

— Słuchaj, Joanie. Zauważyłem, że jesteś prawie tak samo wysoki jak on.

— Ale pobił mnie...

— Dał sobie radę z tobą nie dlatego, że jest większy, tylko dlatego, że gdy ty usiłowałeś odciągnąć go od niej, postanowił cię skrzywdzić. I zrobił to. Poza tym, jak mówisz, miał pomoc, prawda? Co by się stało, gdybyście byli sam na sam, a ty byłbyś przygotowany do walki?

Joan się zastanowił.

— Zrobiłby ci to, co ci zrobił?

— Nie! — odparł Joan z przekonaniem.

— A zatem? — ciągnął Abdalá — Zamierzasz żyć dalej w strachu?

— Ale on jest szefem bandy. Nie będę mógł sam się z nim zmierzyć, są inni.

Abdalá się uśmiechnął.

— Dobrze. Zaczynasz już myśleć o tym, czy możesz, a przynajmniej czy jesteś w stanie pobić go, gdy będzie sam. Zdecyduj, czy chcesz się uwolnić od strachu, czy zawsze w nim żyć. A gdy się dowiesz, porozmawiaj ze mną. Teraz wracajmy do pracy.

Joan miał mętlik w głowie. Cóż było warte to, czego on chciał? Ten wielkolud połamałby mu kości, gdyby wszedł mu w drogę. To zrozumiałe, że się go boi. Przez resztę dnia przysypiał za stołem i poprawiał błędy, które, co u niego niezwykłe, popełniał, pisząc. Nie przestawał przeżuwać słów Abdali, ale nie wierzył, że ten pokojowo nastawiony intelektualista jest w stanie mu pomóc.

Przy kolacji musiał znowu znosić nieustanne dokuczanie Felipa, a w nocy koszmar osiłka napadającego na dziewczynę obudził go kilkukrotnie.

Następnego ranka nie mógł skupić się na pracy. W końcu podszedł do mistrza i rzekł:

— Abdalo. Chcę uwolnić się od strachu.

Mistrz, nim przemówił, spojrzał na niego uważnie.

— Żeby uwolnić się od strachu, musisz zmierzyć się z jego przyczyną — powiedział wreszcie. — A kto jest źródłem twoich lęków?

— Felip.

— Czy wiesz, że jeśli stawisz mu czoło i przegrasz, gotów jest cię zabić?

— Tak.

— Powiedz zatem, za co gotów byłbyś oddać życie?

Joan zaczął myśleć. Jego istnienie stało się nędzą. Chciał je zachować, aby uratować rodzinę i zemścić się na zabójcach ojca. Chciał też żyć, aby móc zobaczyć znowu uśmiech Anny, czytać swobodnie książki, chronić swego brata... Istniało tysiąc rzeczy, dla których warto było żyć. Ale wiedział, że nie będzie mógł się tym wszystkim cieszyć, dopóki nie przezwycięży tego dławiącego strachu.

— Chcę przestać cierpieć, myśląc o tym, co może zrobić Annie. I nie chcę, żeby mnie upokarzał.

— Czujesz gniew, gdy sobie to wszystko przypominasz?

— Tak, wielki. — Chłopak zaciskał szczęki.

— Dobrze, bardzo dobrze — odparł mistrz. — To dobrze, to bardzo dobrze, powinieneś czuć gniew, im większy, tym lepiej. Strach łatwo obrócić w nienawiść, zrób to. Ale musisz działać na chłodno.

Wytłumaczył mu, że pierwszym niezbędnym warunkiem wygrania bitwy jest niezłomna wola zwycięstwa. Gniew i strach są dobrym paliwem, podsycają pragnienie. Musi pamiętać, co osiłek mu zrobił, i o niebezpieczeństwie grożącym Annie. A gdy powali Felipa, nie może dać mu wytchnienia, tylko ostatecznie załatwić sprawę. Nie zabijając go, rzecz jasna.

— Zastanów się nad tym i wróć, gdy uznasz, że twoja wola zwycięstwa jest większa niż twojego rywala.

Przez resztę ranka Joan pogrążył się bez pamięci w myślach o upokorzeniach, jakie musiał znosić, i o nędzy, jaką stało się jego życie, odkąd Felip rzucił groźbę pod adresem Anny. Strach przeradzał się w pragnienie ukarania osiłka, żeby role się odwróciły, żeby to Felip zaczął się bać. W miarę jak przypominał sobie zniewagi, pogardę i upokorzenia, determinacja rosła. Przed obiadem podszedł do Abdali i powiedział:

— Chcę mu dać nauczkę. Nie ma rzeczy, której bardziej bym pragnął.

Abdalá się uśmiechnął i powiedział, że czas zejść na obiad i że jeszcze o tym porozmawiają. Odpowiedź rozczarowała Joana, który pragnął natychmiastowego załatwienia sprawy. Ale i tak wiele się dla niego odmieniło. Czuł już, że jest w stanie skutecznie stawić czoło rudzielcowi.

Po poobiednim odpoczynku każdy siadł do swego stołu i zabrali się do pracy.

— Czy dalej czujesz, że twoja wola jest silniejsza niż jego? — zapytał Abdalá po chwili.

— Tak, mistrzu — odrzekł Joan, wstając od stołu, żeby podejść do muzułmanina.

— Jakkolwiek wielkie byłoby twe pragnienie, Felip wciąż jest silniejszy — powiedział starzec, patrząc znad okularów.

— A więc...?

— A więc potrzebował będziesz czegoś więcej.

— Czego?

— Będziesz musiał dobrze się przygotować i wziąć go z zaskoczenia.

Joan zamilkł, usiłując dociec znaczenia tych słów.

— Tak, przypomnij sobie — rzekł mistrz. — Chciałeś odepchnąć go od dziewczyny. Ale on uderzył cię wiele razy, nim zdążyłeś zareagować. Wziął cię z zaskoczenia.

Uczeń skinął głową. Nie spodziewał się tak gwałtownej reakcji Felipa, gdy chciał oddzielić go od dziewczyny.

— A potem rozkazał, żeby cię trzymali, wiedział, że będą go słuchać, i posłuchali go. Dowodził doskonale akcją całej grupy. Za to ty byłeś na jego łasce. Pomyśl teraz, co możesz zrobić ty, żeby kierować wszystkim, co będzie się działo, i żeby czynnik zaskoczenia był po twojej stronie.

Joan wrócił zamyślony do swojego stołu.

— A! — powiedział wtedy nauczyciel. — Zapomniałem. Widziałem, że przy obiedzie patrzyłeś na niego prosto, nie pochylając głowy. To błąd! Zachowuj się tak jak wcześniej, nie ostrzegaj go.

Joan przeszedł w myślach od smutku i strachu do szkiców planu. Od czasu do czasu pytał o coś Abdalę, a ten uśmiechał się z zadowoleniem, odgadując trop rozumowania ucznia.

— Abdalo — zwrócił się do starca Joan — mówiliście mi

kiedyś, że nie jesteście człowiekiem broni. Skąd znacie się na wojnie? Czemu zachęcacie mnie do walki?

— Nie lubię krwi — odparł. — Wolę litery. Ale też musiałem dzierżyć broń i stawać do bitew. Mężczyzna czasem zmuszony jest walczyć o honor.

— Dziwne, że mówicie to wy, niewolnik.

— Jestem nim, bo tak mnie nazywają, ale żyję życiem, które kocham.

— Na pewno nie chcielibyście wrócić do waszej pięknej Grenady?

— Był taki czas, że tego tylko pragnąłem, ale teraz już nie. Nikt tam na mnie nie czeka. Bratobójcze walki wyczerpały to chwalebne królestwo. Grenada jest oblężona i nie chcę być świadkiem jej kapitulacji. Wolę żyć z moimi księgami i śnić o Grenadzie sprzed lat.

Joan zgodził się z nim co do tego i pochylił głowę z szacunkiem, ale jego myśli natychmiast powróciły do Felipa. Do planów. Dzień miał już obmyślony.

38

Oddział Felipa zajął pozycje na wzniesieniu, czekając na nieprzyjaciół w niedzielnej walce na kamienie. Ich niebieska chorągiew tkwiła w ziemi, a Joanowi serce biło szybciej.

— Idą! — zakrzyknął któryś z chłopców, dojrzawszy w oddali czerwony sztandar ulicy Regomir.

Joan zaczekał, aż podejdą bliżej. Wtedy podszedł do Felipa i uderzył pałką jego drewnianą tarczę. Rozległ się huk i wszyscy spojrzeli na Joana. Zapadła cisza.

— Wyzywam cię na pojedynek! — zawołał chłopiec.

Dryblas spojrzał na niego zaskoczony.

— Oszalałeś? — powiedział w końcu ze śmiechem. — Nie dość już dostałeś, pańszczyźniany? Tym razem cię wykastruję.

— Wyzywam cię — nalegał Joan. — Jeśli nie staniesz do walki, przestaniesz być szefem bandy.

— Brać go! — rozkazał Felip.

Joan zrobił krok do tyłu, wymachując groźnie pałką, żeby nikt się nie zbliżył. Kilku jednak przesunęło się nieznacznie do przodu, by go złapać.

— Odwołuję się do prawa band! — krzyknął Joan. — Pojedynek jest tylko między nami dwoma, nikt nie może się wtrącać.

— Ale ty jesteś... — zaczął Felip.

— Ma rację! — krzyknął Lluís. — Tak mówi nasze prawo. Może wyzwać szefa.

Felip podniósł na niego zabójczy wzrok, ale wielu chłopaków poparło Lluísa.

— Takie prawo! Stań do walki! — zakrzyknęli.

Nawet jego najbliżsi koledzy potakiwali głowami. Tak mówiło prawo. Osiłek zdał sobie sprawę, że jest w mniejszości, i musiał się zgodzić.

— Niech będzie — powiedział. — Ale zapamiętasz to sobie na całe życie. Odgryzę ci jądra.

Joana przeszył dreszcz. Wiedział, że jest do tego zdolny. Poczuł krew pulsującą w skroniach i pomyślał, że to nie czas na trwogę. Wola zwycięstwa.

— Pojedynek na dziesięć rzutów kamieniami, bez tarczy, z odległości osiemdziesięciu kroków — powiedział ostro.

— Na pięści — sprzeciwił się Felip.

— Prawo mówi, że najpierw na kamienie, bo to Joan cię wyzwał, a potem na pięści — wtrącił się Lluís.

Reszta potwierdziła. Chłopaki z ulicy Regomir zajęli pozycje na swoim polu w odległości stu kroków i krzyknęli, że są gotowi.

— Mamy tu pojedynek, z bitwy nici! — zawołał Lluís.

To musiało się spodobać tym spod czerwonej chorągwi, bo porzucili swe tarcze i pałki i przyjaźnie zbliżyli się, żeby razem oglądać walkę.

Joan i Felip poszli nazbierać kamieni, a gdy się mijali, dryblas obrzucił go stekiem wyzwisk i pogróżek, na które Joan zareagował taką samą albo większą agresją. Wola zwycięstwa, pomyślał. Zwyciężę!

Gdy byli gotowi, stanęli w odległości odmierzonej przez Lluísa, który został sędzią, wewnątrz kręgów. Nie wolno im było z nich wyjść. Na okrzyk „już!" Joan rzucił pierwszy kamień, przed którym rudzielec z trudem się uchylił. Chłopiec wiedział, że w rzucaniu kamieniami jest dużo lepszy, zaczął więc ciskać je, nie dając przeciwnikowi czasu na reakcję. On zaś, lękając się celności Joana, rzucał niezbyt dokładnie. Czwarty kamień Joana trafił Felipa w bark. Rozległo się żałosne „Auć!". To była okazja, na którą Joan czekał. Nie spoczął. Szóstym kamieniem znów go dosięgnął, tym razem w kolano. Dryblas prawie się przewracał, ale trafił

Joana w prawą nogę. Chłopiec krzyknął z bólu. Wszyscy myśleli już, że padnie, zdawało się, że ma złamaną kończynę. Tak się jednak nie stało. Ósmy kamień trafił Felipa w głowę. Szef bandy miał szczęście, dostał z ukosa. Płaski rzut powaliłby go, a tak tylko krwawił.

Nie mogąc już się uchylać i rzucać w tym samym czasie, rudzielec z nieobecnym wyrazem twarzy czekał nieruchomo, aż Joan wyrzuci dwa ostatnie kamienie. Przed dziewiątym zdołał się uchylić. Dziesiąty uderzył go w korpus, nie wyrządzając mu wielkiej krzywdy.

Mając przed sobą rozbrojonego przeciwnika, Felip się skupił. Żaden z nich dwóch nie mógł opuścić swego pola. Osiłek oszczędzał rzuty, by zaatakować niespodziewanie, ale Joan uchylił się przed dziewiątym kamieniem, tak samo jak przed poprzednimi.

Zakrwawiony i wściekły Felip oglądał kamień, który trzymał w dłoni. Gdy go rzuci, mieli spotkać się w połowie drogi, by walczyć na pięści. Ale zamiast nim cisnąć, osiłek zaczął iść w kierunku środka pola walki, z kamieniem w ręce. Joan, nie ruszając się z miejsca, krzyknął do niego:

— Rzuć kamieniem!

Rudzielec doszedł do połowy, a Joan stał dalej w swoim okręgu. Wiedział, że osiłek lubi zadawać ciosy kamieniem. Przypomniał sobie, z jakim szałem bił brata Nicolau. To cud, że mnich przeżył.

— Rzuć kamieniem! — krzyczało jeszcze paru chłopaków.

Felip, stojąc pośrodku, machnął na Joana, żeby podszedł do niego.

— Chodź! — powiedział. — Podejdź tu, bękarcie, jeśli masz jaja.

— Najpierw upuść kamień! — odparł Joan, kręcąc głową.

Wtedy Felip zaczął biec w jego stronę, dość szybko, mimo że utykał, wznosząc groźnie w ręce kawał skały. Joan rzucił się do ucieczki w przeciwnym kierunku. Widzowie, z duszą na ramieniu, patrzyli, jak powłóczy nogą. Musiała go bardzo boleć, gdyby rudzielec go dopadł, zmiażdżyłby go niechybnie. Wszyscy krzyczeli i chłopiec czuł, że dryblas jest tuż-tuż. Dobiegł do drzewa i schował się za pień, w chwili gdy Felip rzucał się na niego. Joan schylił się i wyciągnął z krzaków tarczę i maczugę. Dryblas zbaraniał. Na jego zakrwawionej twarzy ukazał się strach. Na nic nie zdałby się kamień, jeśli przeciwnik może zasłonić się tarczą i dołożyć mu maczugą. Obrócił się, by dać nogę, i teraz role się zmieniły. Ku zdziwieniu wszystkich Joan biegł lepiej i szybciej. Pierwszy cios Felip dostał w ramię, które trzymało kamień. Próbował obrócić się i uderzyć nim, ale dotknął tylko tarczy. Za drugim razem pałka wylądowała na jego głowie. Upuścił kamień. Gdy Joan wymierzył mu kolejne uderzenie, runął na ziemię. Chłopaki otoczyły ich, krzycząc do Joana, żeby rzucił kij. Zrobił to, ale dopiero po tym, jak huknął leżącego w czaszkę. Następnie, z całą gromadzoną przez te wszystkie dni wściekłością, zaczął kopać go po plecach, po czym usiadł na nim i okładał go pięściami, aż zrobiły się czerwone od krwi.

— Przestań! — zakrzyknęli. — Dosyć już. Zabijesz go.

Lluís z drugim chłopakiem ściągnęli go ze zwiniętego w kłębek, zakrwawionego Felipa. Nic nie mówił.

Do Joana dotarło, że zwycięstwo należało do niego. Uniósł pięści we krwi i zaryczał, aż urwał mu się głos. Jak dzikie zwierzę.

Gdy zamilkł, wielu zakrzyknęło i zabiło brawa. Upadł tyran. Liczni chłopcy z bandy czerwonych, ale i z jego bandy, wykorzystali tę chwilę, aby dać Felipowi kopniaka. O mało go nie zlinczowali. Był nieprzytomny i trzeba było sklecić naprędce nosze, by przenieść go do domu rodziny Corrów. Właściciel uznał, że jest z nim tak kiepsko, że wezwał lekarza, aby zdecydował, czy nie trzeba zabrać go do szpitala. Uczniowie powiedzieli oczywiście, że upadł, ale nikt im nie uwierzył ani nie dopytywał się więcej.

Medyk orzekł, że nie ma pękniętej czaszki, co było cudem, biorąc pod uwagę liczbę ran na jego głowie i twarzy. Nie znalazł też połamanych kości poza trzema żebrami. Miał poleżeć w łóżku parę tygodni.

❦

Życie Joana się odmieniło. Ranki były przepiękne, a popołudnia spokojne. Przestał stykać się z nieustannym dokuczaniem i pogardą Felipa, a zaczął być podziwiany i szanowany przez innych chłopców. Lluís powiedział mu, żeby objął dowództwo w bandzie, na co Joan odrzekł, że nie o to walczył. Nie pragnął rządzić.

— Ale musisz — nalegał Lluís. — Jeśli nie, to gdy się pozbiera, znowu stanie na czele, ma jeszcze wiernych sobie. A wtedy odpłaci tym, którzy ci pomogli.

— Ja nie chcę — odparł Joan. — Za to ty możesz zostać liderem. Będziesz miał moje poparcie i zostanę drugim po tobie. To uspokoiło Lluísa. Powiedział, że zapyta kolegów, co o tym sądzą. Felip z pewnością utworzy nową bandę, muszą więc być gotowi do obrony. Ci, którzy wciąż trzymali stronę rudzielca, oskarżali Joana o nieczystą walkę z użyciem tarczy i kija, ale reszta usprawiedliwiała go, twierdząc, że to rudy pierwszy złamał zasady, nie rzucając kamieniem, lecz usiłując uderzyć Joana. Pozycje były wyrównane.

ॐ

— Dzięki, mistrzu. Nigdy nie sądziłem, że mogę go pokonać.

— Sprawiłeś mi wielką satysfakcję. Jesteś wspaniałym uczniem — odpowiedział Abdalá. — A ten łobuz zasługiwał na porządną karę. Sprawiedliwość była po twojej stronie.

— Sprawiedliwość nic jednak nie znaczy, gdy nie ma sił, by jej bronić.

— Tak, to prawda — zamyślił się staruszek. — Powiedz, czego się nauczyłeś.

— Że trzeba mieć wolę zwycięstwa. Choć to nie wystarczy. Trzeba też dobrze przygotować działania grupy. Upewniłem się wcześniej, że mam poparcie chłopców z bandy dzięki Lluísowi i że znam dobrze prawo band, aby móc się do niego odwołać, gdy Felip próbował je złamać.

— Dobrze, bardzo dobrze — powiedział Abdalá z zadowoleniem. — A element zaskoczenia?

— Felip nie spodziewał się tego pojedynku, a już najmniej w takiej chwili. W ostatnich dniach byłem mu całkiem uległy. Poza tym, znając go, przewidywałem, że będzie chciał zagrać nieczysto z ostatnim kamieniem. Dlatego właśnie udawałem, że nie mogę biegać, i ukryłem za drzewem w krzakach tarczę z maczugą.

— Moje gratulacje. Jestem z ciebie dumny.

Joan zapisał potajemnie w swojej książce: „Wola zwycięstwa, działanie zespołowe i zaskoczenie".

❧

Gdy Felip dochodził do siebie, długo nie mógł przypomnieć sobie, co się stało, a jeszcze dłużej pojąć, że nadszedł kres jego panowania. Kiedy Joan się dowiedział, że rudzielec odzyskał przytomność, wykorzystał chwilę, gdy wszyscy pracowali w drugim kącie warsztatu, by go odwiedzić. Leżał w łóżku.

— Jak się czujesz? — spytał.

— Lepiej — odparł łobuz niechętnie.

— Jeśli chcesz, możemy zakończyć spór. — Wyciągnął do niego rękę. — Okaż mi szacunek, a będę cię szanował.

Felip, choć twarz jego pełna była ran i siniaków, spojrzał na niego z pogardą.

— Za kogo ty się uważasz, chłopie pańszczyźniany? — powiedział w końcu. — Zapłacisz mi za to, co zrobiłeś.

Joan spodziewał się takiej odpowiedzi i nie zmieszał się. Obok leżał kij. Chwyciwszy go oburącz, z całej siły walnął w dolną część łóżka, na którym leżał dryblas. Uderzenie w nogi było tak mocne, że Felip zawył z bólu, a łóżko się zatrzęsło. Chłopiec ujrzał w jego oczach strach. Osiłek się bał.

— Widzę, że niczego się nie nauczyłeś — rzekł spokojnie Joan, patrząc w jego ciemne, zaczerwienione oczy. — Jeśli się do mnie zbliżysz, zabiję cię.

Uderzył po raz drugi, żeby ujrzeć ponownie strach na twarzy Felipa. Odszedł zadowolony, ale pomyślał sobie, że gdy tamten wyzdrowieje, będzie musiał ciągle uważać i trzymać sztylet w pogotowiu.

❧

Joan w radosnym nastroju poszedł na ulicę Argentería. Gdy Anna go ujrzała, przywołał ją gestem. Po chwili, bez pytania o pozwolenie, wyszła z domu, niosąc dzban na wodę. Od tak dawna już nie rozmawiali ze sobą, widywali się tylko z daleka.

Spotkanie było krótkie. Zdążył tylko zapewnić ją powtórnie o swej miłości i powiedzieć:

— Nie musicie już więcej się obawiać tego rudowłosego zbira. Dałem mu nauczkę i więcej nie będzie was niepokoić. Możecie bezpiecznie chodzić do studni.

— Dzięki, Joanie, ale rodzice nie pozwalają mi wychodzić. Będę musiała wymykać się jak dziś. Przykro mi, muszę natychmiast wracać.

Złapał ją za rękę i pocałował. Policzki dziewczyny się zaczerwieniły. Pobiegła do domu.

39

— Joanie, brałeś złoty chleb? — spytał nauczyciel.

Uczeń ze zdziwieniem podniósł wzrok znad tekstu. Złotym chlebem nazywano arkusiki ze złota wyklepanego młoteczkiem, aż stawało się cieńsze od najcieńszego papieru. Wystarczył podmuch, by wzbiły się w powietrze. Używano ich do ozdoby ilustracji i wyszukanych liter początkowych. Stosowane były też w oprawie do wytłaczania okładek cennych ksiąg.

— Nie, mistrzu. Od tygodni go nie używałem.

— To dziwne!

— Co?

— Nie ma go w pudełku, gdzie go przechowujemy.

— Nie ma? — Joan wstał, by przekonać się, że pudełko rzeczywiście jest puste.

— Na pewno go nie dotykałeś?

— Na pewno. Może wzięli do warsztatu.

— Nie, poprosiliby mnie. Odpowiadam za złoty chleb przed właścicielem.

Na obliczu starca malowała się troska i smutek.

— Dużo tego było?

— Tak, miał wartość prawie funta.

Joan gwizdnął ze zdziwienia. Funta dostawał mistrz introligator miesięcznie, poza utrzymaniem. Dość pokaźna suma.

— Joanie — rzekł mistrz po chwili — wiem, że jesteś chłopakiem honorowym, i ty też wiesz, jak bardzo cię cenię. Ale jeśli z powodu jakiegoś młodzieńczego szaleństwa miałeś nagłą potrzebę, powiedz mi, proszę, a postaramy się to załatwić.

— Nie ruszałem go, mistrzu. Daję wam moje słowo.

Abdalá westchnął ciężko.

— Możemy mieć kłopoty — powiedział w końcu. — Zdaje się, że tylko ty i ja wchodzimy do tego pokoju.

— Musiał zatem wejść ktoś inny, kiedy nas nie było.

— Tak, tak musiało być. Ale to ja odpowiadam i nas będą podejrzewać.

৵

Oddźwięk był większy, niż się można było spodziewać. Dla państwa Corró pracownicy byli częścią wielkiej rodziny i troszczyli się o nich, najlepiej jak potrafili. W zamian oczekiwali lojalności. Tylko ktoś z tego domu mógł ukraść złoto i dlatego to, że zniknęło, stało się bardzo poważną sprawą. Ramón Corró wraz z małżonką zgromadzili wszystkich na podwórzu, żeby oznajmić tę wiadomość. Funt to była spora wartość, ale gospodarz oświadczył, że wolałby już, żeby ukradziono mu tysiąc na ulicy niż jednego funta w jego domu.

W całej grupie coś pękło. Wszyscy stali ze spuszczonymi głowami i spoglądali po sobie wzajemnie, zastanawiając się, czy najbliższy kolega mógłby być winny. Właściciel zakończył, prosząc, aby sprawca zgłosił się do niego osobiście, to okaże mu łaskawość.

Gdy Joan wszedł do *scriptorium* po poobiedniej przerwie, oprócz Abdali czekali już tam na niego właściciel, Guillem i Felip. Mieli groźne miny.

— Co się stało? — wybełkotał zdziwiony.

— Joanie, daj mi, proszę, swój płaszcz — powiedział gospodarz.

— Mój płaszcz?

— Tak.

Joan spojrzał po twarzach obecnych, usiłując zrozumieć, o co chodzi. Abdalá był smutny, pan Corró stanowczy, mistrz Guillem wyczekujący, a na twarzy Felipa z daleka widać było ledwie skrywaną satysfakcję. Joan pomyślał, że może wydarzyć się coś złego.

— Daj mi swój płaszcz! — powtórzył właściciel.

Joan miał ochotę biegiem w nim uciec, obawiał się najgorszego. Ale był przyzwyczajony do wykonywania poleceń i zrezygnował z ucieczki. Tylko pogorszyłby wszystko. Powoli więc, czując się tak, jakby wchodził na szafot, podał odzienie.

— Mistrzu Guillemie — rzekł gospodarz, przekazując mu płaszcz — obejrzyjcie podszewkę.

Guillem, obrzuciwszy przedtem Joana spojrzeniem, które ten odebrał jako oskarżycielskie, sprawdził obszycie wewnętrznej części płaszcza, obmacując tkaninę.

— Tutaj są dwa rodzaje oczek — rzekł po chwili. — Jedne z taką samą nicią, jakiej używamy do książek.

— Rozprujcie te oczka, Guillemie — zdecydował właściciel.

Mistrz wziął nożyce i wkrótce wyciągnął spod poszewki coś, co olśniewało blaskiem. Joan od razu to rozpoznał. Złoty chleb.

Wpadł w osłupienie. Wzrok jego błądził między złotem a oburzoną twarzą pana Corra. Gdy spojrzał znów na Abdalę, ujrzał, jak spuścił głowę i kręcił nią nieznacznie, nie mogąc się pogodzić z tym faktem. Felipowi za to trudno było ukryć triumfalny uśmiech.

— Nigdy bym się tego nie spodziewał! — wygarnął gospodarz.

— To nie ja, przyrzekam — bronił się chłopak.

Zapadła cisza. Wszyscy czekali, co na to powie pan Corró.

— Jak więc wyjaśnisz, że w twoim płaszczu był ukryty złoty chleb?

— Ktoś go tam wsadził. — Joan czuł łzy cisnące mu się do oczu. — To nie ja!

— Przykro mi, ale ty miałeś dostęp do złota i oto pojawia się ono ukryte w twoim płaszczu. Wszystko wskazuje tylko na ciebie, na nikogo innego. Lepiej, żebyś przyznał się do winy. Gdzie schowałeś resztę złotego chleba?

— Ja tego nie zrobiłem!

— Joanie, powtórzę to tylko raz. — Właściciel ledwie trzymał nerwy na wodzy. — Przyznaj się i powiedz mi, gdzie schowałeś resztę złota.

Pan Corró złapał go za ramię i przez chwilę wydawało się, że go uderzy. Policzki miał zaczerwienione z gniewu, ale powstrzymał się i powiedział:

— Słuchaj, Joanie, nie wystawiaj na próbę mojej cierpliwości.
— Nie zrobiłem tego. — Chłopak nie mógł powstrzymać łez. —
Przysięgam na mojego ojca, który nie żyje!
Zapadła cisza. Właściciel przestał patrzeć na łkającego chłopca,
żeby przyjrzeć się zachowaniu pozostałych. Felip stał ze spuszczoną
głową.

— Zastanów się, Joanie — rzekł po chwili pan Corró. — Teraz
idź do warsztatu, a my porozmawiamy. Kiedy poproszę cię z powrotem na górę, mam nadzieję, że będziesz miał przynajmniej
odwagę przyznać się do winy. Dziękuję, Felipie, idź z nim.

Joan zszedł schodami w dół, a rudzielec za nim. Gdy byli już
na dole, osiłek powiedział do niego:

— No to jesteś załatwiony. — W jego głosie pobrzmiewał
sarkastyczny ton — Prawda, chłopie pańszczyźniany? — Na
uśmiechniętej teraz twarzy widać było jeszcze ślady ran sprzed
kilku tygodni.

Joan rzucił się na niego, ale tamten, spodziewając się ataku,
powalił go jednym uderzeniem pięścią w twarz.

— Tylko tyle, bo nie chcę, żeby pan wyrzucił i mnie.

W warsztacie czekali na nich pozostali uczniowie i czeladnik.

— Co się stało? — zapytali.

Joan, nie odzywając się, siadł w kącie. Łokcie położył na kolana,
a zbolałą twarz ukrył w dłoniach. Chciał się uspokoić, przestać
płakać, zrozumieć, co się tak naprawdę stało.

— Nic — odpowiedział Felip po pełnej napięcia chwili ciszy. —
Już mamy złodzieja.

৵

Właściciel i dwóch mistrzów przyglądali się Joanowi z poważ-
nymi minami, gdy wezwano go ponownie.

— Joanie, przemyślałeś to sobie?

— Nie mam nad czym myśleć. Ja tego nie zrobiłem.

Księgarz spojrzał po pozostałych, zanim zaczął mówić dalej:

— Dobrze, widzę, że tkwisz w uporze. Przykro mi z twojego
powodu. Weź swoje manatki i odejdź. Nie należysz już do
tego domu.

— Ale...

— Idź już — powtórzył pan Corró. — Daję ci dwa dni, żebyś to przemyślał. Jeśli trzeciego nie wrócisz tu ze złotem, doniosę na ciebie władzom. Jesteś bardzo młody i chciałbym oszczędzić ci kary, bo będziesz publicznie napiętnowany za złodziejstwo.

෨

Joan zebrał swoje rzeczy do tobołka. Był starszy niż wówczas, gdy pakował się w Llafranc, ale smutne okoliczności przypomniały mu tamtą sytuację.

— Przykro mi, synu — powiedział Abdalá. — Wierzę ci, ale nie zdołałem przekonać innych. Dowody świadczą przeciwko tobie.

— To musi być robota Felipa!

— Możliwe. Ale oni muszą bronić honoru bractwa. Muszą znaleźć winnego i przykładnie go ukarać, żeby wszyscy wiedzieli, że występki wśród księgarzy nie uchodzą bezkarnie.

— Choćby mieli ukarać niewinnego?

— Mają dowody i uważają je za niezbite. Czują się w obowiązku reagować. Gdyby nic nie zrobili, zachowaliby się niedopuszczalnie wobec całego bractwa.

— Wyrzucą mnie z bractwa, prawda? Nigdy już nie będę mógł zostać księgarzem!

Abdalá przytaknął skinieniem głowy.

— Mistrzu, to nie ja! — załkał Joan. — Jestem pewien, że to sprawka Felipa. Nienawidzi mnie.

— Przykro mi. Może uda nam się dowieść twojej niewinności.

Przed odejściem Joan napisał w swojej książce: „To był Felip". Nie czuł się na siłach, by z kimkolwiek się żegnać. Gdy tylko spakował swój tobołek, zszedł po schodach do wyjścia.

— Joanie! — Była to pani Corró. Przez chwilę patrzył jej w oczy. Ciemne, żywe oczy, które przypominały mu oczy matki. W jego oczach stanęły łzy. Rozłożyła ramiona i przytuliła go czule. Wstrząsał nim bezgłośny szloch.

— Ja tego nie zrobiłem, proszę pani. To nie ja.

— Przykro mi, mój synu. — Też płakała. — Wierzę ci, ale nic nie mogę zrobić. Niech ci Bóg dopomoże!

Na ulicy rozglądał się to w jedną, to w drugą stronę, nie wiedząc, dokąd iść. Postanowił udać się do portu, może zamustruje się na jakiś statek. W Barcelonie nie miał już przyszłości. Plotki rozchodzą się szybko i żaden cech nie będzie chciał go zatrudnić. Mimo że był niewinny, czuł się zhańbiony. Musiał odejść, uciekać. Jeśliby został, skończyłby w więzieniu.

Usłyszał, że ktoś go woła. Ujrzał Lluísa pędzącego w jego stronę.

— Lluísie, ja tego nie zrobiłem — powiedział, gdy tamten go dogonił. — Jestem pewien, że to Felip, żeby się mnie pozbyć.

— Tak żałuję, Joanie — odparł. — Znowu zaczyna się puszyć jak dawniej, a skoro ciebie nie ma, nie jestem w stanie przeciwstawić się jego rządom.

Joan wzruszył ramionami. Miał teraz poważniejsze zmartwienia niż przywództwo w bandzie.

— Życzę ci dużo szczęścia — dodał Lluís. — Ja też uważam, że zrobił to Felip, żeby cię obciążyć.

Dwaj chłopcy się uścisnęli. Joan ruszył dalej drogą w stronę morza. Chciał wyjechać jak najdalej.

40

Był chłodny i pochmurny wieczór. Joan szedł w stronę portu. Przyciągało go ciepło tawern i wino. Dano mu dwa dni na oddanie czegoś, czego nie miał. Jeśli nie odda, przekażą go w ręce miejskiego wymiaru sprawiedliwości. Dobrze wiedział, co czekało go za kradzież: publiczna chłosta, hańba... cały rytuał wymierzania kary. Ale nie to było najgorsze. Nikłe szanse na ożenek z Anną spadły do zera. Jubiler nigdy nie przyjąłby do rodziny złodzieja. Chciał uciec. Nie godził się na niezasłużoną karę. Nie do zniesienia była myśl o Felipie, który śmieje się na widok jego krwawiących pod batem pleców. Zaciągnąłby się na pierwszy statek, który by go przyjął. Może dopłynąłby do Włoch i dowiedział się więcej o swojej rodzinie. Żałował, że musi oddalić się od brata, ale chłopiec miał dobrą robotę i był szczęśliwy. Kiedyś spod jego rąk wyjdzie dzwon o najbardziej poruszającym dźwięku na świecie. Mistrz przyjął go do swego domu i traktował jak ojciec. Nie mógłby wsiąść na statek, nie uściskawszy Gabriela.

Chciał też pożegnać się z Bartomeu, ale kupiec wróci z podróży nie wcześniej niż za cztery dni. To za późno. Nie może odkładać wyjazdu.

Oczywiście chciał też pożegnać się z Anną. Wiedział, że na zawsze. Gdy któregoś dnia wróci do Barcelony, jej głowę przykrywać będzie już welon mężatki. Może ujrzy ją, jak za rękę prowadzić będzie dzieci. Nie miał już nic do stracenia. Jeśli będzie trzeba, wejdzie do jej domu i z nią porozmawia. Ostatni raz.

Był w tawernach, w których gromadzili się marynarze z dużych statków, ale w porcie stała tylko karawela, na której nie potrzebowali ludzi. Wypytując, przeszedł się po plaży, ale bez efektu. Zapadała noc. Było za zimno, żeby spać na piasku. Choć znał barmanów, nigdy nie pozwalali, żeby ktoś spał w ich budynkach. Jakkolwiek senny byłby pijak, wyciągali go na zewnątrz przed zamknięciem. Nie zapewniliby mu noclegu, a nie mógł pozwolić sobie na zajazd w mieście. W końcu pomyślał, że może przyjmą go w klasztorze Świętej Anny. W ten sposób miałby cały następny dzień na znalezienie statku.

꙳

— I zamierzasz uciec, będąc niewinnym? — spytał brat Antoni, superior, po uważnym wysłuchaniu jego historii.

W kościstej twarzy okolonej rzadkimi włosami połyskiwały żywe oczy o twardym spojrzeniu. Joan obawiał się tej chwili. Pamiętał mało gościnne przyjęcie, które superior zgotował jemu i jego bratu, gdy przybyli do Barcelony. Ponieważ przeor był prawie ciągle nieobecny, z prośbą o nocleg należało zwrócić się do brata Antoniego. To on zarządzał spiżarnią wspólnoty i sprawami mieszkalnymi.

— Nie ma sposobu, bym mógł dowieść mej niewinności, i nie zgadzam się odpowiadać za kradzież, której nie popełniłem — odrzekł chłopiec. — Udzielcie mi litościwie schronienia tej nocy, a jutro odpłynę gdziekolwiek i dam wam spokój. Mam trochę pieniędzy, zapłacę wam za spanie, a na kolację nie pójdę.

Mnich spojrzał na niego, miotając z oczu skry. Joan przestraszył się, że ten choleryczny osobnik za chwilę pozbędzie się go kopniakiem.

— Jak śmiesz! — ryknął wreszcie. — Jak śmiesz proponować mi pieniądze!

— Ja... — wybąkał Joan. — Nie chciałem was obrazić.

— Oczywiście, że mnie obrażasz! — krzyknął mnich. — Zostaniesz tu z nami, póki nie dowiesz swojej niewinności. Jesteśmy biedni, ale nie aż tak, żeby nie dać ci jeść.

Joan patrzył ze zdumieniem. Skąd ta nagła szczodrość? Nie mógł pojąć. Nie pasowało to do znanego mu wizerunku zakonnika.

— Ale gdy przybyliśmy tu, mój brat i ja, wy...

— To była inna sprawa — uciął. — Co innego, kiedy przeor wciska nam dwie gęby do wykarmienia, bo ma taki kaprys, a co innego, gdy ktoś taki jak ty, kto mieszkał z nami i tworzył część wspólnoty, znajdzie się w opałach. Dostaniesz łóżko, kolację, śniadanie i obiad. — Patrzył na Joana surowo, z poważną miną. — I niech ci nie przyjdzie do głowy ucieczka — uprzedził. — Powiedziałeś, że jesteś niewinny, i ja ci wierzę. Będziesz musiał udowodnić swą niewinność, choćby tylko dla dobrego imienia klasztoru Świętej Anny.

Dobre imię Świętej Anny było najmniejszym ze zmartwień Joana, ale cieszyło go niespodziewane wsparcie. Nabierał ochoty do obrony.

— Dobrze, ale jeśli nie zdołam dowieść swej niewinności, to ja poniosę karę za kradzież, a nie wspólnota Świętej Anny.

Zakonnik puścił jego wypowiedź mimo uszu. Zastanawiał się nad sprawą.

— Uzgodnimy nowy termin z panem Correm — rzekł. — Jeśli będzie trzeba, wystąpię przed trybunałem jako twój adwokat. Znam się na prawie. Poza tym uważam, że dobrze byłoby, gdybyś zobaczył się z panem Bartomeu. Zawsze bronił ciebie i twojego brata.

Joan doszedł do wniosku, że byłby to straszliwy adwokat. Nie wiedział tylko, czy lepiej mieć go po swojej stronie, czy przeciwko sobie. Mnich budził strach. Jednakże wzmiankę o zyskaniu na czasie i spotkaniu się z Bartomeu uznał za dobry pomysł. Czekanie nie oznaczało porzucenia myśli o ucieczce do Włoch. Może nadpłynie właściwy statek.

❧

— Wcześniej czy później złodziej przekaże złoto komuś innemu — powiedział brat Antoni. — Przetrzymywanie go jest zbyt ryzykowne. Oczywiste, że będą próbowali je sprzedać.

— Cech jubilerów to hermetyczne środowisko i strzeże wiadomości o swych transakcjach — rzekł Bartomeu. — Tak samo jak bank miejski, w którym wszystko objęte jest tajemnicą.

Brat Antoni, Bartomeu i Joan w sali kolumnowej klasztoru Świętej Anny dyskutowali nad sposobem wykazania niewinności chłopca. Pan Corró chętnie przystał na wydłużenie terminu zwrotu złota. Wolał uniknąć dochodzenia sprawiedliwości na drodze prawnej. Joan przypuszczał, że pani Corró maczała w tym palce. Wielka zażyłość między księgarzem a Bartomeu też odegrała rolę, ale pan Corró musiał liczyć się z surowymi wymogami bractwa. Gdyby Joan nie okazał skruchy i nie zwrócił złota, właściciel musiałby go zadenuncjować. Ale gdyby okazał się niewinny, wtedy zostałby przyjęty z powrotem, ze wszystkimi honorami.

— Właśnie z powodu tajemnicy obowiązującej jubilerów złodziej będzie czuł się bezpiecznie, sprzedając złoto — uznał mnich.

— Ja bym je przechował — rzekł Bartomeu.

— Wy tak, ale nie jesteście już młodzikiem — odparł zakonnik. — A ten, kogo podejrzewamy, jest młody, młodzi mają spore wydatki.

— Mam dobrego przyjaciela złotnika. Nazywa się Pere Roig. Na pewno będzie się mógł wypytać mimo tajemnicy zawodowej. Jeżeli powie, że pożyczył złoto panu Corrowi, i tak naprawdę ukradli je jemu, to nikt z cechu nie odmówi mu pomocy.

Joanowi zaparło dech w piersiach. Pere Roig był ojcem Anny!

— Skłamałby dla was? — zapytał mnich.

— Nie, nie skłamałby dla mnie — odpowiedział kupiec, spoglądając na Joana z połowicznym uśmiechem. — Nieco przeinaczyłby fakty, aby wielce przysłużyć się sprawiedliwości. I spełnić dobry uczynek.

41

Przez następne dni Joan bardzo liczył na to, że ojciec Anny dowie się, czy ktoś z cechu jubilerów kupił złoty chleb. Każdego ranka chodził popatrzeć na dziewczynę z bezpiecznej odległości, aby nie zwrócić uwagi jej rodziców. Zakochanym wzrokiem obserwował, jak czyści lub ustawia klejnoty na wystawie pod uważnym okiem matki. Czasami pomagała też ojcu w pracowni. Były to ukradkowe spojrzenia, skrywane uśmiechy; niosły potajemne wyznania miłości. Smutne ze względu na dzielącą ich odległość i radosne ze względu na codzienne spotkania. Joan pragnął, by wybrała się do studni, ale to służąca zajmowała się wodą.

Joan brał udział w obrzędach religijnych zakonników, pomagał w warzywniku i ćwiczył łacinę z bratem Melchorem. Znał dobrze deklinacje, czasowniki, przedrostki i miał obszerny zasób słów, których nauczył go Abdalá. Gdy pracował jeszcze w księgarni, ze swymi wątpliwościami zwracał się do brata Melchora, żeby ukryć, że umie czytać. Poczciwy mnich podziwiał jego entuzjazm i łatwość, z jaką przychodziła mu nauka języka.

— Muszę znać łacinę, jeśli pragnę zostać dobrym księgarzem — zwierzał mu się Joan. — Ważne oczywiście jest zszywanie i oprawianie pięknych ksiąg, trzeba też sprzedawać czyste książki, pióra, atrament i całą resztę. Ale to, czego najbardziej pragnę, to umieć znaleźć odpowiednią książkę dla każdego człowieka i odpowiedniego człowieka do każdej książki.

— To będzie bardzo trudne — zauważył zakonnik. — Musiałbyś

dobrze znać się nie tylko na książkach, ale i na ludziach. Nie jestem pewien, czy jesteś na dobrej drodze do tego. Ale co do łaciny, radzisz sobie świetnie. Niedługo nauczysz się wszystkiego, co umiem, i będziesz musiał poszukać sobie innego nauczyciela.

❧

Tego dnia Anna była bardziej ożywiona niż zwykle. Zachowywała się tak, jakby chciała coś mu powiedzieć. Kładła rękę na sercu, na ustach, przesyłała całusy. Potem, ukradkiem, pokazała mu dzban. Szykowała się do wyjścia! Serce Joana zabiło szybciej. Ruszył do studni, by tam na nią czekać. Przyglądał jej się z daleka, jak napełniała dzban, i wiedział, że ona też go widzi. Wszedł w ich zaułek. Gdy się ujrzeli, oboje uśmiechnęli się szczerze, akurat nikt nie przechodził.

— Nie mam zbyt wiele czasu — oznajmiła. Białka jej zielonych oczu były zaczerwienione, musiała płakać. — Chcę tylko powiedzieć wam, że was kocham i będę was zawsze kochać.

— Ja też, bardzo — odrzekł zdumiony jej zapałem. — Co wam się dzieje?

— Nic, chciałam tylko zobaczyć was i wam to powiedzieć.

Joan się zaniepokoił. Coś przed nim ukrywała. Anna miała szesnaście lat, może ojciec ją z kimś zaręczył i chciała się pożegnać. Zapytał ją o to.

Pokręciła głową. Nie uśmiechała się już. Wyglądała, jakby za chwilę miała się rozpłakać. Postawiła dzban na ziemi i przytuliła się do Joana. Poczuł ciepło jej ciała, piersi przyciskające się do niego. Wstrzymał oddech i objął ją ramieniem. Pomyślał, że Anna strasznie ryzykuje, mimo to ustami dotknął jej ust i pocałowali się. Joan zapamiętał ten pocałunek na zawsze. Jego pierwszy miłosny pocałunek, niezdarny jeszcze, ale tak namiętny, że zapomniał o całym bożym świecie. Myślał, że umrze z rozkoszy. Potem odepchnęła go delikatnie i podała mu złożony list.

— Żegnaj — powiedziała, biorąc dzban. — Muszę iść.

Uśmiechnęła się, ale jej uśmiech wydał się Joanowi wymuszony. I pobiegła.

Chmurka szczęścia rozproszyła się od razu, gdy zniknęła za rogiem. Joan był zmartwiony i przejęty. Z niecierpliwością rozwinął list, ale nie było tam nic więcej ponad to, co powiedziała. Napisała tylko, że go kocha i że zawsze będzie go kochać. Wyglądało to na pożegnanie.

Co się stało Annie? Może ojciec ją z kimś zaręczył i nie chciała mu tego powiedzieć. Poszedł na ulicę Argentería i patrzył z daleka aż do zamknięcia sklepu i schowania wystawy. Wtedy zobaczyła go i przesłali sobie całusy.

శ౼

Tej nocy Joan ze zgryzoty ledwie przysnął. Budził się, widząc ją w ramionach innego mężczyzny. Ten się odwracał i okazywało się, że to Felip, który śmiejąc się, nazywał go chłopem pańszczyźnianym.

Następnego dnia niepokój trawił go na mszy przedpołudniowej i wraz z mnichami modlił się bardziej niż kiedykolwiek. Miał o co prosić. Błagał, żeby jego miłość z Anną stała się kiedyś możliwa, żeby mógł wykazać swą niewinność w sprawie ze złotem, i modlił się za swoją matkę i siostrę.

Gdy przyszedł na ulicę Argentería, zauważył coś dziwnego w domu rodziny Roigów. Podbiegł tam, żeby dowiedzieć się, dlaczego nie otworzyli sklepu. Dom był zamknięty. Co się stało? Zapytał sąsiadów, którzy też się zdziwili. Jeden rzekł, że w nocy dobiegały jakieś hałasy, ale to zima, wszystkie drzwi były pozamykane. A ponieważ nie słyszał, żeby ktoś krzyczał, więc się nie wtrącał.

— Pukaliśmy, nikt nie odpowiada — powiedział jubiler ze sklepu obok.

Joan zatłukł do drzwi, ale nie usłyszał najmniejszego szelestu ze środka.

— Jak tam wejść? — zastanawiał się głośno. — Może są chorzy lub ranni i trzeba im pomóc.

— Chyba nic z tych rzeczy — odezwała się sąsiadka.

— Dlaczego? Co pani wie? — zapytał Joan.

— Nic, ja nic nie wiem — odparła. — Mamy wspólne podwórze z tyłu. Stamtąd może będziesz mógł zajrzeć do środka. Mój mąż ma drabinę. Należymy do cechu, pomożemy, jeśli będziemy mogli.

Mąż zapytał, kim jest, że chce dostać się do domu Roigów, a Joan odparł, że przyjacielem rodziny, i dodał, że jeśli trzeba im pomóc, to nieważne, kim jest.

— Nie masz czasem nic wspólnego z inkwizycją? — spytał mężczyzna podejrzliwie.

Joan zapewnił go, że nie. Złotnik przytrzymał drabinę, a Joan wspiął się po niej do okna, którego okiennice uchyliły się, gdy je popchnął.

Znalazł się w pokoju, który mógł należeć do Anny. Był pusty. Joan pomyślał, że unosi się w nim jej zapach, i napełnił płuca powietrzem, którym oddychała. Obszedł dom i pootwierał okna, by wpuścić światło. Nie było nikogo. Ślady świadczyły o pośpiesznej ucieczce. Rodzina zabrała, co się dało. Gdy dotarł do drzwi wychodzących na ulicę, okazało się, że są zamknięte na klucz. Wtedy zdał sobie całkowicie sprawę z tego, co się stało.

— Nie dziwi mnie, że umknęli tej nocy — powiedziała kobieta. — Roigowie to przechrzty.

42

Joan się załamał. Nigdy jej nie zobaczę, powtarzał sobie w myślach. Już nigdy. I oczy, w których zachował ostatni obraz dziewczyny, wypełniały się łzami. Jeśli Roigowie uciekli przed inkwizycją, nie wrócą już do Barcelony. Nie mogli zbiec lądem; bramy miejskie zamykano na noc. Nawet jeżeli przekupiło się straże, drogi były niepewne, a dotarcie do Francji niebezpieczne. Z pewnością popłynęli statkiem. Joan poszedł do portu, by dowiedzieć się czegoś o statku, który wypłynął zaraz po zapadnięciu zmroku.

Po drodze myślał sobie, że smutek Anny, jej czułość i łzy wzięły się stąd, że wiedziała o wyjeździe. Żegnała się. Nie mogła mu nic powiedzieć, bo życie jej rodziny było w niebezpieczeństwie i musiała zachować wszystko w tajemnicy. Codzienność bardzo się zmieniła, odkąd zbiegła ostatnia grupa przechrztów, a strach przed inkwizycją zawisł nad miastem. Teraz każdy, kto pośredniczył w ich ucieczce, mógł być aresztowany. Krąg wokół konwertytów zacieśniał się coraz bardziej. Nikt nie odważał się już im pomagać.

W porcie nikt nie chciał z nim o tym rozmawiać. Marynarze na jego pytanie odpowiadali pytaniem:

— Jesteś z inkwizycji?

Chociaż Joan był w porcie znany, to ludzie nie ufali już nikomu. Kręciło się wielu, którzy wypytywali, siatka szpiegowska rozrastała się z każdym dniem. Ci, których określano mianem współpracowników inkwizycji, cieszyli się bezkarnością i rozmaitymi przywilejami, na przykład nie płacili podatków. Nie należeli do kleru i mogli uprawiać każdy fach, choć niektórzy żyli wyłącznie z tego, co inkwizycja odebrała osobom, które zadenuncjowali. Bycie sługą inkwizycji świadczyło o czystości krwi, a ponieważ donosy były tajne, a tożsamość donosicieli skrywana, stali się postrachem. Obywatel nigdy nie wiedział, czy nie rozmawia z jednym z nich. Joan dowiedział się jedynie, że sycylijski statek wyruszył w świetle pierwszych promieni wschodzącego słońca.

W drodze powrotnej do klasztoru przechodził ulicą Argentería. Pękało mu serce na widok miejsca po straganie i zamkniętych drzwi sklepu pana Roiga. Ta pustka była nieznośna.

Pobiegł do klasztornej celi. W książce napisał: „Znajdę cię. Może we Włoszech".

Po jakimś czasie brat furtian zakomunikował mu, że Bartomeu chce się z nim widzieć. Joan powiedział kupcowi, że wszystko wie, że rodzina Roigów wyjechała tej nocy.

— Przykro mi, że Anna wyjechała, i rozumiem twój smutek — rzekł kupiec. — Ale jest coś jeszcze.

— Co takiego?

— Pan Roig wyjechał, nie zostawiając mi żadnej wieści o skradzionym złocie.

Joan spojrzał na niego zaskoczony. Kompletnie zapomniał o złocie i oskarżeniu, które nad nim wisiało i rzucało cień na jego przyszłość, groziło jego zdrowiu i wolności. Żal po stracie Anny królował wśród wszystkich jego smutków.

— A co to oznacza? — zapytał, znając już odpowiedź.

— Że będziesz uznany za winnego i pan Corró będzie musiał cię wydać.

Joan wzruszył ramionami. Jeszcze jedna zła wiadomość, pomyślał. Jego świat zawalił się ostatecznie.

— Dajcie mi jeszcze parę dni i powiem właścicielowi, że nie jestem w stanie dowieść mej niewinności — powiedział z przygnębieniem, ale zdecydowany. — Niech czyni swoją powinność.

— Przykro mi, Joanie. Sądzę, że byłoby lepiej, gdybyś zamustrował się na statek i stąd uciekł. Nie zastanawiałeś się nad tym?

— Tak, ale jeśli to zrobię, nigdy nie będę mógł wrócić do Barcelony. Nigdy więcej nie ujrzę Gabriela.

— Przemyśl to sobie jeszcze raz — rzekł Bartomeu. — A potem powiedz mi, czy mogę ci jakoś pomóc.

ॐ

Joan poszedł do kaplicy. Nie wzywano jeszcze na sekstę, więc była pusta. Przed głównym ołtarzem ukląkł do modlitwy i zaczął szeptać przez łzy:

— Panie, Ojcze wszechmogący. Zawsze, gdy tylko mogłem, spełniałem moje chrześcijańskie powinności. Chodziłem na msze, kiedy było trzeba, modliłem się, spowiadałem z grzechów i odprawiałem pokutę. Dla ludzi byłem dobry i uczciwy. Czemu zesłałeś na mnie tyle zła? Z rąk innych chrześcijan straciłem ojca, potem siostrzyczkę. Wzięli do niewoli moją matkę, moją siostrę, Elisendę. Teraz pozwalasz na to, by uznano mnie za złodzieja, okryto wstydem i hańbą. Nigdy już nie będę mógł wykonywać żadnego fachu w tym mieście. Zabierasz mi osobę, którą kocham najbardziej na świecie, Annę... Być może nie ujrzę jej nigdy więcej. A odeszła ze strachu przed inkwizytorami, którzy jak twierdzą, służą Twej woli. Zarówno moja rodzina, jak i moi sąsiedzi byli dobrymi ludźmi i wypełniali religijne obowiązki, a teraz nie żyją albo są w niewoli. I to chrześcijanie wyrządzili im tę krzywdę, tak samo jak chrześcijanie zastraszają miasto. To niesprawiedliwe. Pozwalasz, by niegodziwości dotykały niewinnych. I mnie. Co złego uczyniłem? Czemu mnie nienawidzisz?

Z wściekłością zaciskał pięści, wbijając paznokcie w dłonie. Zginał się wpół, aż dotykał głową ziemi, mokrej od jego łez. Zagrzmiały dzwony na sekstę. Było już południe. Wyszedł z nawy, by skryć się w półcieniu i brać udział w obrzędzie, nie zwracając na siebie uwagi. Przyszli zakonnicy, zajęli swoje zwyczajowe miejsca i rozpoczęły się modły. Joan momentami w nich uczestniczył, niekiedy jednak kręcił głową przecząco. „Nie może być — szeptał — dobry Bóg nie pozwoliłby na takie zło". Czuł, że zaczyna szaleć.

Po modlitwach zakonnicy pomaszerowali do refektarza na posiłek. Joan szedł za nimi w pewnej odległości. Wychodził dopiero z krużganku, gdy ostatni mnich wchodził już po schodach do jadalni. Nie był głodny. Właściwie to nie chciał mieć nic wspólnego z mnichami. Ani z Bogiem, do którego się modlili. Szedł do celi, gdy poczuł czyjąś mocną rękę na ramieniu.

— Joanie. — Był to superior.

Zamglonym od płaczu wzrokiem popatrzył na suchą, surową twarz mnicha. Próbował strącić jego rękę ze swego ramienia.

— Joanie. Co ci jest? — zapytał mężczyzna, ściskając go jeszcze mocniej.

— Nic! Zostawcie mnie!

— Obserwowałem cię podczas modłów. Co się z tobą dzieje? Dlaczego nie idziesz do refektarza?

— Zostawcie mnie! — powtórzył chłopiec. — Nie chcę waszego jedzenia ani waszego Boga!

— Co?! — zawołał mnich z przestrachem.

— Nie chcę tego...!

Brat Antoni nie dał mu skończyć, wepchnął go do klasztornej sali posiedzeń i zamknął drzwi. Joan opierał się, ale chudzielec miał w sobie zadziwiającą krzepę.

— Nigdy więcej tak nie mów! — skarcił go zakonnik.

Skąpe światło wpadało tylko przez dwa okienka, które wychodziły na krużganek. Był pochmurny zimowy dzień. Miejsce wydało się Joanowi szczególnie przygnębiające.

Dźwięk siarczystego policzka odbił się echem od ścian. Przez chwilę ból twarzy sprawił, że Joan zapomniał o swoim sercu. Zakonnik położył mu obie ręce na ramionach i patrząc w oczy, powiedział niespodziewanie łagodnym tonem:

— Nigdy więcej tak nie mów, Joanie! Inkwizycja mogłaby skazać cię za to na stos. Nikt nie może usłyszeć, jak wypowiadasz podobne bezeceństwa!

— Nie obchodzi mnie inkwizycja, nie obchodzicie mnie wy, nie obchodzi mnie wasz Bóg!

— Czyś ty oszalał? — Łagodny ton, tak zaskakujący u niego, utrzymywał się wciąż w głosie mężczyzny. — Chłopcze, co się z tobą dzieje?

Joan nie mógł już dłużej wytrzymać. Łkając i chlipiąc, opowiedział mu o swych nieszczęściach.

244

— Uspokój się, zastanów, a wszystko nabierze sensu — pocieszał go brat Antoni.

— Sensu? — odpowiedział chłopiec. — Żołnierze, którzy zabili mego ojca, służyli waszemu Bogu, inkwizytorzy, którzy zastraszają ludność i Anna musiała przed nimi uciekać, służą waszemu Bogu. Temu samemu, który pozwala, bym ja, niewinny, został uznany za winnego.

— Mylisz się, tak mówiąc. Słuchaj: nie myl czynów błędnych, okrutnych lub egoistycznych ludzi z uczynkami boskimi. Wielu zasłania się imieniem Boga, aby przykryć własne niegodziwości. Żołnierze, którzy zabili twego ojca, nie działali w imieniu mojego Boga, tak samo jak inkwizytorzy. Prawdziwy Bóg jest miłosierny, oni nie. Jesteś bardzo mądrym chłopakiem, ale nie możesz sądzić Bytu Najwyższego. Nie popadaj w tę próżność intelektualną, nie błądź. Człowiek ma wolną wolę i jego czyny częstokroć są obce Bogu.

— A czym jest wolna wola?

— Zdolnością człowieka do decydowania o sobie samym. To on jest jedynym odpowiedzialnym za swe decyzje i za nie odpowie kiedyś przed Bogiem. Dzięki tej wolności możemy zapracować sobie na niebo albo na piekło podczas naszego pobytu na ziemi.

Joan się zamyślił. Zaczął dostrzegać sens w słowach brata Antoniego. Policzek wciąż go piekł od kościstej dłoni mnicha. Gdy go dotykał, czuł, jak płonie. Dusza bolała równie mocno jak wcześniej.

— Ale dlaczego to ja? — skarżył się. — Dlaczego moi rodzice i ludzie, których kocham?

— Musi istnieć jakiś powód — rzekł superior. — Zna go Pan.

— Albo i nie — odparł Joan ze wzbierającą na nowo złością.

Jednym pchnięciem uwolnił się od mężczyzny. Wyszedł z sali kolumnowej i co sił w nogach pognał do swej celi. Wziął zaoszczędzone pieniądze i kawałki koralu, które mu zostały, i wybiegł na ulicę. Obawiał się, że mnich będzie chciał go powstrzymać.

43

Joan przeciął Ramblę i ruszył w stronę drogi Peu de la Creu. Na końcu ścieżki stała wciąż waląca się chatka, częściowo skryta wśród drzew, do której dojście ginęło pośród krzaków. Chłopiec zwolnił kroku, był zdyszany. Niebo zrobiło się szaroołowiane, nadchodziła burza. Czuł obawę. Postanowił jednak, że się nie ulęknie i dotrze do celu.

Z komina unosił się słup dymu, ale gdy zapukał do drzwi, nikt nie odpowiedział. Wiedźma pewnie była przyzwyczajona, że chłopaki waliły do jej drzwi, by potem rzucić się do ucieczki. Zapukał jeszcze raz.

— Kto tam? — usłyszał po chwili.

— Joan Serra.

Zapadła cisza.

— Nie znam cię. Idź sobie, jestem zajęta — padła odpowiedź.

— Nie mogę odejść! Potrzebuję was.

Czekał, ale za drzwiami panowała cisza. Kobieta uznała chyba rozmowę za zakończoną. Wzmógł się wiatr, spadły pierwsze krople deszczu. Joan otulił się płaszczem. Po chwili zaczął ponownie dobijać się do drzwi.

— Kto znowu?

— To ja, Joan.

— Nie mówiłam ci, żebyś sobie poszedł?

— A ja mówiłem, że was potrzebuję. Otwórzcie, proszę.

— Jestem zajęta.

— Nie pójdę, póki nie otworzycie.

Po chwili ciszy rozległo się parę przekleństw i dźwięk odsuwanego rygla. Mniej więcej czterdziestoletnia kobieta o zaniedbanym wyglądzie i zwichrzonych, siwych włosach, nieokrytych chustką, co byłoby stosowne do jej wieku, stanęła w drzwiach. Nie miała żadnego szklanego oka, za to jej własne, zielone, poruszały się, przypatrując mu się uważnie.

— Potrzebuję was — powtórzył.

— Do czego? — zapytała szorstko.

— Potrzebuję was, bo jesteście czarownicą, a tylko czarownica może mi pomóc.

— Czarownicą? Ja? A kto ci to powiedział?

— Wszyscy tak mówią.

— To nieprawda. Jedni kłamią naumyślnie, inni się mylą. Znam tylko różne środki i staram się pomagać ludziom.

— Mówią, że z tego żyjecie. Mam pieniądze i koral, żeby wam zapłacić.

Kobieta pomyślała przez chwilę.

— Żyję z tego i jeśli dalej będą nazywać mnie czarownicą, przez to też umrę. Nie jesteś przypadkiem z inkwizycji?

— Nie, nie jestem.

— Przysięgnij na zbawienie twej duszy!

— Przysięgam.

Wiedźma trochę się uspokoiła. Wyszła za próg domu i przyjrzała mu się ostrożnie w szarym świetle popołudnia. Dostrzegła podkrążone i zaczerwienione od płaczu oczy i głęboki smutek. Wzięła w ręce jego dłonie i przymknęła powieki. Poczuł kościste, ale ciepłe ręce i przyglądał się jej z lękiem. Po chwili rzęsiste łzy zaczęły spływać po policzkach kobiety. Nagle uderzył ich silny podmuch wiatru z zimnym deszczem, a huk gromu przyprawił o dreszcze. Zaczęła się trząść.

— Wejdź — powiedziała.

Joan znalazł się w obszernej izbie z kominkiem na końcu. Na ogniu grzał się kociołek, z którego wydobywała się para. Z daleka napływały wonne, ostre opary. U sufitu wisiały rozmaite zioła, a na półkach stojących przy ścianach piętrzyły się słoje i dzbany.

Na środku stał stół. Wskazując taboret, kobieta powiedziała, żeby usiadł.

— Czego ode mnie chcesz? — zapytała, wlepiając w niego zbyt szeroko otwarte oczy.

— Powiadają, że wy, czarownice, czcicie demona zamiast Boga. Że macie z nim pakt.

— Ja nie jestem czarownicą.

— W różnych księgach czytałem, że diabeł nie jest wcale upadłym aniołem, tylko innym bogiem — ciągnął chłopiec. — Jest tak potężny jak Bóg z Biblii.

Zaśmiała się, rozwierając szeroko usta, w których brakowało wielu zębów. Potem odpowiedziała kpiąco:

— Nie wiem, o czym do mnie mówisz. Nie umiem czytać.

— Bóg z Kościoła jest niesprawiedliwy i nie warto się do niego modlić — kontynuował Joan, nie zwracając uwagi na wtręty wiedźmy. — Staram się postępować zgodnie z Jego przykazaniami, ale karze mnie bez powodu i krzywdzi dobrych ludzi, których kocham. Pragnę siły twego boga, by odzyskać rodzinę, zdobyć ukochaną i zemścić się na pewnych nędznikach.

— Ludzie przybywają tu prosić mnie o lekarstwa na kaszel, na bóle, w najgorszym wypadku o eliksir miłosny... — odparła z zamyśleniem. Na jej ustach błądził uśmiech. — Twoje pragnienie wykracza poza to, czym zwykle się zajmuję...

— Pomóżcie mi! — krzyknął Joan.

Czarownica nic nie odpowiedziała, tylko utkwiła w nim wzrok. Mimo swego zdecydowania Joan poczuł strach. Gdyby gniew i rozpacz nie wypełniały do tego stopnia jego serca, biegiem uciekłby z tego miejsca. W tej chwili rozległ się następny grzmot, tak silny, jakby piorun strzelił tuż obok. Gęsty deszcz zaczął bębnić w dach chatki. Chłopak podskoczył ze strachu, ale wiedźma ani drgnęła, tylko wpatrywała się w niego niczym wąż w swoją zdobycz. Chłopiec przeląkł się jeszcze bardziej. Chciał wytrzymać jej spojrzenie, ale nie był w stanie. Raz po raz spuszczał wzrok, a gdy na nią spoglądał, jej twarz się zmieniała. W jednej z przemian chłopiec zobaczył w niej jednookiego zabójcę. Wyrwał mu się krzyk. Wiedźma przebudziła się ze snu, w którym zdawała się trwać z otwartymi oczami. Popatrzyła na niego dziwnie i w końcu rzekła:

— Opowiedz mi.

— Co?

— Opowiedz mi wszystko od początku. Chcę wiedzieć, co doprowadziło cię do wyrzeczenia się Boga.

Te słowa wzbudziły w Joanie trwogę jeszcze innego rodzaju. Czy rzeczywiście wyrzekł się Boga? Nie określił tego w tak ostrych słowach, ale być może kobieta miała rację. Pomyślał, że w ten sposób znalazł się po tej samej stronie co wiedźma. Otworzył usta, żeby odpowiedzieć, gdy powstrzymała go ruchem ręki. Deszcz się wzmagał i wydawało się, że sufit zaraz się zawali. Było w nim wiele dziur i kobieta poustawiała garnki pod największymi. Krople z każdej dziury wydawały inny dźwięk, wpadając do garnków, i deszcz grał koncert w przyspieszonym rytmie w domu i na zewnątrz. Wpadające przez otwory okienne światło rozpraszało się chwilami, a opary z kociołka tworzyły mgłę. Prawie nic nie było widać. Kobieta zmieniła parę garnków na inne, opróżniła pełne, dorzuciła drew do ognia i wróciła do stołu z zapaloną świecą. Padające od dołu światło rzucało na jej twarz zniekształcone cienie i Joan był przeświadczony, że obcuje z diabelskim potworem. Postawiła świeczkę na stole i niemym gestem zachęciła do mówienia. Chłopak opowiedział jej o swych perypetiach od czasu utraty raju w Llafranc do inkwizycji i wyjazdu rodziny Roigów. Ich ucieczka sprawiła, że utracił miłość, a ponadto nie może dowieść swojej niewinności.

— Na nic się nie zdały błagania Boga po tysiąc razy — mówił ze łzami w oczach. — Na nic przestrzeganie jego zasad.

— Zamknij się już! — wrzasnęła wiedźma, ukazując ubytki w swoim uzębieniu.

Joan spojrzał zatrwożony i ujrzał grymas na jej twarzy. Kobieta miała bardzo jasną i gładką cerę, naznaczoną tylko niewielkimi kreseczkami koło oczu. Ale teraz jej twarz się ściągnęła, wargi zacisnęły niemiłosiernie, a lico pokryło się zmarszczkami. W świetle świecy wydała się metamorficznym potworem i chłopiec skulił się ze strachu na myśl, że przez parę chwil widział samego diabła.

— Myślisz, że jesteś jedynym, który cierpiał?! — krzyknęła.

Joan nie wiedział, gdzie się schować. Skulił się jeszcze bardziej.

— Widzisz mnie dobrze? Widziałeś mnie?

Chłopiec kiwnął głową, chociaż nie wiedział, o co jej chodziło, i bał się spytać.

— W sześćdziesiątym szóstym roku byłam piękną i szczęśliwą kobietą. Bardzo szczęśliwą. Wyszłam za silnego mężczyznę, który kołysał mnie w ramionach i kochaliśmy się. Bardzo. Przeżyliśmy wojnę domową i klęski głodowe. Oboje pochodziliśmy z rodzin kupców korzennych i nasz interes rozkwitał. On czuwał nad mieszankami chemicznymi i wyrabialiśmy najlepszy proch w Barcelonie. Ja znałam się dobrze na przyprawach do jadła, ziołach i lekarstwach, miałam przepisy gromadzone przez wiele pokoleń kobiet w mojej rodzinie. Byliśmy bardzo szanowani w cechu, często przychodzono do nas po radę, choć nie mieliśmy nawet trzydziestu lat. Kochaliśmy naszą pracę, przeglądaliśmy stare traktaty i wypróbowywaliśmy nowe receptury. Chciałam przekazać mojej córce więcej wiedzy, niż ja otrzymałam. Mieliśmy pięcioletnią dziewczynkę, która bawiła się już moździerzem, ziołami i przyprawami, dwóch chłopców, trzylatka i dwulatka, i jeszcze dziewczynkę, którą karmiłam piersią. Byliśmy tacy szczęśliwi!

Czarownica umilkła i zapatrzyła się w bezkres ze swobodnym wyrazem twarzy i uśmiechem na ustach, ale w rzeczywistości spoglądała w głąb siebie, oglądając obrazy ukochanych twarzy i słuchając utęsknionych głosów. Krople wciąż bębniły o dach i spadały do garnków. Ulewa jeszcze się wzmogła. Joan przypatrywał się tej jakże zmiennej twarzy w blasku świecy, aż nie mogąc się powstrzymać, zapytał w końcu:

— I co się stało?

Spojrzała na niego srogo i przez moment pożałował, że wyrwał ją z jej marzeń.

— Nadeszła zaraza — odrzekła wiedźma, wyostrzając ton głosu. — Przygotowałam leki, żeby chronić rodzinę, ale moja starsza córka zachorowała. Modliliśmy się, modliliśmy, przyrządzaliśmy rozmaite lekarstwa, ale chłopcy też zachorowali, potem mój mąż, a wkrótce dziewczynka zmarła. Czułam się opuszczona, troszcząc się o nich wszystkich, brakowało mi sił, oparcia i pomocy, którą zawsze dawał mi mąż. Tuliłam go, mówiłam do niego, ale gorączka nie pozwalała mu odpowiadać. Modliłam się, błagałam o przezwyciężenie zarazy i ocalenie tych, którzy mi zostali. Ale obaj chłopcy zmarli, jeden po drugim, a potem umarł mąż. Została mi tylko malutka. Dużo ludzi zginęło tej zimy, choć w wielu rodzinach nie było ofiar, w innych tylko jedna czy dwie... W mojej umarli wszyscy.

Wiedźma wybuchła płaczem. Oparła łokcie na stole i skryła twarz w dłoniach. Teraz Joan czekał cierpliwie, aż zacznie mówić dalej. Odezwała się po chwili.

— Gdy zmarło moje dzieciątko, wyszłam na ulicę z jego ciałkiem na rękach i krzyczałam, żeby mnie wszyscy słyszeli. Przeklinałam Boga, wyrzekałam się Jego i Kościoła. Aż w końcu straciłam głos. — Czarownica popatrzyła na Joana natarczywie. — Ty przynajmniej masz kogo obwiniać za swoje nieszczęście. Tych piratów, którzy zabili twojego ojca i zabrali rodzinę, tego Felipa czy inkwizycję. Ja nie miałam. Tylko Boga.

— I co się wydarzyło?

— Jedni chcieli mnie wychłostać za bluźnierstwo. Byłam chora na dżumę i pewnie to mnie uratowało. Inni mówili, że oszalałam i że umrę jak reszta rodziny. Tego też pragnęłam, umrzeć, połączyć się z nimi. Zostałam sama w domu, rozpalona gorączką, rozmawiając z duchami o moich ukochanych zmarłych, i nie znalazł się nawet sąsiad, który podałby mi łyk wody, ale Bóg pozostawił mnie przy życiu, żebym cierpiała jeszcze więcej. A gdy wyzdrowiałam, cech zabronił mi otworzyć sklep. Wykluczyli mnie. Chcieli, żebym wyraziła skruchę, odpokutowała publicznie za moje bluźnierstwa, i jeśli żyłabym cnotliwie, być może któregoś dnia przyjęliby mnie na nowo.

— I co wy na to?

— Posłałam ich do diabła. Mieliśmy ogród, w którym uprawialiśmy lecznicze rośliny, i tu się przeniosłam. Jedni mówią, że jestem wiedźmą i zawarłam pakt z szatanem. Inni, że zwariowałam. Ale wciąż przychodzi tu coraz więcej ludzi, którym lekarz nie pomaga. — Zaśmiała się. — Widzisz, gdy modlitwy nie pomagają, nie obchodzi ich, czy zadają się z diabłem, byle ich uleczyć.

— Pomóżcie mi! — nalegał chłopiec.

— W czym?

— W zemście.

— Tak bardzo nienawidzisz?

— Tak.

— Chcesz spotkać diabła? — Było coś dziwnego, coś przemyślanego we wzroku czarownicy. — Nie boisz się? Nienawidzisz tak bardzo, że odważysz się pójść do niego po zemstę?

Joan sięgnął do swych uczuć. Czuł nienawiść, gniew, żądzę odwetu, ale słowa wiedźmy napawały go trwogą. Czując jednak dziki strach, ze wszech miar pragnął wyzwolić swoich bliskich. Pragnął nabyć siłę, zdobyć moc, aby urzeczywistnić swą zemstę, ale czuł się mały i słaby. Chciał przestać cierpieć, tak jak cierpiał, i gotów był zapłacić za to najwyższą cenę.

— Spotkam się z nim, jeśli dzięki niemu dowiodę swojej niewinności, odzyskam Annę i moją rodzinę. I jeśli pomoże zemścić się na tych, którzy wyrządzili mi tak ogromne krzywdy — powiedział w końcu.

— W porządku, pomogę ci — odparła powolnie, przeciągając słowa i spoglądając na niego znów ostro niczym wąż. — Ale co uzyskam w zamian?

— A czego chcecie?

— A co cenisz najwyżej?

Chłopak przełknął ślinę. Czego zażąda od niego wiedźma?

— Chcecie mojej duszy? — spytał szeptem.

— Nie! — odpowiedziała po długiej ciszy. — Nie targuję się o dusze. Potargujesz się o nią z diabłem, gdy go spotkasz. Chcę czegoś, co mi się przyda.

Chłopak wyjął woreczek, który miał przywiązany u boku, i wysypał jego zawartość na stół. Monety różnych rozmiarów i trochę czerwonego koralu.

— To wszystko, co mam — rzekł. — Weźcie, co chcecie. Weźcie wszystko. Pieniędzy niewiele, ale koral pierwszej klasy. Dostaniecie za niego od trzech do czterech funtów.

— Nie dajesz mi nic, czego bym potrzebowała. Zarabiam dosyć na życie, ale wezmę od ciebie tyle, ile biorę od ludzi za moje lekarstwa.

Spośród monet wybrała sobie tylko trzy, w sumie ćwierć solda.

— Schowaj resztę — powiedziała wiedźma, gdy włożyła wybrane monety do kieszeni spódnicy. — Ale to, czego chcesz, jest bardzo wyjątkowe, chciałabym za to coś, czego sama nie mam.

— Nie wiem, co jeszcze mógłbym ci dać.

— Jesteś dziewicą?

Chłopiec spojrzał oszołomiony.

— Tak — odrzekł Joan, przyglądając się strasznej jędzy.

— Chcę, byś oddał mi swe dziewictwo. Taka jest cena.

Ze zdumienia oniemiał. Mimo jej zaniedbania, braku zębów, obecnej brzydoty był przekonany, że kiedyś ta kobieta była piękna. Bardzo piękna. Bez wątpienia jednak cierpienie i lata zrobiły swoje. Wzbudzała obrzydzenie.

— Taka właśnie musi być zapłata — upierała się wiedźma. — Daj albo zabierz, ale zdecyduj się. To jak?

Skinął głową. Przyglądała mu się parę chwil i wybuchła dzikim śmiechem.

— Tak bardzo nienawidzisz, chłopcze? — powiedziała, rozbierając go wzrokiem. — Aż tak?

44

Na zewnątrz szalała burza. Joan rozglądał się po wilgotnej, zamglonej izbie. Niektóre przecieki stały się już strumykami. Wiedźma poprosiła, by pomógł jej opróżniać garnki z wodą. Joan zrobił to posłusznie, w pewnym momencie pytając, czy cena, jaką ma zapłacić tej nocy, nie jest aby zbyt wysoka. Był przestraszony, ale zamierzał kontynuować to, co rozpoczął. Miał jedyną okazję, żeby wpłynąć na stan rzeczy, odmienić swój los. Gdy skończyli robotę, zapytała go:

— Powiedz mi teraz, czy zdecydowany jesteś brnąć dalej? Możesz jeszcze wrócić do domu, byś nie poniósł więcej strat.

Joan odparł, że wytrwa do końca. Czarownica kazała mu poczekać, aż przyrządzi mikstury. Po jakimś czasie podała mu ciepły płyn o gorzkim, ziemistym smaku.

— Weź łyk.

Chłopiec wypił i przez chwilę myślał, że zwymiotuje. Był wstrętny. Patrząc na kobietę, która mu się przyglądała, pomyślał jednak, że nie bardziej niż ona. Jak mógłby się z nią kochać? Wzdrygnął się z obrzydzeniem.

— Mówiłeś, że ojciec nauczył cię rozpoznawać postacie na niebie, prawda?

Joan przypomniał sobie bawełniane białe obłoki, zmieniające się na tle nasyconego błękitu, spokojne morze i ojca. Westchnął tęsknie i skinął głową.

— Dzisiaj poznasz postacie zupełnie inne.

— Stwory piekielne?

Nie odpowiedziała. Rechocząc, wzięła glinianą miskę z ziołami, rozpaliła drewienko w kaganku i wrzuciła je do ziół. Podmuchała i zaczęły dymić. Dym był wonny, przypominał trochę kadzidło. Czarownica zaczęła recytować niezrozumiałe dla chłopca zaklęcia. Obserwował ją w napięciu, z niespokojnie bijącym sercem. Czasem dmuchała dymem w twarz swej ofiary. Rytm wypowiadanych słów stawał się coraz szybszy, aż przekształcił się w śpiew. Wiedźma wstała od stołu i zaczęła tańczyć małymi kroczkami, z miską w dłoniach, dmuchając w tlące się zioła. Mieszanina unoszącego się dymu i pary czyniła atmosferę ciężką, gęstą, wilgotną. Po jakimś czasie Joan zaczął widzieć kolory jaskrawsze i poczuł dziwne mdłości. Kobieta tańczyła wokół niego i zaczął wyobrażać sobie jej pośladki pod spódnicą i piersi, uwydatniające się pod kaftanem. Te dziwaczne doznania, połączenie ekscytacji, mdłości i bojaźni, nasilały się stopniowo. Nagle kobieta się zatrzymała.

— Spójrz do środka — poleciła.

I postawiła u jego stóp drewniane wiadro. Posłuchał jej mimo zawrotów głowy, ale nie zobaczył nic poza brudną wodą na dnie.

— Nic nie widzę.

— Patrz uważnie! — nalegała. — Tak długo, aż zobaczysz.

Posłusznie usiadł na stołku i opierając ręce na krawędziach wiadra, żeby móc utrzymać równowagę, przygotował się na długie oczekiwanie. Ona wznowiła swój taniec i śpiew. Po chwili dostrzegł, że coś się rusza w ciemnej wodzie. Jakaś fala, jakaś piana, potem ujrzał postać wynurzającą głowę: przypominała rybę, która próbowała mu powiedzieć coś, czego nie mógł zrozumieć. Gdy jednak wynurzyła się znowu, ujrzał w dolnej części nogi i członek, jakby był to mały człowieczek. Joan nie dowierzał własnym oczom. Uważnie patrzył w wodę, nic się jednak nie działo, potem przyszło mu do głowy wsadzić ręce w tę mokrą ciemność, by pochwycić stwora i sprawdzić, czy jest prawdziwy. Po chwili zobaczył wijącą się postać, która unosiła się w wiadrze. Miała na sobie czerwoną koszulę i biret biskupi. Gdy całkiem wynurzyła się z wody, ukazała jaszczurczą połowę ciała z długim ogonem. Potem pojawiła się inna, z małym mieczem, tarczą i ptasimi nogami. A potem jeszcze inna, pół człowiek, pół robak, też zbrojna w miecz, i zaczęła walczyć z tamtą. A potem jeszcze dwie grające na skrzypcach i na flecie. I tak z wody wyłaziły małe, wpółczłekokształtne istoty, które poruszały się, walczyły, tańczyły i gaworzyły niezrozumiale w rytm piosenki czarownicy. Joan patrzył na nie oczarowany. Nie potrzebowały już wiadra ani wody, tylko szybowały w pustce. Dziwolągi nie napawały go lękiem, były mu znajome, niektóre rozpoznawał z ilustracji kopiowanych ksiąg. Po trochu zaczęły przybierać nieznane kształty, bardziej wymyślne, o bogatszym kolorycie. Stwór, od góry królik, z długimi uszami, tańczył z kobietą o obfitych piersiach, która od pasa w dół była szkieletem. Myszy w koronach i z królewskimi atrybutami wydawały rozkazy inkwizytorom o świńskim wyglądzie; dziesiątki hybryd albo uczłowieczonych zwierząt poruszały się bezustannie.

Wiedźma przestała śpiewać, ale jej piosenka w jakiś sposób trwała dalej w ruchach postaci.

— Joanie! — usłyszał, jak krzyczy. — Joanie!

Naraz ustało całe zamieszanie. Postacie znikły i znów zapadł zmrok.

— Pomyśl o piratach i twej rodzinie, wspominaj — powiedziała do niego czarownica. — O zarządcy i samobójstwie twego opiekuna, o Felipie, inkwizytorach i ucieczce Anny... Odnajdź twą nienawiść.

Nienawiść. Poczuł ją. Podchodziła mu z żołądka do gardła niczym wymiociny. Poczuł wściekłość wydobywającą się z najgłębszych zakamarków ciała. Gdyby tylko miał dość siły, w tej jednej chwili pozabijałby wszystkich, którzy wyrządzili mu krzywdy. „Chcę mocy, by się zemścić!", wybełkotał ochrypniętym głosem, a może tylko pomyślał. Nigdy dotąd nie czuł tak potężnego gniewu. Ten gniew go dusił.

— Spójrz w wodę! — rozkazała wiedźma. — Teraz ujrzysz diabła.

Przysunęła płomień świecy i rozświetliła wnętrze kadzi, w której chłopiec ujrzał twarz... potworną, powykrzywianą, zniekształconą. Gdy kobieta odsunęła światło, Joan zerwał się chwiejnie. Chciał odsunąć się od balii, bał się, że to coś stamtąd wyjdzie, schwyci go i zabierze mu duszę. Zrobił parę niepewnych kroków i zwymiotował. Jeden raz, drugi i jeszcze raz. Kiedy się podniósł, poczuł, że nogi się pod nim załamują. Wyciągnął rękę w stronę wiedźmy. Wiedział, że tam jest, obok niego, chciał się na niej oprzeć, ale ledwie jej dotknął, runął jak długi.

ॐ

Powoli odzyskiwał świadomość. Czuł ciepło ciała obok siebie i pomyślał, że znajduje się w łożu czarownicy. Przytulała go, a on też obejmował ją ramieniem. Kobieta wydzielała przyjemny zapach i biło od niej miłe ciepło. Tutaj, w łóżku, Joan czuł się chwilowo bezpieczny, z dala od przeklętej kadzi, od diabła, od księgarni, od inkwizycji, od Felipa i wymiaru sprawiedliwości, który być może już go poszukiwał. Był spokojny, niemalże szczęśliwy. Nie miał na sobie nic poza koszulą i zdał sobie sprawę, że zaledwie cieniutka tkanina dzieli go od jej ciała.

Jego członek był twardy, w stanie erekcji. Przypomniał sobie umowę i zastanowił się, czy stało się to w czasie, gdy był nieprzytomny. Zdziwiło go, że gdy nie patrzył na wiedźmę, czuł tylko jej ciepło i miękką skórę przez koszulę, zniknęło wrażenie wstrętu, jakiego doznał poprzedniego wieczoru. Wprost przeciwnie, była przyjemna, pociągająca. Sądząc po dochodzących go dźwiękach kropel spadających do jednego naczynia, potem do drugiego, przestało już padać. Szum potoku był słabszy. To pocieszyło go jeszcze bardziej. Wtedy poczuł, że kobieta powoli odsuwa swe ramię i wstaje. Poruszała się pewnie w ciemności. Ubrała się i otworzyła okna, przez które wpadło słabe światło poranka.

— Pora wstawać, Joanie.

W palenisku tlił się żar. Rozdmuchała go i zaczęła podgrzewać śniadanie.

— Dalej, wstawaj, ubierz się, zjedz śniadanie i idź — poganiała go.

— Ale... — Spojrzał na nią pytająco.

— Diabeł nie chce twojej duszy, a ja nie chcę twego dziewictwa — rzuciła wesoło.

Wiedźma wyszła z domu z miską. Joan wyskoczył z łoża. Dostrzegł swoje pończochy i kaftan na ławie i szybko się ubrał. Czuł się pocieszony, ale zarazem rozczarowany. To miało być wszystko?

Czarownica postawiła na stole dwie miski z kaszą jęczmienną, do tego świeżo wydojone kozie mleko, miód i ciastka. Joan miał pusty żołądek po poprzedniej nocy i była to dla niego prawdziwa uczta. Kobieta zaczęła jeść, przyglądając mu się w ciszy. Uśmiech krył się na jej ustach. Nie wydała się chłopcu tak brzydka jak parę godzin wcześniej, nawet dostrzegł w niej piękno. Brakowało jej co prawda paru zębów, ale to było częste nawet u osób młodszych. Przez chwilę jej zielone oczy przypomniały mu oczy jego ukochanej. Oboje siedzieli w ciszy, w końcu Joan nie wytrzymał i zapytał:

— Co się stało w nocy?

— Była burza, potok prawie wylał, podtapia mój dom.

— Żartujecie sobie — powiedział chłopiec z wyrzutem. — Wczoraj widziałem istoty z piekła i diabła.

— Nie, Joanie — odpowiedziała łagodnym głosem. — Widziałeś ziemskie istoty, te same, które zamieszkują twoją wyobraźnię. Razem z ojcem widziałeś wyobrażone stwory niebieskie, nie widziałeś aniołów. Wczoraj widziałeś ziemskie stwory, a nie demony.

— Ale ja widziałem twarz szatana!

Kobieta zaśmiała się wesoło.

— Nie, Joanie. To, co widziałeś, co przestraszyło cię tak bardzo, to była twoja własna twarz odbijająca się w wodzie.

Zdumiony chłopiec nie odzywał się przez parę chwil, po czym rzucił z uporem:

— Niemożliwe. To był diabeł.

— Nie, nie był — odpowiedziała dobitnie. — A może i tak?

— Jakże to?

— Jeśli diabłem nazwiesz nienawiść, urazę, gniew, żądzę zemsty, to istotnie, widziałeś diabła w obrazie samego siebie.

— Kpicie sobie.

— Czy sądzisz, że gdybym zawarła pakt z diabłem czy inną

258

potężną istotą, mieszkałabym w tej dziurawej chatce? — Kobieta śmiała się, pokazując ręką wciąż porozstawiane po podłodze garnki. — Spójrz na tych, którzy mieszkają w pałacach, królów, bogaczy, inkwizytorów, możnych. Oni mają podpisane pakty z diabłem i z własnymi obsesjami.

Joan patrzył na nią w ciszy, skupiony. Po chwili kobieta też przestała się uśmiechać. Zrobiła poważną minę i rzekła:

— Nie, nie kpię sobie. Ja też nienawidziłam, byłam zrozpaczona i widząc cię, pomyślałam, że przechodzisz przez to samo. Chciałam się dowiedzieć, dokąd sięga twoja uraza, i przekonałam się, że jesteś gotowy na wszystko, aby dać upust morderczej pasji. Chciałam więc, byś ujrzał ją na własnej twarzy. Pomogłam ci wejść do świata twoich chimer i wtedy rozbudziłam twój gniew, a gdy okazałeś go w pełni, oświetliłam twą twarz, byś zobaczył jej odbicie w wodzie. Jej widok zatrwożył cię do tego stopnia, że zacząłeś wymiotować żółcią, mam nadzieję, że zwróciłeś także część nienawiści. Uraza jest chorobą, która może stać się śmiertelna, jeśli nie odpuści.

Chłopiec jadł, przeżuwając powoli i zastanawiając się nad znaczeniem tych słów. Nie mógł uwierzyć, że potwór, którego ujrzał w wodzie, był jego własnym odbiciem.

— I to wszystko? — spytał w końcu. — Przybyłem po zemstę, a macie mi do powiedzenia tylko to, bym przestał nienawidzić?

— Jeśli nie nienawidzisz, nie musisz się mścić.

— Tak, to pewnie prawda. Ale tym pięknym zdaniem mi nie pomożecie, wciąż nienawidzę.

— Tak bardzo jak wczoraj?

Joan musiał to przemyśleć.

— Na pewno nie tak bardzo — dodała kobieta, nie czekając na odpowiedź. — Ale ta choroba nie minie od razu. Słuchaj, Joanie, wykorzystaj przypływ energii do znalezienia rodziny i ukochanej. Walcz z oskarżeniami, ale nie marnuj jej na nienawiść.

— Nie powiedzieliście mi niczego, czego bym nie wiedział. Wcale mi nie pomogliście.

— Posłuchaj mnie uważnie. — Twarz kobiety przybrała surowy wyraz. — Wczoraj dowiedziałam się różnych rzeczy o tobie i nie pytaj mnie jak. A teraz, wierz mi, mówię ci, że wkrótce rozwiążesz swój problem. Wróć do zakonu i staw czoło rzeczywistości.

— Skąd to wiecie?

Wzruszyła ramionami.

— Zobaczyłam to.

— Jak to możliwe? Wytłumaczcie mi.

— Po prostu zobaczyłam. I nie ma innego wytłumaczenia.

— Co było w naparze, który piłem wieczorem?

— Tego też nie będę ci tłumaczyć. Idź już.

— Tak po prostu?

— Tak.

— Jeśli prawdą jest to, co mówicie, mam wobec was wielki dług. Muszę zapłacić wam więcej. Trzy monety to tyle co nic.

— Już mi zapłaciłeś.

— Jak?

— Przytulając mnie w nocy. Od dwóch lat już nie poczułam ciepła drugiej osoby. Jesteś w tym samym wieku, w jakim byłaby moja starsza córka, gdyby żyła. Poczułam ją w tobie, poczułam też mojego męża i resztę dzieci. Przekroczyłam twoją nienawiść, odnalazłam w tobie miłość. Doprawdy byłeś gotów oddać mi dziewictwo? — Zaśmiała się. — Twoje ciepło, twoja czułość tej nocy były dla mnie czymś więcej. A teraz wyjdź.

I wziąwszy płaszcz chłopca, wyprosiła go stanowczo. Joan posłuchał jej, a gdy pocałował ją w policzek, odetchnęła głęboko, rozkoszując się świeżym powiewem poranka.

45

Gdy Joan znalazł się na ulicy Świętej Anny, usłyszał kościelne dzwony wzywające na tercję. Zwolnił nieco, mając nadzieję, że bracia będą w kaplicy i że uda mu się przemknąć do celi. Wziął książkę, pióro i kałamarz. Tyle się wydarzyło! Nie był w stanie pisać i z zaskoczeniem odkrył, że po raz pierwszy zabrakło mu słów. Usiadł na łóżku, opierając łokcie na kolanach, z twarzą w dłoniach. Przeżył coś niezwykłego, niesamowitego, co wstrząsnęło nim dogłębnie, ale nie był w stanie tego opisać. Być może długo jeszcze nie będzie mógł tego zrozumieć. Potrzebował czasu, żeby się nad tym zastanowić, przyswoić wszystko. Pomyślał sobie, że jeśli uporządkuje zajścia, łatwiej mu będzie zrozumieć, co się stało. Zaczął od rozmowy z superiorem. Parę razy odtworzył wszystko, co obaj mówili, i przypomniał sobie policzek wymierzony mu przez zakonnika. To prawda, że wygadywał rzeczy, które narażały go na stos. Przyznała to też wiedźma. Wyrzec się Boga! Nie miał zamiaru oddalać się od Niego. Wyszeptał modlitwę z prośbą o wybaczenie. Po trochu słowa i uczucia zaczęły się konkretyzować. W końcu był już gotów zamoczyć pióro w kałamarzu.

„Wolna wola ludzkiej istoty", napisał. „Nikczemne czyny człowieka nie powstają z boskiej winy". Pomyślał jeszcze chwilę i dodał: „Niektórzy posługują się Bogiem, żeby usprawiedliwić swe zbrodnie".

Gdy zadziałała magia pióra i papieru, Joan poczuł się pokrzepiony. Zyskał świadectwo powrotu z beznadziejnej rozpaczy, światło rozświetliło mrok, w którym tkwił jeszcze poprzedniego dnia. Wrócił do Pana. Nic tak naprawdę się nie zmieniło, wciąż dotyczyły go te same nieszczęścia. Tyle że gdy to napisał, poczuł się lepiej, znacznie lepiej. Nie chciał już więcej o tym rozmyślać. Nie był to czas na wracanie do wydarzeń w chatce czarownicy. Chciał tylko pójść do kaplicy i pomodlić się. Otworzyć swe serce i nadzieję na Najwyższego. I modlić się, modlić się, modlić.

&

Wychodząc z kaplicy, natknął się na brata Antoniego, superiora.

— Gdzieś był tej nocy? — zapytał mnich, marszcząc groźnie brwi, jak zwykle agresywnym tonem.

— Wracam z kaplicy, modliłem się do Pana — odparł chłopak. — Pojąłem, o co chodzi z wolną wolą.

Na twarzy mnicha pojawił się uśmiech.

— Całe szczęście — powiedział. — Nie wiesz, jak się cieszę. Martwiliśmy się o ciebie. Gdzie byłeś?

— To nieistotne. Najważniejsze, że wróciłem do Kościoła i wiem już, że muszę przyjąć mój los z pokorą. Pójdę do pana Corra i powiem mu, że nie jestem w stanie dowieść swojej niewinności.

Mnich zrobił niepocieszoną minę.

— Ty nie ukradłeś złotego chleba, synu. Poniesiesz karę, na którą nie zasługujesz.

— A więc wy też doradzacie mi uciekać?

— Może nie będzie to najbardziej honorowe wyjście, ale pewnie najmądrzejsze — odparł w zamyśleniu.

&

Joan przyszedł do księgarni. Zastał w sklepie panią Corró, która jak zawsze przyjęła go serdecznie. Dobrej kobiecie napłynęły do oczu łzy. Powiedział, że chce rozmawiać z gospodarzem, ale wcześniej chciał przywitać się z Abdalą. Ominął warsztat, żeby nie spotkać Felipa, i wszedł na ostatnie piętro. Stęsknił się za swym starym mistrzem.

Muzułmanin i jego uczeń połączyli się w silnym uścisku. Staruszek zapytał go, czy znalazł jakiś dowód na swoją obronę, i powiedział, że zastanawiał się nad tym przez cały czas, ale nic nie wymyślił. Joan odpowiedział, że nie, i właśnie miał mu opisać swoją przygodę z wiedźmą, gdy pojawił się właściciel. Pan Corró zrobił zawiedzioną minę na wieść, że chłopiec nie znalazł nic nowego na swoją korzyść.

— Będę musiał donieść na ciebie, Joanie. — Westchnął ciężko. — Nie chcę tego robić, gdyż nie sądzę, abyś był złodziejem. Winien jestem jednak posłuszeństwo bractwu.

Zapadła cisza. Księgarz i uczeń patrzyli sobie w oczy.

— Nie znaczy to jednak, że nie mogę dać ci jeszcze paru dni — ciągnął właściciel. — Nie chciałbyś wyruszyć na poszukiwanie twojej rodziny do Włoch? Ja nie dam ci pieniędzy na podróż, ale zrobiłby to nasz wspólny przyjaciel.

Joan wiedział, że ma na myśli Bartomeu i że obydwaj na pewno już dogadali tę sprawę. Wdzięczny był za ich troskę, ale decyzję już powziął.

— Nie, panie — odrzekł zdecydowanym tonem. — Wolę najpierw ponieść karę, ogłaszając mą niewinność, z wysoko podniesionym czołem. Nie będę znosić hańby i wygnania. Nie ucieknę. To uczyniłoby mnie w oczach wszystkich winnym, a jestem niewinny.

Księgarz pokiwał głową zadumany. Po chwili podszedł do Joana i uściskał go.

— Niechaj Bóg ci dopomoże, synu — wyszeptał. — Daję ci jeszcze dwa dni, gdybyś zmienił zdanie.

Przez całe te dwa dni Joan spędził tyle czasu, ile tylko mógł, ze swoim bratem i Abdalą, ćwiczył łacinę z bratem Melchorem i rozmawiał z marynarzami w tawernach. Nie mógł przestać myśleć o wizycie u wiedźmy. W książce zrobił jeszcze kilka zapisków: „Demon jest nienawiścią". „Uraza to śmiertelna choroba".

Trzeciego dnia Joan niespokojnie oczekiwał w klasztorze wiadomości o nadejściu urzędnika sądowego. Pojawił się superior.

— Już tu przyszedł. — Koścista twarz mnicha miała złowieszczy wyraz.

— Urzędnik?

— Tak, przyszedł cię pojmać. — A po chwili dodał: — Ale przed samym jego przybyciem nadeszła wiadomość od Bartomeu.

— Bartomeu?

— Tak. Poprosił mnie, bym nie dopuścił do zatrzymania. Ma dla ciebie dobrą wiadomość.

— I co zrobicie?

— Już zrobiłem. Powiedziałem śledczemu, by poszukał cię w portowych tawernach.

— Okłamaliście go?

— Niedokładnie — rzekł z uśmiechem. — Zasugerowałem mu, by tam cię poszukał, nie mówiłem mu, że cię tu nie ma.

Gdy przyszedł Bartomeu, zamknęli się w sali kolumnowej. Kupiec trzymał w ręku jakiś papier.

— Pan Roig zostawił nam ten list przed wyjazdem — wyjaśnił. — Tyle że posłaniec przedsięwziął środki ostrożności, gdyż jak wiecie, kara inkwizycji spada na tych, którzy pomagają przechrztom. Opóźnił się więc parę dni.

— I co w nim napisał?

— Podaje nazwisko jubilera, który kupił złoty chleb, i opis osoby, która go sprzedała.

— I jak ten ktoś wyglądał? — zaciekawił się Joan.

— Z tego, co pisze, był to bardzo ładny chłopak o dziecięcych rysach. Podobny do cherubina.

— Aniołek! — zawołał Joan.

Pamiętał dobrze chłopca, który posłużył za przynętę, gdy chcieli ukarać brata Nicolau. Aniołek zawsze bez szemrania słuchał Felipa we wszystkim i z pewnością robił tak dalej.

— Możliwe, ale jest problem. Złotnik nie chce zeznawać, twierdzi, że nic nie wie. Gdyby pan Roig poprosił go osobiście, jestem pewien, że zmieniłby zdanie, ale już go nie ma, a my nie należymy do cechu.

— A czy list nie może posłużyć za dowód? — spytał Joan.

Twarz Bartomeu wyrażała powątpiewanie.

— Nie sądzę, by list konwertyty był w naszych czasach wiarygodnym źródłem — odpowiedział. — Myślę raczej, że jeśli zwęszy go inkwizycja, możemy mieć kłopoty.

— Jak się nazywa ten złotnik? — zapytał superior.

— Nazywa się Feliu, ma sklep na początku ulicy Argentería, obok Santa María del Mar.

— Znam tego gałgana. Zostawcie go mnie — z determinacją w głosie powiedział mnich. — Mówicie zatem, że mamy list zbiegłego przechrzty, w którym o nim pisze, tak? No to mogą być przyjaciółmi, czyż nie? Może nawet bliższymi niż tylko kolegami po fachu...

Złowieszczy uśmieszek zatańczył na jego ustach. Joan pomyślał, że zakonnik sieje postrach, i miał już pewność, że zdoła skłonić tego Feliu do zeznań.

&

Było niedzielne popołudnie. Siąpił deszczyk. Aniołek wracał niezadowolony, bo banda dowodzona przez Lluísa pokonała chłopców Felipa w bitwie na kamienie. Na pocieszenie rudzielec zapowiedział, że przyjmą nowych członków i staną się jeszcze potężniejsi niż kiedyś. Mrok pokrywał szary, zimowy dzionek. Ulice były ciemne i wyludnione. Chłopak przechodził koło wąskiej uliczki, gdy z ciemności wyskoczyły trzy owinięte w płaszcze postacie i pociągnęły go w jej głąb. Grad ciosów, wyzwisk i gróźb runął na Aniołka. Przestraszony, niezdolny się bronić, skulił się do pozycji embrionalnej. Powalili go na ziemię i dwóch rozciągnęło mu ręce i kolana, wystawiając go bezbronnego na pastwę trzeciego. Aniołek jęczał, prosząc o litość.

— Nikomu nic nie zrobiłem — mówił, nie rozumiejąc powodu napaści.

— A brata Nicolau pamiętasz?

— Ja go nie pobiłem — zaszlochał. — Wykonywałem tylko rozkazy Felipa. Nie chciałem, żeby stała mu się taka krzywda.

Błysk żelaza ukazał się oczom Aniołka przywykłym już trochę do nikłego światła. Poczuł szpic ostrza sztyletu na swoim policzku.

— Tak cię urządzę, że zamiast Aniołek będą nazywać cię Diabełek — usłyszał, czując, jak nasila się nacisk broni na jego twarzy. — A potem sprawimy ci takie lanie, że zostaniesz kaleką jak ten zakonnik.

— Nie! Litości!

— Jeśli jej chcesz, bądź nam posłuszny.

෴

Gdy w czwórkę przechodzili przez na wpół otwartą bramę łączącą klasztor z ulicą Świętej Anny, Aniołek czuł się tak, jakby miał zaraz zemdleć. Znalazł się w miejscu kuszenia brata Nicolau, które skończyło się dotkliwym pobiciem mnicha, o tak poważnych następstwach. Czy będzie musiał za to zapłacić? Minęli ciemnawy placyk i znaleźli się na krużganku.

Tam też panowałby całkowity mrok, gdyby nie dwa oszklone okna kapitularza, z których sączyło się wątłe światło. Wepchnęli chłopca do pomieszczenia.

— Klęknij przed świecznikiem! — rozkazał jeden z prześladowców.

Wykonał polecenia. Czuł, że nogi mu drżą. Spojrzał przed siebie. W półcieniu stało czterech zakapturzonych mnichów. Klęczał, czekając, aż przemówią. Jeden wystąpił naprzód i zagrzmiał:

— Czy to ciebie zwą Aniołek?

— Tak, ojcze — wyszeptał chłopiec.

— Panie Feliu — kontynuował zakonnik, zwracając się do osoby stojącej w mroku po prawej stronie — rozpoznajecie tego nicponia? Czy to ten sprzedał wam złoty chleb?

— Nie widzę go dobrze, jest za ciemno.

Joan, który wraz ze swoim bratem Gabrielem przytrzymywał klęczącego Aniołka, wziął świecznik i oświetlił mu twarz.

— Tak, to on. Na pewno — rzekł jubiler.

— Czy to ty ukradłeś złoty chleb?! — huknął mnich.

— Nie! To nie ja! — odpowiedział Aniołek pocieszony, że nie chodziło o sprawę brata Nicolau. — Ja tego nie zrobiłem!

— To dlaczego to ty sprzedałeś go złotnikowi?

— Poproszono mnie, bym to zrobił.

— Kto?

Aniołek spojrzał trwożliwie na wysokiego zakapturzonego mnicha, któremu ledwie widać było czubek nosa i brody. Wahał się. Spadną na niego kłopoty, jeśli wyda Felipa.

— Kto to zrobił? — zagrzmiał mnich głosem anioła z Apokalipsy.

— Felip, uczeń mistrza Corra — wybąkał zastraszony, nie mając już siły się opierać.

— Przysięgnij na Boga, że tak było!

— Przysięgam! — powiedział Aniołek i wybuchnął płaczem.

— A skąd go wziął? — przesłuchiwał go bezlitośnie zakonnik.

— Z warsztatu, w którym pracuje.

Zapadła cisza przerywana tylko szlochami chłopca klęczącego z pochyloną głową, kompletnie pokonanego. Zakonnik, którym był superior, odwrócił się do swych milczących, zakapturzonych towarzyszy. Wykonali gest zgody, po czym mnich zwrócił się do chłopca:

— Możesz odejść.

Chłopiec z ulgą podniósł wzrok.

— Ale pamiętaj, że przysiągłeś na Boga i że zrobiłeś to w obecności świadków — zagrzmiał znowu mnich.

Aniołek pokiwał głową, a jego ciemiężcy wzięli go za ręce i wyprowadzili na ulicę.

Zaprowadzili go na plac Świętej Anny, w bliskiej odległości od zakonu. Tam było już trochę światła bijącego od pochodni palących się w niektórych pałacach. Joan stanął w nim, żeby Aniołek wyraźnie go zobaczył.

— Wiesz, kim jestem?

— Jesteś Joan — odpowiedział, wciąż się trzęsąc. — Poznałem cię po głosie.

— Tak, jestem Joan. I dam ci dobrą radę. Kiedy spotkasz Felipa, to lepiej mu nie mów, że właśnie go wydałeś. Nie sądzę, by ci się to opłaciło.

— Dziękuję — odrzekł, po czym śpiesznie ruszył do domu.

267

Zostawił w tyle Joana, Gabriela i Lluísa, którzy ściskali się szczęśliwi.

೪

W kapitularzu superior powiedział do jubilera:

— Idźcie z Bogiem, Feliu. I pamiętajcie, że i was obowiązuje przysięga.

— Będę o tym pamiętał, bracie Antoni — odpowiedział mężczyzna.

Skłonił głowę i ruszył do wyjścia.

— Chyba wszystko jest już jasne — zwrócił się zakonnik do milczących postaci w kapturach.

Jeden z nich odsłonił swą łysinę i twarz. Mina księgarza była bardzo poważna.

— Bardzo jasne, bracie Antoni — powiedział. — Czuję wielką ulgę, ale i wielki żal.

— I co teraz uczynicie? — zdejmując kaptur, zapytał czwarty.

— Coś dobrego i coś złego, Bartomeu — odparł Corró. — Dobrym uczynkiem będzie przyjęcie Joana z powrotem do mojego domu. Poszukam sposobu, by mu to wynagrodzić, chłopiec na to zasługuje. Trudne zaś będzie wyrzucenie z domu syna naszego towarzysza.

— Będzie wam ciężko — powiedział kupiec. — Wiem, że uczyniliście dla Felipa wszystko, co było w waszej mocy, ale okazał się niegodny.

— Chciałem traktować go jak własnego syna — z pochyloną głową powiedział księgarz. — Ale okazuje się brutalny, bezczelny, samolubny i nie ma litości dla słabszych. Osiągnął wiek i umiejętności, by stworzyć majstersztyk, lecz brakuje mu cnót moralnych wymaganych od mistrza księgarstwa. Widać to po jego czynach.

— Doniesiecie na niego? — dopytywał się zakonnik.

— Oczywiście, że tak — odparł ze smutkiem. — Takie są reguły bractwa. Boli mnie to w głębi serca. Nie powiodło mi się z nim.

— No dobrze, wiem, że zrobiliście dla niego wszystko, co

było w waszej mocy — powiedział Bartomeu. — Spełniliście z nawiązką obowiązek wobec naszego zmarłego towarzysza. Nie obwiniajcie się.

Kupiec uścisnął przyjaciela. Księgarz odpowiedział silnym uściskiem. Wiele razem przeżyli i wycierpieli.

— Miejcie się na baczności — rzekł Bartomeu. — Ten chłopak jest niebezpieczny.

46

Felip i Joan minęli się w wejściu do księgarni, mierząc się wzrokiem. Obaj trzymali tobołki ze swym dobytkiem, tylko że jeden wchodził, a drugi wychodził. Joan był przygotowany na to, że osiłek może go uderzyć. Oddałby mu. Nie bał się. Ale do tego nie doszło. Gdy skończyli na siebie patrzeć, Joan uśmiechnął się triumfalnie, a Felip splunął mu pod nogi.

— Pożałujecie tego — zagroził. — Rodzina Corrów za to zapłaci. Ty też, chłopie pańszczyźniany.

— Idź do diabła, kłamliwy złodzieju! — syknął Joan. — Mam nadzieję, że kat porządnie wyłoi ci skórę.

Księgarz zebrał wszystkich w warsztacie przed śniadaniem, aby oznajmić, że niewinność Joana została udowodniona i że to Felip był złodziejem, który sfałszował dowody przeciwko koledze. Felipowi wytknął przy wszystkich jego niegodziwość i powiedział mu, że zostaje wyrzucony nie tylko z jego domu, ale i z bractwa. Kazał mu wynosić się natychmiast i nie chciał go więcej widzieć.

Zbir zachował się wyzywająco, ale twierdził, że jest niewinny. Ogłosił, że cieszy się, opuszczając to wstrętne miejsce i odrażającą rodzinę, która chroni Maurów.

Jako pierwsza uściskała Joana pani domu. Pojął, skąd wzięła się jego czułość dla tej matczynej kobiety. Ze łzami wzruszenia wyznała mu, że zawsze wierzyła w jego niewinność i że niezmiernie cieszy się ze zwycięstwa prawdy. Potem przyszła kolej na uściski uczniów, wśród nich najserdeczniejszy Lluísa. Po nich uściskali go mistrz i czeladnik. Wszyscy wyglądali na bardzo zadowolonych z powrotu Joana i odejścia zabijaki.

Jednakże najprzyjemniejsze było spotkanie z mistrzem w *scriptorium*. Joan kochał tego staruszka, a on odwzajemniał jego uczucie. Jakże stęsknił się za pieczołowitą robotą przy kopiowaniu ksiąg! A jeszcze bardziej za rozmowami w rozmaitych językach i wyłapywaniem z nich skrawków wiedzy, którą Abdalá nagromadził przez tyle lat. Uścisnęli się czule.

Przyszedł do nich właściciel.

— Joanie — powiedział — zastanawiałem się, w jaki sposób wynagrodzić ci to, co wycierpiałeś przez te wszystkie dni.

— To nie była wasza wina.

— Nie była to moja wina, ale ty okazałeś wielką prawość i honor.

Chłopiec zamilkł, czekając na dalszy ciąg słów pana Corra. Pomyślał, że gdyby wiedział o wizycie u wiedźmy, mógłby zmienić zdanie na jego temat.

— Dlatego też, a także ze względu na twoje umiejętności, postanowiłem udzielić ci pozwolenia na przedstawienie projektu majstersztyku bractwu.

— Doprawdy? — Joan podskoczył z radości. — Pracowałem nad szkicami pięknej księgi! Mogę pokazać im je za tydzień!

— Nie ma pośpiechu, tu idzie o jakość — przypomniał mu Abdalá. — Ma to być dzieło mistrza.

— Ale co z Lluísem i Jaumem? Przecież oni są tu dłużej.

— Nie wszyscy robią takie same postępy — odparł mistrz. — Ale co do Lluísa, to też ma moje pozwolenie na przygotowanie projektu.

Joan uśmiechnął się szczęśliwy. Do wyjaśnienia pozostała jedna sprawa.

— Czy mogę już nauczyć się czytać? — zapytał z naiwnością w głosie.

— Nie, jeszcze nie — twardo odrzekł pan domu.

Uczeń zamilkł zawiedziony i wymienił spojrzenia z Abdalą. Czuł się źle ze swym oszustwem.

— Kiedyś zrozumiesz dlaczego — dodał pan Corró.

❧

Joan czułby się w pełni szczęśliwy, gdyby nie żal po stracie Anny. Wciąż kopiował, ale żył planami mistrzowskiego dzieła.

— Majstersztyki rodzą się w umyśle. Nim staną się rzeczywistością, wykuwają się w naszej wyobraźni — powiedział Abdalá. — Muszą zawładnąć twoim wnętrzem. Im bardziej w nie uwierzysz, im piękniejsze je sobie wymyślisz, tym doskonalsze będzie dzieło.

Joan zastanawiał się nad tymi słowami. W końcu napisał w książce: „Dzieła mistrzów powstają najpierw w umysłach".

Swoje projekty pokazywał w księgarni, zakonnikom, Bartomeu, Gabrielowi, a nawet Eloi, mistrzowi odlewnictwa. Przyjmował pomysły i sugestie, a poświęcenie się pracy sprawiało, że choć na krótki czas zapominał o żalu za ukochaną.

Odwiedzał też portowe tawerny, ale już rzadziej. Jakby tworzenie majstersztyku osłabiło jego powinność wobec rodziny, ale tak naprawdę nie pozostawało mu nic innego, jak czekać na powrót floty admirała Vilamaríego.

W końcu nadszedł dzień przedstawienia projektu bractwu Trójcy Świętej. Joan ocenił swoje szkice, po czym doszedł do wniosku, że niewielu uczniów gromadziło dokumentację techniczną swoich dzieł, a z pewnością żaden tak dokładną. Pozostali ograniczali się do wyłożenia pomysłu, a notariusz tworzył zapis projektu i notował uwagi komisji. Mistrzom przypadł do gustu pomysł osiemdziesięciostronicowej książki z wysokiej klasy białego papieru, obłożonej w koźlą skórę, której okładka przedstawiać miała scenę ukrzyżowania inkrustowaną złotą folią. Projekt prezentował się zachwycająco i został przyjęty. Teraz pozostawało tylko wykonać książkę, która spełniłaby oczekiwania.

Ostrożnie wycenił wartość każdego elementu, bo sam musiał pokryć koszty materiałów. Wstępny szacunek wyniósł dziewiętnaście soldów i sześć dinarów, czyli niecały funt. Postanowił sprzedać jeden z kawałków korala, które zachował po ojcu.

Mocną nicią zszył porządnie równo przycięte kartki koloru kości słoniowej. Do wytłoczenia skóry na okładce postanowił zastosować technikę suchego stempla, do czego potrzebował obrazu ukrzyżowania wyrytego w drewnie, na którym wymodelowałby skórę. W księgarni było parę ksiąg z ilustracjami ukrzyżowania, ale Joanowi żadna nie wydawała się odpowiednia. Obiegł barcelońskie kościoły i robił różne szkice, aż wreszcie stworzył własny obraz. Zaznaczył tylko główne linie, bo odcisk na skórze nie odbijał cienkich kreseczek. Gdy udało mu się już naszkicować udany rysunek, wziął kawałek orzechowej deski dobrej jakości i uważnie przyjrzał się słojom drewna. Wyrył na niej płaskorzeźbę według szkicu. Miał dobre narzędzia. Przypomniał sobie, jak samym tylko nożem rzeźbił scenę połowu wieloryba. Kiedy miał już odpowiednią skórę, odcisnął na niej obraz ukrzyżowania i ozdobił szlaczkami złotego chleba, które ciągnęły się dalej po grzbiecie i z tyłu okładki.

Joan ukończył majstersztyk na kilka dni przed Bożym Narodzeniem. Właściciel umówił spotkanie, na którym miał go zaprezentować, na dwudziestego siódmego grudnia. Rezultat wzbudził zachwyt wszystkich, w tym również Bartomeu i superiora.

— Będziesz bardzo dobry w swoim fachu — oświadczył pan Corró.

— Uwielbiam oprawiać — odparł Joan. — Ale tak naprawdę chciałbym zajmować się księgami pisanymi. A do tego muszę nauczyć się czytać.

— Nie bądź niecierpliwy! — zganił go księgarz. — Przyjdzie na to czas.

Cały warsztat dumny był z dzieła chłopaka i nikt nie wątpił, że komisja je przyjmie. Chociaż Lluís nie ukończył jeszcze swojej pracy, nie okazywał zawiści i pomagał Joanowi, jak mógł. Dzieło powstało w pracowni pana Corra i wszyscy w niej zatrudnieni szczycili się jego wspaniałością. Właściciel postanowił ustawić księgę na wystawie, aby podziwiali ją także przechodnie.

Joan nie mógł się napatrzyć na swój majstersztyk. Zajmował teraz miejsce owej cudownej księgi, która urzekła go w dniu jego przyjazdu do Barcelony.

≈

W Boże Narodzenie przy świątecznym obiedzie wzniesiono toast za nowego mistrza, nikt bowiem już nie wątpił, że za parę dni Joan się nim stanie. Chociaż w zasadzie, aby zostać mistrzem, należało przez parę lat terminować jako czeladnik, to i tak tytuł miał już prawie w kieszeni. Gdy po południu poszedł do brata, by świętować razem z nim, otrzymał też gratulacje od ludwisarzy. Do nich również dotarła wiadomość o wspaniałości jego dzieła.

O Felipie słuch zaginął. Pan Corró doniósł na niego tego samego dnia, w którym go wyrzucił, i nie interesował się nim więcej. Może siedział już w więzieniu, chociaż sąd jeszcze się nie odbył. Nikogo nie obchodził los tego drania.

W noc dwudziestego szóstego grudnia Joan prawie nie zmrużył oka z podniecenia. Nie skończył jeszcze szesnastu lat, a już miał uzyskać tytuł mistrza introligatorstwa. Było to niezwykłe. Rano włoży najwspanialszy kaftan i pełen dumy zaniesie swój majstersztyk do kościoła Trójcy Świętej.

Ta chwila jednak nigdy nie nadeszła.

47

Po śniadaniu Joan szykował się do wyjścia wraz z panem Correm, gdy u drzwi księgarni rozległy się krzyki.

— Przejście dla świętej inkwizycji!

Okrzyk budził trwogę. Joan spojrzał na właściciela, którego też obleciał strach. Wszyscy stanęli jak wryci, wymieniając między sobą pytające spojrzenia.

— Czego oni mogą chcieć? — niemal niesłyszalnym głosem zapytał księgarz sam siebie.

Joan pomyślał, że pojawienie się wysłanników inkwizycji nie może oznaczać nic dobrego. Po chwili urzędnik sądowy w towarzystwie dwóch uzbrojonych mężczyzn wtargnął do warsztatu.

— Pan Corró?

— To ja — odpowiedział właściciel.

— Aresztuję was w imieniu Świętego Oficjum — oznajmił urzędnik. — Was i wszystkich, którzy znajdują się w waszym domu. Dom zostanie zaplombowany i nikt nie będzie mógł wejść, dopóki ojciec Espina, inkwizytor generalny, nie wyda nowych rozkazów.

— Ale... — chciał zaprotestować księgarz.

— Cokolwiek macie do powiedzenia, powiecie to przed trybunałem. Ja wypełniam tylko rozkazy.

Żołnierze bez skrupułów przystąpili do pustoszenia warsztatu. Sądząc po krzykach kobiet, które dochodziły z wyższych pięter, działo się tam to samo. Joan przycisnął swój majstersztyk do piersi i ruszył do drzwi za mistrzem.

Wychodząc ze sklepu, wpadł w osłupienie. Stał tam Felip. Joan sądził, że dawno siedzi w więzieniu, a on przybył z żołnierzami inkwizycji!

— Ty?! — zawołał pan Corró.

— Ostrzegałem was, że za to zapłacicie — wypalił zbir ze złośliwym uśmiechem. A zwracając się do Joana, rzekł: — Nic stąd nie można wynosić. — Zaczął wyrywać mu pakunek z mistrzowskim dziełem.

— To moje! — zawołał Joan, siłując się z nim.

— Słynna księga, którą przedstawisz dziś mistrzom, prawda? — z satysfakcją rzucił Felip.

Joan zastanawiał się, skąd mógł to wiedzieć i jaką rolę odgrywał rudzielec w najściu. Żołnierze wyciągnęli na ulicę pracowników. Za nimi poszedł gospodarz, ale nie Joan, który uczepił się cennej księgi.

— Zostaje zarekwirowana przez inkwizycję — oznajmił osiłek. — Nie wiedziałeś, że rodzina Corrów to przechrzty?

— Przechrzty?! — zawołał Joan osłupiały.

Wiadomość ta wprawiła go w takie zdumienie, że wypuścił książkę. Gospodarze zachowywali się jak dobrzy chrześcijanie, w niczym się nie wyróżniali.

— Tak, oboje, on i ona. Przyjmują naszą wiarę, a potem łączą się ze sobą. — Felip uśmiechał się triumfująco. — Ich prapradziadowie przechrzcili się po pogromie Żydów w tysiąc trzysta dziewięćdziesiątym pierwszym roku, ale jak widzisz, nie zasymilowali się ze starymi chrześcijanami.

— Ale zachowują się jak dobrzy chrześcijanie.

— Zobaczymy, czy potrafią tego dowieść.

— W każdym razie inkwizycja nie może skonfiskować mojej księgi — oświadczył Joan, usiłując ją odzyskać. — Sam dobrze wiesz, że za majstersztyk płaci uczeń i dzieło należy do niego. Poza tym jestem starym chrześcijaninem, poza wszelkimi podejrzeniami.

— Inkwizycja czyni to, co chce. — Joan dostrzegł, jak bardzo łobuz rozkoszuje się tą chwilą. — A ty musisz jeszcze dowieść czystości twej krwi, chłopie pańszczyźniany.

— A co ty masz wspólnego ze Świętym Oficjum? Kto dał ci taką władzę?

— Jestem sługą inkwizycji. Byłem nim potajemnie, zanim ten konwertyta mnie wydalił. A ojciec Espina bardzo mnie poważa, bo dostarczam mu cennych informacji.

— I dlatego mimo swego złodziejstwa wymigałeś się od kary?

— My, słudzy inkwizycji, mamy immunitet uwalniający nas od odpowiedzialności przed władzą świecką. Może nas sądzić tylko inkwizycja.

Widząc minę Joana, Felip zaniósł się śmiechem. Do niego należało ostateczne zwycięstwo.

— A widzisz, chłopie pańszczyźniany — powiedział, śmiejąc się. — Myślałeś, że mnie pokonałeś, prawda? No to ten się śmieje, kto się śmieje ostatni.

— Ty skurwysynu! — krzyknął Joan, rzucając się na niego.

Felip sądził, że będzie usiłował odebrać mu mistrzowskie dzieło, ale Joan zapomniał o majstersztyku. Łobuz trzymał książkę i nie był przygotowany na uderzenie pięścią, które rozcięło mu wargę. Ani na grad ciosów i kopniaków. Dopiero żołnierze uwolnili osiłka od Joana, wywlekając chłopca na ulicę, gdzie czekała reszta. Strażnik kazał mu stanąć w szeregu z pozostałymi i uważał, żeby znów nie zaatakował Felipa, chociaż zbir trzymał się od niego z dala. Więźniowie nie byli związani. Chłopiec, zaciskając pięści, szukał go wzrokiem, pragnąc uderzyć znowu.

Sąsiedzi zgromadzili się u drzwi księgarni w ciszy. Wzniesiono herb Świętego Oficjum i z przerażającym biciem bębna rozpoczął się marsz do inkwizycyjnego więzienia. Nie znajdowało się daleko. Na placu Królewskim, w podziemiach królewskiego pałacu, zajmowanego kiedyś przez króla Ferdynanda.

Aresztowani wchodzili już do budynku, gdy wśród ciekawskich Joan dojrzał Felipa. Rudzielec uśmiechał się mimo rozciętej wargi i nabitych guzów. Uniósł ukochany majstersztyk Joana, wołając:

— Pożegnaj się! Więcej go nie zobaczysz!

Widok pobitej twarzy osiłka nie wynagrodził tego, co stopniowo docierało do świadomości chłopca. Doszło do katastrofy. Utrata mistrzowskiego dzieła była niczym w porównaniu ze zbliżającą się tragedią.

֍

Czeladnicy i uczniowie zostali zamknięci w długiej celi o łukowatym sklepieniu, położonej poniżej poziomu placu, z którego docierało nikłe światło przez wysoko umiejscowione okratowane okienka. Służące zaprowadzono do innego pomieszczenia, a małżeństwo Corrów trafiło do oddzielnej celi. Abdalá usiadł w kącie i dał Joanowi znak, żeby się zbliżył. Ujął go za ręce i rzekł:

— Być może żegnamy się na zawsze.

Joan spojrzał na niego z niepokojem. Uważał Abdalę za swego prawdziwego mistrza, chociaż to Guillem i Pau nauczyli go oprawiania ksiąg i wyprawiania skóry. Od początku chłopiec bardziej cenił zawartość książek niż ich formę i wygląd zewnętrzny. To Abdalá uświadomił mu, że ważne jest zarówno ciało, jak i dusza. Dzięki niemu nauczył się łaciny, różnych języków romańskich i posiadł mądrość o życiu i księgach. Tak wiele chciał się jeszcze nauczyć od tego życzliwego staruszka, który kochał go z całego serca.

— Dlaczego tak mówicie? — spytał zasmucony.

— Gdy tylko się dowiedzą, że jestem niewolnikiem i muzułmaninem, zabiorą mnie od was.

— Ale to nie znaczy, że nigdy więcej się nie zobaczymy.

— Obawiam się, synu, że drzwi księgarni Corrów już się nie otworzą — kontynuował mistrz. — Jeśli przeżyję, sprzedadzą mnie wraz z innymi rzeczami z księgarni. Włości gospodarzy zostaną skonfiskowane, a inkwizytorzy wycisną tyle pieniędzy, ile się tylko da. Część pójdzie dla króla, reszta wspomoże tę instytucję.

— Ale muszę się od was jeszcze tyle nauczyć! — zapłakał Joan.

— Jakżebym chciał pokazać ci więcej! — zawołał mężczyzna z mokrymi od łez oczami. — Słuchaj, chciałem cię ostrzec, że...

W tej chwili rozległ się szczęk otwieranej kraty i ktoś zakrzyknął od drzwi:

— Jest tutaj Maur Abdalá?

Gdy padła odpowiedź, że tak, kazano mu wyjść. Staruszek i chłopiec uścisnęli się w ciszy.

— Niechaj wam Bóg błogosławi, mistrzu — powiedział Joan przez łzy, gdy się rozstawali. — Mam nadzieję, że jeszcze się spotkamy.

— Niech tak zechce Allah, synu. — Stary też był wzruszony. — Niechaj cię chroni.

48

Joan nigdy dotąd nie widział tak ogromnej sali. Potężny kamienny łuk, bardzo szeroki, podtrzymywał wielkie drewniane sklepienie. Nawet nawa w kościele del Pi, najszersza w Barcelonie, nie była wyższa. Katedra miała z pewnością większą rozpiętość dzięki łukom stojącym jeden za drugim, wspartych na kolumnach, ostrym i strzelistym, łączącym się w górze w jedną pięknie sklepioną skałę. W tej sali było jednak wprost przeciwnie, całą przestrzeń pokrywał jeden tylko potężny łuk o eleganckiej prostocie. Przestrzenie kościołów napawały wiernych uczuciem siły, równowagi i harmonii. Światło w tym ogromnym pomieszczeniu wpadało tylko przez otwory okienne po lewej stronie. Ogrom i potęga tego miejsca nadawały mu zaś wygląd zimnej pieczary. Joan znajdował się w komnacie Tinell, wielkiej sali audiencyjnej królów Aragonii. Jej bezmiar miał onieśmielać odwiedzających monarchę.

Tylko że teraz na końcu wielkiej sali nie oczekiwał król, lecz inkwizytor, ojciec Alfonso Espina. A Joan prowadzony przed jego oblicze przez dwóch żołnierzy inkwizycji czuł się malutki i pełen strachu, gdy przemierzał tę zimną i pustą przestrzeń, w której jego kroki odbijały się echem. Nie było bardziej wyrazistego sposobu okazania królowi Ferdynandowi prawdziwych zamiarów. Inkwizytor miał władzę absolutną, ziemską i niebiańską. Zajmował miejsce króla i Boga.

Zakonnik nie miał wprawdzie tronu, ale siedział na okazałym krześle za solidnym stołem ustawionym na podwyższeniu, na które wchodziło się po trzech schodkach. Baldachim o opadającej tkaninie osłaniał mu plecy i boki, chronił przed chłodem i przeciągami. Joan pomyślał, że pod stołem ma pewnie podgrzewacz podobny do tego, jakich zimą używali w *scriptorium* księgarni. Przy bocznych stołach, na wysokości już tylko jednego schodka nad podłogą, siedzieli rozmaici funkcjonariusze: notariusze, skrybowie i eksperci religijni jako teolodzy przysięgli.

Gdy Joan przybył przed oblicze inkwizytora, można było odnieść wrażenie, że nikt nie dostrzegał jego obecności. Funkcjonariusze rozmawiali ze sobą, a ojciec Espina czytał jakąś książkę, pewnie modlitewnik, bo wyglądał, jakby się modlił.

Po chwili jeden z urzędników podszedł do Joana i pokazał mu dokument, w którym napisane było jego imię i nazwisko, wiek, pochodzenie oraz to, że pracuje jako uczeń w warsztacie rodziny Corrów, mieszczącym się na ulicy Especiers. Gdy chłopiec powiedział, że dane są prawidłowe, nakazał mu przysiąc, że wszystko, co powie, będzie prawdą. Następnie oznajmił głośno:

— Joan Serra de Llafranc przysiągł mówić prawdę!

Skryba zapisał coś skrupulatnie i dopiero wtedy inkwizytor raczył go zauważyć.

Nikt nie wyjaśnił mu, po co ojciec Espina chce go widzieć ani o co zapytać. Mistrzowie introligatorzy twierdzili, że będą pewnie tylko świadkami i z pewnością nie zostaną o nic oskarżeni. Ale nikt tak naprawdę nie znał zamiarów inkwizytorów, w mieście opowiadano o nich straszliwe historie i wszyscy się ich bali.

Najpierw wezwali Guillema. Joan wszedł jako drugi, zatem nie wiedział, jakie pytania zadali mistrzowi, przez co był jeszcze bardziej wystraszony.

— Czy to ty jesteś Joan Serra de Llafranc? — zapytał inkwizytor.

— Tak, ojcze — odpowiedział, kłaniając się według pouczeń żołnierzy.

— Pamiętaj, że zeznajesz pod przysięgą — ostrzegł go sędzia siedzący przy jednym z bocznych stołów. — Jeśli skłamiesz, nie tylko popełnisz ciężki grzech, ale zostaniesz też publicznie wychłostany i uwięziony do końca życia.

Joan kiwnął głową.

— Na czym polegała twoja praca u księgarza Corra?

— Pomagałem przy oprawie i kopiowałem księgi jako uczeń.

— A jakie księgi kopiowałeś?

Joan pomyślał, że jeśli zasłoni się niewiedzą, popełni krzywoprzysięstwo i narazi się na srogą karę. Dzięki temu pytaniu domyślił
się jednak powodu, dla którego właściciel zabronił mu uczyć się
czytać. Wtedy pojął, jakie niebezpieczeństwo tkwiło w księgach,
być może śmiertelne niebezpieczeństwo. Nie wiedział, jakie odpowiedzi mogą obciążyć pana Corra, nie chciał mu zaszkodzić,
ale nikt nie ostrzegł go przed taką sytuacją. Mógłby powiedzieć,
że nie wie, że nie umie czytać... ale przecież urzędnik właśnie
pokazał mu dokument, a on powiedział, że jego treść jest zgodna
z prawdą. Był zgubiony!

— Odpowiadaj, chłopcze! — poganiał sędzia, który groził mu
karą za krzywoprzysięstwo.

— Ja... Ja wszystkiego nie pamiętam.

— Lepiej byłoby dla ciebie, gdybyś odzyskał pamięć. Skup się!

— Kopiowałem Raimundusa Lullusa.

— Jego prawowierność została podważona — powiedział inkwizytor. — Jakie dzieła?

— *Ars Magna*.

— To nie jest wielki grzech. Co jeszcze kopiowałeś?

Joan przełknął ślinę.

— Kopiowałem Arnolda de Vilanova.

— Jakie księgi?

— *Speculum medicinae, Regimen sanitatis* i *De consideratio-
nibus operis medicinae*.

— Po łacinie?

— Tak, ojcze.

Inkwizytor spojrzał w kierunku bocznego stołu, na co sędzia
przysięgły przejrzał parę zwojów, po czym oznajmił uroczyście:

— To traktaty medyczne bez treści religijnych.

— Dobrze. Jakie inne prace Arnolda de Vilanova kopiowałeś?

Chłopak się zawahał. Wiedział, że poprzednie księgi były bezpieczne, ale z następną może być już kłopot. Niemniej Arnold de

282

Vilanova był chroniony przez królów aragońskich, jego pisma powinny więc być do przyjęcia.

— Co jeszcze? — niecierpliwił się inkwizytor.

— Pamiętam jedną zatytułowaną: *Tractatus de tempore adventus Antichristi.*

Sędzia przejrzał swe pisma i oświadczył triumfalnie:

— To o nadejściu Antychrysta. Została zakazana przez teologów paryskiej Sorbony, a zgromadzenie teologów Tarragony nakazało ją spalić. To dzieło zgodne z linią Joachima de Fiore! Krytykuje organizację Kościoła. Sądziliśmy, że nie przetrwały już kopie!

— Heretyk! — z satysfakcją w głosie zawołał ojciec Espina. — Co jeszcze?

— Tego autora już nic.

— Wymień nam inne księgi, nawet jeśli nie znasz autora!

Joana ogarniała panika. Obciążał swych gospodarzy!

— Mów!

— Więcej nie pamiętam! — krzyknął zbolały.

— Lepiej mów! — powiedział sędzia, waląc go po plecach.

— Nie pamiętam! — Joan zamknął oczy i zacisnął pięści. — Nie pamiętam! Nie pamiętam!

— Słuchaj, chłopcze — inkwizytor przemówił po chwili ciszy. Przybrał ton przyjazny, ojcowski. — Lepiej byłoby, żebyś powiedział nam to, co chcemy wiedzieć. Wszyscy to robią przed pójściem do podziemi albo po pobycie w nich. Możemy wywichnąć ci stawy, wyłupić oczy, przypalić cię żelazem... Mistrz introligator przemówił i ten Maur, z którym pracowałeś, też. Wiemy już wszystko, co chcieliśmy wiedzieć, ty musisz nam to tylko potwierdzić. W ten sposób przekonamy się, czy jesteś dobrym chrześcijaninem.

Joana przeszedł dreszcz. Torturowali Abdalę?

— Nie pamiętam!

— Do podziemi z nim! — rzucił inkwizytor. — Dawać drugiego.

❧

Joan pocił się mimo chłodu panującego w sali, gdy popychając, zabrali go stamtąd i powlekli w dół schodami. Po przejściu podziemnymi korytarzami weszli do oświetlonej pochodniami komnaty.

— Oto kat — powiedział sędzia, wskazując palcem odrażającego człowieka.

Osobnik ten zaczął pokazywać mu najróżniejsze narzędzia: łoże, do którego wiązano przestępcę i rozciągano go, aż łamały mu się stawy, haki, na których wieszano ofiarę u sufitu, by potem opuścić ją gwałtownie na ziemię, zadając okropny ból, i wiele, wiele innych. Mieli też palenisko pełne rozżarzonych węgli i rozgrzanych do czerwoności kawałków żelaza. Po chwili kat wziął do ręki w grubej rękawicy jedną ze sztab i szybkim ruchem przysunął żarzący się koniec do twarzy Joana. Ten odskoczył do tyłu i krzyknął ze strachu. Mężczyzna napierał na niego, aż chłopak uderzył plecami o ścianę. Joan widział zbliżające się, rozpalone do czerwoności żelazo i czuł jego ciepło na twarzy.

— Tak wyłupiliśmy Maurowi oko — powiedział sędzia. — Potem powiesiliśmy go na suficie i upuszczaliśmy wiele razy. Ryczał jak świnia, ale wyśpiewał nam wszystko.

Oprócz strachu chłopiec poczuł ogromny żal. Abdalá! Przypomniał sobie jego piękne niebieskie oczy. Musieli go zabić. Stary nie przeżyłby takich tortur.

— Wcześniej czy później opowiesz nam to, co chcemy wiedzieć — ciągnął mężczyzna. — Ale bardziej opłaca ci się zrobić to wcześniej. Szkoda byłoby, żeby dobry starochrześcijański chłopak został na całe życie kaleką i stracił oko. Ostatni raz pytam, zanim zaczniemy na poważnie: czy wróciła ci pamięć?

Joan nie mógł przestać patrzeć na rozpalone żelazo. Czuł obezwładniający strach, pocił się, wspominał z rozżaleniem Abdalę i nie był w stanie jasno myśleć. Był zdruzgotany.

— Tak — powiedział, powstrzymując łzy. — Powiem wszystko.

49

Kolejne godziny Joan spędził w ciemnym lochu, oblany potem, dygocząc z zimna, myśląc o okropnych narzędziach i czując na oczach ciepło rozżarzonego do czerwoności żelaza. Słyszał o ludziach, którzy spędzili w takich celach lata, stając się martwymi za życia. Nie chciał obciążać państwa Corrów, ale inni wcześniej zeznawali, więc jego poświęcenie byłoby daremne. Zaczął się modlić.

— Podaj tytuły ksiąg, które wydały ci się podejrzane — rozkazał inkwizytor, gdy wyprowadzili go z przypominającego grób lochu.

— *De arte entomptica et ydaica, Clavicula Salomonis* i *Oracions dels set planetes.*

Sędzia przysięgły nie musiał nawet sprawdzać.

— To księgi czarnej magii! Zakazane!

Zakazane, pomyślał Joan ze smutkiem. Wiele z ksiąg, które kopiował, było zakazane. Teraz wszystko zrozumiał, ale było już za późno. Dlaczego pan Corró mu nie powiedział? Jak księgarz mógł odważyć się na takie ryzyko? Co mogą zrobić jemu za kopiowanie tych książek?

— Robiłem to, co mi polecono, ojcze — rzekł do inkwizytora. — Nie sądziłem, że w tych księgach jest coś złego!

Ojciec Espina spojrzał na niego surowo.

— To grzech czytać te księgi — powiedział. — A tym bardziej je kopiować!

— Ale ja nie wiedziałem!

— Słuchaj, synu — niemal pieszczotliwym tonem ciągnął zakonnik — jeśli opowiesz mi wszystko, co chcę wiedzieć, jeśli przekonam się, że mówisz prawdę, że nie ukrywasz przede mną tego, co powiedzieli już inni, i odprawisz pokutę, która zostanie ci zadana, być może unikniesz kary. Ale to bardzo poważna sprawa.

— Co chcecie wiedzieć? — zapytał Joan jednocześnie przestraszony i pocieszony.

— Chcemy wiedzieć, czy kopiowałeś księgi autorów, których wymieni teraz teolog przysięgły.

Urzędnik zaczął podawać nazwiska. Joan przyznał, że jedno z nich zna.

— Bahya ben Yosef.

— Tak, znam go. Mój mistrz przełożył z arabskiego *Kitâb al-hidâya ilà farâid al qulûb*, Powinności serc. Zrobiłem dwie kopie.

— Salomon Ibn Gabirol.

— W pracowni przetłumaczono z arabskiego *Błagania*. Wykonałem trzy kopie. I jedną *Źródeł życia*.

Sędzia przysięgły spojrzał na ojca Espinę znacząco.

— To książki religii żydowskiej! — zawołał z zadowoleniem. — Konwertyta Corró jest judaistą!

— Ale przecież te księgi były przetłumaczone z arabskiego! — zdziwił się Joan.

— Hiszpańscy Żydzi już od dwóch wieków piszą wszystko po arabsku — wyjaśnił mu inkwizytor. — Tylko ich najważniejsze księgi przetłumaczono potem na hebrajski, łacinę, czasem kastylijski czy kataloński. Książki, które wymieniłeś, są dla Żydów. To konwertyci judaizujący, *relapsos*, fałszywi chrześcijanie, których szukamy.

Przerażony Joan pojął skutki. Skażą państwa Corrów na podstawie jego zeznań! Wypytywali go dalej o autorów i książki, o potrawy, które spożywali w domu księgarza, i o to, czy pościli w określone dni. Mętniał mu wzrok, odpowiadał niedokładnie, był ogłupiały. Tylko jedna myśl zajmowała jego umysł: Nie powinien był nauczyć się czytać! Skłamał, złamał daną obietnicę! Gdyby nie umiał czytać, nie mógłby wydać swych gospodarzy! Co się teraz z nimi stanie, i to z jego winy? Niewiele mógł powiedzieć o potrawach, bo poza niektórymi świętami przygotowywane były na piętrze.

— Ale obchodzą wszystkie święta chrześcijańskie, co niedziela chodzą na mszę! — powiedział do inkwizytora.

Ten przyjrzał mu się uważnie, po czym uśmiechnął się złowieszczo.

— Tak robią wszyscy *relapsos*. Na zewnątrz wydają się chrześcijanami, boją się, udają, ale w środku, w ukryciu, dalej wyznają swoją religię.

Joan zamilkł, patrząc na zakonnika. Gdyby tylko mógł powiedzieć coś, co pomogłoby państwu Corrom, powiedziałby to. Jednakże świadomość spowodowania katastrofy przytłaczała go.

— Brat Antoni Miralles, superior Świętej Anny, był tu wcześniej — rzekł ojciec Espina. — Dowiedział się o księgarni dziś rano. Przyszedł porozmawiać w twojej obronie. Mówił, że twoja rodzina od wielu pokoleń mieszkała w Llafranc i że znają was, bo wioska należy do Palafrugell, posiadłości Santo Sepulcro. Zapewnia, że jesteś starym chrześcijaninem, że mieszkałeś w klasztorze, wypełniasz religijne obowiązki i że to on jest twoim spowiednikiem i przewodnikiem duchowym. To wszystko każe mi sądzić, że nie zgrzeszyłeś z własnej woli. W jego rękach pozostawiłem pokutę, jaką ci zada. Ale rozkazuję ci, byś nigdy więcej nie kopiował ksiąg.

Joan zauważył, że skryba wszystko notuje. Nie będzie mógł kopiować ksiąg! To zła wiadomość, ale nie przejął się nią w tym momencie. Bał się o los małżeństwa Corrów.

— Musisz wiedzieć, że twoje zeznanie przed trybunałem jest tajne i nikt się nie dowie, co powiedziałeś — mówił dalej zakonnik. — Jesteś wolny, możesz odejść.

— Ale dokąd? Ja mieszkam w księgarni.

— Księgarni już nie otworzymy, a to, co jest w środku, wraz z całym dobytkiem małżeństwa Corrów zostanie zajęte.

— Mam tam swoje rzeczy!

— Porozmawiaj z sekwestratorem. — Inkwizytor wskazał mężczyznę siedzącego przy jednym ze stołów. Ten przedstawił się gestem. — Za parę dni będziesz mógł zabrać to, co twoje. A teraz odejdź z Bogiem.

I pożegnał go ruchem ręki. Joan ukłonił się i ruszył do drzwi długą drogą przez ogromną salę. Wszedł do niej w strachu, ale trzymał się prosto. Teraz wychodził z opuszczoną głową, oszołomiony, z poczuciem niezmiernej winy. Państwo Corrowie byli dla niego jak rodzice. A on odpłacił im straszliwą zdradą, która doprowadzi do ich śmierci.

50

Superior przyjął Joana z powrotem do klasztoru. Chłopiec podziękował mu za pomoc i otworzył przed nim swą duszę u spowiedzi. Złamał obietnicę, czego konsekwencje będą straszliwe. Pragnienie wiedzy i duma doprowadziły go do zdrady człowieka, któremu tak wiele zawdzięczał. A co miał powiedzieć Bartomeu? Nie będzie mógł spojrzeć mu w twarz. Zdradził i jego, bo kupiec kochał pana Corra niczym brata. Joan czuł wielki smutek.

Mnich ukrył twarz w dłoniach i przez jakiś czas rozmyślał.

— To prawda, że uczyniłeś źle — rzekł po chwili. — Ale prawdą jest też to, że księgarz zaryzykował i przegrał. Oskarżą rodzinę o *relapsos*, wzniecanie judaizmu i sprzedaż zakazanych ksiąg. Czeka ich stos. Ty jesteś tylko narzędziem Boga. Nie lubię inkwizycji, jej pychy, nadużywania władzy ani terroru. Ale służę Kościołowi i dlatego martwią mnie fałszywi chrześcijanie.

— To dobrzy chrześcijanie — odparł Joan. — Ale wierzą w wolność wyboru. Rozmawialiście ze mną o tym: człowiek może sobie wybierać książki, jest wolny. Poza tym jeżeli nie mieli innego wyjścia niż udawanie chrześcijan, żeby ocalić życie? Byłoby zrozumiałe, że ukrywają swą wiarę.

Zakonnik zacisnął usta i wzruszył ramionami. Nie obchodził go los rodziny Corrów i nie zamierzał o tym dyskutować. Zadał

Joanowi modlitwy pokutne. A ponieważ chłopak nie musiał już ukrywać, że umie czytać, zatrudnił do porządkowania klasztornych ksiąg z bratem Melchorem.

≈

Parę dni później Joan, Lluís, Jaume, Guillem i Pau, w asyście notariusza konfiskaty i paru żołnierzy inkwizycji, poszli po swoje rzeczy do domu księgarza. Joan nie rozmawiał z mistrzem o przesłuchaniu. Inkwizytorzy powiedzieli mu, że Guillem wszystko wyznał. Chłopak sądził zatem, że mistrz jest odpowiedzialny jak on za to, co stało się gospodarzom. Był to bardzo nieprzyjemny temat i nikt nie miał ochoty go poruszać.

W ciszy weszli do księgarni. Gdy rozmawiali, robili to szeptem. To miejsce tak tętniło kiedyś życiem, a teraz sprawiało wrażenie wymarłego. Księgarnia już nie istniała. Joan wszedł do *scriptorium* i na chwilę oddał się marzeniom. Wyobraził sobie mistrza Abdalę, jego dobroduszny uśmiech. Nieobecność staruszka i niemal całkowita pewność jego śmierci wzmogły poczucie ludzkiej niedoli unoszące się w całym domu.

Zapytał o swój majstersztyk, na co notariusz odparł, że nie figuruje w żadnym spisie, że to sprawa między nim a Felipem, niemająca nic wspólnego z inkwizycją.

— Skażą ich — powiedział Guillem, gdy wyszli już z księgarni, a inkwizycyjni urzędnicy zamykali ją na cztery spusty. — Nie wiem, co naopowiadał im Felip, ale inkwizytorzy uwierzyli mu. Będą ich torturować i przyznają się do wszystkiego, do czego im każą. Strasznie mi ich żal, byli dobrymi ludźmi. A wy, chłopcy, uważajcie na siebie. Felip to zły człowiek, nienawidzi was, a teraz został sługą inkwizycji.

Czeladnik Pau zaczął rozpaczać, mówiąc, że niełatwo będzie teraz znaleźć pracę. Ludzie opędzali się od wszystkiego, co pachniało inkwizycją. Zatrzymano ich tylko jako świadków i nie obarczono winą, ale to, że byli przesłuchiwani, mogło budzić podejrzenia.

— Pamiętajcie, że ludzie potrzebują książek, zwłaszcza czystych — zapewniał Guillem. — Widzieliście, ilu skrybów, notariuszów i innych urzędników potrzebuje inkwizycja? Wszyscy naraz bazgrali po papierze. — I uśmiechając się smutno, dodał: — Nie powinno zabraknąć pracy. Ani dla nas, ani dla katów.

෴

W owych dniach Joan dużo modlił się za państwa Corrów. Prosił, by odpuszczono im winy, by inkwizytorzy okazali się łaskawi. Może uratują się, wyrzekając się wiary, nosząc pokutne szaty, biczując się na procesjach. Cóż z tego, że stracą cały majątek. Niech przynajmniej zachowają życie!

Po namyśle jednak napisał w swej księdze: „Może nie warto płacić każdej ceny za przeżycie".

Pomagał przy książkach bratu Melchorowi i rozmawiał z nim po łacinie. Nie był to klasztor utrzymujący wielką bibliotekę. Większość książek stanowiły modlitewniki. Poza mnichem bibliotekarzem i superiorem czytało niewielu.

Wizyty Joana w portowych tawernach stały się częstsze. Dowiedział się, że flota Vilamaríego czeka wiosny w jednym z portów Sycylii, a potem wznowi działania wojenne przeciwko Turkom. Chciał, żeby wróciła, chciał spotkać Jednookiego. Wkrótce miał ukończyć siedemnaście lat. Był wysoki, dobrze zbudowany. Nieustająca udręka z powodu państwa Corrów sprawiła, że żył w ciągłym napięciu nerwowym, reagował gwałtownie i nie znosił fanfaronady. Po raz pierwszy wdał się w bójkę między marynarzami. Kilkoma popchnięciami i uderzeniami pięści z łatwością powalił pijaka. Za drugim razem błysnęły już ostrza noży, ale dzięki klienteli i krzykom ostrzegającym przed nadejściem oddziału straży miejskiej szybko zapanował spokój.

— Uważaj, Joanie — ostrzegł zaprzyjaźniony karczmarz. — Widziałem wielu takich jak ty, którzy wykrwawili się nad kieliszkiem wina. Jeśli chcesz dożyć starości, panuj nad sobą.

෴

W końcu mógł spotkać się z Bartomeu. Kupiec twierdził, że wrócił z podróży. Joan podejrzewał jednak, że się ukrywał, aby się upewnić, że inkwizycja nie będzie nic od niego chciała. Jeśli

Corró wyrabiał zakazane księgi, Bartomeu z całą pewnością sprzedawał je wybranym klientom. Kupiec był starym chrześcijaninem i od tej strony nic mu nie groziło, ale teraz nikt już nie był bezpieczny.

Joan chciał ukryć to, co zeznał przed inkwizycją, pod żadnym pozorem nie chciał się przyznać, że złamał daną obietnicę. Ale w miarę jak rozmawiali, jego postanowienie załamywało się pod wpływem lęku trawiącego chłopca. Przez jego kłamstwa Bartomeu może być nieostrożny i przyłapią go na handlu zakazanymi księgami! Pomyślał, że nie zniósłby tego, i wybuchając płaczem, wszystko mu opowiedział.

Wyjaśnił, że mistrz Guillem zeznawał wcześniej, Abdalá też, że torturując starca, wyłupili mu oko i połamali stawy. Dodał, że pytał o niego wielokrotnie i niczego się nie dowiedział. Na pewno nie żyje.

Kupiec patrzył na niego jak drapieżny ptak na swą zdobycz. Joan nigdy wcześniej nie widział u niego tak groźnej miny.

— Dziękuję, że mnie zmartwiłeś i ostrzegłeś — powiedział oschłym tonem — ale to, co zrobiłeś, było nie w porządku i skutki będą straszliwe. Kochałem ich jak braci i czuję się odpowiedzialny za ich los, bo to ja cię do nich zaprowadziłem. Zaopiekowali się tobą, a ty ich zdradziłeś. Nie chodzi mi o to, że uległeś pod wpływem gróźb, ludzie silni i prawi łamią się na widok maszyn i narzędzi kaźni. Straszenie nimi to jeden z etapów postępowania inkwizytora. Ale złamałeś obietnicę. Mówiłeś, że nie nauczysz się czytać. Gdybyś jej dotrzymał, nic złego by się nie stało.

— Wiem o tym i bardzo żałuję — odrzekł chłopak z oczami pełnymi łez. — Ale nie mogłem temu zapobiec. Poza tym gdybym ja nic nie powiedział, Guillem i Abdalá zeznaliby to samo na myśl o torturach.

— Nie, mylisz się. Guillem i Abdalá nic nie powiedzieli. Inkwizytorzy cię okłamali.

— Co!?

— Mistrz Guillem nie mógł nic powiedzieć, bo nie miał pojęcia, co się działo w *scriptorium*.

— A Abdalá? — zapytał Joan niecierpliwie — Nic nie powiedział, gdy go torturowali?

— Nie torturowali go. Siedzi bardzo smutny, ale cały i zdrowy w więzieniu inkwizycji. Dla nich niewolnik to tylko część majątku. Jestem właśnie w trakcie negocjacji jego wykupu.

Joan poczuł niezmierną ulgę. Obrazy męki i śmierci mistrza dręczyły go bez ustanku.

— A jak udało mu się uniknąć tortur?

— To bardzo proste. Abdalá jest zdeklarowanym muzułmaninem i nic nie mogą mu zrobić. Tak samo jest z Żydami, którzy otwarcie praktykują swą religię. Inkwizycja może działać jedynie przeciw chrześcijanom. Torturowaliby go, gdyby był ochrzczony i potajemnie czcił Koran. Nie może też świadczyć w sprawie księgarza, bo nigdy nie odbiorą od niego przysięgi, nawet gdyby złożył ją na Koran.

Wtedy do Joana dotarło, że to jego zeznania pogrążyły gospodarzy.

— Żałuję — wyszeptał. — Bardzo tego żałuję.

Przeprosiny nie zadowoliły jednak kupca. Pożegnał się oschle, powtórzywszy zarzuty. Joan został sam z poczuciem winy i przygnębiającą świadomością utraty przyjaciela.

Parę dni później heroldzi obiegli miasto, obwieszczając, że autodafe odbędzie się dziewiątego lutego, po tercji, na placu Królewskim. Joanowi drgnęło serce. Ważyć się będą losy państwa Corrów!

51

Gdy dzwony katedry wybiły na tercję, dzwoniły dalej umęczone, wzywając wiernych. Joan, Lluís i inni zebrali się pod księgarnią, żeby razem obejrzeć autodafe i dodawać sobie wzajemnie odwagi. Z całego serca życzyli jak najlepiej swym gospodarzom. Nadzieja walczyła w nich ze strachem.

Czekali, aż procesja, która wyruszyła z pałacu królewskiego, spod bramy Sant Ivo katedry, dotrze do ulicy Especiers, gdzie się zgromadzili.

Orszak przypominał wcześniejsze. Otwierał go dominikanin w czarno-białym habicie zakonu, bosy, trzymający sztandar inkwizycji. Na jego środku widniał zielony krzyż z cierniowego drzewa, ze straszliwym mieczem po prawej i gałązką oliwną po lewej stronie. Inskrypcja po łacinie głosiła: „Powstań, Panie, rozsądź sprawę Twoją" z Psalmu siedemdziesiątego trzeciego. Za nim kroczyła grupa ministrantów, tym razem w ciszy, a dalej kolejny dominikanin, też boso, z krzyżem.

Następnie pojawiła się grupa szlachciców i wyższych urzędników miejskich, mianowanych przez kuzyna króla i namiestnika królewskiego w Katalonii infanta Henryka Aragońskiego. Nie było wśród nich ani jednego radcy miejskiego czy przedstawiciela parlamentu. Dalej szli już przedstawiciele inkwizycji, wśród nich Alfonso Espina oraz jego sekretarze, notariusze, skrybowie i dwór. Tę część procesji zamykała grupa milczących dominikanów w kapturach.

W pewnej odległości za nimi kroczył inny zakonnik z wysoko uniesionym krzyżem.

— Patrzcie! — stłumionym głosem zawołał Lluís.

Za mnichem szedł właściciel księgarni okutany w haniebny wór pokutny z czerwonymi krzyżami i w szpiczastym żółto-czerwonym czepcu. W rękach niósł zgaszoną gromnicę, a na szyi miał powróz, którym związany był ze swą żoną. Odziana w identyczne szaty pokutne posuwała się za nim. Oboje wyglądali bardzo mizernie. Blade twarze z podkrążonymi oczami odzwierciedlały bolesne cierpienia. Szli z opuszczonymi głowami i wbitym w ziemię wzrokiem. Gdy pojawili się na ulicy Especiers, zapadła cisza. Był to wyraz szacunku dla nich, znak, że sąsiedzi uważali księgarzy za porządnych ludzi. Państwo Corrowie podnieśli oczy, aby spojrzeć na dom, w którym mieszkali przez tyle lat. To tutaj umarli ich rodzice i narodziły się ich dzieci. Drzwi były teraz na zawsze zamknięte. Ujrzeli swych pracowników, którzy przyglądali się im z żalem. Jedni i drudzy uczynili gest na swój widok. Pani Joana chciała przesłać jeden ze swych cudownych uśmiechów, który natychmiast przeszedł w gorzki szloch. Chłopcy pozdrowili ich ruchem ręki, a mistrz Guillem krzyknął:

— Niech was Bóg ma w opiece!

— Niechaj nastanie sprawiedliwość i niech was uwolnią! — dodał Joan.

Jeden z żołnierzy idących po bokach małżeństwa krzyknął do chłopców:

— Lepiej siedźcie cicho i okażcie należyty szacunek!

Zamilkli, ale Lluís rozpaczliwie się rozpłakał. Joan ze łzami w oczach objął go ramieniem.

Za Joaną Corró szedł inny więzień, też z powrozem na szyi i w pokutnej szacie. Dalej ukazał się kolejny krzyż niesiony przez dominikanina i sznur czterdziestu żołnierzy, z których każdy trzymał słomianą kukłę w pokutnej szacie i szpiczastej czapce, żółtej z czerwonym krzyżem. Przyczepione miały pergaminy z nazwiskiem oskarżonego. Symbolizowały czterdziestu zbiegłych konwertytów, którzy mieli zostać osądzeni razem z trzema obecnymi podczas aktu wiary.

Idący za żołnierzami kolejni dominikanie, też w kapturach i boso, śpiewali psalmy z powtarzającym się wersem *Miserere mei, Deus*, „Panie, zlituj się nade mną".

Procesję zamykała grupa żołnierzy z bębnami wyznaczającymi rytm powolnego marszu śmierci. Za nimi szedł oczekujący tłum, w dużej części radosny, złakniony emocjonującego widowiska. Był tam również Felip ze swą bandą. Kroczył z wyzywającym uśmiechem.

> ✿

Na placu Królewskim ustawiono trzy podesty, wsparte o ścianę kaplicy Świętej Agaty, kościoła pałacu królewskiego. Dwa z owych podestów okryte były baldachimami i udekorowane wykwintną tkaniną. Środkowy przeznaczony był dla inkwizytorów i ich funkcjonariuszy, drugi dla dostojników i ich sług. Między oboma znajdował się niewielki ołtarzyk. Natomiast podwyższenie po lewej stronie było przeznaczone dla skazanych i pilnujących ich żołnierzy. W miarę jak procesja wkraczała na plac, jej uczestnicy zajmowali swoje miejsca. Ci, którzy mieli je na podestach, siadali. Na środku placu, naprzeciwko podestu inkwizytorów, znajdowała się mównica, z której miał wygłosić kazanie zakonnik augustiański.

Jego wystąpienie trwało ponad dwie godziny. Głos augustianina stawał się coraz donośniejszy, a podniecenie tłumu narastało. Powiedział, że inkwizycja jest owocem chrześcijańskiego zapału i że rozpoczął się proces oczyszczania, który wyeliminuje niszczących świat heretyków. Przypomniał proroctwa świętego Jana z Apokalipsy, który pisał, że otworzą się księgi życia i śmierci. Recytował ogłuszającym, rozpalonym głosem:

> *I ujrzałem umarłych —*
> *wielkich i małych —*
> *stojących przed tronem,*
> *a otworto księgi.*
> *I inną księgę otworto,*
> *która jest księgą życia.*
> *I osądzono zmarłych z tego, co w księgach zapisano,*

według ich czynów.
I morze wydało zmarłych, co w nim byli,
i Śmierć, i Otchłań wydały zmarłych, co w nich byli,
i każdy został osądzony według swoich czynów.
A Śmierć i Otchłań wrzucono do jeziora ognia.
To jest śmierć druga — jezioro ognia*.

Poruszony Joan słuchał tych przerażających słów. Księgi miały w sobie moc życia i śmierci i potrafiły być bardzo niebezpieczne, o czym, niestety, zdążył się przekonać. Z rozmyślań wyrwał go ściszony głos mistrza Guillema:

— Nie podoba mi się to kazanie. Skazali ich na stos.

Augustianin kontynuował ochoczo kazanie, recytując fragmenty Apokalipsy, coraz bardziej przejęty i proroczy:

— „A byli tam tacy, których powieszono na językach. Byli to ci, którzy szydzili z drogi sprawiedliwych. A pod nimi płonął ogień i dręczył ich"**.

Joan pomyślał, że jego grzech był porównywalny i że też zasługuje na karę. Starał się uwolnić od gniotącego go uczucia, ale straszliwa mowa mnicha przygnębiała go i doszedł do wniosku, że Guillem ma rację: kazanie zwiastowało śmierć. Rozejrzał się wokół siebie i ujrzał ludzi dygoczących ze strachu, gdy wsłuchiwali się z perwersyjną przyjemnością.

— Dobrze przynajmniej, że ich syn, Joan Ramón, którego ściągnęli z Lleidy, nie znalazł się wśród pokutników — zauważył Lluís.

— Jest za młody, by podlegać takiej karze — odparł Guillem. — Z pewnością trafi do więzienia.

Potem odbyła się msza, a po niej wszedł na ambonę notariusz inkwizycyjny i dobitnym głosem zaczął wymieniać winy nieobecnych, reprezentowanych przez słomiane kukły. W końcu ogłosił wyrok ten sam dla wszystkich. Spalenie na stosie.

---

* Apokalipsa św. Jana 20, 12-14, Biblia Tysiąclecia, Pallottinum, Poznań 2002.

** Apokalipsa św. Piotra — apokryf, który nie wszedł do kanonu biblijnego.

Joan stracił nadzieję. Modlił się za małżeństwo Corrów, ale zarzuty, które im postawiono, okazały się jeszcze gorsze: smażyli mięso i warzywa na oliwie, nie używając tłuszczu zwierzęcego. By nie pomylić go ze świńskim smalcem, nie używali nawet baraniego tłuszczu. Kładli czyste serwety na stole w piątkowy wieczór i przebierali się, żeby być czyści w sobotę rano, w żydowskie święto. W dniu śmierci rodziców jedli surowe jaja, a zmarłym wkładali monety do ust. Wyciągali ścięgna z zadnich kopyt jagniąt, jak nakazuje Biblia na pamiątkę walki Jakuba...

— Ale przecież to nie oznacza, że praktykowali żydowską religię — ściszonym głosem zaprotestował Joan. — To tylko zwyczaje, które odziedziczyli po swoich rodzicach i dziadkach. Nie muszą mieć żadnego znaczenia.

Na koniec notariusz wymienił książki z ich biblioteki, wśród których wiele było pozycjami judaistycznymi. I zakończył, ogłaszając:

— Zostaną spaleni żywcem na stosie w Canyet za herezję. Jeśli jednak w ostatniej chwili poproszą o łaskę i pojednają się z Bogiem chrześcijańskim i wiarą, w drodze łaski zostaną przed spaleniem uduszeni przez kata.

Przez plac przeleciał szmer. A jednak będzie widowisko.

52

Wysłuchawszy werdyktu, Joan przeniósł wzrok na trybunę skazańców. W trakcie niekończącego się kazania małżonkowie prawie się nie poruszyli, momentami wydawało się nawet, że drzemią. Były też chwile, w których szeptali ze sobą. Gdy jednak usłyszeli tak okrutny wyrok, Antoni Ramón podszedł do swej żony i oboje połączyli się w czułym uścisku.

Zginą z mojej winy, myślał Joan.

Ceremonia nie dobiegła jeszcze końca. Nadeszła chwila, w której ojciec Alfonso Espina uroczyście przekazał skazanych Henrykowi Aragońskiemu, królewskiemu namiestnikowi. Odtąd jego oddziały miały strzec skazańców i dokonać egzekucji. Śluby składane przez inkwizytorów zabraniały bowiem przelewania krwi. Ojciec Espina zachował więc czyste ręce.

Rozpoczęła się kolejna procesja. Marsz ku śmierci. Odchodzili w takim samym porządku, jak przyszli, wolnym krokiem wchodząc na słynną drogę hańby obiegającą miasto do Portal de Sant Daniel. Zakonnicy śpiewali litanie, bębny wybijały powolny i uroczysty rytm. Tym razem do procesji dołączyła grupa żołnierzy niosąca drewno na stos.

Państwo Corrowie byli znani w dzielnicy i gdy przechodzili obok sąsiadów, idąc na plac, ci zachowali pełną szacunku ciszę. Kiedy jednak zostali skazani i otoczeni obcymi ludźmi, tłum pastwił się nad nimi.

— Wieprze! — krzyczano. — Świńskie ryje! Fałszywi chrześcijanie!

I obrzucano ich nieczystościami.

Joan, Lluís i Jaume przeciskali się, starając się znaleźć jak najbliżej małżeństwa, aby chronić je przed tłuszczą, ale ulice były bardzo ciasne, wypełnione gardłującą ciżbą i nie mogli się przedrzeć. Gdy im się w końcu udało, zostali odepchnięci przez strzegących więźniów żołnierzy. Ich zadaniem było nie tyle strzec, żeby skazańcy nie uciekli, co byłoby zresztą niemożliwe, ile pilnować, by dotarli żywi na miejsce kaźni. Nie zważali zbytnio na ludzi rzucających śmieciami.

Po wyjściu z miasta pochód ruszył drogą Canyet. Była to niegościnna okolica pełna stojących wód i szuwarów, w pobliżu morza. Na owych mokradłach nierzadko pojawiały się mgliste wyziewy o woni zgnilizny i rozkładu. Latem w tych miejscach panoszyły się owady, zimą zaś wśród błędnych ogników wałęsały się wilki przybyłe z leśnych wzgórz z Horta i Sant Genís w poszukiwaniu padliny. To tam porzucano zwłoki zdechłych zwierząt i wszelkie nieczystości.

Było to miejsce do umierania nie tylko dla zwierząt. Dla ludzi też. W przeszłości wieszano tam wszystkich skazańców, wliczając saraceńskich piratów. Na Canyet wznosił się ogromny krzyż zwany Llacuna, który wyznaczał centrum tego gnijącego śmietniska.

Ów punkt został wybrany przez inkwizycję na miejsce straceń. Tam właśnie kierowała się procesja w rytmie wybijanym przez bębny.

Obok krzyża w jednym z suchych miejsc zbudowano schodki, przed którymi żołnierze zwalili drewno. Dominikanie w naciągniętych kapturach wciąż intonowali psalmy. Do ich śpiewu przyłączyło się wielu z tłumu ciekawskich.

Wojsko ustawiło czterdzieści słomianych kukieł na schodach. Państwo Corrowie i trzeci pokutnik wyczerpani marszem odpoczywali na ziemi.

Podszedł do nich ojciec Espina, aby mogli się wyspowiadać. Po chwili inkwizytor rozłożył ramiona, spoglądając na tłum. Dominikanie przerwali śpiewy i zapanowała cisza.

— Pokutnicy zostali rozgrzeszeni! — zakrzyknął. — Wyznali swe straszliwe grzechy i szczerze błagali o wybaczenie. Kościół w swym niezmiernym miłosierdziu przyjął ich znów na swe łono. Chwała Panu.

Tłum wydał radosny okrzyk. Jakże cudownie było ujrzeć zbłąkane owieczki z powrotem w stadzie! Jakże ogromna litość i jakie współczucie!

Ojciec Alfonso Espina i jego świta promienieli. W końcu heretycy uznali prawdę. Jakiż piękny triumf inkwizycji!

— Może przyjść kat! — ogłosił ojciec Espina.

❧

Joan zerwał się do biegu, przebił się przez kordon żołnierzy i zbliżył do państwa Corrów, którzy ze spuszczonymi głowami siedzieli na ziemi, w worach pokutnych i szpiczastych czepcach.

— Wybaczcie mi! — zawołał z oczami pełnymi łez, biorąc do rąk dłonie pani Corró.

Podniosła wzrok, a gdy go rozpoznała, uśmiechnęła się. To spojrzenie sprawiło, że przeszył go dreszcz. Była tak podobna do jego matki. Straci ją po raz drugi.

— Niech ci Bóg błogosławi — wyszeptała.

Ucałował jej dłoń, a ona delikatnie dotknęła jego policzka. Mógłby zostać z nią tak cały dzień, ale wiedział, że nie ma już czasu.

— Panie, wybaczcie mi! — rzekł do księgarza.

Tamten spojrzał mu w oczy, skinął głową ze zbolałą miną, ale nic nie powiedział. Potem wyciągnął ręce do żony i znów się objęli.

— Odejdź stąd, chłopcze — usłyszał.

Czyjaś ręka wzięła go za ramię i odepchnęła od więźniów. Joan ujrzał kata trzymającego powróz i kij. Znał go z tawern, gdzie nikt nie pozwoliłby się dotknąć temu osobnikowi. Był przeklęty. Żaden barman nie chciał nalewać mu niczego do naczynia stanowiącego wyposażenie i musiał przychodzić z własnym kubkiem. Ale tu, w tej chwili, kat był władzą.

Żołdactwo rzuciło się na Joana i wykopało go w szalejący tłum, który rechotał, miotając obelgi. Była to zaledwie mała przygrywka przed mającym dopiero nastąpić widowiskiem. Felip stał w pierwszym rzędzie i nie darował sobie przyjemności poczęstowania go kuksańcem ze słowami:

— Jakiś ty głupi, chłopku pańszczyźniany!

Cały żal, jaki Joan czuł, całe jego przygnębienie obróciło się w tamtej chwili w gwałtowny gniew.

— Zepsuty skurwysynu! — krzyknął. — Byli dla nas jak rodzice!

I z taką siłą chwycił Felipa za kaftan, że aż szwy zatrzeszczały, jakby miały zaraz pęknąć.

— A niech was wszystkich załatwią — odpowiedział tamten, zamierzając się pięścią.

Cios jednak nie sięgnął celu, bo czujny Lluís zatrzymał go w powietrzu. Koledzy Felipa ruszyli na pomoc. Zaczęły się krzyki i przepychanki, aż przybiegli żołnierze z bronią, by zaprowadzić porządek. Lluís odciągnął stamtąd Joana.

— Oszalałeś? — powiedział. — Nie ma co rzucać się w oczy.

Jednakże ludzie nie zwrócili na nich uwagi. W ciszy utkwili oczy w kacie i jego pomocniku, którzy zabierali się do swych powinności. Zaczęli od kobiety. Rozległo się słabe rzężenie przedśmiertne, gdy oprawca przekręcił szybko dźwignię na jej szyi. Szpiczasty czepiec upadł na ziemię, a po chwili również bezwładne ciało pani Corró. Potem jej los podzielili pan Corró i drugi mężczyzna.

Zakonnicy podjęli śpiew, kiedy żołnierze rozpalali stos. Wzniosły się płomienie i chmura dymu. Oprawcy weszli na schodki i z wysokości rzucali słomiane kukły do ognia, który przyjmował je fontannami iskier. Spalały się od razu silnymi płomieniami. Ludzie śpiewali razem z mnichami, ale nagle jedna z kobiet podbiegła do stosu z rozłożonymi ramionami, przy samym ogniu padła na kolana i wrzeszcząc, zaczęła błagać o wybaczenie grzechów. Był to znak do rozpoczęcia zbiorowej histerii. Wielu zgromadzonych zaczęło krzyczeć, jedni bili się w piersi, inni klękali. Odprawiali pokutę. Liczni mężczyźni rzucili płaszcze na ziemię, obnażyli plecy, powyciągali zza pasów rzemienne baty i zaczęli się biczować. Joan obserwował inkwizytorów. Wyglądali na zadowolonych z całego zamieszania. Mieli miny ludzi patrzących na efekty własnej, dobrze wykonanej pracy. Gdy kaci wrzucili do ognia zwłoki, stos płonął już na całego. W niebo wzbiły się strumienie iskier. Po chwili swąd palonych ciał połączył się z panującym tam zawsze odorem zgnilizny i zepsucia.

Kiedy z miasta dobiegło bicie dzwonów na nieszpory, orszak ruszył w drogę powrotną. Ogień się dopalał.

— Chodźmy już — powiedział mistrz Guillem. — Nie jedliśmy nic od śniadania.

Dopiero wtedy Joan zdał sobie sprawę, że dzień się kończy, a on jeszcze nie jadł. Nie przeszkadzało mu to jednak. Powiedział im, że zostanie jeszcze trochę.

— Uważaj, by nie zaskoczyła cię kompleta — powiedział Lluís. — Zamkną ostatnią bramę i będziesz musiał spędzić noc za miastem.

&

Zostali tylko kaci i paru żołnierzy, zapadał zmrok, a Joan dalej wpatrywał się w ognisko. Oczy wciąż napływały mu łzami, gdy przypominał sobie państwa Corrów i miłość, jaką go obdarzyli.

— To moja wina — powtarzał.

Zdumiał się, czując czyjąś rękę na ramieniu, sądził, że jest sam. Gdy się odwrócił, ujrzał Bartomeu, utraconego przyjaciela. Mężczyzna się nie odezwał, natomiast Joan znów wyznał mu winę. Bartomeu milczał. Rozległy się już wycia wilków schodzących z pobliskich gór w stronę Canyet.

— Zginęli z mojej winy — powtórzył.

— Nie tylko z twojej — rzekł po chwili kupiec. — Zginęli przez tego nikczemnika Felipa i wszystkich tych, których inkwizycja zmusiła do mówienia. I również winę ponosimy my wszyscy, bo wiedzieliśmy, że to dobrzy ludzie, a milczeliśmy i ukryliśmy się. Zginęli z powodu strachu i terroru, który zapanował w mieście. — Po chwili milczenia dodał, wypowiadając swoje słowa z naciskiem: — A ty, Joanie, byłeś jedynym, który odważył się prosić ich o wybaczenie tu, u stóp stosu. — Zaczekał trochę, aż chłopak pojmie jego słowa, po czym biorąc go czule pod ramię, rzekł: — Chodźmy, zaraz wybiją godzinę komplety.

Tym razem Joan już nie siłował się ze sobą. W półmroku zmierzchu tego tragicznego zimowego dnia zostawili za sobą dymiące zgliszcza i odór Canyet i ruszyli do Barcelony. Przez drogę chłopak cicho łkał, otulony ramieniem kupca.

„W owym straszliwym dniu, gdy straciłem państwa Corrów, odzyskałem Bartomeu", napisał tej nocy.

53

Barcelona, 6 stycznia 1492

Wczesnym rankiem rozdzwoniły się radośnie dzwony w barcelońskich kościołach, a ludzie wiwatowali na ulicach. Świętowano wspaniałą nowinę oczekiwaną od tylu lat, nie tylko w królestwach Izabeli i Ferdynanda, ale też w całym chrześcijańskim świecie. Zdobyto Grenadę.

Mimo nędzy, jaką cierpiała Barcelona, w wojnę zaangażowane były wszystkie stany społeczne. Wciąż wysyłano ochotników i setki cetnarów prochu. Wydano bulle z odpustami dla żywych i zmarłych, które mieszczanie kupowali, aby uzyskać darowanie kary za grzechy, łożąc w ten sposób na wydatki wojenne. Nareszcie wszystkie te ofiary okazały się owocne i w kościołach intonowano *Te Deum laudamus*, by podziękować Panu.

Minęły już trzy lata od tragicznego końca małżeństwa Corrów i uwięzienia ich nieletniego syna. Były to smutne czasy dla Joana. Nie dość, że stracił ludzi, których kochał jak rodziców, to został bez swego dzieła mistrzowskiego i księgarni. Jego wysiłki, żeby znaleźć zajęcie związane z książkami, na nic się nie zdały, tym bardziej że wielu księgarzy było przechrztami, znajdowało się pod baczną obserwacją inkwizycji i nie chciało mieć nic wspólnego z kimś, kto kopiował zakazane księgi, choćby był znakomitym introligatorem. Bardziej poszczęściło się jego przyjacielowi Lluísowi, gdyż mógł liczyć na pomoc dalekich krewnych, też księgarzy, którzy go przygarnęli.

Na całe szczęście mistrz Eloi nie zapomniał o pomocy, jakiej udzielili mu bracia podczas wypadku z wielkim dzwonem. Lojalność robotników wobec mistrza — i wzajemnie — była w cechach podstawową wartością. Gdy dowiedział się od Gabriela o tragedii państwa Corrów, dzień po dniu śledził bieg wydarzeń. Kiedy płomienie ostatecznie zniszczyły więzi łączące Joana z jego gospodarzami, mistrz Eloi zaproponował mu pracę u siebie. Przyjął chłopaka na ucznia z obietnicą szybkiego uczynienia go mistrzem. Nie tylko cenił go za to, co zrobił podczas wypadku w warsztacie, ale także podziwiał jego majsztersztyk wystawiony przez pana Corra na wystawie księgarni.

Joan musiał teraz znosić częste drwiny powodowane dumą zawodową ludwisarzy. Częściowo zresztą niebezpodstawną, wyrabiali bowiem narzędzia używane przez wszystkie inne zawody oraz oręż do obrony miasta. Istniało powiedzonko, które pasowało jak ulał do sytuacji Joana: „Do literek dziecię w śliniaczku, do kucia żelaza chłop z brodą". Mimo to mógł ciągle liczyć na pamięć o swoim udziale w wypadku i na dobrą opinię o jego celności w rzucaniu kamieniem i waleniu pięścią. Poza tym był wysoki, dobrze zbudowany i przewyższał wzrostem nie tylko resztę uczniów, ale nawet niektórych mistrzów. Budził respekt.

Bartomeu, wiedząc, że inkwizycja depcze mu po piętach, ograniczył swój handel książkami i nie mógł zapewnić pracy Joanowi, ale wykupił od Świętego Oficjum Abdalę, który z przyjemnością służył nowemu właścicielowi swą wiedzą i umiejętnościami.

Spotkanie dawnego ucznia i mistrza w domu Bartomeu było niezwykle wzruszające. Silny uścisk i łzy ich obydwu przypieczętowały ich niezłomną przyjaźń. Chłopiec nie był w stanie zapomnieć smutku, który poczuł na wieść, że starzec nie żyje. To, że mógł znów rozkoszować się jego obecnością, mądrością i czułością, było dla niego darem z nieba.

W następnych latach Joan wciąż utrzymywał bliskie kontakty z Bartomeu i Abdalą. Kiedy ich odwiedzał, prowadził z nimi długie rozmowy, przeważnie o książkach. Gdy minął rok od tragicznej śmierci państwa Corrów, Bartomeu powiedział:

— Mam dla ciebie wiadomość. Dostałem list i książkę z Neapolu. Zgadnij, od kogo.

— Od Anny? — spytał Joan pełen nadziei.

— Nie. — Bartomeu się uśmiechnął. — Od jej ojca, Perego Roiga. Przesłał mi list przez neapolitańskiego przyjaciela.

— Są w Neapolu! — Serce Joana zabiło szybciej.

— Tak, i jakoś się urządzili. Choć interesy nie idą tam tak dobrze jak tutaj, starczyło im na zamówienie tłumaczenia włoskiej książki. Oto pierwszy tom *Rolanda zakochanego*, *Orlando innamorato* autorstwa Mattea Marii Boiarda.

— Nie znam.

— Modna książka na włoskich dworach ogarniętych ideami renesansu — wtrącił się Abdalá. — Czyta się ją na głos na spotkaniach możnych dam i kawalerów, a potem dyskutuje na temat jej treści. Często losy kawalerów i ich powodzenie zależą od tego, jak bystrzy i błyskotliwi okażą się w komentarzach do tych tekstów.

— Pan Roig uważa, że posag jego córki jest wystarczający do tego, by wyszła za jakiegoś wysoko postawionego mieszczanina lub niższego szlachcica neapolitańskiego — wyjaśnił Bartomeu. — Pragnie więc, by nauczyła się literackiej włoszczyzny, toskańskiego i dworskich manier. Uznał, że jeśli Anna będzie miała *Rolanda zakochanego* wraz z przekładem, szybciej jej to pójdzie.

Joan pogrążył się w rozmyślaniach. W końcu dowiedział się czegoś o Annie. Bardzo pragnął znaleźć jakiś sposób na to, żeby się z nią porozumieć, żeby powiedzieć jej, że wciąż ją kocha.

— Przetłumaczycie tę książkę, mistrzu Abdalá? — zapytał.

— Tak.

— Pozwólcie mi wam pomóc! — poprosił Joan. — Wy będziecie tłumaczyć i dyktować, ja będę kopiował. Pójdzie nam dużo szybciej. Będę wam pomagał zawsze, gdy tylko znajdę wolną chwilę w warsztacie.

Joan wiedział, że choć mistrz cieszył się wciąż niezwykłą jasnością umysłu, to jego ręka nie była już tak pewna i kopiowanie kosztowało go sporo wysiłku.

— Co o tym sądzicie, Bartomeu? — zapytał mistrz.

Kupiec się uśmiechnął. Odgadł zamiary Joana.

— W porządku — powiedział.

Joan poczuł się bardzo szczęśliwy. Oczy Anny będą czytać litery nakreślone jego ręką. Prędko uknuł plan. Jedna ze stron tłumaczenia będzie jego listem miłosnym do Anny Roig. Doskonale ukryje ją pośród reszty kart, lecz wszyta zostanie tak, żeby mogła z łatwością ją wyrwać i jej ojciec nic nie spostrzeże.

Trzy miesiące później księga i jej przekład znalazły się na statku płynącym do Włoch. W swym liście Joan ponowił wyznanie miłości, opowiedział Annie o smutku, który wywołało w nim jej zniknięcie, i o swych planach popłynięcia do Neapolu jak najszybciej. Musiał tylko zgromadzić fundusze i wywiedzieć się o miejsce pobytu jego matki i siostry. A to mogli znać tylko marynarze z floty Vilamaríego błąkającej się po Morzu Śródziemnym bez wytchnienia. Musiał więc czekać, aż przybędą do Barcelony. Nie odważył się prosić Anny o to, by na niego czekała, ale tego właśnie najbardziej na świecie pragnął.

Joan oczekiwał niecierpliwie odpowiedzi, mijały miesiące, a jego niepokój się wzmagał, lecz nie tracił nadziei. Dopiero pod koniec października otrzymał upragniony list. Pośredniczył w jego wysłaniu zaprzyjaźniony księgarz z Neapolu i nadszedł do Bartomeu. Anna była panną na wydaniu, z ograniczoną swobodą ruchów, więc nie miała możliwości osobiście przesłać listu. Kosztowało ją to wiele wizyt u księgarza, aby nakłonić go, by stał się jej pocztą miłosną.

Napisała, że wciąż go kocha i będzie się starała na niego czekać, opierając się presji rodziców zamierzających wydać ją za mąż. Miała już siedemnaście lat i tylko perypetie, które przechodziła rodzina Roigów w związku z podróżą, sprawiły, że nie znaleźli jej jeszcze odpowiedniego zalotnika.

Joan poczuł mieszaninę szczęśliwości i pragnienia. Ona czekała na niego, a on nie mógł wyjechać z Barcelony! Flota przeklętego Vilamaríego od lat nie pokazywała się w mieście. Wyruszyć na jej poszukiwania byłoby szaleństwem. Gdy bowiem docierała wieść, że okręty znajdowały się w jakimś porcie, w rzeczywistości były już bardzo daleko, a przecież nie mógł wypatrywać floty na całym Morzu Śródziemnym. Joan mógł tylko czekać albo porzucić myśl o ratunku matki i siostry.

„Nie mogę zrobić nic innego, jak czekać", napisał w książce. „Przez ten czas odłożę na podróż, ile zdołam".

⁂

W dzień zdobycia Grenady dzwon w warsztacie Eloi Senanta łączył się w radosnym śpiewie z dzwonami kościelnymi całego miasta; wprawiał go w ruch Gabriel Serra de Llafranc. Gabriel miał niedługo skończyć osiemnaście lat i był wyrośniętym i dobrze wyglądającym chłopakiem, choć nie tak potężnym jak jego brat. Joanowi brakowało zaledwie tygodnia do dwudziestki, był wysoki, wyglądał zdrowo i muskularnie. Golił się i nosił półdługie włosy zgodnie z barcelońską modą, ale gdy spoglądał w lustro, jego potężne brwi, nos, podbródek i kocie spojrzenie przypominały mu ojca. Nos, niegdyś prosty, był teraz lekko skrzywiony po jakiejś bójce, choć nie pamiętał, po której. Nadawało mu to nieco niebezpieczny wygląd, czym przyciągał dziewczyny, które mierzył wzrokiem, nie podejmując żadnych inicjatyw. Wciąż obsesyjnie myślał o Annie.

Ubrany w najlepsze szaty żartował z resztą rzemieślników w warsztacie, czekając, aż jego brat skończy dzwonić, by z gospodarzem na czele udać się do zakonu Carmen.

— Niech żyje król Ferdynand i królowa Izabela! — zakrzyknął mistrz Eloi, przyłączając się do sąsiadów.

Pozostali również wiwatowali zdobywcom Grenady.

Cechy związane z wytopem i wyrobami z metalu nazywano „czarną sztuką" lub „Elois", gdyż gromadzili się pod wezwaniem świętego Eligiusza. Święty miał swą kaplicę w zakonie Carmen, ale tak wielu wiernych zgromadziło się na mszy dziękczynnej za konkwistę Grenady, że odprawiono ją przy ołtarzu głównym kościoła i nie wszyscy mogli stać w środku, bo zabrakło miejsca.

Do cechów, którym patronował święty Eligiusz, poza puszkarzami należeli także jubilerzy, złotnicy, płatnerze i rusznikarze. Co dziwne, miecznicy i włócznicy należeli już do innych cechów. Ich patronem był święty Paweł, którego kaplica znajdowała się w katedrze.

Do katedry udał się też Joan wraz z Gabrielem i kolegami, aby wziąć udział w procesji, w której uczestniczyły władze świeckie i religijne i która inaugurowała rozmaite uroczystości, włącznie ze sztucznymi ogniami. Ludzie wznosili okrzyki na cześć królowej Izabeli, króla Ferdynanda i Grenady. Krzyczeli, że Ferdynand jest wybrańcem, legendarnym *Ratpenat*, „nietoperzem", o którym mówiły przepowiednie. Grenada to dopiero początek. Wraz z królową Izabelą mieli podbić też Afrykę i Jerozolimę, żeby zaprowadzić tam chrześcijaństwo.

❧

Wieść o upadku ostatniego muzułmańskiego królestwa błyskawicznie rozprzestrzeniła się w świecie chrześcijańskim zastraszonym poczynaniami Turków na Bliskim Wschodzie. W Rzymie na znak wielkiej radości zorganizowano obchody i papież Innocenty VIII mimo swego niedomagania stanął na czele uroczystej procesji. Walencki kardynał Rodrigo Borgia wykorzystał radość rzymian, fundując im niezwykłe hiszpańskie widowisko w Wiecznym Mieście: korridę. Wydawało się to ekstrawagancją, ale wraz ze zdobyciem Grenady popularność tego, co hiszpańskie, pomogła przebiegłemu prałatowi zasiąść na tronie Piotrowym jako papież Aleksander VI.

❧

Ten dzień, jakże radosny dla mieszkańców Barcelony, był dniem smutku dla Abdali. Spędził go, modląc się i poszcząc. Joan o tym wiedział i wieczorem odwiedził starego mistrza.

— Wiem, że to było nieuniknione, ale ta wiedza wcale mnie nie pociesza — rzekł starzec ze łzami. — Cała świetność, którą znałem, zginęła na zawsze, pozostanie tylko w moim sercu wspomnienie jej piękna. Moja Grenada pozostanie kwiatem, który nigdy nie zwiędnie.

Joan ujął jego drżące dłonie i ucałował.

— Przykro mi — powiedział.

— To skutek złych rządów ostatnich władców Grenady — wyjaśnił Abdalá po chwili. — Pochwalony niech będzie Allah! Przyjmijmy jego wolę. Boabdil i jego szlachta dostali nauczkę, ale to lud będzie cierpiał.

Na chwilę zamilkł, zamknięty w sobie, przeżuwając swój żal, podczas gdy Joan patrzył na niego ze spuszczoną głową.

— Uważasz, że Królowie Katoliccy zwyciężyli, tak? — zapytał stary po jakimś czasie.

— Tak, mistrzu.

— Prawda, na to wygląda. Teraz pewnie cieszą się przepięknym pałacem Alhambra, po którym przechadzałem się od dziecka. Czy wiesz, Joanie, że na jego ścianach widnieją nazaretańskie inskrypcje wykonane tak pięknie i z tak znakomitych materiałów, że oni wezmą je tylko za jedno ze wspaniałych zdobień? Wśród nich powtarza się wciąż jedna: „Tylko Bóg jest zwycięzcą". Zapamiętaj to, Joanie: tylko Bóg jest zwycięzcą. Jesteś jeszcze młody, czas ci to pokaże.

Joan uznał, że staruszek powiedział coś, co on nie do końca zrozumiał, ale mistrz nie chciał nic więcej tłumaczyć, twierdząc tylko, że to kwestia czasu. Niemniej ból i proroczy ton Abdali poruszyły jego serce i napisał w swej księdze: „Tylko Bóg jest zwycięzcą".

54

Wprawdzie zostało mu jeszcze wiele lat terminowania, ale Joan został już mistrzem ludwisarstwa, a to dzięki wykonaniu osiemnastofuntowej kolubryny z brązu.

— Gdyby tak było więcej kościołów, a mniej wojen — wzdychał stary Eloi, który podzielał zamiłowanie Gabriela do dzwonów.

Z założenia największymi odlewami, które wykonywał cech, były dzwony, obecnie w porównaniu z działami artylerii nieliczne. Rzemieślników wyrabiających broń palną zwano puszkarzami („puszka" to armata).

Mistrz był wyjątkowo dumny z powodu stosowanej w jego warsztacie techniki otrzymywania stopów, uważał się wręcz za alchemika. Jakość brązu miała podstawowe znaczenie, gdyż broń artyleryjska w owych czasach nie była zbyt celna i nieraz czyniła więcej szkód na własnym polu niż na polu przeciwnika z powodu wybuchów dział. Całą pilność, którą stary Eloi wkładał w jakość stopu, Joan przekładał na dokładność strzału.

— Na co komu armata, która nie dosięga celu? — pytał kolegów. — Czy do straszenia wrogów swym hukiem?

Zdumiewało go, jak niewielką wagę przykładali do celności zbrojni dowodzeni przez szlachtę przepojoną duchem idei kawaleryjskich, uznającą szarżę za najbardziej godną metodę walki. Artylerii używali tylko do wielkich celów albo na krótkie odległości.

Odkąd ojciec nauczył go posługiwać się włócznią, wiedział, że aby rzut był daleki, musi być silny, by nieść pocisk, w przeciwnym razie broń padnie pod własnym ciężarem. Tak samo było z rzucaniem kamieniami. Nie ciskał ich nigdy z nadzieją, że same trafią do celu, ale rzucał nimi, by trafić. Poznawszy to zaangażowanie Joana, Bartomeu pożyczył mu włoską książkę napisaną po łacinie, która traktowała o strzałach artyleryjskich. Młodzieniec pochłonął ją z przejęciem, kopiując najważniejsze fragmenty w małym zeszycie ucznia.

Dokładność strzału osiągano dzięki uniesieniu działa, ustawieniu w stosunku do celu i sile, z jaką wyrzucany był pocisk. Podobnie jak z rzutem oszczepem czy kamieniem. Podstawą była siła wyrzutu, która zależała od długości lufy, kalibru, ilości prochu i jego jakości oraz wagi pocisku. Jednakże to, co Joanowi wydawało się oczywiste, dla reszty jego kolegów wcale takie nie było — celność strzału z dużej odległości uważali za kwestię szczęścia.

Zawsze gdy trzeba było wypróbować armatę, Joan zgłaszał się na ochotnika. Strzelano na zboczu góry Montjuic. Było to niebezpieczne zadanie. Jeśli odlew miał jakiś niewidoczny na pierwszy rzut oka defekt, mógł wybuchnąć i zabić strzelających, przed czym nie uchroniłby ich nawet okop, do którego chowali się po odpaleniu lontu. Gdy wyrób uznano już za bezpieczny, Joan zaczynał eksperymentować z ilością prochu, uniesieniem lufy i ustawieniem.

— Okazujesz się bardziej artylerzystą niż puszkarzem — żartował Eloi. — Bardziej ciekawi cię strzelanie z działa niż samo jego wykonanie.

— Trzeba wyrabiać celne armaty — odpowiadał Joan. — Nie będą takie, jeśli nie opanujemy techniki strzału.

Stary mistrz drapał się po głowie i uśmiechał. Joan był mądrym chłopakiem.

— Musimy robić armaty wszystkie jednakowe, i nie chodzi mi tylko o tę samą formę, wymiary wewnętrzne też muszą być takie same — upierał się Joan. — Poza tym proch powinno się pakować w jednakowe woreczki, żeby zawsze wsypywać tyle samo. I takiej samej jakości. Tylko gdy uda nam się to wszystko osiągnąć, będzie można trafiać w dalekie cele.

— Czy sądzisz, że trafianie w odległe cele jest rzeczą, której nasi klienci naprawdę pragną? — spierał się z nim mistrz.

— Nie wymagają celnej broni, gdyż nie wiedzą, że można taką wyprodukować.

— A dlaczegóż mielibyśmy tracić nasz czas i wysiłek, by dostarczyć im czegoś, o co nie proszą? — upierał się Eloi.

We dwóch często tak ze sobą rozmawiali. Wtedy chłopak wypinał pierś i patrząc mistrzowi prosto w oczy, odpowiadał:

— Dlatego że jesteśmy najlepszymi puszkarzami na świecie.

Stary się śmiał i poklepując go po plecach, mówił:

— W porządku, chłopcze. Niech ci będzie. — I kiwał głową. Oddawał swą alchemię w służbie sprawy. Nie wyrabiali prochu, tym zajmowali się kupcy korzenni, ale stary korzystał ze swego laboratorium nie tylko do doświadczeń ze stopami. Przeprowadzał też próby spalania prochu i jego siły. Ustanowił formułę, która składała się z sześciu części saletry, jednej węgla i jednej siarki. I żądali od swego dostawcy stosowania się do wymagań. Wreszcie Joan przekonał się, że do najlepszego strzału ciężar prochu powinien odpowiadać połowie ciężaru kuli.

&

— Mistrz Eloi mówi, że jesteś bardziej artylerzystą niż puszkarzem — wyznał mu ze zmartwieniem Gabriel.

— Równie dobrze mógłby powiedzieć, że z ciebie większy dzwonnik niż puszkarz — odparł Joan z uśmiechem.

Gabriel uzyskał tytuł mistrzowski po odlaniu prześlicznego dzwonu ze stopu miedzi, cyny i srebra, który był o wiele bardziej kruchy niż brąz artyleryjski. W istocie dzwony pękały z łatwością podczas wytopu, dlatego też była to praca najwyższej wagi. Srebro okazało się jedynym metalem zdolnym nadać stopowi lepsze brzmienie. Gabriel utopił w majstersztyku całe zaoszczędzone przez dwa lata terminowania pieniądze. Dzwon był niewielki, gdyż chłopak nie był w stanie wykosztować się na większy, lecz wydawał z siebie harmonijny dźwięk, który nie nudził chłopca ani przez chwilę. Wciąż grał mu w duszy. Mistrzowie, którzy przyjmowali projekt, byli oczarowani rezultatem. Gabriel odebrał gorące gratulacje. Wyrabiał znakomite działa, lecz jego pasją wciąż były dzwony. W głosie Joana usłyszał teraz zarozumialstwo. Przemyślał jego odpowiedź, po czym rzekł:

— Mistrz Eloi miał na myśli to, że możesz być dobrym rzemieślnikiem robiącym armaty, ale nigdy się w tym nie wybijesz. Kolubryna, którą zdobyłeś tytuł mistrza, była dobra, ale to wyrób bardzo zwyczajny, nie włożyłeś w niego serca. Stać byłoby cię na zrobienie czegoś wyjątkowego. Jak majstersztyk, który stworzyłeś w księgarni.

Spojrzenie Joana błądziło w bezkresie. Jego brat i mistrz mieli rację.

— Może moje serce tego nie czuje — odparł melancholijnie.

— Tęsknisz za książkami, prawda?

— Tak, bardzo. Ale mam powody do tego, żeby nauczyć się dobrze strzelać.

— Jakie?

— Gdybym został dobrym artylerzystą, mógłbym zarobić na wyjazd do Włoch.

Rozmawiali już o tym wcześniej. Gabriel skinął głową.

— Rozumiem — powiedział.

— Anna jest w Neapolu. A podejrzewam, że nasza matka i siostra znajdują się w jakimś miejscu we Włoszech. Winni naszych nieszczęść znajdują się we flocie Bernata de Vilamarí. — Mięśnie twarzy Joana napięły się, gdy robił pauzy, zaciskał szczęki. — Dzięki marynarzom z tawern śledzę jego posunięcia. Walczył z Turkami i wenecjanami, wspierając Królestwo Neapolu. Potem rozpętał wojnę przeciw Genui, uwolnił Cieśninę Mesyńską od korsarzy, a teraz zdaje się, że wraca do Neapolu.

Gabriel z podziwem spojrzał na brata.

— I o tym wszystkim dowiedziałeś się w tawernach?

Joan przytaknął skinieniem głowy.

— Tak. Chcę zaciągnąć się jako artylerzysta do floty Vilamaríego, gdy wróci do Barcelony. Wtedy dowiem się, co uczynili z naszą rodziną.

— Pójdę z tobą! Nauczę się strzelać z armat.

— Zgoda — odrzekł Joan.

W rzeczywistości jednak wcale się nie zgodził. Wiedział, że Gabriel kocha matkę i siostrę tak samo jak on, ale nie ma w sobie dostatecznej nienawiści. Był chłopcem nastawionym pokojowo, łagodnego usposobienia. Joan sądził nawet przez pewien czas, że chce zostać zakonnikiem w klasztorze Świętej Anny. Nie brał udziału w bitwach band. Był jedyną osobą, która pozostała Joanowi z rodziny, i nie chciał, by ryzykował, biorąc udział w czymś, do czego nie był przygotowany. Poza tym Joan pragnął nie tylko odnaleźć Annę i uwolnić swą rodzinę. Wiedźma z Raval uświadomiła mu, do czego prowadzi gniew, ale on wciąż w nim był.

Napisał: „Pragnę zemsty. A to niebezpieczne. Nie chcę, żeby Gabriel się w to mieszał".

55

Król Ferdynand, królowa Izabela i książę dziedzic Jan wjechali do Barcelony wraz ze swym dworem w październiku tego samego roku. Całe miasto przygotowało się na powitanie zdobywców Grenady, a miejscy notable w przemowach wychwalali ich pod niebiosa jako boskich posłańców. Odbyły się huczne bale i ceremonie, spośród których najznamienitsze okazało się wielkie przyjęcie w gmachu Giełdy.

Od przeszło dziesięciu lat suweren nie odwiedzał miasta, które obudziło się teraz z letargu, nabierając niegdysiejszego dynamizmu i splendoru. Barcelona przekształciła się w jedną ze stolic europejskiej dyplomacji. Mieszkańcy z ciekawością przyglądali się przybyciom i odjazdom zagranicznych ambasadorów i delegatów z królestw Izabeli i Ferdynanda.

Wszyscy z warsztatu mistrza Eloi przyłączyli się do wiwatów i obchodów. Zapanowała radosna atmosfera i lud uwierzył, że wszystko potoczy się lepiej. Wielu było przekonanych, że król jest Nietoperzem z przepowiedni i paladynem chrześcijaństwa. Miał do spełnienia ważną misję, której Barcelona poczuła się uczestnikiem. Nieważne, że parę miesięcy wcześniej para królewska skazała Żydów na wygnanie na mocy wydanych przez siebie dekretów. Wciąż przybywało tych, którzy wsłuchani w przemówienia inkwizytorów i królewską propagandę podzielali ideę zjednoczenia w wierze. Od podbicia Grenady po Hiszpanii rozprzestrzeniały się mesjanistyczne nastroje. Upadek królestwa nasrydzkiego był tylko wstępem do ekspansji na Afrykę i Bliski Wschód. Królowie mieli odzyskać Jerozolimę i Grób Święty miał powrócić do chrześcijaństwa.

To było tak, jakby gwiazdy ustawiły się na firmamencie w szeregu, aby blaskiem swym przydać jeszcze większej chwały owej świętej misji. Parę tygodni później, przed jedenastym sierpnia, kardynał Rodrigo Borgia został wybrany na papieża i przyjął imię Aleksander VI. Pochodził z Játivy w królestwie Walencji i zwyciężył, konkurując ze znamienitymi włoskimi rodami.

Proroctwo *Fiet unum ovile et unus pastor*, „Jedna niech będzie owczarnia i jeden pasterz", miało wkrótce się spełnić. Nie było już miejsca dla Żydów ani kogokolwiek, kto wierzyłby inaczej. Lud, który oklaskiwał królów, nie pamiętał już ucieczki swych sąsiadów konwertytów ani strat, które wywołało ich odejście.

W tawernach też można było odczuć obecność dworu. Wcześniej bywało, że świeciły pustkami, teraz wypełniły się barwnym towarzystwem. Rozbrzmiewał kastylijski, francuski i włoski. Joan znał już te języki, więc porozumiewał się w nich swobodnie.

Człowiekiem, który zwrócił jego uwagę, był pewien zwykły przyjezdny. Pojawił się na początku grudnia. Był katalońskim wieśniakiem, chudym i wysuszonym, w wieku około sześćdziesięciu lat. Siadał przy stoliku z dzbanem wina i z wiejskim akcentem opowiadał swe historie tym, którzy chcieli ich słuchać. Niewielu było takich, ale gdy wyjawił, że jest chłopem pańszczyźnianym, skupił na sobie całą uwagę Joana. Chłopak od dawna utożsamiał się z tą grupą, ten zaś był pierwszym, jakiego poznał.

— Ale przecież chłopów pańszczyźnianych już nie ma — zaoponował Joan. — Sześć lat minęło, odkąd nasz król Ferdynand podpisał orzeczenie w Guadalupe, które zniosło niesprawiedliwe prawa, i wy, pańszczyźniani, zyskaliście wolność.

— Mój dobry król Ferdynand! — rzekł stary, unosząc swój kielich wina. — Wznieśmy toast za jego zdrowie, niechaj Pan da mu długie życie.

Joan podniósł swój kielich i wypili.

— A po co wyście przyjechali do Barcelony?

— Przyjechałem odebrać dług sześćdziesięciu dukatów.

— No to mam nadzieję, że wasz dłużnik będzie miał go z czego zapłacić — powiedział Joan.

Mężczyzna się zaśmiał.

— Pewno, że ma sześćdziesiąt dukatów, a i sześćdziesiąt tysięcy też ma!

— To bogaty człowiek?

— Król Ferdynand.

— Król?! — zawołał chłopak zdumiony. Stary musiał być niespełna rozumu.

— Właściwie to dług jego matki, jejmości pani Joanny Enríquez.

— Przecież umarła wiele lat temu!

— To rzeczywiście stary dług, ale król na mnie czeka i wiem od niego, że mi go spłaci — powiedział mężczyzna absolutnie pewnym tonem.

Joan poprosił go, aby opowiedział mu tę historię, a chłop, który przedstawił się jako Joan de Canyamars, zrobił to z przyjemnością.

— Trzydzieści lat temu, na początku czerwca tysiąc czterysta sześćdziesiątego drugiego roku, królowa Joanna Enríquez zbiegła do Girony przed wojną domową, która dopiero co wybuchła. Była tam sama z infantem, don Ferdynandem, który miał wtedy dziesięć lat, gdyż jej mąż, król Jan Drugi Aragoński, nie mógł wjechać do Katalonii bez pozwolenia parlamentu. Była opanowana przez grupy szlachty, której tak się przeciwstawialiśmy, zarówno prosty lud, jak i chłopi pańszczyźniani. Walczyliśmy przeciw niesprawiedliwym prawom, którymi nas tyranizowali.

— A na czym polegały te niesprawiedliwe prawa? — zaciekawił się Joan.

— Przede wszystkim obowiązywał zakaz opuszczania ziemi pana, do której każdy chłop był przywiązany, chyba że zapłacił pewną sumę za wykup. Nazywała się *remensa* i była nieosiągalna dla pańszczyźnianych. Ale były też inne szlacheckie przywileje, jak prawo panów do złego traktowania chłopów, włącznie z karami cielesnymi i prawem pierwszej nocy, wedle którego feudał mógł spędzić noc poślubną z żoną chłopa, jeśli nie było go stać na daninę za ślub dla właściciela ziemi. My, pańszczyźniani, uzyskaliśmy od króla Alfonsa Piątego tymczasową swobodę od owych nadużyć, przeciw którym walczyliśmy tyle lat. Feudałowie na to nie przystali, więc chwyciliśmy za broń. Kiedy wybuchła wojna domowa między parlamentem a królem Janem Drugim, stanęliśmy po stronie króla w przeświadczeniu, że skończy z tyranią panów feudalnych. Parlament wysłał wojsko do Girony pod wodzą hrabiego z Pallars z zamiarem odebrania władzy infantowi Ferdynandowi, dziedzicowi korony, i wykorzystania jej przeciw królowi. Ale biskup Girony, który bronił królowej i infanta, zamknął się w Força, cytadeli położonej w górnej części miasta, gotów się bronić, wraz z ochotnikami, którzy ruszyli na ratunek królowej. U bram Girony, zaledwie w pięćdziesięciu chłopa pod dowództwem Perego Joana Sali, zdołaliśmy przebić się przez oblężenie. Reszta oddziałów pod rozkazami Verntallata została na zewnątrz, by nękać armię, która natychmiast zdobyła miasto, z wyjątkiem twierdzy Força.

— Pere Joan Sala? — zdziwił się Joan. — Przywódca buntu chłopów, którego stracono siedem lat temu?

Chłopak wciąż pamiętał spojrzenie tego człowieka i jego mękę na ulicach Barcelony.

— Tak, Pere Joan Sala, ten sam. Byłem jego zastępcą.

— A więc on pomógł naszemu królowi Ferdynandowi!

— Tak. Spośród dwustu, którzy broniliśmy księcia, pięćdziesięciu było pańszczyźnianych.

— A kto jeszcze tam był?

— Krewni biskupa Margarit, paru kawalerów ze świty królowej i przechrzczeni Żydzi, którzy mieszkali w górnej części miasta.

— I co było dalej?

— Opieraliśmy się przez miesiąc, wytrzymując nieustające bombardowania, szturmy i brak pożywienia. Wreszcie Jan Drugi zwrócił się o pomoc do króla Francji, ofiarując mu jako porękę hrabstwa Roussillon i Cerdagne. Potężne wojsko francuskie przebyło Pireneje i parlament musiał się wycofać. Tym sposobem królowa i nasz król Ferdynand zostali uwolnieni.

Joan się zadumał. Przypomniał sobie, jak inkwizycja jątrzyła przeciwko przechrztom i ostatni dekret skazujący Hebrajczyków na wygnanie, po czym rzekł:

— Zatem król Ferdynand zawdzięcza swą wolność, a może nawet i królestwo garstce Żydów, konwertytów i zbuntowanych chłopów?

— Otóż to — przyznał Joan de Canyamars stanowczo. — Pere Joan Sala kazał mi czuwać nad bezpieczeństwem królowej oraz infanta — wspominał chłop z tęsknym uśmiechem na chudej, pooranej twarzy. — Miałem trzydzieści lat, a król Ferdynand dziesięć. Dla takiego chłopa jak ja był to wielki zaszczyt. Królowa Joanna była kobietą mężną, wielkiego charakteru. Pamiętam, jak któregoś dnia pocisk uderzył tak blisko miejsca, w którym się znajdowaliśmy, że wszędzie było pełno pyłu i mieliśmy wielkie szczęście, że odłamki gruzu tylko lekko nas raniły. Królowa straciła przytomność i zaniosłem ją na rękach do jej sypialni, gdzie zajął się nią żydowski lekarz, dzięki któremu odzyskała świadomość. Książę Ferdynand sądził, że jego matka nie żyje. I wtedy, jedyny raz podczas tego długiego, półtoramiesięcznego okresu, widziałem, jak płacze.

Chłop zrobił przerwę i pociągnął porządny łyk wina. Joan słuchał go zafascynowany i też siorbnął. Nic nie powiedział, czekał, aż mężczyzna wróci do swej historii.

— Dobrze pamiętam ten dzień, piąty czerwca. Wojska parlamentu pozorowały atak na Porta del Call, podczas gdy paru żołnierzy grasowało wewnątrz otoczonej murem twierdzy, do której dostali się przez wydrążony w nocy podkop. Wbiegli gromadą, krzycząc, że Força jest zdobyta, i przez chwilę sądziliśmy, że wszystko już stracone. Królowa, krzycząc, w przerażeniu przypadła do księcia, a ja za nią wraz z dwoma kawalerami dworu, i walczyliśmy ramię w ramię, mieczem i tarczą broniąc ich przed chcącymi pojmać ich napastnikami. Kawalerzy polegli, ale odparliśmy atak. A wiesz, co zrobił książę Ferdynand?

— Co?

— Wyciągnął sztylet i, choć miał zaledwie dziesięć lat, stanął w obronie swej matki.

— I rozpozna was po trzydziestu latach?

— Doskonale — odparł mężczyzna z przekonaniem. — I wie też, że winien mi sześćdziesiąt dukatów. Niektórych rzeczy się nie zapomina. Jutro udziela audiencji w pałacu, gdzie rozsądza spory jak w każdy piątek. Kończy w południe i spotkamy się przy wyjściu na placu Królewskim.

Joan się zastanawiał. Mężczyzna nie sprawiał wrażenia błazna, jego opowieść była jednak odrobinę niepoważna.

— Zatem ojciec króla Ferdynanda zwyciężył w wojnie, bo wy, chłopi pańszczyźniani, walczyliście po jego stronie — powiedział zamyślony Joan. — Dlaczego więc Perego Joana Salę, bohatera z Forçą, obrońcę królowej i księcia, stracono na ulicach Barcelony?

— Dlatego że gdy król Jan Drugi podpisał w Pedralbes rozejm, który położył kres wojnie, postanowił być hojny wobec arystokratów i o nas zapomniał.

— Ale stało się to dużo później, dopiero gdy Pere Joan Sala napadł na Granollers...

— Tak — przerwał mu chłop. — Byłem tam z nimi. Zbuntowaliśmy się, gdyż król Ferdynand w zamian za pieniądze na wojnę z Grenadą przywrócił panom feudalnym niesprawiedliwe prawa, które jego wuj zawiesił dwadzieścia lat wcześniej.

— Przecież to zdrada! — zawołał Joan.

— Królowie nie zdradzają, czasem mają tylko ważniejsze racje — odparł Joan de Canyamars po chwili zastanowienia.

— I co było dalej?

— Moi panowie wysłali wojsko do mego domu, by wyciągnąć ode mnie zaległe opłaty, odwołując się do niesprawiedliwych praw sprzed dwudziestu lat. Nie miałem pieniędzy. Razem z synem przywiązali nas do drzewa i wychłostali, aż straciliśmy przytomność. Zrabowali wszystko, co mieliśmy w domu, krowy, kury, sprzęty i zgwałcili moją synową i wnuczkę. Żebyście mieli nauczkę, powiedzieli.

Wyraz jego twarzy był smutny, a zmęczone oczy się zamgliły. Napełnił kieliszek i wypił jednym haustem.

— I co zrobiliście?

— Przyłączyliśmy się do oddziałów Perego Joana Sali i z początku odnosiliśmy wielkie zwycięstwa w starciu z panami i oddziałami króla. Ale nadeszła klęska pod Lleroną. Mój syn poległ w bitwie, a ja, choć ranny, uciekłem. Ponieważ nie napadłem bezpośrednio na mych panów, pozwolili mi wrócić do mego nędznego życia, z synową i wnuczką. Pere Joan Sala dostał się do niewoli. Resztę znasz.

— Ale król podpisał orzeczenie w Guadalupe — powiedział Joan, próbując dodać mu otuchy. — Złe prawa zostały już zniesione, prawda?

— Król podpisał je, gdy zrozumiał, że nigdy nie zaprzestaniemy walki o wolność i że pojawi się następny Pere Joan Sala, a po nim kolejny i kolejny.

— No dobrze, cieszę się, że wszystko będzie lepiej i w końcu odzyskacie dług — zakończył Joan pocieszony.

Stary nic na to nie odpowiedział, tylko unosząc kielich, wzniósł toast:

— Za wolność i za spłatę dawnych długów.

Chłopak stuknął się z nim.

Joan był oczarowany opowieścią. Tego wieczoru w swej książce napisał: „Nawet królowie nie mają prawa zdradzać tych, którzy są im wierni".

56

Tej nocy Joan zaledwie przysnął. Historia chłopa pańszczyźnianego zawładnęła jego umysłem. Czegoś w niej brakowało, musiało być jakieś niedopowiedzenie. Niepokój nie ustąpił nawet rankiem. W końcu nie mógł już wytrzymać i poszedł porozmawiać z mistrzem Eloi.

— Mistrzu, po traktacie zawartym w Guadalupe nie ma już pańszczyzny. Nie ma niesprawiedliwych praw i chłopi są wolni, prawda?

Mężczyzna, który z pomocą ucznia wykańczał wnętrze armaty, spojrzał na niego ze zdziwieniem.

— Dlaczego o to pytasz, Joanie?

— Odpowiedzcie, jeśli wiecie, proszę, to ważne. — W jego głosie słychać było strapienie.

Stary zdjął rękawice, żeby podrapać się w głowę.

— Nie wszystkim udało się odzyskać wolność.

— Nie?

— Najbiedniejszym nie. Wedle traktatu musieli się wykupić. Opłata wynosiła sześćdziesiąt dukatów i wielu nie miało tyle pieniędzy.

— Sześćdziesiąt dukatów! — zawołał Joan. — Suma, którą jak twierdzi, winien jest mu król!

Nagle wszystko zrozumiał. Joanowi de Canyamars nie chodziło o dług pieniężny.

— Wybaczcie, mistrzu, muszę iść! — krzyknął do Eloi, który patrzył na niego zdumiony.

Szybko zdjął skórzany fartuch i pobiegł na plac Królewski, żeby znaleźć się tam jak najszybciej. Dokładnie o dwunastej przechodził przez Porta Ferrissa. Późno, przybędę za późno, pomyślał. Biegnąc zdyszany, zastanawiał się, kogo właściwie chce ratować. Starego szaleńca, króla czy obydwu?

— Panie, oby to nie była prawda, obym się mylił.

Wokół katedry kłębił się tłum, więc musiał łokciami torować sobie drogę. Wchodząc na plac, usłyszał wiwaty na cześć króla. Rozpychał ciekawskich, nie zważając na ich protesty i ciosy. Gdy znalazł się w pierwszej linii, z przerażeniem ujrzał, że jego obawy były słuszne. Przybył za późno. Ci, którzy wyszli z publicznej audiencji, stali w grupkach pod wielkimi schodami prowadzącymi do królewskiego pałacu i pałacowej kapliczki Świętej Agaty. Gapie zostawili przejście dla orszaku i parobków szykujących konie i muły mające przewieźć króla wraz ze świtą do jego rezydencji. Król Ferdynand zatrzymał się na przedostatnim schodku, żeby zamienić słowo z jakimś dworzaninem, gdy zza królewskiej kaplicy wyłonił się mężczyzna, który szybko zszedł po schodach i od tyłu zbliżył się do monarchy. Jednocześnie zrzucał płaszcz, pod którym nosił krótki, szeroki miecz.

Był to Joan de Canyamars. Przyszedł odebrać dług. Joan nigdy się nie dowiedział, czy to on krzyknął pierwszy, bo wielu zakrzyknęło. Zaniepokojony król wykonał raptowny ruch, ale nie zdołał uniknąć cięcia.

— Zdrada! — zawołał monarcha, osłaniając szyję ręką. — Zdrada!

Buntownik chciał zadać kolejny cios, ale było za późno. Jakiś dworzanin stanął między napastnikiem i królem. Pozostali złapali chłopa za ręce i zadali mu trzy pchnięcia sztyletem.

— Nie zabijać! — rozkazał król Ferdynand, usiłując rozpoznać zdrajcę.

Przez chwilę ich spojrzenia się skrzyżowały i napastnik mimo ran krzyknął:

— Za sześćdziesiąt dukatów! Zdrajco!

Król był bliski omdlenia. Dworzanie zanieśli go do pałacu, wzywając lekarza. Pojmano też agresora. Joan poczuł zamęt.

Otoczony ludźmi tak samo otumanionymi ujrzał, jak zamykają się drzwi pałacu, a na zewnątrz pozostaje wielu uzbrojonych mężczyzn. Obawiano się, że chodzi o spisek i ktoś będzie próbował dobić króla. Tłum szybko się rozproszył, rozpuszczając pogłoski. Joan, wciąż mając przed oczami rozegraną niedawno scenę, wrócił do warsztatu mistrza podzielić się wiadomościami. W miarę jak wieść rozprzestrzeniała się po mieście, uzbrojeni mieszkańcy wychodzili na ulice, wznosząc okrzyki: „Niech żyje król!".

Ci, którzy podczas wojny walczyli przeciw ojcu króla Ferdynanda, trwożliwie chowali się w domach, obawiając się, że zostaną obwinieni i zapaleńcy wyładują na nich swój gniew.

&

Tymczasem w pałacu królowi podano mocne wino i położono go do łoża. Mówiono z niedowierzaniem, że umiera, a zarazem, że nie może umrzeć, jeszcze nie teraz, gdyż jest powołany przez Boga do spełnienia najważniejszej misji chrześcijaństwa.

Jego stan świadczył jednak o czymś wręcz przeciwnym.

— Moje serce odchodzi — mamrotał z zamkniętymi oczami. — Trzymajcie mnie mocno.

Zemdlał, ale na krótko. Po interwencji lekarzy odzyskał przytomność.

— To potworna rana — wymieniali między sobą uwagi. — Gdzieniegdzie rozcięcie ma głębokość trzech, czterech palców. Wymaga założenia siedmiu szwów.

— Miecz ześlizgnął się po złotej kolii. Bóg uczynił cud, ratując króla. Od śmierci dzieliła go grubość pajęczej nici.

Bóg mnie chroni, myślał Ferdynand i modlił się, nie chcąc otwierać oczu.

Królowa Izabela rozkazała takielować galery i trzymać je w pogotowiu, w razie gdyby dwór musiał uciekać z Barcelony. Część dworzan twierdziła, iż to spisek pobitych dwadzieścia lat temu, natomiast urzędnicy miejscy i notable odpowiadali urażeni, że był to czyn szaleńca i że cała Barcelona popiera króla. Ulice pełne były uzbrojonych mieszkańców, którzy przysięgali zemstę. Trudno było nad nimi zapanować.

Śledztwo prowadzone przez królową z braku innych poszlak skoncentrowało się na jeńcu. Wyleczono mu rany, żeby przeżył tortury, którymi chciano zmusić go do mówienia. Potem przyjdzie czas na publiczną egzekucję.

※

Gdy król przestał się już czuć zagrożony, mimo sprzeciwów lekarzy zapragnął pomówić z więźniem w cztery oczy. Twarz tego człowieka cofnęła Ferdynanda do dzieciństwa. To był wierny Joan, obrońca jego i jego matki z twierdzy Força! Uznał, że to niemożliwe, minęło przecież trzydzieści lat. Ale wątpliwość nie przestawała go trapić.

— Jest jak skała — powiedział do króla torturujący. — Znosi wszystko bez najmniejszej skargi. Jak dotąd wiemy tylko, że ma na imię Joan i pochodzi z Canyamars, wioseczki koło Dosrius. Twierdzi, że działał sam i chciał odzyskać dawny dług.

Król Ferdynand się wzdrygnął. Przeszedł go dreszcz. Czyżby to ten sam Joan z Força? Ostrożnie stawiając każdy krok, przytrzymując się framugi, gdyż rana bolała, a opatrunek był obszerny, wszedł do sali tortur, tej samej, którą wykorzystywała inkwizycja. Medycy i dworzanie stanęli w drzwiach, gotowi wziąć go pod ręce, gdyby się osunął, i prosząc, by uważał na ruchy.

Monarcha dostrzegł mężczyznę uwiązanego do żelaznych sztab, z założonymi opatrunkami, żeby zatrzymać krwawienia z ran zadanych tak, by bolały, ale nie zabijały. Oczy miał zamknięte, ale otworzył je, aby zobaczyć, kto przyszedł.

Ich spojrzenia się spotkały.

— Kim jesteś? — zapytał król.

— Jestem Joan. Wasza Królewska Mość mnie nie poznaje?

Serce Ferdynanda zabiło mocniej. Monarcha poszukał ściany, żeby się oprzeć. Dyszał ciężko, był bliski omdlenia. To jakiś koszmar.

— Joan? Jesteś Joan z Força?

— Ten sam, Wasza Królewska Mość.

— Ale dlaczego chciałeś mnie zabić?! — zawołał król skonsternowany. — Ty, którego moja matka zwała wiernym Joanem!

Ty, który ocaliłeś nam życie, gdy na nas napadli w Força! Przecież bawiłeś się ze mną i nauczyłeś mnie posługiwać się mieczem. Czemu mnie zdradzasz? Co ci dali? Pieniądze, złoto? Kim są twoi wspólnicy? Kto cię oszukał?

— Moim jedynym wspólnikiem jest Pere Joan Sala.

— Przecież on nie żyje!

— Wciąż jest mym towarzyszem i dołączę do niego. A wy, Wasza Królewska Mość, jesteście zdrajcą i żałuję, że chybiłem i wciąż żyjecie.

— Jak śmiesz!

— Walczyliśmy o sprawę waszą i waszego ojca. Dla was narażaliśmy nasze życie i oddaliśmy wam wszystko, co mieliśmy. Za to prosiliśmy was o wolność. Wygraliście wojnę i zapomnieliście o obietnicach. I, co gorsza, sprzedaliście nas razem z naszymi rodzinami tym, którzy wcześniej byli waszymi wrogami. Za pieniądze pozwoliliście znowu na niesprawiedliwe prawa. To wy jesteście zdrajcą, Wasza Królewska Mość.

— Potrzebowałem pieniędzy na wojnę z Grenadą. Świętą wojnę. Nie rozumiesz? Koniec wart był tego poświęcenia. Parę lat później naprawiłem to w Guadalupe.

— Bo wiedzieliście, że nigdy się nie poddamy, a chcieliście pokoju w kraju. Ale było za późno. Za późno dla Perego Joana Sali, dla mojego syna, synowej, dla mojej wnuczki i tysięcy innych. I za drogo. Zbyt wielu z nas nie mogło kupić wolności za sześćdziesiąt monet i pozostało niewolnikami.

— Joanie, jesteś ubogim chłopem i nie możesz zrozumieć racji stanu. Nigdy tego nie pojmiesz...

— Właśnie, że rozumiem! — krzyknął chłop, wprawiając króla w zdumienie. — Rozumiem, że trzeba dotrzymywać danego słowa, wiem, czym jest honor, czym jest godność. Rozumiem, że mężczyzna musi chronić swoją rodzinę od krzywd i walczyć o wolność. I rozumiem też, że król, który zdradza swych poddanych, jest niegodny, nie ma honoru i zasługuje na śmierć.

— Jak śmiesz! — Suweren zaczerwienił się z gniewu. — Spełniam misję, która jest ponad tym wszystkim, spełniam wolę boską.

Król, jak w szachach, musi czasem poświęcić pionki, żeby wygrać grę.

— Jesteście zdrajcą — powiedział Joan, próbując opluć monarchę.

Ferdynand się nie poruszył, a Joan był tak słaby, że ślina upadła na ziemię. To był ostatek sił buntownika. Zamknął oczy i zawisł cicho na więzach. Król był purpurowy. Wcześniej nikt nie odważył się go opluć. Nigdy. Po chwili poczuł straszliwy ból w ranie i chwytając się futryny, wyszedł. Lekarze natychmiast wzięli go pod ręce i pomogli mu iść.

— Chcę wiedzieć, kto jest z nim — zwrócił się król do katów zgaszonym głosem.

— Nic nie mówi, panie — rzekł kapitan straży. — Sądzimy, że to szaleniec, który działał sam.

— To szaleniec — zgodził się monarcha. — Ale upewnijcie się, czy na pewno jest sam.

57

Nie znaleziono oznak spisku przeciw królowi, ale królewska rodzina przeniosła się do klasztoru San Jerónimo de la Murta w Badalonie, aby monarcha wylizał się z ran. Było to spokojne miasteczko położone w pobliżu Barcelony, otoczone wspaniałymi murami i wieżami obronnymi. Poza tym port Badalony znajdował się w pobliżu miasta, co pozwalało na lepsze niż w stolicy hrabstwa zakotwiczenie galer.

Fizyczne zdrowienie króla, otoczonego opieką hieronimitów i miłością królowej, postępowało szybko. Ale inna rana, którą Joan de Canyamars zadał jego sercu, wciąż bolała. Zamykał oczy i widział wychudłą i pooraną twarz, ogorzałą od słońca. W dzieciństwie kojarzyła mu się z troską i opieką, a teraz ten człowiek nazwał go zdrajcą i na niego splunął.

— Nie ma pojęcia — tłumaczył sobie. — Nie jest w stanie tego zrozumieć.

Jednakże stawał mu przed oczami torturowany, uwiązany do belek starzec oskarżający go. I znowu odczuwał ból serca. Żeby uwolnić się od cierpienia, król wypowiadał egzorcyzm mający przezwyciężyć diabła:

— *Tanto monta!*

Fraza ta była nawiązaniem do Aleksandra Wielkiego, konkwistadora pokroju Ferdynanda. Historia głosiła, że w Gordionie pewien chłop połączył jarzmo i dyszel królewskiego wozu węzłem tak zasupłanym, że nie sposób było go rozwikłać. Przepowiednie głosiły, że kto go rozwiąże, podbije Azję. Aleksander postawiony wobec takiej trudności, powodowany imperatorskimi zakusami, wyciągnął miecz i rozciął węzeł. Bohater wypowiedział wówczas zdanie: „Wszystko jedno, rozwiązać czy przeciąć". I Azja poddała się jego wojskom.

Jarzmo z węzłem gordyjskim i dewiza *Tanto monta* stały się symbolem pary królewskiej*.

Dla monarchy takiego jak on, paladyna chrześcijaństwa z woli boskiej, cel uświęcał środki. Zamknął oczy i wyobraził sobie swój miecz opadający na węzeł gordyjski. Otworzył je i znów zamknął — miecz spadał na szyję Joana de Canyamars.

— *Tanto monta!* — zawołał.

&

Mieszkańcy Barcelony w napięciu oczekiwali na wieści o zdrowiu monarchy. W dniu po zamachu odwołano procesję z okazji Niepokalanego Poczęcia, a we wszystkich kościołach rozpoczęły się modły. W kolejnych dniach różne procesje urządzane przez cechy, kościoły i samą radę miejską przemierzały ulice miasta, wznosząc modlitwy o rychłe ozdrowienie króla.

Joana de Canyamars uznano za szaleńca opętanego przez diabła. Mówiono, że słyszał głos Złego, który rozkazywał mu się nie spowiadać. Demon ów powtarzał mu do ucha, że to Joan jest prawdziwym królem; zapanuje, gdy zamorduje Ferdynanda. To właśnie diabeł doprowadził do haniebnego czynu, który miał uniemożliwić królowi wykonanie boskiego zadania. Ale dzięki niebiosom nie powiódł się.

Jednakże podejrzenie chłopa pańszczyźnianego o szaleństwo nie uwolniło go od wyroku skazującego. Miał umrzeć „najokrutniejszą śmiercią".

Joan z niedowierzaniem słuchał historii o diable. Znał prawdę. I gdy heroldzi ogłosili, że dwunastego grudnia w południe rozpocz-

---

* Nawiązanie do jedności Izabeli i Ferdynanda: *Tanto monta monta tanto Isabel como Fernando* (hiszp.) — Izabela równa Ferdynandowi, Ferdynand równy Izabeli.

nie się egzekucja, nie był pewny, czy chce na nią pójść. Niewątpliwie było to jednak ważne wydarzenie i gdy koledzy z warsztatu poprosili mistrza o pozwolenie na wyjście, postanowił iść z nimi.

Widowisko zorganizowano podobnie jak egzekucję Perego Joana Sali, tyle że trasa miała być dłuższa, a męka straszniejsza.

Na placu Królewskim, miejscu zbrodni, kaci wdrapali się na wóz, gdzie czekał już kapelan, i przywiązali nagiego skazańca do słupa. Był pokryty ranami, które wciąż krwawiły. Trupio blady kolor ciała dziwnie kontrastował ze spalonymi słońcem twarzą i rękami. Mimo wychudzenia i ran trzymał się prosto i ze stoickim spokojem znosił obelgi rzucane przez lud. Jego godność i niezłomność przypomniały Joanowi postawę przywódcy buntowników i napełniły go dumą. On go poznał, znał prawdę! Powstrzymał się jednak od jakiegokolwiek komentarza.

Kat uciął skazańcowi prawą dłoń tuż przy nadgarstku, tę, którą ranił monarchę na tym samym placu. Joan de Canyamars przyjął to ze spokojem. Pochód ruszył. Na każdym przystanku kat odcinał skazańcowi członki, jeden po drugim. Umarł na placu Born, ale ćwiartowali go dalej. Wyszli z miasta Portal Nou i w tej samej okolicy, w której chłopcy prowadzili bitwy na kamienie, tłum obrzucił kamieniami to, co zostało z Joana de Canyamars. Egzekucję zakończono w Canyet, gdzie wraz z wozem spalono kawałki ciała.

❧

Joan nie poszedł za orszakiem. Skręcił do tawerny, w której pił kiedyś z buntownikiem. Było puściusieńko, wszyscy poszli obejrzeć widowisko.

Usiadł na tym samym krześle przy tym samym stole. Potem podniósł kielich i rzekł:

— Za wolność.

I wypił wino, ale nie do dna, ponieważ Joan de Canyamars nie doczekał się spłaty długu. Sześćdziesiąt dukatów! Joan pomyślał, że nie było to wiele, mistrz Eloi, poza wiktem i noclegiem, płacił mu tyle za trzy miesiące pracy. Cóż za nędzne życie musiał wieść ten chłop pańszczyźniany, skoro nie był w stanie zaoszczędzić nawet sześćdziesięciu dukatów, żeby wykupić się z niewoli!

Potem pomyślał, że Joan de Canyamars nie chciał sześćdziesięciu dukatów. Chciał się zemścić. Pragnął zapłacić monarsze za swoją krzywdę, odbierając mu życie. Joan westchnął. Ileż warte było przelanie krwi króla Ferdynanda? Ranić króla to bardzo poważna sprawa. Ostatnia refleksja skłoniła go do rozmyślań o zemście. O zemście, której on jeszcze nie dokonał.

Nim wypił ostatni kieliszek, wciąż sam w tawernie, wzniósł toast na pożegnanie Joana de Canyamars, który był nareszcie wolny.

— Za wolność i za spełnione obietnice. — Stuknął się z duchem buntownika.

A w nocy napisał w swej książce: „Zemsta?".

To słowo zaczął powtarzać sobie w myślach od dnia egzekucji chłopa. Historia owego człowieka poruszyła go do żywego, powróciły uczucia, o których zapomniał. Pragnął zemsty i z niecierpliwością oczekiwał wieści o flocie Vilamaríego.

～

Minęły już dwa lata, odkąd Joan otrzymał pierwszy list od Anny. Przez cały ten czas wciąż pisali do siebie, choć nieregularnie, gdyż ich korespondencja musiała dopasowywać się do przesyłek i listów, które wymieniali ze sobą Bartomeu i neapolitański księgarz w ramach relacji handlowych. Zdarzyło się parę razy, że Joan błagał Bartomeu, żeby natychmiast wysłał jego odpowiedź, ale listy od Anny zawsze przychodziły razem z przesyłką księgarza. A te nie pojawiały się częściej niż cztery, pięć razy do roku. Transportowano je karawelą i podróż z Barcelony do Neapolu rozciągała się w czasie do ponad miesiąca. Od maja do października kursowały również galery, które trasę pokonywały w piętnaście dni, ale był to drogi środek transportu, którym Bartomeu posługiwał się sporadycznie.

Oczekiwanie na list było dla Joana wykańczające. Za każdym razem, gdy otwierał kopertę, modlił się, aby nie było w nim wiadomości, że rodzice wydają ją za mąż. Anna miała już dziewiętnaście lat i naciskali na nią, żeby przyjęła zaloty adoratora. Powtarzała uparcie, że kocha Joana i zrobi wszystko, co możliwe, by na niego czekać. Dziękował za to niebiosom, lecz był realistą.

Skoro w Barcelonie ich miłość nie miała prawie szans ze względu na różnice społeczne, dzieląca ich teraz odległość tylko pogarszała sprawę. Mimo to nie był w stanie wyrzec się własnych marzeń, pozbawić siebie nadziei.

W swej korespondencji Anna tłumaczyła mu, że jej rodzina miała zamiar osiąść na Sycylii, ale zdecydowana postawa króla Ferdynanda, zamierzającego ustanowić inkwizycję również w tym królestwie, spowodowała, że zbiegli do Neapolu. Królestwo Neapolu było we władaniu aragońskiej dynastii, która życzliwie przyjmowała konwertytów i Żydów. Tam mogli żyć jak wolni ludzie, bez trwogi.

Joan za to żył niespokojnie. Oszczędzał, ile tylko mógł, i niecierpliwie wyczekiwał powrotu Vilamaríego.

֍

Nigdy dotąd tawerny nie wypełniły się takim gwarem. Huczało od nowin. Pod koniec grudnia opowiadano, że król Ferdynand rozkazał Vilamaríemu demontaż floty. Oskarżano go o wcielanie siłą marynarzy i galerników oraz o akty piractwa. Joan pomyślał, że admirał i jego ludzie zasługują na dużo gorszą karę. Ponadto poczuł się zawiedziony. Zamierzał bowiem zaciągnąć się na statek, aby zdobyć informacje o swej rodzinie i znaleźć się blisko ludzi odpowiedzialnych za nieszczęścia, które spotkały jego rodzinę. Teraz jego plany legły w gruzach. Jak odnajdzie Jednookiego, czy w ogóle jeszcze żyje? Niektórzy jednak twierdzili, że Vilamarí się nie podda i przybędzie do Barcelony przekonywać monarchę. Joan postanowił cierpliwie czekać. Nie miał innego wyjścia.

֍

Ósmego stycznia 1493 roku heroldzi obwieścili wielką nowinę: król Ferdynand podpisał traktat z Francją. Na jego oczach odzyskał bez walki hrabstwa Cerdagne i Roussillon zajęte trzydzieści dwa lata temu jako gwarancja długu zaciągniętego przez Jana II, ojca króla, w postaci wsparcia udzielonego mu przez wojska francuskie podczas katalońskiej wojny domowej. Ponieważ Francja odmówiła ich zwrotu, Jan postanowił odzyskać je zbrojnie, lecz próba się nie powiodła i musiał wycofać wojska. Teraz Francja oddawała je królowi Ferdynandowi, do tego wypłacając jeszcze pieniężne odszkodowanie.

Następnego dnia król zarządził sobie konną przejażdżkę po mieście w otoczeniu swych notabli. Był oklaskiwany przez lud jak nigdy dotąd. Królowa i książę Jan towarzyszyli mu w uroczystej paradzie. Zostali zwycięzcami kastylijskiej wojny domowej i wojny z Grenadą, a teraz jeszcze odbudowali integralność Katalonii. Z pewnością musieli to być wybrańcy z przepowiedni!

Jednakże w tawernach pełnych cudzoziemców Joan słuchał rozlicznych opinii wygłaszanych w rozmaitych językach. A ci, którzy mówili w obcych językach, sądząc, że nikt ich nie rozumie, mówili otwarcie, bez ogródek.

Wiedział już, że sytuacja bardzo się zmieniła, odkąd Jan II bezskutecznie próbował odzyskać hrabstwa Roussillon i Cerdagne. Konfederacja królestw, które reprezentowała wówczas Korona Aragonii mająca niewiele ponad milion mieszkańców wraz z Katalonią zdewastowaną wojną domową, nie była rywalem dla Francji, wciąż żądnej nowych aneksji. Teraz jednak trzeba było dodać Kastylię i León z prawie siedmioma milionami mieszkańców i Grenadę z połową miliona. Zjednoczone Królestwa przewyższały ośmiokrotnie Francję pod względem siły zbrojnej, której musiałaby stawić czoło.

— Jego Królewska Mość Ferdynand dowodził wojskami naszej królowej Izabeli podczas kastylijskiej wojny domowej. Zwyciężyli, a Izabela ogłosiła się królową — mówił po kastylijsku jakiś rycerz. — Potem król poprowadził wojnę na Grenadę, wspomagając Kastylię flotą i oddziałami swych królestw.

— A teraz jego żona wyświadcza mu przysługę, oddając wojska kastylijskie w służbie interesów Aragonii — odpowiadał jego rozmówca. — A Francuzi boją się naszej potęgi i chcą pokoju.

Słuchając jednak rozmów Francuzów, Joan doszedł do wniosku, że wcale nie są pod strachem. Karol VIII Walezjusz nie sprawił królom Hiszpanii podarunku, oczarowany zdobyciem Grenady. Miał inne plany. Chciał przemierzyć całe Włochy aż do Królestwa Neapolu, podbić je i ogłosić się suwerenem z racji dziedzictwa po wymarłej linii dynastii Andegawenów. Jednakże Ferdynand I, król Neapolu, zwany też Ferrante Aragońskim, był kuzynem króla Ferdynanda II Katolickiego i mężem Joanny Aragońskiej, siostry hiszpańskiego monarchy. Umowa polegała na tym, że Hiszpania miała nie wtrącać się w plany Francji i nie zawierać sojuszy matrymonialnych z innymi monarchiami Europy bez porozumienia z nią. Można więc powiedzieć, że podpisując traktat z Francją, Ferdynand zostawił kuzyna i siostrę samym sobie.

— Król Ferdynand zdradza swą rodzinę w Neapolu — powiedział jeden ze służących francuskiej świty.

— Być może — odparł drugi. — Ale powiadają, że przebiegły król Aragonii chowa asa w rękawie. Czy wiesz, że umowę można zerwać, jeśli jeden z tych, którzy ją zawarli, zaatakuje papieża?

— Tak, spójrz jednak na mapę — rzekł ten pierwszy. — Państwo Kościelne, w którym króluje hiszpański papież, znajduje się na drodze z Francji do Neapolu. Król Karol Ósmy będzie musiał przez nie przejść.

Joan zrozumiał, że niedługo we Włoszech wybuchnie wojna, a wtedy mimo umowy król Ferdynand nie będzie miał już związanych rąk.

A zatem mistrz Eloi w dalszym ciągu będzie wyrabiał w swoim warsztacie armaty. Nade wszystko jednak dla chłopaków takich jak Joan, którzy zechcą chwycić za broń, będzie to okazja, żeby wyruszyć w darmową podróż do Włoch.

58

Mimo nadchodzącej wojny dla Izabeli i Ferdynanda był to czas pokoju i chwały. Dobrym wieściom nie było końca. W kwietniu, po Wielkanocy, w San Jerónimo de la Murta pojawił się marynarz Krzysztof Kolumb, który twierdził, że dotrzymał danej monarchom obietnicy i wynalazł krótszą drogę do Indii. Królewska para i dwór zaszczycili go swymi względami. Razem wjechali do Barcelony i złożyli dziękczynienie w katedrze, gdzie Izabela, Ferdynand i Jan, książę dziedzic, podali do chrztu sześciu Hindusów, których Wielki Admirał, jak tytułowano Kolumba, przywiózł ze swoją świtą.

Rozmowy marynarzy w tawernach na ten temat były rozmaite, ale wszystkie bardzo optymistyczne. Otwarcie nowej drogi do Indii, gdy Osmanowie kontrolowali lwią część handlu na Bliskim Wschodzie, mogło przynieść Hiszpanii ogromne korzyści. Zbierano marynarzy na kolejną wyprawę admirała Kolumba i Joan pomyślał, że mogłaby to być pasjonująca przygoda, ale nie interesowała go. Sercem był w Neapolu.

❦

Latem pojawiła się wreszcie wiadomość, na którą Joan tak czekał. Admirał Vilamarí natychmiast po powrocie z Włoch widział się z królem i zdołał przekonać monarchę do cofnięcia nakazu rozwiązania floty. Zdaje się, że w odzyskanych hrabstwach na północy, po przeszło trzydziestu latach panowania francuskiego, wybuchły zamieszki i flota była niezbędna do umocnienia w nich hiszpańskich rządów. Królewska para wciąż mieszkała w San Jerónimo de la Murta, więc galery Vilamaríego zacumowały w Badalonie. Mimo to wielu marynarzy udawało się do Barcelony w poszukiwaniu rozrywek lub w odwiedziny do rodzin i Joan z niecierpliwością oczekiwał ich w tawernach. Musiał znosić przechwałki pijanych marynarzy opowiadających swoje przygody we Włoszech, ale zyskał od nich cenną informację. Pewien osobnik, który pasował do rysopisu Jednookiego, wciąż służył u admirała na kapitańskiej galerze o nazwie *Święta Eulalia*. Mistrz Eloi pozwolił Joanowi wyruszyć do Badalony i pozostać tam dopóty, dopóki będzie chciał — miejsce było oddalone zaledwie parę godzin pieszo od Barcelony — ale ów mężczyzna nie pojawiał się w tawernach. Nagle rozeszła się wiadomość, że flota natychmiast podnosi kotwice i rusza do Roussillon. Joan uznał, że trzeba być cierpliwym i poczekać.

※

Dwóch mężczyzn, którzy nie wyglądali ani na marynarzy, ani na kupców, zwróciło uwagę Joana pod koniec lata. Młodszy nie miał nawet dwudziestu lat. Nosił jedwabie i aksamity. Starszy zaś, około trzydziestki, choć niewysoki, budził szacunek prężnym ciałem i surowym gestem. Miał kasztanowate oczy i nos spłaszczony dużo bardziej niż Joan. Przyglądając się im, Joan doszedł do wniosku, że młodszy musi być szlachcicem hulaką, a starszy — jego giermkiem.

Po paru dniach Joan przysiadł się do stolika, przy którym mężczyzna doglądał młodzieńca grającego w kości, i zagaił rozmowę. Nazywał się Miquel Corella, mówił z wyraźnym walenckim akcentem, powiedział, że mieszka w Rzymie, gdzie jest na służbie Jego Świątobliwości Papieża Aleksandra VI.

Joan odprowadził ich do wyjścia. Chłopak był pijany i zachowywał się agresywnie. Przegrał w kości sporą sumę, dobył rapiera i zaczął wykrzykiwać dziwaczną mieszanką walenckiego i włoskiego. Nie bardzo słuchał Miquela Corelli, który prosił go, by schował broń i się powstrzymał. Na drodze stanął mu kot, na co tamten dźgnął go, kreśląc koła w powietrzu. Zwierzę zamiauczało przeraźliwie, aż wszystkim włosy zjeżyły się na głowie, a młodzieniec wzniósł triumfalny okrzyk.

— Niech to diabli! — zawołał Miquel Corella, nie mogąc się powstrzymać. — Schowajcie wreszcie ten rapier! Będziemy mieć kłopoty!

— Wy będziecie mieć, ja nie — niedbale odrzekł młodzieniec. — W końcu jestem synem papieża.

ॐ

— Dosyć mam już niańczenia tego nieprzytomnego — zwierzył się Miquel Joanowi parę dni później, gdy nabrali już do siebie zaufania. — Przywykł do tego, że wszyscy spełniali jego zachcianki, i robi wszystko na przekór ojcu. Pije, bluźni, gra w kości i trwoni pieniądze na potęgę.

Joan dowiedział się już, że to Juan Borgia, syn papieża Aleksandra VI. Młodzieniec przybył do Barcelony z Vilamarím, żeby ożenić się z Marią Enríquez, kuzynką króla i wdową po starszym bracie Juana, dziedzicu hrabstwa Gandía.

— Za dużo sobie pozwala, a ja muszę potem naprawiać szkody — skarżył się Miquel. — Ma słabość do ładnych kobiet. I choć ojciec nakazał mu czym prędzej skonsumować małżeństwo z kuzynką króla, zdaje się, że jeszcze nawet jej nie dotknął. Papież jest wściekły z powodu jego wybryków, wie, że królowa Izabela jest bardzo cnotliwa, i zależy mu na jej opinii.

Wydarzenia potwierdziły słowa Miquela Corelli. Parę dni później Juan Borgia, po wypiciu sporej ilości wina i przegranej w kości, chwycił za piersi Margaridę, wyzywającą córkę jednego z oberżystów, z głębokim dekoltem. Dziewczyny nie obchodziły tytuły jej napastnika ani obietnice pieniędzy i spoliczkowała go. Juan Borgia rzucił się, gotów ją uderzyć, ale Margarida umiała się bronić — wbiła mu paznokcie w policzek, wrzeszcząc i nazywając go nędznikiem. Joan w porę zerwał się z miejsca i złapał za rękę papieskiego syna, który dobywał już sztyletu. W tym samym czasie Miquel Corella odpędzał ostrzem rapiera stałych bywalców, którzy zamierzali zlinczować młodego księcia. Drasnął nieznacznie paru marynarzy, dając pokaz fechtunku, i z pomocą Joana wlokącego Juana Borgię wydostali się na ulicę bez szwanku.

— Nie wiesz, kim jestem, dziwko!

— Mogę być dziwką, dla kogo zechcę — odpowiedziała Margarida. — Ale dla ciebie jestem Świętą Dziewicą. Wsadź sobie w dupę swoje pieniądze, bo jestem biedna, ale mam godność. Joan poszedł z nimi. W połowie drogi do pałacu rozsierdzony książę Gandíi zabił rapierem bezdomnego psa. Miquel Corella podziękował Joanowi i poprosił go, by towarzyszył im przez następne wieczory. Syn papieża mógł znowu narobić sobie kłopotów.

— Przez wszystkie nie będę mógł, ale się postaram — odparł, odmawiając pieniędzy, które proponował mu Miquel. Polubił tego mężczyznę.

Wieczorem napisał w swojej książce: „Mogę być dziwką, dla kogo zechcę". I był dumny z dziewczyny. To właśnie Margarida, w tawernie, w pokoju na górze, kiedyś, gdy nie było klientów, pokazała Joanowi, jaka jest kobieta. To był jego pierwszy raz.

— Następnym razem będziesz mi musiał zapłacić — powiedziała, żegnając z uśmiechem Joana, który nie wrócił jeszcze do zmysłów.

Nie był jedynym ze szczęśliwców korzystających z jej wdzięków w zamian za pieniądze, ale przyjmowała tylko tego, kogo chciała. „Jestem biedna, ale mam godność", zapisał Joan z uśmiechem i dodał: „Ucz się, książę!".

ॐ

We wrześniu król wsiadł na statek, aby odwiedzić odzyskane hrabstwa i upewnić się, że panuje w nich spokój i że są wierne koronie. I to admirał Bernat de Vilamarí popłynął z nim do Collioure. Bez wątpienia odzyskał łaskę monarchy. Flota stała w porcie w Badalonie bardzo krótko, więc Joan się tam nie udał. Jednooki zaś nie pojawił się w barcelońskich tawernach.

Oczekiwanie wykańczało chłopaka. Ogarniała go niecierpliwość. Nawet mistrz Eloi, który znał jego przeszłość i godził się na odwiedzanie portowych barów, zwrócił mu uwagę na nieobecności w pracy.

— Jeszcze trochę, mistrzu — odpowiadał chłopak. — Już niedługo dowiem się, gdzie jest moja rodzina.

59

Joan wyobrażał sobie tę scenę wielokrotnie. Jednooki zabójca jego ojca siedział sam w tawernie, pijąc, dręczony wyrzutami sumienia. I, niby to chcąc się zaciągnąć jako majtek na jego okręt, Joan przysiadał się do niego i zaczynał rozmowę. Mężczyzna opowiadał mu, gdzie jest targ niewolników, na którym sprzedano jego matkę i siostrę, i udzielał mu wszystkich potrzebnych informacji, żeby je odnaleźć. A Joan decydował, czy go zabije, czy nie. Owładnięty żądzą zemsty miał przed oczami ciemny zaułek, w którym podrzynał Jednookiemu gardło, a potem uciekał, żeby nikt go nie zobaczył.

Wszystko jednak potoczyło się zupełnie inaczej.

Joan miał już dwadzieścia dwa lata; minęło dziesięć lat od napaści na osadę. Potworne obrazy wciąż były żywe w jego pamięci, wryły mu się głęboko w serce, a wśród nich sucha twarz człowieka z pustym lewym oczodołem i blizną.

Na jego widok serce zabiło mu szybciej. Siedział przy grze w kości w kącie tawerny i wciąż nie nosił łatki, która zasłaniałaby ohydną dziurę na jego twarzy. Joan znał stałych graczy i wiedział, że reszta musiała być z floty Vilamaríego. Początkowo wydawało się, że Jednooki zgarnie sporą sumę. Na jego twarzy malowało się zadowolenie, pojawił się na niej uśmiech, który Joan wspominał z gniewem i utrapieniem. Chłopak widział wiele kościanych partii w portowych barach, pomyślał więc, że dobra passa marynarza wkrótce się skończy.

Tak też się stało. Klnąc siarczyście, mężczyzna zaczął przegrywać wszystko, co wygrał, i sięgać do coraz bardziej pustych kieszeni. Odepchnął szorstko jednego ze swych kolegów, ganiąc go za to, że za bardzo się na niego pcha, i wraz z przekleństwem rzucił garść monet.

— Wszystko albo nic — powiedział.

Joan dostrzegł spojrzenia, które wymienili oszuści między sobą, i wiedział już, że Jednooki straci pieniądze. Chłopakowi nie w smak był zły humor marynarza, chciał bowiem z nim porozmawiać. Ale nikt, kto przesiadywał w portowych barach i znał zawodowych graczy, nie odważyłby się pozbawić ich pokaźnego zysku. Czekał więc cicho, aż go oskubią.

Koledzy Jednookiego, trochę ostrożniejsi w grze, zostali przy kościach, ale on, złorzecząc pod nosem, wziął kubek, dzbanek wina i poszedł wypić go sam przy oddzielnym stoliku.

Joan poczekał trochę, żeby się uspokoił. Wiedział, że nie jest to dobry moment, aby go nachodzić, ale zbyt długo czekał na tę okazję i obawiał się, że może się już nie powtórzyć. Wziął swój dzbanek z winem, kubek i usiadł przy stoliku mężczyzny.

— Niech was Bóg ma w opiece.

W odpowiedzi marynarz wydał z siebie warknięcie. Swoje jedyne oko utkwił w lewym Joana, którego przez chwilę przeszedł dreszcz; poczuł ten sam strach, co dziesięć lat temu, gdy ów osobnik razem z innymi zaskoczył jego ojca i sąsiadów z osady. Po chwili jednak powróciły gniew i nienawiść. Joan nie był już dzieckiem, teraz mógł poradzić sobie z tym odrażającym człowiekiem, był od niego wyższy i silniejszy. Jakkolwiek byłby niezadowolony, jego uraza nie będzie większa niż Joana. Lecz ten nie szukał już zwady i spróbował złagodzić swe spojrzenie uśmiechem.

— Jesteście marynarzem z floty Vilamaríego, prawda? — zapytał Joan.

Mężczyzna wciąż patrzył na niego krzywo.

— Jestem. Bo co?

— Bo tu, w portowych barach, wiele się mówi o waszych wyczynach.

Jednooki odpowiedział mruknięciem, po czym wychylił zawartość kubka. Napełnił go znów.

— Na przykład, gdy na żołdzie florenckich Medyceuszów osiemnastoma galerami najechaliście na Genuę. — Joan starał się rozochocić marynarza, przypominając mu o zwycięstwach. — Albo jak broniliście Neapolu przed wenecjanami i Francuzami, a potem walczyliście przeciwko Turkom na Malcie, Gozo i Sycylii. Albo jak wcześniej najechaliście Damiettę w delcie Nilu, topiąc piętnaście nieprzyjacielskich okrętów, zdobyliście zamek Mameluków i odcięliście Egiptowi dostęp do morza...

— Gówno to wszystko warte — uciął mężczyzna.

— Powiadają, że bierzecie niezłe łupy, a admirał jest hojny przy podziale.

— Największą część zgarnia Vilamarí, na utrzymanie statków, dla króla i do własnej kieszeni — powiedział marynarz. — Dla nas, którzy narażamy życie, zostają okruchy. Nieraz mamy do zjedzenia jedynie suchara i to, co zdołamy sobie złowić.

Pomimo mieszaniny strachu i odrazy, jaką wywoływał w nim ten człowiek, Joan poczuł się zadowolony z siebie. Udało mu się skłonić tego typa do mówienia, przezwyciężając nienawiść i hamując żądzę odwetu. Zachęcony sukcesem przystąpił do wyciągania z niego informacji.

— No tak, ale jeśli jest taka potrzeba, napadacie na nadmorskie osady — powiedział, ściszając głos. — Zabieracie wszystko, co ma jakąś wartość, i sprzedajecie jeńców. Z tego są pieniądze.

Mężczyzna przełknął zawartość kubka i próbując go napełnić, spostrzegł, że jego dzban jest pusty. Krzyknął do karczmarza, prosząc o drugi, i spojrzał podejrzliwie na Joana.

— Robimy to tylko na terytorium nieprzyjaciela. — Wpatrywał się na zmianę to w jedno, to w drugie oko Joana.

Joan uśmiechnął się, kiwając głową, jakby chodziło o sekret między kolegami, i porozumiewawczo puścił do niego oko.

— Dalej, chłopie. — Jeszcze bardziej ściszył głos, nadając mu tajemniczy ton. — Wiadomo, że najeżdżacie katalońskie wybrzeża i gdy nacieszycie się ich kobietami, sprzedajecie je we Włoszech.

Mężczyzna nalał sobie z dzbanka, który przyniósł mu barman, i spojrzał ostro na Joana. Potem syknął do niego:

— Kim jesteś? — Podniósł głos. — Ciągniesz mnie za język, prawda?

— Jestem tylko młodzieńcem, który podziwia wyczyny floty i chciałby u was zamustrować się na statek.

— U mnie? — Ryknął śmiechem. — O co chodzi, jesteś pedałem?

— Nie, ja...

— Chcesz coś ze mnie wydobyć... — Rąbnął pięścią w stół.

— Ale ja wszystko wiem. — Joan pragnął go uspokoić. — Nawet to, że wkładacie turban i udajecie Maura, gdy napadacie na nadmorskie osady.

Oko marynarza mętne od wina otworzyło się szeroko ze zdumienia i niepokoju.

— Chcę tylko, byście powiedzieli mi, gdzie sprzedajecie katalońskich jeńców we Włoszech.

— Bądź przeklęty! — wykrzyknął mężczyzna, znowu waląc w drewniany blat. — Chcesz, żebym puścił parę i skończył na szubienicy?

Sięgnął za pazuchę i w mgnieniu oka nóż o szerokim ostrzu i długiej rękojeści zalśnił w świetle kaganka, gdy wstawał, gotów rzucić się na chłopca.

Joan widział wiele barowych bójek, więc był przygotowany na taką okoliczność i wiedział, że gdy marynarz pokazywał ostrze, nie robił tego tylko dla postrachu. Błyskawicznie podniósł się i chwytając taboret, wetknął go między nóż i siebie, krzycząc:

— Morderca!

Zrobił to, aby zwrócić uwagę oberżystów. Chciał, żeby zobaczyli marynarza z nożem w ręce i jego z gołymi rękami. Inna rzecz, że przez dziesięć lat marzył o tym, żeby to słowo rzucić w twarz stojącemu naprzeciwko niego mężczyźnie, zatapiając w jego ciele sztylet, aby pomścić ojca. Wypowiedzenie go na głos coś w nim odblokowało i poniósł go gniew. Poczuł się pijany furią. Nienawidził tego człowieka, zarazem się go bojąc. Niemniej w owej chwili jego życie zależało od tego, czy zdoła się pohamować i wykorzystać pijaństwo przeciwnika.

Marynarz pchnął nożem, przytrzymując lewą ręką taboret. Krzyk Joana utwierdził go w przekonaniu, że stwarza niebezpieczeństwo.

Przez chwilę jego oko skrzyżowało się z oczami chłopaka i zobaczył w nich coś, co uwolniło mu wspomnienia.

Joan z łatwością uchylił się przed cięciem, ale mężczyzna jednym szarpnięciem wyrwał mu z rąk stołek i odrzucił go na bok. Chłopak wyciągnął z pochwy ostry sztylet, a lewą ręką złapał swój płaszcz.

— Utnę ci język, szpiegu! — warknął mężczyzna.

— Morderca! — krzyknął znowu Joan.

Wykorzystał czas, w którym obaj nawzajem mierzyli się wzrokiem, by owinąć płaszcz wokół lewej ręki, nie przestając wciąż grozić mężczyźnie sztyletem. Przeciwnik chwycił lewą ręką dzban i cisnął w Joana. Ten spodziewał się takiej reakcji. Odepchnął dzban ręką owiniętą płaszczem, a po chwili tą samą ręką odparował pchnięcie nożem wycelowane w jego szyję.

Miał w uszach huk wystrzału, który przywołał wspomnienia. Ujrzał tę twarz wykrzywioną w uśmiechu, gdy padał jego ojciec. Zobaczył, jak mężczyzna ciągnie za włosy jego matkę, kopiąc ją niemiłosiernie. Strach obrócił się w nienawiść, furię, wściekłość. Zemsty! — wibrował głos w jego głowie. Zemsty!

Z wielką szybkością, nie tracąc czasu, pchnął sztyletem prosto w żołądek. Zdumiony mężczyzna jeszcze szerzej otworzył jedno oko i wydał jęk. Osłaniając się lewym ramieniem przed jakimkolwiek ruchem przeciwnika, Joan wyciągnął szybko ostrze, by ze wściekłością wbić je trochę bardziej na lewo, w sam środek piersi. W serce. A potem znowu wyciągnął sztylet i wbił go jeszcze raz. Wzdychając dziwnie, marynarz osunął się na ziemię, a gdy upadał, Joan dźgnął go ponownie.

Wiedział, co dalej robić.

— Mordercy! — wrzasnął, grożąc zakrwawionym sztyletem marynarzom i graczom w kości, którzy z niezdrowym zaciekawieniem obserwowali całą scenę. Nie mógł pozwolić, by go zatrzymali. Uczynił ruch, jakby chciał ich zaatakować, i krzycząc, cofał się do drzwi. Nikt nie wyjął broni. Wykorzystując chwilę zaskoczenia, Joan wybiegł na ulicę i zniknął w mroku.

60

Biegnąc ciemnymi ulicami miasta, zaczął sobie zdawać sprawę z klęski. Nie tylko zabił człowieka, który mógł dostarczyć mu informacji o miejscu pobytu rodziny, ale też stracił możliwość zaciągnięcia się na statek i znalezienia Anny. Wszystko zawalił. Marynarze Vilamaríego nie puszczą mu płazem tej śmierci. Miał szczęście, że udało mu się uciec. Z pewnością zemściliby się natychmiast, a gdyby nawet darowali mu życie w tawernie, to następnego dnia zawisłby na maszcie galery ku przestrodze, żeby wszyscy wiedzieli, że marynarze z tej floty są nietykalni.

Odwet nie wynagrodził mu straty. Co teraz pocznie?

Po powrocie do kuźni zbudził mistrza Eloi i opowiedział mu, co się stało. Mężczyzna bardzo się zmartwił.

— To poważna sprawa, Joanie — powiedział. — Nieważne, że on napadł cię pierwszy, a ty się tylko broniłeś. Admirał zażąda twojej głowy. Nie pozwoli, żeby zabójca jego marynarza uniknął egzekucji. Nieważne, że zabity był złym człowiekiem i o mały włos cię nie zamordował. Będzie chciał dać przykład wszystkim mieszczanom.

— Wiem, mistrzu — ze spuszczoną głową odrzekł Joan. — Dlatego im uciekłem.

— Tu nie jesteś bezpieczny — mówił dalej mężczyzna. — Znają cię w tawernach i nim wstanie świt, przyślą patrol, żeby cię dostarczył na galerę Vilamaríego. Tam zostaniesz osądzony i powieszony.

Joan kiwnął potakująco głową.

— Jakie prawo im na to pozwala? — spytał.

— Prawo siły — odparł mistrz. — I zapewniam cię, że to wystarczy. Ale my, wolni obywatele Barcelony, też mamy nasze prawa. I siłę. Trzeba poszukać jakiegoś miejsca, gdzie mógłbyś się schronić tej nocy.

— Klasztor Świętej Anny jest teraz zamknięty. Nie otworzą furty przed wezwaniem na primę. Zostaje mi tylko...

— Nie mów mi, dokąd idziesz — przerwał mu mistrz. — Wystarczy, że twój brat będzie wiedział.

৵

Joan obudził Gabriela i zrozpaczony opowiedział mu, co się wydarzyło. Tak, pomścił ojca, ale zaprzepaścił okazję dowiedzenia się o miejsce pobytu rodziny we Włoszech. Niedobra zamiana.

— Chciałem go zabić — wyznał ze łzami. — Ale jeszcze nie teraz. Tylko że kiedy ten człowiek wyjął nóż, zawładnęła mną mieszanina strachu i gniewu. Dźgnąłem go sztyletem ze cztery razy. Wystarczyłoby raz, mogłem na tym skończyć. Ale poniosło mnie. Drugie cięcie go zabiło.

— Nie obwiniaj się, broniłeś swego życia — odparł brat. — Teraz musisz się ukryć. A podróżą do Włoch się nie przejmuj. Popłynę na galerze Vilamaríego zamiast ciebie. Odnajdę matkę i siostrę.

Joan kiwnął głową, nie sperając się z nim. Ojciec kazał mu opiekować się Gabrielem, a on, Joan, nie uważał, że brat był gotów na taką przygodę. I nigdy nie będzie gotów. Pod żadnym pozorem nie pozwoli mu zamustrować się na statek. Był starszy i na nim spoczywała odpowiedzialność.

৵

Nie od razu służący otworzyli drzwi domu Bartomeu, ale kupiec przyjął Joana z zaskakującą życzliwością. Co sprowadzało go do niego o takiej porze?

Gdy chłopak opowiedział mu, co zaszło, Bartomeu natychmiast się rozbudził. Ostatnio bardzo wzrosła jego pozycja społeczna.

Nie tylko wiodło mu się w interesach, ale też został już jednym z trzydziestu dwóch radnych reprezentujących interesy kupców w Concell de Cent, organie władzy miejskiej.

— Nie możemy pozwolić na to, żeby korsarz Vilamarí dyktował Barcelonie swoje prawa! — rzekł z oburzeniem. — Nieważne, ile ma galer w porcie i że cieszy się łaską króla. Ale może za bardzo wybiegamy naprzód, nie sądzisz? — dodał. — Admirał nic jeszcze nie uczynił, prawda? Idź już do łóżka, a jutro zastanowimy się, jak tę sprawę załatwić.

Jednakże admirał zachował się dokładnie tak, jak spodziewał się mistrz Eloi. Obsługa tawerny potwierdziła tożsamość Joana i podała jego miejsce pobytu, a o świcie kompania pięćdziesięciu łuczników pojawiła się w warsztacie i przetrząsnęła go od piwnic po strych.

Zdarzenie to wywołało gorący spór między miastem a admirałem Vilamarím. Rzemieślnicy, którym patronował święty Eligiusz, uważali, że ta sprawa ich dotyczy, jako że oskarżono mistrza z ich bractwa. Admirał, jakkolwiek dowodził królewskimi galerami, nie miał prawa do rewidowania ich warsztatów.

Konflikt dotarł do infanta Henryka Fortuny Aragońskiego. Ten nie kwapił się do rozstrzygania sporu pomiędzy miastem, zawsze wojowniczym w obronie swych przywilejów, a admirałem królewskiej floty. Uznał, że strony powinny dojść do porozumienia. W tym celu zaprosił do swej rezydencji na ulicy Ancha przedstawiciela miasta, którym był Bartomeu, i mistrza Eloi wydelegowanego przez cech. Stronę przeciwną reprezentował sam admirał Bernat de Vilamarí. Wyglądał na pięćdziesięciolatka, był wysoki, miał kasztanowe oczy, krzaczaste brwi, wysoko uniesione kości policzkowe, ostry podbródek i śniadą cerę, co u szlachcica było niestosowne. Gesty miał stanowcze, a nosił się z włoska. Ponieważ przewyższał rozmówców pochodzeniem, zaczął pierwszy:

— Nie puszczę bezkarnie karczemnego opryszka, który morduje jednego z moich marynarzy — powiedział. — Żądam, by miasto wydało mi go. Musi zawisnąć.

— Joan nie jest żadnym karczemnym opryszkiem — sprzeciwił się Eloi urażony. — Jest członkiem szanowanego cechu, który wyrabia dla was armaty. Bractwo przeprowadziło już swoje śledztwo. Rozmawialiśmy z karczmarzami. Wasz marynarz przegrał w kości dużo pieniędzy, sporo wypił i pierwszy wyciągnął nóż. Chłopak tylko się bronił. Cech uznał go za niewinnego i będzie to podtrzymywał z żelazną konsekwencją.

Vilamarí zdawał się trawić tę wiadomość, być może dla niego nową. Nie mógł przyjąć słów przedstawiciela cechu bez zastanowienia. Wysłał szwadron, który wtargnął siłą do warsztatu odlewniczego, nie napotykając oporu. A przecież obywatelom Barcelony prawo nakazywało noszenie broni w obronie miasta i własnych interesów. Miejskie regimenty grupowały się wokół cechów, których sztaby dowodzenia ustanowione były zgodnie z zasadami sztuki wojennej. Nie warto było znowu używać siły. W walce ulicznej jego ludzie nie mieliby szans.

— Poza tym — wtrącił Bartomeu — chłopak nie ma jeszcze dwudziestu trzech lat, nie można go skazać na śmierć.

— Jeśli jest nieletni, powinien zostać okryty hańbą, a potem skazany na wiosłowanie na statku galerniczym do końca życia — powiedział admirał.

— Cech się na to nie zgodzi — rzekł Eloi. — Uznaje go za niewinnego.

— Według mojego osądu jest winny — upierał się admirał.

— W takim razie powinien zostać postawiony przed niezależnym sądem — podsumował Bartomeu. — Ale ostrzegam was, admirale, że karczmarze zeznają, co widzieli, i chłopak zostanie uniewinniony.

— Słuchajcie — rzekł Vilamarí z opanowaną miną, próbując złagodzić napięcie — nie mogę pozwolić na to, żeby cywilowi uszło płazem zamordowanie marynarza podczas awantury w tawernie. Flota oczekuje przykładnej kary. To sprawa honoru. Gdyby nie był to nasz port, gdyby rzecz się działa na obczyźnie, urządzilibyśmy w odwecie akcję, w której zginęłoby paru mieszkańców. Albo ostrzelalibyśmy miasto. I nieważne, co powiedzą karczmarze. Oni bronią swojego klienta. Marynarze, którzy byli w tawernie, powiedzą co innego.

— Oni nic nie widzieli — przerwał mu Eloi. — Grali wtedy w kości.

— Nieważne, co widzieli — kontynuował admirał — tylko co powiedzą. Zresztą nasz człowiek miał cztery rany. Ten chłopak chciał go zabić, zasługuje na karę.

— Chłopiec się tylko bronił — powiedział Bartomeu.

— Ale nie został ranny — uciął Vilamarí. — A sam ranił cztery razy.

— Chwileczkę, panowie — włączył się infant Henryk, który do tej pory siedział cicho. — Nie będę wypowiadał się na temat winy czy niewinności, ale oznajmię wam królewską wolę. Flota będzie bardzo potrzebna w nadchodzących czasach, a król Ferdynand pragnie, by cieszyła się poważaniem i odznaczała się wysokim morale. Nie chce też obrazić miasta. Mam nadzieję, że nie będę musiał osobiście orzekać w tej sprawie i że ustalicie formułę, która w minimalnym chociaż stopniu zadowoli każdego z was, będąc jednocześnie przykładną karą.

— Ale... — zaczął mówić Eloi.

— Nie ma nic do dodania — przerwał mu infant. — Zbierzcie się gdzie indziej, kiedy indziej i znajdźcie wyjście, które zadowoli mnie jako reprezentanta króla. Treść waszego porozumienia będzie wyrokiem, który ogłoszę.

I wstał, żegnając ich gestem.

&

Eloi oddał swój głos w negocjacjach w ręce Bartomeu. Źle się czuł w relacjach z władzą i szlachtą. Natomiast kupiec był bakałarzem i jego pozycja społeczna bliższa już była szlachcicom. Ugoda wydawała się trudna mimo potęgi miasta. Vilamarí miał za sobą nie tylko siłę swych galer, ale i królewskich oddziałów, gdyż liczyć mógł na poparcie króla i jego namiestnika Henryka Aragońskiego. Infant był hrabią Ampurias i z tego względu przyjacielem i sąsiadem Vilamaríego na jego włościach w Palau.

Bartomeu nie wątpił, że jeśli infant Henryk zostanie zmuszony do wydania wyroku, zrobi to na korzyść admirała. Joana powieszą. Z całych sił pragnął uratować życie temu chłopakowi. Kochał go jak syna, którego nigdy nie miał.

Obaj mężczyźni byli do siebie podobni z usposobienia. Admirał okazał się człowiekiem oczytanym, od lat oczarowanym magią włoskiego renesansu. Lubił spotkania z ludźmi, na których mówiło się o literaturze, poezji i filozofii. Z tego względu był też namiętnym czytelnikiem. Wizerunek wojownika, według niektórych pirata, łagodził fasadą intelektualisty. Spotkania ich obydwu wkrótce stały się uprzejme. Byli dobrymi negocjatorami, dobrze rozumieli potrzeby przeciwnej strony i koszty, jakie ponosiła. Starali się je uwzględniać.

W końcu uznali Joana za winnego zabójstwa, a działanie w obronie własnej za okoliczność łagodzącą. Żeby został przykładnie ukarany, należało sporządzić orzeczenie o winie i był to niezłomny wymóg admirała.

Joan miał zostać przeprowadzony przez miasto drogą hańby. Wymierzono mu karę stu batów. Chłosta miała przebiegać tak, żeby go nie poranić. Potem miał przez dwa lata wiosłować na galerach Vilamaríego. Kupiec próbował zainteresować admirała umiejętnościami Joana, aby mógł odbyć tę karę jako marynarz, ale na to nie przystał. Musiał wiosłować. Największym osiągnięciem w targach z Vilamarím było zapewnienie, że zadba o to, aby marynarze nie mścili się na Joanie. Ale ostrzegł, że jeśli chłopak popełni jakieś przewinienie, zostanie ukarany jak każdy inny galernik, z egzekucją włącznie.

61

Hrabstwa Roussillon i Cerdagne zostały spacyfikowane. Gdy katalońskie dwory zebrały się wreszcie razem w refektarzu zakonu Świętej Anny, który Joan znał tak dobrze, królewska rodzina wyjechała do Saragossy na początku grudnia. Flota Vilamaríego, zacumowana w Barcelonie, nie była już potrzebna i otrzymała rozkaz wyruszenia do Neapolu, gdy tylko poprawi się pogoda. Mogła być potrzebna krewnym króla Ferdynanda.

Częścią umowy w sprawie Joana było odroczenie kary do wypłynięcia floty pod koniec wiosny. Bartomeu dał słowo w imieniu miasta, a Eloi w imieniu bractwa, że Joan pozostanie w areszcie domowym u kupca, aż nadejdzie czas. Infant Henryk przychylił się do ich ustaleń i wybrał sędziego, który w umówionym terminie miał ogłosić wyrok.

Kiedy Joan dowiedział się o karze, ogarnęło go potworne przygnębienie. Uratował życie, ale piętno hańby było straszliwe, a galera jeszcze straszniejsza; wielu ludzi ginęło tam, nim mijały dwa lata. Nie mógł się pogodzić z upokorzeniem, męką i nędzą życia galernika. Galery Vilamaríego miały popłynąć do Włoch, napadać na Neapol, a on miał przebywać w pływającym więzieniu. Nie zobaczy Anny. Nie odnajdzie rodziny.

Ojciec Anny od dawna nalegał, by przyjęła oświadczyny jakiegoś kawalera, a miała już dwadzieścia jeden lat. Czas uciekał, nie mogła opierać się dłużej. Gdy Joan o tym myślał, ogarniała go rozpacz. Żył nadzieją, że wsiądzie na pierwszy statek i popłynie jej na spotkanie. Ale nie tak to sobie wyobrażał. Kiedy odbędzie karę, ona może już być mężatką z dziećmi. Pomyślał o ucieczce. Mógłby potajemnie wsiąść na jakiś statek, ale w ten sposób nie miałby od kogo dowiedzieć się o losach matki i siostry we Włoszech. Ponadto postępując tak, zdradziłby Bartomeu i Eloi, którzy poręczyli za niego. Nie tylko splamiłby honor swych przyjaciół, ale też bractwa i miasta i zostałby skazany na śmierć przez obydwie instytucje. Podczas miesięcy oczekiwania wysłał do Anny dwa listy, a otrzymał jeden. Powtarzał tylko, jak bardzo ją kocha, choć czuje się pokonany i traci nadzieję. Wkrótce miał stracić ją na zawsze. Napisał do niej wiele listów, które Bartomeu będzie jej stopniowo wysyłał, ale ich treść była podobna. W żadnym nie odważył się wspomnieć o karze.

Mógł wychodzić z domu Bartomeu, ale miał zakaz chodzenia do tawern. Flota zakotwiczona była bowiem w porcie Barcelony i odwiedzali je marynarze Vilamaríego. Widok jego osoby na wolności mogliby uznać za prowokację i rzuciliby się na niego, żeby pomścić towarzysza.

Kilka razy odwiedził czarownicę z Raval, w nadziei, że ukoi jego rozpacz, jak uczyniła to kiedyś, ale kobieta nie chciała z nim rozmawiać. W zasadzie nie widywała się z nim, kiedy on tego pragnął, tylko jeśli akurat miała na to ochotę. Gdy go przyjmowała, nie podawała mu już magicznych napojów. Nie pocieszała go też dobrym słowem. Piła z nim napar i słuchała go, patrząc na niego zielonymi oczami, które chwilami przypominały mu oczy Anny. Sama mówiła niewiele, czasem tylko zadawała pytania, grzebiąc w jego uczuciach i pozwalając mu samemu dojść do własnych wniosków.

— Ostrzegałam cię przed nienawiścią, przed negatywnymi uczuciami — mówiła. — Jeśli pozwolisz, aby tobą zawładnęły, diabeł pożre twą duszę. Zamieniaj je na plany, choćby plany zemsty. Ale broń się przed nimi.

Dawała mu woreczek ziół na urazy, a on płacił jej pieniędzmi, długim uściskiem i pocałunkiem w policzek. Była nieśmiała i samotna, ale mimo to Joan widział w niej swoją przyjaciółkę, a sam uważał się za jej być może jedynego przyjaciela.

❧

Joan miał dość czasu, by pożegnać się z przyjaciółmi. Dużo rozmawiał z Abdalą, któremu czasem pomagał w kopiowaniu, i przeczytał pod przewodnictwem muzułmanina parę ksiąg, które kupiec miał w domu i o których później z przyjemnością we trójkę gawędzili. Starzec tłumaczył mu, że jedynie godząc się ze swym losem, można go zmienić i że prawdziwą niewolę nosi się w duszy, w uczuciach, które jak strach obezwładniają ludzi silniejszych niż skały. Joan przypominał sobie wtedy bardzo podobne słowa ojca. I swoją obietnicę, że będzie wolnym człowiekiem. A wszystko ułożyło się przeciwnie — za parę tygodni zakuty w kajdany zacznie wiosłować na galerze.

Swoją kolekcję książek przekazał bratu. Odzwierciedlały jego postęp jako introligatora, nosiły ślad rozwoju osobistego. Były dla niego bardzo ważne.

— Przechowaj je w bezpiecznym miejscu — powiedział.

Gabriel spytał go, dlaczego zamówił u Lluísa nową książeczkę, i to tak małą, żeby zmieściła się do kieszeni płaszcza.

— To będzie mój nowy zeszyt ucznia — wyjaśnił Joan.

— Zeszyt ucznia? — zdziwił się Gabriel. — Ale ty przecież jesteś mistrzem odlewnictwa. A gdyby Felip nie ukradł twojego majstersztyku, a cechy nie wymagałyby wyłączności, stałbyś się również mistrzem introligatorstwa.

— Nie jestem jednak nikim innym, jak uczniem życia — odparł Joan ze smutnym uśmiechem. — Dowodem na to jest kara za morderstwo.

Przekazał bratu włócznię ojca. Była bardzo wyrazistym symbolem. Padli sobie w objęcia, a Joan wyszeptał przez łzy:

— Obiecaj mi, że ty będziesz wolny.

— Będę, Joanie, będę — z płaczem zapewniał go Gabriel.

Dał mu też koral, który wciąż trzymał w swoich oszczędnościach. Na galerę chciał zabrać tylko część pieniędzy, obawiał się bowiem, że mogliby je ukraść strażnicy albo inni uzbrojeni ludzie.

❧

To był słoneczny poranek pod koniec kwietnia. Pomarańcze porastające gęsto ogrody Barcelony rozsiewały woń kwiatów.

Następnego dnia wypływała flota i miała się rozpocząć pierwsza część kary. Joan poszedł do Świętej Anny, gdzie wyspowiadał się bratu Antoniemu, wysłuchał jego rad i uczestniczył we mszy. Potem w towarzystwie Gabriela i przyjaciół udał się na plac Blat, gdzie znajdowało się miejskie więzienie. Poprzedniego dnia heroldzi ogłosili wyrok, miejsce i godzinę rozpoczęcia drogi hańby. Czekali na niego sędzia, kat i oddział kuszników z floty Vilamaríego. Pojawiła się też reprezentacja z warsztatu Eloi.

Kat rozebrał Joana od pasa w górę i kazał wsiąść na osła. Związał mu ręce i umieścił na siodle urządzenie, które przytrzymywało Joana za brodę w taki sposób, by nie mógł spuścić głowy i wszyscy widzieli jego twarz podczas przejazdu drogą hańby.

Zaczynała się zwykle spod więzienia i po objechaniu pewnego obszaru kończyła się w tym samym miejscu. Trasa obejmowała sto skrzyżowań i na każdym z nich smagano skazańca batem jeden raz albo dwa, albo trzy, zależnie od wyroku. W wypadku Joana trasa liczyła tylko pięćdziesiąt skrzyżowań, jako że jego męka kończyć się miała w porcie, przez co na każdym z nich miał być dwukrotnie smagnięty batem. Na szyi osiołka zawieszono tabliczkę, na której wymienione było przewinienie chłopca. „Zabójstwo sztyletem w bójce". Treść ustalono podczas negocjacji.

Pochód otwierał pluton kuszników, a zamykał oddział bębniarzy i kolejny pluton kuszników. Bractwo świętego Eligiusza też wystawiło reprezentację. Mogłoby zebrać sto razy tyle oddziałów, ile miała cała flota, ale wybrało tylko pięćdziesięciu ochotników spośród najsilniejszych kowali. Choć też mieli kusze, hełmy i zbroje, to defilowali bez broni, za to z charakterystycznymi narzędziami i sztandarem bractwa. Nałożyli skórzane fartuchy chroniące przed iskrami i rozpalonym żelazem, tak grube, że niemal niemożliwe do przebicia nawet bardzo ostrym nożem. Niektórzy przytroczyli do pasów długie młoty, a inni stalowe drągi, których uderzeniem można by złamać kość. Członkowie bractwa mieli iść przed i za skazańcem, ale bezpośrednio przed nim kroczyć będą sędzia odczytujący wyrok na każdym rogu i kat wymierzający razy rzemiennym batem. Kara miała polegać jednocześnie na chłoście i na wystawieniu na publiczne pośmiewisko; tłumek cieszył się, wykrzykując obelgi i obrzucając skazańca nieczystościami.

Bractwo uznało Joana za niewinnego i wystawiło ochotników, żeby go chronić. Wieść o wydarzeniu obiegła miasto. Podczas przemarszu, słychać było tylko bicie bębnów i trąbienie rogu sędziego, który nakazywał zatrzymać się na chłostę. Bębny cichły, a sędzia ogłaszał:

— Joan Serra de Llafranc. Skazany na sto batów i dwa lata wiosłowania na galerach królewskich za zabicie w walce na noże marynarza z floty admirała Bernata de Vilamarí.

Kat smagał go dwukrotnie i pochód ruszał dalej, do następnego skrzyżowania. Ludzie spoglądali na Joana z szacunkiem. Musiał być kimś wyjątkowym, skoro zasłużył na obstawę najpotężniejszego z bractw.

— Powiadają, że była to uczciwa walka — szeptano między sobą. — I że to marynarz wyjął nóż pierwszy.

— Rozwiązać go! — padł okrzyk. — Puścić wolno!

Na jednym z rogów czekał Felip z kolegami, żeby pośmiać się z Joana. Musieli jednak przerwać swe kpiny i rzucić się do ucieczki, gdy tuzin kowali wyskoczył na nich, wznosząc stalowe pręty. Poważanie okazywane przez tłum wynikało częściowo ze strachu, który budzili członkowie bractwa świętego Eligiusza.

W końcu to, co miało być hańbą, przerodziło się w hołd. Joanowi łzy napływały do oczu, gdy widział, jak przyjaciele chronią go, dodają otuchy i dobrze mu życzą.

Kata Joan znał z barów. Chłopak był jednym z nielicznych, którzy odpowiadali mu na pozdrowienie, gdyż powszechnie traktowano go jak trędowatego.

Razy bata były czystą pantomimą, nie dlatego, że kat specjalnie się nad nim litował. Członkowie bractwa zagrozili mu, że jeśli na plecach Joana pozostanie choć jeden ślad, oddadzą mu podwójnie. Sędzia zaś, którego obowiązkiem było nadzorować pracę kata, pojął w mig, że nie warto być zbyt restrykcyjnym.

～

Sędzia czuł ulgę, mogąc wreszcie przekazać tak wyjątkowego skazańca na pokład *Świętej Eulalii*, okrętu admiralskiego. Podpisał stosowny dokument, a okrętowi strażnicy zakuli Joana w obręcz na kostce u lewej nogi, by zaprowadzić na pokład. Przedtem wyściskał go Gabriel, dał mu tobołek z ubraniami i nową czystą książką. Bartomeu i reszta przyjaciół też przyszli się z nim pożegnać. Strażnik, który przejrzał rzeczy Joana, nie pozwolił mu wziąć pióra z metalową stalówką, zgodził się jednak na dwa pióra ptasie.

— No proszę, więzień umie czytać i pisać — powiedział. — Na wiele ci się to nie zda podczas wiosłowania.

Bernat de Vilamarí przyglądał się chłopcu. Joan go nie znał, ale po wyglądzie domyślił się, kim jest. Stanął więc prosto, wytrzymując jego spojrzenie.

Po wkroczeniu na deski pokładu Joan zaczął się modlić. Modlitwy jednak nie były w stanie pohamować gniewu. Przez ostatnie dni chłopak dużo rozmyślał. Utwierdził się w przekonaniu, że ostatecznie to admirał jest odpowiedzialny za niedolę jego rodziny. I pojął zarazem, że nie stłumił w sobie nienawiści. Nie pomogła śmierć mężczyzny, którego zabił, nie pomogły zioła czarownicy. Spojrzał na admirała i dostrzegł, że on wciąż mu się przygląda. Może Vilamarí zrozumiał znaczenie ostrego wzroku młodego mężczyzny.

CZĘŚĆ TRZECIA

62

Strażnicy kazali Joanowi zdjąć pończochy. Nagość była dla niego upokarzająca. Lekarz szybko ocenił jego stan fizyczny, łącznie z uzębieniem. Ponieważ nie mogłoby być inaczej, medyk zakwalifikował go jako zdolnego do odbycia kary.

Chłopak poczuł ciepło wiosennego słońca na skórze i zapragnął napełnić płuca morskim powietrzem, jakże upragnionym, które niosło tyle wspomnień, ale uderzający odór galery wyrwał go z przyjemnego stanu. Następnie, wciąż nagiemu, ogolono dokładnie głowę i twarz. Golenie odbywało się co piętnaście dni nie tylko z powodu plagi pcheł, ale także dlatego, że łatwiej było zidentyfikować zbiegów w razie ucieczki. Skryba sporządził jego rysopis, wpisał rodzaj kary i datę jej rozpoczęcia. Był to kolejny środek zapobiegawczy w razie ucieczki. Joan zaczął rozumieć, że kara na galerze nie będzie miała nic wspólnego z udawaną chłostą w mieście.

Flotylla dowodzona przez Vilamaríego składała się z trzech galer, spośród których *Święta Eulalia* była największa. Miała dwadzieścia sześć ław z każdego boku, po trzech wioślarzy na każdej ławie, i dwie wolne przestrzenie między galernikami, jedna przeznaczona na kuchnię pod gołym niebem, druga na szalupę. Na maszcie rozpięty był łaciński żagiel. Mniejsze galery miały po dwadzieścia trzy ławy przy każdej burcie.

Galery przystosowane były do walki i szybkiego wyładunku wojsk. Ich najbardziej cenioną cechą była szybkość. Unikano zabierania na nie zbędnych ładunków. Przebywało się tam praktycznie przez cały czas na świeżym powietrzu. Dlatego z nielicznymi wyjątkami używano ich tylko od maja do października. Burty były niskie, aby wiosła z łatwością sięgały wody, a pojemność niewielka. Z tego powodu trzeba było dość często odnawiać zapasy żywności, a zwłaszcza wody.

Decydująca dla szybkości łodzi była ich waga. Mogły być lekkie i szybkie, jak te, których używali berberyjscy piraci, lub ciężkie jak chrześcijańskie, większe i uzbrojone w armaty. Hiszpańskie galery, takie jak Vilamaríego, były wzmocnione na dziobach i wyposażone w dodatkową konstrukcję zwaną *arrumbada*, która ułatwiała atak abordażem i ochraniała piechotę i artylerię od wystrzałów.

Joan otrzymał przydziałową odzież dla galernika. Dwie koszule, dwie pary pończoch, czerwoną czapkę i skarpety. Pośpiesznie się ubrał i od razu włożył czapkę. Słońce i powietrze dawały dziwne uczucie chłodu na ogolonej głowie. Otrzymał też brezentową szczelną torbę, rondelek i drewnianą łyżkę. Włożył do torby zeszyt ucznia, pióra, kałamarz z atramentem, odzież i trochę pieniędzy.

Z ciekawością i przestrachem rozglądał się po nowym otoczeniu, idąc środkowym przejściem między dwoma rzędami ław wioślarzy. Jeden ze strażników szedł za nim, drugi go prowadził. Jeńcy spali na ławach lub rozmawiali ze sobą, niektórzy spoglądali na niego ciekawie, ale większość okazywała obojętność. Joan obliczył, że musi tam być ponad stu pięćdziesięciu mężczyzn, każdy przy wiośle. Gdy zbliżyli się do dziesiątej ławy obok sterburty, kazali mu usiąść pośrodku, twarzą do rufy, między dwoma galernikami. Tam skuli mu lewą nogę i prawą rękę.

— Możesz już zacząć pisać — zakpił ten, który wcześniej z niego drwił, zwany Garau. — I wiedz, że ten, którego zabiłeś, był moim kumplem.

Joan chciał mu coś odpowiedzieć, ale rozsądek kazał mu milczeć.

— Nic nie mów — usłyszał szept chłopaka z prawej strony. — I uważaj na niego, to wredny gad.

Zamknął oczy. Żeby to wszystko okazało się złym snem! Jednakże ciężar kajdan, twardość ław i nieustający odór zakutego tłumu przypomniał mu o nieubłaganej rzeczywistości. Dwa lata, pomyślał zrozpaczony. Przez dwa lata będzie musiał to wszystko znosić. Załamany oparł na uchwycie wiosła ręce, wsparł na nich głowę. Jakże daleko mu do tego, o co prosił go ojciec. Walczyć o wolność swoją, swojej rodziny. Zawalił całkowicie.

Przypomniał mu się Abdalá, który mówił, że prawdziwa wolność jest we wnętrzu każdego i że człowiek może być wolny duchem, choćby jego ciało było zniewolone. Obiecał sobie, że w imię pamięci ojca będzie stosował się do nauk mistrza. Nie da się pokonać ani odebrać sobie godności.

Otworzył oczy, by zmierzyć się z tym, co go otaczało. Mężczyzna na ławie za nim zdjął pończochy i oddał kał na miejscu. Brzęk łańcuchów zmieszał się z dźwiękami wydalanych gazów. Joan poczuł wstręt, gdy zrozumiał, że nikt nie uwolni go z kajdan, gdy będzie musiał załatwić potrzeby fizjologiczne.

— W końcu się przyzwyczaisz — rzucił chłopak po jego prawej stronie.

Joan spojrzał na niego, ale nic nie powiedział. Chłopak nie przekroczył jeszcze osiemnastu lat. Był szczupły, miał delikatne rysy, bez zaczątków brody, i ogromne, niebieskie, podkrążone oczy. Jego obecność w tym miejscu wydała się Joanowi dziwna. Przestał użalać się nad sobą, żeby współczuć trochę temu chłopcu. Jak długo wytrzyma na tej ławie?

— Jestem Joan — przedstawił się.

— A ja Carles — odrzekł tamten. — Radzę ci, żebyś powiesił brezentową torbę na haczyku pod ławą, jeśli nie chcesz, by wypełniła się świństwem — powiedział z uśmiechem.

Joan spojrzał na ekskrementy na pokładzie i pośpiesznie zaczął szukać haków. Gdy operacja się udała, przeniósł wzrok na mężczyznę po jego lewej stronie. Był krzepki, a skórę miał ogorzałą od słońca. Sprawiał wrażenie przykutego do wioseł od dłuższego czasu. Ich spojrzenia się skrzyżowały, więc Joan uznał za stosowne się odezwać.

— Cześć. Jestem Joan — powiedział.

— Amed — odparł tamten dopiero po chwili.

Młodzieniec pomyślał, że mężczyzna nie ma ochoty z nim rozmawiać. Skinął tylko głową i spojrzał pytająco na Carlesa.

— To muzułmanin, nie umie po naszemu — wyjaśnił mu chłopiec, nie czekając, aż zapyta. Mówił w dziwny sposób. — Jest jeńcem wojennym, na każdej ławie sadzają po jednym, żeby zapobiec buntom. Ten jest Berberem, ale są też Turcy. Powiadają, że północni Afrykanie jak Amed są niebezpieczni, bo nigdy nie wiadomo, kiedy cię dopadną, ale to wielcy marynarze i najlepsi wioślarze. Z tego powodu, a także dlatego, że jest silny, dali mu najdłuższe i najcięższe wiosło. Mnie, jak widzisz, posadzili przy burcie i dali najcieńsze wiosło.

Joan wdzięczny był za przydatne informacje. Dostrzegł jednak w Carlesie coś dziwnego. Jego ruchy i sposób mówienia z wyraźnym północnokatalońskim akcentem wydały się zmanierowane, prawie kobiece. Pomyślał z odrazą o jego uprzejmości, obawiając się, że chłopaka pociągają mężczyźni. Nigdy z kimś takim nie miał do czynienia, ale słyszał, że prowokują innych do rozpusty, zwłaszcza w miejscach, gdzie nie ma kobiet. Poczuł wstręt i strach, że może go skusić. Za takie rzeczy groziła kara śmierci. Dlatego ci ludzie starali się być niezauważalni. Ponadto woleli unikać okazywanej im pogardy. Joan pomyślał jednak, że ten chłopiec nie mógłby się ukryć, nawet gdyby bardzo się starał. Odruchowo odsunął się od niego, chociaż łańcuchy nie pozwalały mu się zbyt oddalić. Carles zauważył to i zamilkł.

Po chwili Joan poczuł klepnięcie w plecy i rozległ się gruby głos:

— Cóż to? Nie podoba ci się nasza dzieweczka? Bo nam tak!

A potem śmiech kilku mężczyzn. Jeden z nich zaczął obmacywać Carlesa.

— Zostaw mnie! — krzyknął chłopak, zrywając się jednym susem i usiłując odskoczyć tak daleko, jak tylko pozwalały mu łańcuchy.

Tamci z ławy z tyłu zaśmiali się znowu. Joanowi nie spodobało się to zbytnio, ale pozdrowił ich, przedstawiając się. Dwaj byli chrześcijanami; ten z grubym głosem, niejaki Jerònim, wiosłował dokładnie za Carlesem. Trzeci był muzułmaninem, prawie się nie odzywał i nie uczestniczył w dokuczaniu.

❧

W pewnej chwili rozległy się rogi i bębny. Dowódca zaczął wykrzykiwać rozkazy, alarmując strażników i galerników.

— To pewnie przedstawiciele władz miasta i rejent żegnają flotę — powiedział Carles. — Zaraz wyruszymy.

— Co mam robić? — spytał Joan zaniepokojony. — Nikt mi nic nie powiedział.

— My, jeńcy, uczymy się jedni od drugich albo od bata strażnika — odparł Carles. — Rozkazy wydawane są za pomocą dęcia w róg i różnią się w zależności od tego, czy dotyczą bakburty, sterburty, dziobu czy rufy. Na razie rób to, co ja, ale zapamiętuj sygnały i znaki. — I dodał melancholijnie: — Widzisz, jak to jest, ja uczyłem się od tego, który siedział na twoim miejscu, a teraz ty uczysz się ode mnie.

— A co się z nim stało?

— To samo, co z innymi. Umarł.

— Na co?

Carles wzruszył ramionami.

— Nie wiem — powiedział. — Może zatruły go walające się wokół gówna albo zginął od lichego i podawanego w niewielkich ilościach jedzenia, albo od cięgów, albo z wyczerpania, albo nawet od słońca. Trzy lata przykuty był do tego wiosła, miał biegunkę, bardzo schudł i nie mógł wiosłować. Strażnicy walili go batem, ale ruszał się jeszcze wolniej. W końcu zabrali go pod pokład. Mówią, że przed śmiercią ksiądz go wyspowiadał. Zapakowali go do wora, obciążyli kamieniem, zszyli i wrzucili do morza koło wysp Medes, po drodze z Salses-le-Château do Barcelony.

Gdy Joan usłyszał wzmiankę o wyspach, gdzie pływał poławiać czerwony koral, oczy wypełniły mu się łzami. Pamiętał, jakby to było wczoraj, błękitne morze, przejrzystą wodę, słońce, *Mewę*, uśmiechającego się ojca z kolegami. Co za cudowne czasy! Dopiero teraz był w stanie w pełni to docenić. Przypominał sobie też powrót do Llafranc, zwłaszcza gdy połów był obfity i mężczyźni śpiewali. Stare pieśni, stare wspomnienia. Zaczął nucić jedną z nich.

❧

Dowódca wydał rozkaz i zabrzmiał sygnał. Jeńcy powstali i pochylili ręce i ciała do przodu, w stronę rufy, wyciągając skrzydła wioseł z wody i unosząc je w przeciwnym kierunku, ku dziobowi.

Joan zaczął ich pośpiesznie naśladować. Widział, jak strażnicy z batami w ręce przechadzali się mostkiem, obserwując ruchy galerników. Padł następny rozkaz, ale wszyscy zastygli nieruchomo z wiosłami w górze.

— To wezwanie do wiosłowania, ale trzeba zaczekać — szepnął Carles.

Gdy rozległ się następny sygnał, galernicy, wszyscy naraz, zatopili wiosła w wodzie, opierając nogi o podłoże i całym ciężarem ciał opadając na ławy. Łódź ruszyła majestatycznie.

Potężny rytmiczny dźwięk wydobywający się z kotła synchronizował ruchy galerników, którzy wstawali raz po raz, a potem jednocześnie opadali na ławy.

Joan wiosłował, patrząc, jak znika w dali Barcelona. Pozostawił w niej brata i przyjaciół. Ogarnęła go tęsknota. Łzy pociekły mu po policzkach w bezgłośnym szlochu. Zauważył, że Carles przygląda mu się w ciszy.

Czy los któregoś dnia pozwoli mu powrócić? Na mocy wyroku zmierzał właśnie tam, dokąd pragnął się udać: do Neapolu. Ale zarazem oddalały się jego marzenia.

Szarpnął z wściekłością wiosło, szukając pociechy w otaczającym go koszmarze. Joan był wysoki, jego silne dwudziestotrzyletnie ciało nawykłe do przenoszenia form i narzędzi odlewniczych wygięło drewno.

— Spokojnie — powiedział Carles. — Nie śpiesz się, z każdym słowem bliżej nam do śmierci.

63

Galery wzięły kurs na wschód. Gdy na *Świętej Eulalii* rozwinięto żagiel, na pozostałych łodziach zrobiono to samo. Wiatr im sprzyjał, a admirałowi nie było śpieszno, więc pozwolono odpocząć galernikom z dziobu, podczas gdy ci na rufie wiosłowali.

Kiedy Joan położył wiosło na wsporniku, który utrzymywał je w poziomej pozycji, wypił z bukłaka ponad dwa litry wody.

— Oszczędzaj ją — ostrzegał go Carles. — To woda, którą dostajesz na cały dzień.

Ci, którzy nie wiosłowali, zaczęli spłukiwać pokład wodą nabieraną wiadrami z morza. Po usunięciu ekskrementów powbijanych pomiędzy ławy odór zelżał. Bryza była błogosławieństwem i Joan chciwie napełniał nią płuca.

— Co piętnaście dni spłukuje się pokład wodą z octem, żeby go zdezynfekować — oświadczył Carles. — Na rufie galery znajduje się szlachetna strefa zwana kasztelem rufowym dla okrętowych notabli. Podróżują wygodnie, osłonięci od słońca. Nie tylko należą do wyższej klasy, ale wręcz uważają się za inną rasę ludzi. Mają nawet perfumistę, który odświeża im powietrze, i muzyków umilających bezczynność. Jeśli na świecie istnieje podział na klasy społeczne, tutaj jest on w pełni widoczny. Admirał to Bóg, a my to szczury. Żołnierze pod wodzą oficera Perego Torrenta uważają się za lepszych od marynarzy, a nami gardzą. Prędzej zginą w walce z silniejszym wrogiem, niż mieliby wiosłować czy rozpinać żagle. Dla nich praca to hańba.

— Tak, ale jeśli zostaną pojmani, też skończą, wiosłując — zauważył Joan.

— To ryzyko ich zawodu, a pojmanie w walce nie jest hańbą — odparł Carles. — Wtedy zostaną niewolnikami.

Joan pokręcił głową z niedowierzaniem. To był dziwny świat, inny od tego, który znał. Rządził się własnymi prawami. Pojął, że znalazł się w najgorszym miejscu na świecie i że będzie miał dużo szczęścia, jeśli zdoła przeżyć.

೨

Niezwykły zapach zmieszał się ze smrodem łodzi. Był to zapach palonego drewna sosnowego i czegoś, co gotowano. Nad rzędem ław, za którymi było palenisko, unosił się obłok dymu. Ku swemu zdziwieniu, mimo wszechobecnego, przyprawiającego o mdłości odoru, Joan poczuł głód. Najpierw podano jedzenie strażnikom, żołnierzom i marynarzom. W końcu pojawiło się paru galerników z wielkimi kotłami. Pilnowali ich strażnicy. Joan zobaczył, że jeńcy pośpiesznie wyciągali swoje miski i łyżki z toreb schowanych pod ławami. Zrobił to samo. Nałożyli mu potrawki z bobu i dali parę kawałków suchara. Wszyscy zabrali się chciwie do jedzenia. Joan próbował nawiązać rozmowę z Amedem, ale on znał zaledwie parę słów. Znajomość nasrydzkiego na niewiele się zdała, gdyż Amed mówił innym językiem. Mimo prób porozumienia na migi rozmowa prędko wygasła.

Żagiel rzucał cień na statek, więc wielu galerników zdjęło czapki. Joan zdziwił się, gdy zobaczył, że Amed ma długi kosmyk włosów na ogolonej głowie.

— Muzułmanie wierzą, że po śmierci Bóg będzie za włosy ciągnął ich do raju — powiedział Carles. — Dlatego zostawiają im ten kosmyk. Nie sądzę, żeby robili to z powodu tolerancji religijnej. Chcą, aby byli pogodzeni ze śmiercią.

Joan ze zdumieniem pokręcił głową. To miejsce nie przestawało go zadziwiać. Ugryzł suchara. Był bardzo twardy.

— To rodzaj biszkopta, który pieką dwa razy, żeby na dłużej się zakonserwował — wyjaśnił Carles. — A danie gorące to bób i cieciorka. To właśnie jemy dwa razy dziennie. Ale gdy musimy bardziej się postarać, na przykład przed bitwą, dają nam większe porcje warzyw i wody. A nawet wino i boczek.

Joan zauważył, że Jerònimowi, galernikowi siedzącemu za Carlesem, nałożyli z innego kociołka i dali kubek z winem. Skierował pytające spojrzenie na sąsiada, a ten niezwłocznie wyjaśnił:

— To wolny strzelec.

— Kto?

— Wioślarz ochotnik — uściślił Carles.

Joan zrobił zaskoczoną minę. Nie był w stanie pojąć, że ktoś mógł znaleźć się w takim miejscu z własnej woli.

— To złoczyńca, który odbył karę na galerach, ale że nikt nie chce przyjąć go do pracy na stałym lądzie, zgłosił się na ochotnika do wiosłowania za zapłatę — tłumaczył. — Płacą mu nędznie, dukata na trzy miesiące. Ale w jego potrawce jest boczek, je to, co załoga, i może brać dokładki. Jeśli się przyjrzysz, zauważysz, że nie jest skuty, a gdy zdejmie czapkę, zobaczysz, że ma włosy. Ma się za lepszego od nas i jest zaufanym strażników, ludzi podobnych do niego. Sam chciałby posadę strażnika, ale nikt go nie przyjmie. Jest kumplem tego Garau, najgorszego z nich wszystkich. To źli ludzie, widzisz, dobrali się jak w korcu maku.

Joan przypomniał sobie twarz Garau. Tamten człowiek rzucił mu w twarz, że Jednooki był jego kolegą. Nagle zdał sobie sprawę, że widział go już kiedyś, dawno temu. Podczas napaści na wioskę! Zrozumiał, że Garau był w oddziale, który zamordował jego ojca. I zgwałcił kobiety z jego rodziny. Przeczuwał, że odpowiedzi na dręczące go pytania są bardzo blisko. Przez ten czas Carles wciąż mówił, ale Joan nie uważał.

— Nie myśl, że ci wolni strzelcy są całkiem wolni. Gdyby chcieli odejść, a nie byłoby dość galerników, kapitan kazałby ich zakuć tak samo jak nas. Odchodzą z łodzi tylko wtedy, gdy jest dość wioślarzy.

Joan zapadł w pełną zamyślenia ciszę. Carles zauważył jego stan. Przestał mówić i zajął się jedzeniem. Joan zaś myślał o tym, jak zdobyć informacje o miejscu pobytu jego rodziny we Włoszech. Ten strażnik Garau musiał pamiętać, co z nią zrobili, ale nigdy nie zniżyłby się do rozmowy z takim galernikiem jak on. Musiałby uznać go za równego sobie i zaprzyjaźnić się z nim, ale do tego nie dojdzie, póki on, Joan, ma na sobie kajdany. Powinien zaczekać, aż odbędzie karę, a potem podjąć pracę jako wolny strzelec albo, gdyby miał szczęście, marynarz. Jednakże doszedł do wniosku, że tak długo nie może czekać. Więc zaczął się zastanawiać, jak uwolnić się z oków i zostać przyjętym do załogi.

64

Pierwszej nocy księżyc był prawie w pełni i świecił, kładąc srebrzysty połysk na spokojnym morzu. Wiały przyjazne wiatry. Kapitan postanowił płynąć pod żaglem. Zostawił okręt pod opieką nawigatora i wachtowych, a galernikom pozwolił odpocząć. Przed samym zmierzchem zapalili latarnię umiejscowioną za kasztelem. Tylko galera admirała biła tym światłem, pozostałe płynęły za nią. Po kolacji, przed ułożeniem się na deskach, Carles powiedział do Joana:

— Mamy szczęście, że jesteśmy blisko dziobu.

— Dlaczego?

— Dlatego że nieszczęśnicy, którzy śpią na rufie, bliżej kasztelu, w nocy bardzo się męczą. Gryzą ich pluskwy i pchły, ławy są twarde, a gdy się kręcą, żeby zmienić pozycję, brzęczą im łańcuchy. Hałas budzi strażników, którzy smagają winnych batem. Wyobraź sobie tylko: znosić to wszystko, nie mogąc się nawet ruszyć.

Przerażające, pomyślał Joan.

Przed samą kolacją spłukiwali pokład. Choć został oczyszczony z ekskrementów i uryny, wciąż cuchnął i był mokry. Powiewała chłodna bryza. Joan wyjął z torby wszystkie ubrania. Kładł się do snu. Nagle usłyszał głos Jerònima, ochotnika. Razem z kolegą noszącymi imię Sanç znowu zaczęli nękać Carlesa, postukując go z tyłu.

— Dużo sekrecików już wyznałeś narzeczonemu, prawda?

Chłopiec bronił się, odpychając rękami. Hałas kajdan zdawał się cieszyć prześladowców. Joan pomyślał, że to podłe. Przyjrzał się dokuczającym. Obydwaj byli nieźle zbudowani, choć Carles górował nad nimi wzrostem. Nie byli silnie umięśnieni. Oszacował, że jedno dobrze wymierzone z zaskoczenia uderzenie pięścią powaliłoby pierwszego. Nie obawiałby się stanąć z drugim twarzą w twarz, byłby pewien zwycięstwa. A jednak się nie wtrącił. Powstrzymał się i rozważył konsekwencje. Z całą pewnością strażnik Garau na to zezwalał, być może sam nawet też brał w tym udział i stawał po stronie Jerònima i jego kompana. Poza tym nazwali go „narzeczonym" chłopca i jeśli stanie w jego obronie, mogą uznać go za homoseksualistę. Wreszcie pomyślał, że byłoby szaleństwem wdawać się w bójkę pierwszej nocy. Jeśli zwycięży, wciąż będzie czuł oddechy tych ludzi na plecach. Nocą i dniem. Nie zazna spokoju.

Zacisnął zęby i czekał, aż znudzi im się dokuczanie chłopcu, który bronił się, jak mógł, w milczeniu, ze łzami spływającymi po policzkach. Było ich dwóch i byli silniejsi, ale Carles nie ulegał im, nie poddawał się.

Joan poczuł wstyd, że zachowuje się biernie. To było tchórzostwo. Uznał jednak, że nie może pozwolić sobie na ingerencję, bo to tylko bardziej by go oddaliło od rodziny i Anny.

Gdy mężczyźni zmęczyli się wreszcie zabawą, ułożyli się do snu. Amed leżał w przejściu, a Carles zwinął się w kłębek pod burtą. Joan najpierw próbował spać na ławie, ale kołysanie łodzi groziło tym, że spadnie na pokład. Wreszcie położył się na deskach. Było mokro i ciasno. Natykał się co rusz na nogi Ameda i Carlesa. Nie było mowy o przybraniu w miarę wygodnej pozycji. Skrzypienie drewnianych belek łodzi łączyło się z brzękiem łańcuchów kręcących się jeńców. Wreszcie nadszedł niespokojny sen, z którego raz po raz budził się obolały. Za którymś razem ujrzał Carlesa leżącego prawie na nim. Spał albo udawał. W pierwszym odruchu chciał go brutalnie odepchnąć. Co powiedzieliby inni, gdyby ujrzeli ich w objęciach? Ale ten chłopiec budził w nim tkliwość. Odsunął go delikatnie.

∂∾

— Wśród mężczyzn jestem półkobietą, a wśród kobiet półmężczyzną — wyznał mu Carles podczas przerwy w wiosłowaniu trzeciego dnia.

Joan przyjrzał się jasnoniebieskim oczom i tęsknemu wyrazowi twarzy, zastanawiając się nad tymi słowami.

— I cierpię podwójną niewolę — kontynuował chłopiec. — Jestem galernikiem, i do tego galernikiem traktowanym jak dziwka przez mężczyzn, których nie pragnę, którymi się brzydzę.

Joan nie odzywał się, tylko czekał, aż Carles powie coś więcej.

— Ty jesteś silny i przeżyjesz — oznajmił chłopiec. — Ale ja długo już nie wytrzymam. Umrę tutaj.

— Za co cię skazali na galery? — Joan chciał zmienić temat rozmowy.

— Za rozpustę.

— A więc ty...?

— Zgwałcono mnie.

I Carles opowiedział mu swoją historię. Jego ojciec był poważanym kupcem w Perpignan. Carles już od dzieciństwa zdradzał cechy kobiece, które uwydatniły się w okresie dorastania. Ojciec często zwracał mu uwagę, by zachowywał się jak mężczyzna. Choć przez pewien czas chłopiec starał się postępować tak, jak według jego wyobrażeń powinien postępować mężczyzna, prędko się przekonał, że to wbrew jego naturze, i przestał udawać. Jego ojciec nie mógł się z tym pogodzić. Najpierw odnosił się do syna z pogardą, która przerodziła się w niechęć, a potem zaczął go ignorować. Mężczyzna twierdził, że Carles przynosi hańbę rodzinie. Na szczęście miał starszego syna, który odziedziczy po nim interes i nazwisko. Całą swą uwagę skoncentrował na pierworodnym, zachowując się tak, jakby Carles nie istniał. Starszy brat zaczął również nie zauważać Carlesa. Chłopiec musiał znosić odrzucenie mężczyzn w rodzinie. Wiedział, że się go wstydzą, i podejrzewał, że jeśli umrze, nie będą go żałować.

Natomiast matka i siostra ceniły jego wrażliwość i hołubiły go. Matka cierpiała i starała się różnymi sposobami zmienić nastawienie ojca, ale jej błagania okazywały się bezowocne. Kupiec chciał zamknąć syna w jakimś zakonie, ale napotykał zdecydowany sprzeciw żony, która wniosła do małżeństwa pokaźny posag i była matką. Chłopiec przystał jednak na naukę łaciny i teologii, próbując uczynić zadość pragnieniu ojca o karierze duchownego. Mężczyzna zamierzał kupić jakiś tytuł, który dałby synowi godziwe renty, i zapomnieć o nim raz na zawsze.

Carles czerpał przyjemność z wysiłku umysłowego. Cieszyło go czytanie i nauki jego preceptora. Zgnębiony odrzuceniem przez ojca postanowił nie kryć przed światem swojej natury. Lubił, gdy spoglądali na niego atrakcyjni mężczyźni, i zdał sobie sprawę, że niektórych przyciąga. Po jakimś czasie nawiązał potajemną relację z potężnym eklezjastą z biskupstwa Elna, którego poznał podczas studiów teologicznych. Carles zakochał się bez pamięci w tym światowym, atrakcyjnym, mającym władzę człowieku, który niemal trzykrotnie był od niego starszy.

W owym czasie Roussillon i Cerdagne znajdowały się pod francuskim panowaniem. Postanowienia traktatu podpisanego w Barcelonie, zgodnie z którym Karol VIII Walezjusz zwracał oba terytoria królowi Ferdynandowi, przyniosły poważne zakłócenia. Beneficjenci poprzedniego reżimu pragnęli zachować swe dobra, ich przeciwnicy szukali zemsty, złoczyńcy wykorzystywali bezwład, a wycofujące się francuskie oddziały dokonywały grabieży.

Carles natknął się na jedną z takich band, udając się do domu swego kochanka pod przykrywką nauki teologii. Po drodze musiał minąć posterunek wojskowy. Żołnierze często go zaczepiali, ale nie zwracał na nich uwagi. Pewnego razu kilku z nich wykorzystało ogólny zamęt i zgwałciło go na środku ulicy w obecności wielu świadków. Nie było władzy, której można by się poskarżyć. Carles mógł jedynie wypłakać się w ramionach kochanka. Ten zatrząsł się ze złości, ale też nie mógł nic zrobić. Na drugi dzień francuscy żołnierze opuścili miasto, zostawiając po sobie spustoszenie i zhańbione kobiety.

To był właśnie początek nieszczęścia Carlesa.

W chwili gdy zdecydował się nie ukrywać swej odmienności, wydał na siebie wyrok. Chciał stawić czoło ojcu, chociaż znakomita większość ludzi myślała tak samo jak on. Carlesa nie obchodziła dezaprobata innych. Był, jaki był, i nie zamierzał tego ukrywać.

Homoseksualizm sam w sobie nie był przestępstwem, ale rozpusta tak. A o to właśnie został oskarżony, gdy ustanowiono nową władzę w Perpignon. Wielu świadków podsycanych przez wrogów w interesach jego ojca zeznało, że widzieli go zabawiającego się z francuskimi żołnierzami na środku ulicy. Na nic nie zdały się jego zapewnienia, że został zgwałcony. Uprzedzenia znaczyły więcej niż prawda. Nikt poza jego matką nie kiwnął nawet palcem, żeby mu pomóc. Ani ojciec, ani brat, ani jego potężny kochanek nie zrobili w tej sprawie nic. Zniknęli. Zostawili go samego. Carles wysyłał do eklezjasty rozpaczliwe listy, na które tamten nie odpowiadał. Chłopak był zakochany i to milczenie łamało mu serce bardziej niż cokolwiek innego. W końcu wysłał list, w którym groził, że jeśli mu nie pomoże, ujawni ich związek. Tym razem duchowny odpowiedział. Napisał mu, że jest chłopcem lubieżnym i kłamliwym, że bezskutecznie próbował go wyprowadzić na dobrą drogę i teraz żałuje, że wszystkie jego wysiłki zawiodły. Słowo Carlesa niewiele znaczyło w starciu z człowiekiem wpływowym i szanowanym. Ta zdrada pogrążyła go na zawsze. To właśnie ten klecha rozbudził w nim zamiłowanie do cielesnych rozkoszy! Opłacony przez matkę adwokat nic nie mógł zrobić wobec zeznań świadków.

Carlesa uznano za winnego. Ponieważ był nieletni, uniknął śmierci. Skazano go na publiczną chłostę i przypiekanie do momentu, aż sędzia poczuje swąd przypalonego ciała. Oparzenia tego stopnia w większości przypadków były śmiertelne, ale Carles, jak mówił, na swoje nieszczęście przeżył. Zabiegi jego matki i hojne łapówki dawane strażnikom więziennym, żeby wpuścili lekarzy, zdołały utrzymać go przy życiu, jednakże kosztem niewyobrażalnych cierpień.

Ale to nie wszystko. Resztę swych dni miał spędzić, wiosłując na galerach.

We wrześniu flota admirała Vilamaríego przybyła do Collioure z królem Ferdynandem. Monarcha oficjalnie przejął panowanie nad Roussillon i zainstalował się w Perpignon. Notable przysięgli mu posłuszeństwo. Na terytorium zapanował spokój, gdy zajęły je królewskie oddziały. Ósmego października, po spełnieniu misji, król wracał na *Świętej Eulalii* do Barcelony, a Carles, prawie już wyleczony z ran, wiosłował, odbywając karę. Zimę spędził w Barcelonie. Poza kilkoma dniami przeznaczonymi na sezonowe remonty łodzi razem z resztą galerników siedział przykuty do ławy, chroniąc się od chłodu przykryty kilkoma lichymi kocami.

— To moje podwójne skazanie — podsumował. — Nędzne życie galernika i znoszenie poniżeń i kpin.

— Czemu nie doniesiesz na nich straży?

Carles zaśmiał się z niedorzeczności pytania.

— Wciąż jeszcze nie połapałeś się, gdzie jesteś, Joanie — odparł. — Galernik jest nikim. Niewiele więcej niż szczurem. Strażnicy nie odzywają się do nas ani nie chcą, byśmy się do nich odzywali. Samo zwrócenie się do ciebie strażnika z rozkazem jest dla niego obrazą.

— Ale musi istnieć jakiś sposób, żeby donieść o tym, co tu się dzieje, jakiemuś innemu strażnikowi, nie Garau.

— Ani trochę nie obchodzi ich, co ze mną zrobią. Myślisz, że o tym nie wiedzą? Pewnego dnia tej zimy w Barcelonie, gdy strażnicy byli na lądzie, zgwałcili mnie.

— Co takiego?

— Tak, gwałcili mnie, moje krzyki słychać było na całej galerze, aż zatkali mi usta szmatami. — Carles patrzył na niego oczami pełnymi łez. — Potem dostałem chłostę za wrzaski.

— Którzy to? — Joan był przerażony. Oburzało go, że dokuczają Carlesowi, ale gwałt to był już szczyt wszystkiego.

— Ci dwaj z tyłu i Garau — powiedział chłopiec z wściekłością. — I robili to wielokrotnie.

— Jak oni śmią? Przecież są dorośli i grozi im za to śmierć.

— A kto na nich doniesie? — odparł Carles. — Nasze słowo nic nie znaczy.

Joan pokręcił głową z przerażeniem. Nie wiedział, co odpowiedzieć.

— Coś ci powiem — ciągnął Carles gniewnie. — Chcą, żebym im uległ, żebym został ich dziwką. Ale wcześniej niebo zwali mi się na głowę, niż na to przystanę. Odebrali mi wszystko, ale nie pozbawią mnie godności.

Joana poruszyła dogłębnie ta historia. Podziwiał waleczność tego chłopca, słabego, o kobiecych ruchach, i to, że się nie poddaje. Przypomniał sobie słowa Abdali, że prawdziwa wolność jest wewnątrz człowieka, w jego duszy, w jego umyśle. I dopóki się nie poddał, Carles był wciąż wolny.

Nauczono go gardzić homoseksualistami. Ale nigdy żadnego nie poznał. Na czym polegała wina Carlesa? Taki się urodził. Musiała to być wola boska. Jakiż grzech popełniał Carles, kochając mężczyznę, jeśli taka była jego wrodzona skłonność? Joan trafił na galery za zabójstwo, ale Carles nie popełnił żadnej zbrodni. Nie zasługiwał na taką karę. Zrobiło mu się go strasznie żal.

Po raz pierwszy, odkąd został zakuty na galerze, Joan wyjął swoją książeczkę. Trzymała się dobrze jak na początek. Odkorkował kałamarz. Wlał parę kropli wody, żeby atrament nie wysechł, i zamieszał piórem. Zapisał: „Półkobieta wśród mężczyzn i pół-mężczyzna wśród kobiet". A potem: „Dopóki zachowujesz godność, jesteś wolny".

Nic więcej już nie napisał. Miał jeszcze dużo do przemyślenia.

65

Szóstego dnia żeglugi o poranku w oddali zamajaczyły wybrzeża Sardynii. Znaleźli się w połowie drogi. Jednakże zamiast skierować się na północ przez Cieśninę Świętego Bonifacego oddzielającą Korsykę od Sardynii i dalej w stronę Neapolu, kapitański okręt wziął kurs na południe. Dzień był jasny, niezamglony. Kontury wybrzeża malowały się przejrzyście na tle błękitnego morza.

Z daleka widać było przylądek Caccia podziurawiony grotami Neptuna i Smoczą Jamą, gdzie zdaniem żeglarzy piraci ukrywali swe skarby. Dalej znajdował się największy naturalny port na Morzu Śródziemnym zwany de Conte, schronienie statków podczas sztormów i miejsce, w którym je naprawiano. W jego pobliżu rozsiane były wysepki, raj dla piratów czających się za nimi na swą zdobycz.

Mimo niedoli Joan radował się, mogąc ujrzeć na własne oczy miejsca znane mu z opowieści marynarzy w portowych barach. Gdy tylko mógł, podnosił się, aby lepiej się przyjrzeć linii wybrzeża.

Potem pokazała się szeroka reda Alghero, chroniona od wiatrów północy i zachodu, od południa zamknięta górzystym cyplem, na którym wznosiło się otoczone murem miasto o tej samej nazwie. Żeglarze cenili sobie port Alghero, uważali miasto za prawie katalońskie, gdyż wskutek buntu sardyńskiego zostało ono zasiedlone przez chłopów z Tarragony, a później przez barcelońskich imigrantów zbiegłych po wojnie domowej. Było stolicą północnej części wyspy i mówiono, że jest bardzo piękne.

— To Alghero! — zawołał uradowany do Carlesa. I wstał, żeby lepiej widzieć, co skończyło się krzykiem Garau i smagnięciem bata, który na szczęście trafił w ławę. — To Alghero — powtórzył już ciszej, by nie słyszeli go inni. — Bardzo piękne.

Carles spojrzał na niego z pobłażliwym, nieco drwiącym uśmiechem, jakby miał do czynienia z naiwnym dzieckiem zachwycającym się głupstwem.

— I cóż z tego? Zostaniemy skuci kajdanami. Wszystko mi jedno, czy wiosłuję do ładnego, czy do brzydkiego miasta.

— Jakżebym chciał je zobaczyć! — nie dawał za wygraną Joan.

Carles pokręcił głową z niedowierzaniem.

— Wciąż nie zdajesz sobie sprawy, gdzie trafiłeś — powiedział.

&

Miasto przywitało flotę salwą armatnią, na które odpowiedziała podobnymi honorami. Orszak dostojników podpłynął szalupą do okrętu kapitana. Powiadomili go o ostatnich atakach berberyjskich piratów na statki i nadbrzeżne wioski. Admirałowi nie śpieszno było do Neapolu. Wśród galerników z ust do ust rozeszła się wieść, że flota ma rozprawić się z piratami na południu. Poza wszystkim Vilamarí, pan na Palau, w Rosas, był też baronem Bosy, miejscowości położonej na południe od Alghero, miał więc swoje powody, żeby rozprawić się z Berberami.

Noc spędzili na spokojnych wodach redy Alghero, a następnego dnia odnowili zapasy wody pitnej i żywności. Przed rozpoczęciem misji admirał zarządził manewry, na których miano przećwiczyć szybkie przemieszczanie się, gwałtowne zatrzymywanie i cofanie.

Joan uświadomił sobie, że do tej pory doświadczył tylko miłej, spokojnej żeglugi. Wkrótce nauczył się nowych rozkazów wydawanych za pomocą dźwięków rogu i poznał rozmaite rytmy wiosłowania. Łódź była potężną machiną wojenną, która poruszała się z precyzją dzięki niesamowitej synchronii niemal dwustu wioślarzy. Osiągnięcie takiej koordynacji wcale nie było proste. Wymagało ćwiczeń.

Za każde przeoczenie płaciło się słono. Naczelnik straży był odpowiedzialny za wiosłowanie i przechadzał się pomiędzy rzędami ław, wydając rozkazy i sprawdzając, czy strażnicy i wioślarze dobrze wykonują swoje obowiązki. Obowiązkiem zaś strażnika było ukarać galernika, który opóźniał się w wykonaniu rozkazu lub nie wkładał w pracę dość wysiłku.

Kapitanowie urządzali sobie wyścigi statków, podczas których galernicy musieli wiosłować z podwójną szybkością, cztery uderzenia wiosłem na minutę. Był to wyczerpujący wysiłek i gdy po zakończeniu gonitwy kapitanowie i kadra wojskowa cieszyli się triumfem lub przeklinali porażkę, Joan, Carles i ich towarzysze padali wykończeni i zlani potem na ławy.

— Mogliby pościgać się truchcikiem po plaży, zamiast nas zarzynać — skarżył się Carles.

Joan nie mógł się nie uśmiechnąć, wyobrażając sobie tę scenę. Martwił się o tego chłopca. Zawsze był u kresu sił. Zaskakiwało go wręcz, że Carles jest w stanie dotrzymać rytmu. Ale i tak z niego wypadał i trzy razy już posmakował bata Garau, który łajał go i nazywał dziewczynką. Chyba nie bił go mocno, ale Joan zaciskał usta, myśląc o gwałtach i potwornej niesprawiedliwości.

Pierwszy dzień manewrów Joan zakończył ze śladami dwóch smagnięć na plecach i zdrętwiałymi i zziębniętymi nogami. Galernicy znajdowali się bowiem na najniższej części pokładu i przy skrętach i wzburzonym morzu byli na łasce fal, które moczyły ich raz po raz. Nagrodą za ciężki dzień była dodatkowa porcja sztufady z cieciorki w południe i podwójna racja wody.

Podczas kolacji szeptem wędrowała między ławami nowina: jeden z galerników umarł z wysiłku. Joana przeniknął dreszcz, ale jadł dalej. Zamierzał przeżyć.

O zmierzchu Joan uzmysłowił sobie, że podczas ćwiczeń niewiele słychać było artyleryjskich wystrzałów. Na co admirał chował armaty i kolubryny?

Kiedy Vilamarí uznał, że osiągnął cel, odbyła się msza na lądzie dla kadry wojskowej i władz miasta. Urządzono pożegnanie, z bębnami, fanfarami i salwami armatnimi.

Nie minęło pół dnia żeglugi, gdy zatrzymali się przy ujściu rzeki Temo, gdzie czekali parę dni, aż admirał załatwi swoje sprawy jako baron Bosy, miasteczka leżącego w pobliżu w górę rzeki.

Flota kontynuowała kurs na południe i napotykała wiele statków handlowych, na których zbierano informacje. W drugim dniu żeglugi, prawie na południowym krańcu Korsyki dopłynęli do wysp San Pietro i San Antioco otoczonych mniejszymi wysepkami, idealnymi na kryjówkę dla pirackich statków. Po przybyciu do pierwszej z nich, wyspy Piana, na północ od San Pietro, admirał nakazał załodze dwóch mniejszych galer okrążyć ją od wschodu, podczas gdy *Święta Eulalia* podpłynęła od zachodu. Po chwili rozległy się krzyki wachtowych. Saraceńska fusta ukryta pośród skał rzuciła się do ucieczki siłą wioseł, stawiając jednocześnie żagiel na jedynym maszcie. Dowódcy wydali rozkazy i na sygnał rogów galernicy powstali z ław i zabrali się do wiosłowania zgodnym rytmem.

— Nie dogonimy ich — zamruczał przez zęby Jerònim za plecami Joana. — Są lżejsi.

Joan, znajdując się w okolicy dziobu, widział, że muzułmanie z początku utrzymywali dystans, a potem stopniowo go wydłużali. Chłopak zastanawiał się zdumiony, dlaczego galera nie posłuży się artylerią.

Gdy zrozumiał już, że jej nie dogonią, utkwił wzrok w przejściu między rzędami ław i gdy dostrzegł dwóch oficerów idących na dziób, krzyknął:

— Ja mogę trafić w tę fustę z kolubryny!

Widział, że oficerowie zatrzymali się i spojrzeli na niego ze zdziwieniem, ale poszli dalej, a Garau natychmiast chłosnął go biczem po plecach, krzycząc jednocześnie, żeby się zamknął i wiosłował rytmicznie.

Mimo to Joan nie zamilknął. Krzyknął ponownie, gdy kapitan Pau de Perelló przechodził na dziób.

— Joan Serra, pięć batów! — ryknął Garau.

Niewiele później kapitan rozkazał przerwać pościg. Zdyszani, zlani potem wioślarze pokładali się na siedziskach i chciwie łapali za bukłaki z wodą. Uczucie porażki zdawało się przygniatać członków załogi i chrześcijańskich galerników.

Gdy okręty zacumowały na noc i rozpalono ogień na kolację dla oficerów, nadeszła pora wymierzania kar. Garau przy pomocy drugiego strażnika odpięli kajdany Joana, zdjęli mu koszulę i kazali stanąć na mostku. Było dwóch skazanych na trzy smagnięcia batem za powolne wiosłowanie, a Joan miał dostać pięć cięgów za nieposłuszeństwo. Wszyscy na pokładzie — oficerowie, członkowie załogi, żołnierze i galernicy — mieli przyglądać się wymierzaniu chłosty. Gdy zabrzmiał gwizdek, galernicy musieli wstać, gdyż wiosłowali poniżej poziomu mostka i na siedząco nic by nie zobaczyli. Następnie wiązano delikwentów do masztu, naczelnik odczytywał przewinienie i rodzaj kary i jeden ze strażników przystępował do jej wymierzenia.

Chłosta bardzo różniła się od tej, którą otrzymał w Barcelonie. Joan myślał, że poodpada mu mięso. Z bólu krzyczał, a nawet zgięły mu się nogi i utrzymywał się tylko na więzach.

— Czyś ty oszalał? — robił mu wymówki Carles, gdy już na ławie nakładał mu na rany balsam, który dała mu matka przed wyjazdem z Collioure. — Jeśli strażnik ci coś nakazuje, masz go słuchać. A w ogóle jak śmiesz odzywać się do kapitana?

Joan nic nie odpowiedział, jęknął tylko, gdy chłopiec smarował balsamem kolejny krwawy ślad znaczący jego plecy. To miała być długa noc.

66

Obolały Joan jadł swoją porcję potrawki z bobu, gdy pojawili się Garau i jeszcze jeden strażnik i zdjęli mu kajdany. Mimo bolących ran kazali mu włożyć koszulę i iść za nimi do kasztelu. Nie był bardzo obszerny, choć zajmował całą końcową część rufy galery, i — jak opowiadał mu już Carles — był na niej najwygodniejszym miejscem. Zbudowano go zgodnie z resztą konstrukcji okrętu. Był zakryty i zadaszony od strony morza, ale otwarty i odkryty od strony mostka i dziobu. Stamtąd łodzią kierował sternik i tam też mieszkali oficerowie. Admirał miał swoją własną kajutę, pod dachem, ale była niewielka i w pogodne noce też sypiał w kasztelu.

Przy stole, z którego zebrano już naczynia po kolacji, na składanych krzesłach siedzieli: kapitan, nawigator, naczelnik straży i oficer dowodzący oddziałem piechoty. Admirał Vilamarí przysłuchiwał się ich rozmowie, siedząc na ławie w pewnej odległości. Sam w niej nie uczestniczył. Muzykant przygrywał na altówce, a silna woń róż próbowała bezskutecznie przytłumić bijący od galerników odór.

— Artylerię należy stosować tylko na krótką odległość, przed abordażem — mówił Pere Torrent, dowódca oddziału. — Ma oczyścić pokład wroga, żeby przerwać pierwszą linię oporu.

Joan stał między strażnikami, którzy zasalutowali oficerom. Tamci zachowali się tak, jakby ich nie zauważyli, i kontynuowali rozmowę.

— Również do celów nieruchomych, jak fortyfikacje — dodał nawigator. — I wtedy, gdy jakaś galera podpłynie do nas z przodu.

— Nie inaczej — potwierdził dowódca oddziału. — Jeżeli cel jest daleko, traci się strzał, a jeśli zbyt blisko, nie ma czasu na ostygnięcie broni i narażamy się na to, że nie zdążymy powtórnie załadować, zanim przeciwnik odpowie strzałem. Za duże ryzyko, wolę strzelać ostatni i do nieruchomego celu.

— A co byście powiedzieli na uciekający okręt, jak dzisiaj?

— To byłaby strata prochu — odparł naczelnik straży. — Odległość była znaczna, a może wzburzone. Nie sposób trafić.

— Co ty na to, galerniku? — zapytał Pau, zwracając się do Joana i dając jednocześnie znak strażnikom, żeby odeszli.

Joan widział, jak spojrzenia wszystkich kierują się na niego, łącznie z admirałem, który obserwował go w ciszy. Odchrząknął nerwowo, zanim odpowiedział, ale jego głos zabrzmiał głośno i pewnie. To mogła być jego jedyna szansa na poprawę losu.

— Ja bym trafił z kolubryny.

Dowódca oddziału i naczelnik straży parsknęli śmiechem.

— Co za bzdura! — rzekł oficer. — Nie udałoby się to nawet najlepszemu artylerzyście. Nie da się wycelować z takiej odległości.

— Po co wobec tego galera ma dwie kolubryny i jedną armatę? — śmiało rzekł Joan. — Skoro nie wierzycie w dalekie strzały, pozabierajcie kolubryny i ustawcie armaty. Lepiej nadają się do strzelania z bliska.

Oficer spojrzał na Joana, marszcząc groźnie brwi. Z nim nie rozmawiał, patrzył na kapitana i nie spodziewał się, że odpowie mu galernik, zwłaszcza z taką butą. Zapadła krępująca cisza.

— Mamy kolubryny, żeby blokować porty i oblegać z morza miasta i twierdze — odpowiedział w końcu nawigator.

— Co za głupi bufon! — rzucił Torrent w stronę Joana. — Za kogóż się uważasz?

— Ta galera została zbudowana w dokach Barcelony — odrzekł chłopak. — Czy się mylę, kapitanie?

— Nie — odparł Pau de Perelló. — Wykonano ją w Barcelonie.

— To właśnie ja zrobiłem te kolubryny i własnoręcznie wypróbowałem je na zboczach Montjuïc.

Znów zapadła cisza, lecz tym razem zapanowało powszechne zdumienie. Joan spojrzał na admirała, który wciąż milczał. Nie okazał zdziwienia.

— Chłopcze, czy to aby na pewno prawda? — zapytał z niedowierzaniem kapitan.

— Tak, panie kapitanie.

— I jesteś pewien, że trafiłbyś w fustę przy dzisiejszych warunkach?

— Może nie za pierwszym razem, panie kapitanie — odpowiedział Joan z pokorą. — Ale mamy dwie kolubryny i w trakcie pościgu fusty było wiele okazji, żeby do niej strzelić. Trafiłbym przynajmniej raz.

— Będziesz musiał tego dowieść — powiedział do niego Pau de Perelló.

— Z przyjemnością, panie kapitanie.

— Ale jeśli nas oszukujesz, batem obedrzemy cię ze skóry — pogroził mu Pere Torrent.

— Będę musiał sprawdzić proch, kule, stan broni i zgrać się z marynarzami artylerzystami — odparł Joan bez cienia lęku. — No i wcześniej trochę poćwiczyć.

— Dobrze — powiedział kapitan. — Mam nadzieję, dla twojego dobra, że się nie mylisz.

&

Na drugi dzień Joan poprosił o Carlesa do pomocy, żeby ulżyć mu w jego smutku, ale zetknął się tylko z drwinami ze strony naczelnika. Wszyscy wiedzieli o homoseksualizmie chłopca.

Musiał też użerać się z żołnierzami od artylerii, dla których było zniewagą otrzymywanie instrukcji od galernika i niechętnie odpowiadali na jego pytania. Znał jednak te kolubryny znakomicie. Sam je zrobił i wypróbował, były najnowocześniejszą bronią artylerii. Wytopiono je z wysokiej jakości brązu, całe z jednego kawałka. Ładowało się je od przodu w przeciwieństwie do starszych modeli z żelaza, które były ładowane od tyłu i często wybuchały. Sprawdził ruchomość trzpieni, które podpierały metalową część w lawecie i pozwalały na celowanie przez unoszenie. Potem poprosił stolarza o parę przeróbek, aby móc obracać lufę o parę stopni równolegle do pokładu i zapewnić celowanie horyzontalne. Wkrótce artylerzyści się przekonali, że Joan dobrze wie, co robi, i zaczęli z nim współpracować. Genís, nawigator, który chyba polubił Joana, chodził za nim; dzięki jego krzykom i pogróżkom marynarze zaczęli w końcu żwawo wykonywać polecenia.

Chłopak upewnił się, że kule były jednakowej wagi i kalibru. Wypróbował jakość prochu w każdej beczce, sprawdzając jego palność, i poprosił o uszycie mu worków z dobrej tkaniny, każdy na dokładnie taką samą ilość materiału wybuchowego. Postanowił posługiwać się tylko prochem ze znakami dwóch znanych mu barcelońskich producentów.

Beczki o obciążonych dnach, odpowiednio uszczelnione i zaimpregnowane, wrzucono do morza. Miały dryfować w podobnej odległości od galery, w jakiej znajdowała się zbiegła berberyjska fusta. Ustawienie łodzi w pozycji do strzału, dziobem do celu, było dla naczelnika straży odpowiedzialnego za kierowanie statkiem, gdy poruszał się siłą wioseł, nie lada wyzwaniem. Dla galerników manewry okazały się wykańczające.

Joanowi udało się utrzymywać cele w zasięgu strzału, używając obydwu kolubryn naprzemiennie. Gdy z jednej z nich celował, artylerzyści chłodzili drugą wiadrami wody i suszyli ścierkami. Wtedy Joan wkładał worek z prochem, potem pakuły, żeby zapobiec ulatnianiu się gazów przez szczelinę między pociskiem a lufą podczas wystrzału, i wreszcie kulę, którą owijał niekiedy kolejną warstwą pakułów. Wszystko to wpychał do końca za pomocą ubijaka, wielkiej pałki zakończonej zwiniętą w kulkę szmatą. Gdy wszystko było już dobrze ubite, przez górny otwór na lont dziurawił worek z prochem, żeby mógł się podpalić, i dosypywał go więcej. Nadchodził czas, by wycelować. Joan zdawał sobie sprawę, że gra toczyła się o wysoką stawkę i że jeśli chybi, straci wielką szansę na uwolnienie się od wiosła. Nie było łatwo z wyczuciem celować na lądzie, a co dopiero na morzu, tym bardziej że zarówno cel, jak i broń artyleryjska znajdowały się w nieustannym ruchu. Ten fakt tłumaczył poniekąd sceptycyzm oficerów.

Joan jednak nie tylko znał się na działach, ale też wychował się na łodzi. I chociaż kołysanie galery różniło się nieco od kołysania łodzi rybackiej z uwagi na jej rozmiary, doskonale przewidywał ruchy i przechyły. Znał dokładny czas, jaki upływał od rozpalenia lontu do detonacji, a także następujące po sobie fazy ruchu wahadłowego statku. Ustawiał broń zgodnie ze sztuką celowania, którą poznał z włoskiej księgi, i ćwiczył na Montjuic. Żaden ze strzałów nie był celny, ale w opinii Joana padły dość blisko. Gdyby cel był większy, mógłby go dosięgnąć. Po zakończonych ćwiczeniach przyszli strażnicy, zaprowadzili chłopaka do ławy i zakuli w kajdany.

— Do żadnej nie trafiłeś! — śmiał się z niego Garau. I klepnął Joana w plecy o wiele za mocno. Ten zacharczał z bólu. Uderzył go w rany po batach.

Ochotnik, Jerònim, zaśmiał się głośno, a wraz z nim wielu innych galerników. Nieobecność Joana raczej nie spodobała się ani strażnikom, ani wioślarzom.

— Nic ci nie powiedzieli? — spytał Carles. — Prawie trafiasz w beczki.

— Nic nie powiedzieli — odrzekł Joan zniechęcony.

Tej nocy ledwie przysnął. Przyzwyczaił się już do niewygodnych ław, smrodu, ugryzień pcheł i zbyt dużej bliskości Carlesa i Ameda. Bolało go ciało po razach zadanych poprzedniego dnia i dokuczało poczucie nieodwracalnej straty. Co zrobił nie tak? Nie trafił w żaden cel, ale były przecież za małe.

Oficerowie nie mogą być aż tak ślepi, żeby przegapić okazję przechwycenia uciekających saraceńskich łodzi, myślał. Ale potem doszedł do wniosku, że to całkiem możliwe.

67

Za dnia flota podniosła kotwice i ruszyła dalej na południe. Po niedługim czasie między wyspami San Pietro i San Antioco dostrzegli dwie sycylijskie karawele wiozące pszenicę do Walencji. Ich kapitanowie opowiedzieli, że po zatrzymaniu się w Cagliari i minięciu południowego krańca Sardynii z widokiem na wyspę Vaca natarły na nich dwie saraceńskie fusty. Karawele miały szczęście, że południowy wiatr dmuchał w ich żagle. Znajdowały się w ciągłym ruchu, poza tym ich burty były dużo wyższe. Lekkim galerom nie udał się atak abordażem, choć zarzucały wiele haków. Napierały jednak przez parę godzin, prowadząc też ostrzał armatni, ale ciężkie karawele były bardziej wytrzymałe niż fusty. Te zaś, chociaż dość zwinne, miały jedynie po dwa działa. Natomiast karawele uzbrojone były w niewielkie falkonety, wiele arkebuzów i parę kusz, toteż odpierały saraceńskie fusty za każdym razem, gdy szły do abordażu. Wreszcie odstąpiły od ataku.

Tego rodzaju informacji poszukiwał admirał Vilamarí. Znał dobrze te wody i taktyki piratów. Podejrzewał, że urwista, bezludna wyspa Vaca służyła im za miejsce czatów. Pewnie kryli za nią swoje fusty. Skierował galery w stronę przesmyku między wyspami San Antioco i Vaca. Zanim znaleźli się w pobliżu Vaki, ale w miejscu, z którego piraci nie mogli ich jeszcze dojrzeć, Vilamarí wysłał dwie mniejsze galery ku cieśninie, sam zaś na *Świętej Eulalii* wziął kurs na Toro. Była to wyspa wulkaniczna wielkości podobnej do Vaki, lecz bardziej od niej urwista, położona jeszcze dalej na południe. Z wierzchołka stromego wzgórza rozciągał się idealny widok na południową część wysp San Antioco i Vaca i na morze. Niewiele ponad dwa dni żeglugi dzieliło tamto miejsce od wysp Galite na północy Tunezji, bardzo blisko kontynentu afrykańskiego. Tamtędy musiała wieść trasa odwrotu berberyjskich piratów. Skoro, jak podejrzewał admirał, piraci znajdowali się na wyspie Vaca, to gdy zostaną zaatakowani przez wysłane galery z przeciwka, będą uciekać na południe, dokładnie w stronę wyspy Toro.

Kiedy dopłynęli na Toro, wybrzeże Sardynii było widoczne już tylko jako niebieskawoszara linia na horyzoncie; był słoneczny dzień, a niebo zdobiły białe obłoczki. Wyspa jawiła się jako urwista góra pośrodku morza, ziemistoszara, skąpo porośnięta roślinnością. Galera rzuciła kotwicę w południowej części. Dowódca wysłał szalupę z paroma ludźmi, którzy wdrapali się na wzgórze i ułożyli na wierzchołku, aby nie zauważono ich z północy. Natomiast strażnicy założyli muzułmańskim galernikom dodatkowe kajdany. Byli przykuci do łodzi za obydwie kostki i jedną rękę.

Rozdano wioślarzom po bukłaku wody i zwiększone porcje sucharów, a zamiast potrawki z ciecierzy czy z bobu napełniono miski winem, żeby nie rozpalać ognia.

— A nam teraz każą wiosłować! — rzekł Jerònim, na co wielu galerników odpowiedziało zgodnym pomrukiem niezadowolenia.

Niedługo staną do walki, rozmyślał Joan, z apetytem pochłaniając swoje suchary i wypijając wino, ale kapitan nie wykorzysta jego umiejętności. Przygniatało go zniechęcenie. Stracił swą szansę. Carles patrzył na niego w ciszy. Joan odgadł jego myśli.

— Nie wołają mnie — powiedział cichutko, tak by słyszał tylko kolega.

— Nie martw się, jeszcze zawołają — pocieszył go Carles. — Nie możesz przecież pozwolić piratom uciec, a dowiodłeś, że jesteś gotów trafić w nich z kolubryny. To przeklęte pyszałki, które nie są w stanie pogodzić się z tym, że galernik może ich czegoś nauczyć.

I łapiąc go pod ramię, dodał otuchy uściskiem. Z tyłu zabrzmiały gwizdy, śmiechy i żarciki o lali i jej kochanku.

Carles się odwrócił, rzucając im wyzywające spojrzenie i słowa „Idźcie do diabła". Tamci zaśmiali się znowu. Ale czas mijał i oczekiwanie się dłużyło. Joan oparł ręce na kolanach, a twarz ukrył w dłoniach, upadając na duchu.

Wkrótce rozległ się gwizd. Ze szczytu góry oznajmili, że okręty się zbliżają. Były jeszcze bardzo daleko. Potem uściślono: dwa mniejsze, gonione przez dwa większe — i wszystkie poruszane siłą wioseł, żaden nie miał postawionego żagla. Z kasztelu dobiegły radosne krzyki. Obmyślona strategia okazała się skuteczna, wszystko wskazywało na to, że piraci płyną wprost na nich. Ale nic się nie działo. Ludzie zdawali się wstrzymywać oddech w pełnym napięcia oczekiwaniu.

Po jakimś czasie, gdy wachtowi zameldowali, że okręty są już o jakieś dwadzieścia minut drogi, kapitan zaczął wydawać rozkazy. Podniesiono kotwicę, ale galera pozostała w ukryciu; mimo że zmieniała się pozycja tych, którzy zbliżali się do wyspy, galera poruszana uderzeniami wioseł o wodę trzymała się za wzgórzem, zgodnie z instrukcjami wachtowych. Wymagało to jednak miękkich i precyzyjnych ruchów wioślarzy.

— Niech przybędzie artylerzysta! — usłyszał Joan okrzyk z kasztelu.

Serce zabiło mu szybciej. Zwrócą się do niego? Carles klepnął go po ramieniu i z uśmiechem wskazał palcem.

Przyszedł Garau, żeby zdjąć mu kajdany. Jego miejsce zajął ochotnik. Uwolniony Joan jednym susem skoczył na górę i pobiegł do kasztelu. Czuł, jak drżą mu nogi.

— Do usług, kapitanie.

— Pokaż, co potrafisz.

Joan nie chciał tracić ani chwili. Pobiegł szykować kolubryny. Część ostatnich poleceń musiał wydawać na migi, gdyż kapitan rozkazał zachować ciszę, ale nie było z tym problemu.

Po chwili rozległ się róg — rozkaz szybkiego wiosłowania. Galera z ogromną prędkością ruszyła w rytm uderzeń dobosza i po chwili oczom Joana ukazały się obydwie fusty. Były dość blisko, dokładnie na wprost dziobu. Tak samo jak galery, które je goniły. Nawet słyszał rozkazy zmiany kursu wykrzykiwane na fustach i widział, jak obie wykręcały na wschód, żeby wyminąć *Świętą Eulalię* podchodzącą do nich od sterburty. Wykonywały manewr z szybkością, ale nie zdołały nie stracić przy tym czasu. Teraz Joan widział ich rufę; fusty utrzymywały godny podziwu dystans. Saraceni słynęli ze swych wioślarzy i w krótkim czasie mogliby się jeszcze oddalić od *Świętej Eulalii*. Mimo to znajdowali się jednak w zasięgu kolubryn.

Joan poczuł drżenie rąk i gulę w gardle, gdy ustawiał do strzału pierwsze działo. Po oszacowaniu ruchu galery wetknął zapalony lont w górny otwór kolubryny. Po chwili zabrzmiał wybuch, a do jego nosa dotarł znajomy swąd spalonego prochu. Kochał ten zapach tak samo jak huk wystrzału. Te znajome doznania rozniecily jego zapał. Był artylerzystą, musiał tego dowieść.

Pocisk upadł u sterburty, dość daleko od statku, ale Joan powiedział sobie, że przynajmniej wysokość była odpowiednia. Powtórzył z drugiej kolubryny i tym razem strzał poszedł na bakburtę. Marynarze, którzy mu pomagali, zaczęli już coś mruczeć. Joan starał się nie tracić zapału. Musiał zaczekać, aż pierwsza lufa zostanie schłodzona wodą, i gdy już mógł oprzeć rękę na metalu, osuszył lufę i zabrał się do ładowania. Strzał znowu był chybiony, cel zaczął się coraz bardziej oddalać. Chłopak przełknął ślinę, pozostało mu niewiele czasu. Druga kolubryna była już gotowa. Joan dokonał obliczeń, zagrzmiał huk i chmura drzazg wzbiła się w powietrze w okolicy sterburty fusty. Triumfalne okrzyki na galerze zagłuszyły te, które wydawali Saraceni. Strzał musiał trafić w wioślarzy. Chociaż kula ważyła zaledwie dwadzieścia funtów, koło dziewięciu kilo, nie mogła dokonać wielkich zniszczeń, ale z pewnością raniła kilku ludzi. Łódź przechyliła się na sterburtę i niczym raniony jeleń zwolniła swój bieg. Po chwili jednak zastąpiono rannych i pomimo straty jednego wiosła uciekała dalej z niemal identyczną prędkością. Niemniej zaszła istotna zmiana. Wszyscy już wiedzieli, że z galery można strzelać do uciekającej fusty.

Z kolejnych wystrzałów trzeci i piąty trafił w cel. Jeden uderzył w kasztel, a drugi w okolicę wioseł. Ranna fusta straciła już przewagę nad galerą. Gdy szósty strzał uderzył w berberyjską łódź, między jednostkami zaczął zmniejszać się dystans.

— Strzelaj teraz do drugiej — usłyszał Joan.

Odwrócił się. Ujrzał kapitana. Pojął, że zamierzają dogonić *Świętą Eulalią* drugą fustę, a pierwszą pozostawić jako zdobycz załogom dwóch mniejszych galer.

— Jest daleko, panie kapitanie — zaoponował.

— Usłuchaj mnie i obyś trafił — odparł kapitan Perelló.

Aż do czwartego strzału Joanowi się nie udawało. Na fuście zapanował kompletny zamęt, ale uciekała dalej. Oddalała się. Dystans znacznie się zwiększył. Naczelnik straży wysilał się, żeby utrzymać rytm wiosłowania. Słychać było krzyki, przekleństwa i strzały z bata, ale szybkość galery się zmniejszała. Większość berberyjskich wioślarzy to ochotnicy, którzy podczas napadów chwytali za broń. Teraz walczyli o życie i wolność i wyciskali z siebie ostatki sił. Na galerze zmęczenie powodowało większe straty.

I nagle, gdy fusta właściwie przekroczyła już zasięg kolubryny, Joanowi dopisało szczęście. Dwa strzały wystarczyły, żeby spowodować eksplozję burty. Nie była specjalnie silna, ale musiała ranić wioślarzy, bo w końcu łódź zaczęła wytracać szybkość.

— Mamy ją! — ryknął kapitan i zaczął krzyczeć na naczelnika straży, ten na strażników, po czym znów słychać było trzaski batów na plecach galerników.

Gdy byli już blisko zdobyczy, rozległy się strzały z kilku arkebuzów, które Saraceni ustawili na rufie. Sterowanie galerą odbywało się jednak z niewielkiej wieżyczki, która chroniła załogę. Gdy odległość zmniejszyła się jeszcze bardziej, na galerze ustawiono na dziobie obok dział pół tuzina arkebuzów. Zaczęto ostrzeliwać nieprzyjacielską jednostką, żeby strzały z saraceńskich kusz nie wyrządziły załodze szkód. Kolubryny byłyby teraz bardziej śmiercionośne. Ponieważ nieuchronnie zbliżał się abordaż, Joan przygotował również armatę, ale zamiast kul włożył woreczki pełne gwoździ i łańcuchów. Zamierzano wyrządzić krzywdę załodze i nie uszkodzić przy tym statku.

Broń artyleryjska wypaliła jednocześnie parę sekund przed szturmem na rufę fusty, oczyszczając pokład z nieprzyjaciół. Nieliczni Saraceni, którzy zdołali się ukryć i ujść cało, miotali teraz strzałami, ale piechota Perego Torrenta wystrzeliła z kusz, po czym rzuciła się na dziób statku i przeraźliwym krzykiem rozpoczęła abordaż. Od razu zdobyli niewielki kasztel rufowy, osłaniając się tarczami, z pikami na sztorc. Potem już ramię w ramię walczyli na miecze. W ślad za żołnierzami kapitan posłał uzbrojonych marynarzy, jednakże okazali się niepotrzebni. Walka trwała niedługo. Fusta była więcej niż o połowę mniejsza od galery. Miała tylko dwanaście ław wioślarskich. Choć muzułmanie bronili się ofiarnie, to mieli wielu rannych i byli wyczerpani morderczym wiosłowaniem.

Spośród ponad stu czterdziestu ludzi na fuście czterdziestu sześciu zginęło w walce, a dwudziestu pięciu poważnie rannych wyrzucono za burtę. Przeżyło dwudziestu dwóch chrześcijańskich niewolników, którzy otrzymali teraz wolność. Reszta ocalałych to muzułmanie zdrowi lub z nieznacznymi obrażeniami. Tych zakuto w kajdany. Większość została z powrotem zaprzęgnięta do wiosłowania, tyle że teraz pod dowództwem nawigatora Genísa i dozorem sporej części oddziału. Na galerze stracił życie tylko jeden człowiek, nieliczni zostali ranni. Wszyscy, z wyjątkiem muzułmańskich galerników, cieszyli się ze zwycięstwa. Niewolnikom dano po dodatkowej porcji bobu, więcej wody i po kubku wina.

Nikt nie podziękował Joanowi. Strażnicy zaprowadzili go do ławy i na nowo zakuli. Jerònim i jego kolega Sanç poklepali Joana po plecach, tym razem czule, ze słowami:

— Dobra robota, artylerzysto!

68

Obrali kurs na Toro, by spotkać się z pozostałymi dwiema galerami. Odnalezienie jednostek kosztowało ich kilka godzin spokojnej żeglugi. Przejęcie drugiej fusty odbyło się bez żadnych strat i wszyscy byli radośni.

Wiał pomyślny wiatr, płynęli więc pod żaglem, dając odpocząć galernikom. Gdy zabrali już z Toro wachtowych, skierowali się do Cagliari, stolicy południowej Sardynii. Powitano ich honorową salwą i fanfarami, a gdy mieszkańcy dowiedzieli się o pojmaniu piratów, okazali wielką radość, gdyż korsarskie ataki wykrwawiały miasto. Zatrzymali się tam tylko po to, żeby uzupełnić zapasy wody, żywności i prochu, sprzedać fusty i niewolników. Następnie flota wyruszyła do Alghero, wypatrując po drodze saraceńskich okrętów.

Na Joana czekała wiadomość. Serce zabiło mu szybciej, gdy strażnik wykrzyknął jego nazwisko i przyniósł list, podchodząc do ławy. Joan obawiał się złych wieści. Praca odlewnika była niebezpieczna. Modlił się tylko, aby nic złego nie stało się Gabrielowi.

Dziwne było to, że galernik otrzymał list. W istocie rzeczy nikt nie umiał czytać i list wywołał wielkie ożywienie.

— Chcemy wiedzieć, co tam napisano! — zawołał ktoś.

— Przeczytaj na głos — prosił Jerònim.

— Ja też chcę dostać list — zajęczał trzeci mężczyzna i tupał, naśladując dąsy małego dziecka.

— Zostawcie go w spokoju! — krzyknął Carles. — Równie dobrze mogą to być złe wieści.

Joan pragnął przeczytać list w samotności, więc schował go do torby. Oczekiwał, że uwaga galerników skieruje się na inną sprawę. Wreszcie obejrzał czerwoną pieczęć lakową. List był od Bartomeu. Otworzył go i zobaczył, że w środku był drugi list. Bez laku, ale dobrze sklejony. Serce podskoczyło mu w piersi, gdy rozpoznał pismo Anny.

Najpierw przeczytał ten od Bartomeu. Zrobił to szybko i niecierpliwie. Po wspomnieniu o liście od Anny kupiec pisał, że owdowiał, jego żonę uśmierciła zaraza. Za to Gabriel, Abdalá i inni znajomi byli zdrowi i przesyłali mu najlepsze życzenia i słowa otuchy. Dodał też, że ma nadzieję, iż strażnik Garau wywiązuje się z obietnicy, za którą dostał pieniądze, i dodaje mięso do jego posiłków, przynajmniej cztery razy w tygodniu.

Łapówki mające zapewnić lepsze traktowanie więźniów na galerach zdarzały się i strażnicy zwykle spełniali wszystko należycie. Joan jednak nic nie dostawał, ale nie zdziwiło go to. Wiedział, jakim nędznikiem jest Garau.

W owej chwili sprawa jedzenia go nie zaprzątała. Cała jego uwaga i nadzieja skupione były na małym liściku, który pieścił w dłoniach, nie mając odwagi go otworzyć. Gdy po raz ostatni pisał do Anny z Barcelony, słowem nie wspomniał o wyroku. Rozpatrując wszystkie okoliczności, doszedł do wniosku, że jej odpowiedź otrzymał niewiarygodnie szybko. To niemożliwe, żeby w tak krótkim czasie jego list dotarł do Neapolu. Neapolitański księgarz musiałby przekazać go Annie niezwłocznie, a ona od razu musiałaby odpowiedzieć. A przecież księgarz musiał jeszcze przekazać jej odpowiedź na galerę wyruszającą do Barcelony i... Nie, zdecydowanie nie starczyłoby czasu. Anna z pewnością wysłała ten list, zanim dostała ostatni od niego. Może dowiedziała się, że został ukarany, a może przestała go kochać.

Poczuł gniotący w piersi strach. Rozerwał kopertę.

Drogi Joanie. Wiecie, że sercem i myślami jestem przy Was i odwzajemniam miłość, którą mnie darzycie.

Chłopak odetchnął z ulgą.

Trapi mnie jednak smutek, gdyż mój ojciec wydaje mnie za pewnego zamożnego wdowca. Uczyniłam wszystko, co było w mojej mocy, by odmówić poprzednim zalotnikom. Odmawiam też temu. Ale rodzice twierdzą, że nie zamierzają dłużej znosić mych kaprysów, że od lat powinnam być już zamężna, i nie będą słuchać więcej wymówek. Jesteście tak daleko, miłości moja! Wierzcie mi, że nie chcę tego małżeństwa, ale nie mogę już dłużej się opierać. Jako córka mam obowiązek ich usłuchać.

Pragnę powiedzieć Wam, jak bardzo tego żałuję, jak bardzo pragnęłam zaznać pełni miłości w Waszych ramionach. Trudno ująć to w słowa. Wiedzcie jednak, że moje serce zawsze należeć będzie do Was.

Będę się za Was modlić i proszę, byście też modlili się za ową nieszczęśnicę, która w ten list wkłada całą swoją duszę i wszystkie swoje łzy. Anna.

Joan zastygł w bezruchu z listem w rękach, usiłując przyjąć cios. Jego oczy napełniały się łzami, gdy czytał go raz po raz. Tego właśnie się obawiał i co dzień modlił się, żeby to się nie stało. Tyle czasu zmarnował w Barcelonie! Przeklinał sam siebie, że nie wyruszył za nią do Neapolu od razu, gdy tylko pojął, że jest jego przeznaczeniem. Usprawiedliwiał się wtedy brakiem gotówki, tym, że jest młody i że musi czekać na powrót floty Vilamaríego, aby zebrać wieści o matce i siostrze. Ach, jakiż był głupi!

Nie tylko niczego się nie dowiedział, ale jeszcze skończył zakuty w kajdany, wiosłując na galerze tych, którzy wzięli do niewoli jego rodzinę i zamordowali ojca. Chciał przeczytać list jeszcze raz, ale nie mógł się opanować i ze łzami w oczach, w ataku furii porwał go na strzępy i ponad głową Carlesa wyrzucił do wody. Natychmiast pożałował. Ostatni list od Anny! Pod przymusem wydają ją za mąż, a on nic nie może zrobić! Poczuł nieskończoną wściekłość na samego siebie.

Wstał i rycząc, zaczął szarpać łańcuchy, aż na ręce i kostce pojawiły się krwawe rany.

Carles próbował go powstrzymać, ale Joan jednym pchnięciem posadził go z powrotem na ławę. Potem w samobójczym gniewie zaczął walić się wiosłem w głowę.

— Pomocy! — błagał Carles. — On się zabije!

Amed chwycił Joana za lewe ramię. Ten siłował się z nim, podczas gdy Carles chwytał go z drugiej strony. Jerònim i Sanç przytrzymali go od tyłu, ci z ławy z przodu pomogli im.

— Uspokój się, chłopaku! — mówił do niego Jerònim.

Otoczony przytrzymującymi go ramionami Joan mógł tylko patrzeć w niebo. Zrobił to, wyjąc z furii, bólu i rozpaczy.

Parę ławek dalej galernik, który nigdy wcześniej nie dostał listu i jeszcze przed chwilą żartował, przytupując nogą, powiedział do kolegi, że zmienił już zdanie. Nie chciałby dostać takiego listu. Wystarczającym nieszczęściem było wiosłowanie na galerze.

69

Joan nie odpisał Annie. Nie mógł. Co miał jej napisać? Jedyna sensowna rzecz, jaką powinien był zrobić, to natychmiast jechać do Neapolu i zaproponować jej, żeby z nim uciekła. Byłoby to szaleństwem, ale i jedynym odpowiednim wyjściem, czymś, o co Anna zdawała sie go prosić między wierszami. Jednakże uwiązany do tych przeklętych desek nie mógł nic uczynić. Pogrążył się w rozpaczy. Po cóż żyć bez nadziei, że kiedyś będzie z Anną? Zastanawiając się, pomyślał, że pozostała mu jeszcze rodzina, że musi odszukać matkę i siostrę, a to wystarczający powód, żeby nie ustawać w walce.

Gdy jego serce się uspokoiło, obiecał sobie, że odnajdzie Annę — zamężną lub nie. Nie obchodzi go, że będzie musiał kroczyć po trupie jej męża. I napisał w książce to, czego nie był jeszcze w stanie napisać w liście:

„Kocham Was, Anno. Zawsze będę Was kochał i nic mnie nie powstrzyma, dopóki nie będę mieć Was w mych ramionach".

❧

Flota patrolowała wyspy w Cieśninie Świętego Bonifacego i od północy archipelag Magdaleny. Były to okolice przejrzystych wód, które przypominały Joanowi wybrzeża jego wioski. Nie napotkali jednak piratów ani korsarzy, mimo że pojawiali się często w owych stronach. Zdaje się, że zaalarmowani obecnością floty, opuścili je. Ponieważ nie było walki, Joan siedział przykuty łańcuchami do wioseł. Ale nie martwiło go to, wiosłowanie dawało mu nawet przyjemność. Wysiłek fizyczny łagodził ból.

Wśród galerników rozeszła się plotka, która pogłębiła rozczarowanie Joana. Król Ferdynand nakazał admirałowi nie śpieszyć się z podróżą do Neapolu, gdy skończy z piratami na Sardynii i Sycylii. Wiadomość ta pozbawiła Joana złudzeń, ale stała się też swoistą pociechą. Nie mógł sobie nawet wyobrazić mąk, które przeżywałby zakuty na galerze w porcie Neapolu, wiedząc, że jego ukochana jest tak blisko.

Przed wyruszeniem w dalszą drogę na Sycylię flota znów zakotwiczyła na redzie Alghero. Załoga uzupełniła zaopatrzenie, a dowódcy zostali zaproszeni na tańce i kolacje. Tej nocy na statku byli tylko galernicy pod strażą Garau i paru żołnierzy, którzy pod nieobecność kadry oficerskiej grali w kości w kasztelu. Marynarze i wojacy rozkoszowali się miejskimi uciechami przed wyruszeniem w wielodniowy rejs.

Wtedy właśnie Garau i Jerònim, który — jako ochotnik — nie był zakuty w kajdany, pojawili się na mostku między ławami wioślarzy. Oni też świętowali na swój sposób i sądząc po ich słowach i uśmiechu, wypili sporo alkoholu.

Zatrzymali się na wysokości Joana. Zaczęli szeptać coś między sobą i chichotać, po czym przeszli do ławy, na której siedział zwykle Jerònim. Joan spojrzał na Carlesa i zauważył, że jest spięty. Chłopiec się bał, wykonał tylko pośpieszny ruch, opróżniając brezentową torbę u swych stóp. Nie było czasu na nic więcej. Jerònim złapał go za ramię i pociągnął.

— Zostaw mnie! — jęknął Carles.

Nie mógł nawet krzyczeć. Sanç, towarzysz Jerònima, mimo krępujących ruchy łańcuchów powalił chłopca na swoje kolana. Musieli mieć to wcześniej zaplanowane. Wtedy Garau, śmiejąc się, wetknął Carlesowi szmaty do ust, żeby go uciszyć.

— Dasz nam na chwileczkę twoją dziewczynę, prawda? — pijanym głosem rzucił Jerònim.

On i Sanç siłowali się z Carlesem, podczas gdy strażnik zdejmował mu kajdany.

— Co wy robicie? — zapytał Joan.

Nie dawałby temu wiary, gdyby nie widział tego na własne oczy. Nie mógł uwierzyć, że znowu go zgwałcą, jak to zrobili w Barcelonie.

— Ty siedź cicho, jeśli ci życie miłe! — postraszył go Garau.

Carles opierał się rozpaczliwie, ale walczył z trzema silnymi mężczyznami. W jednej chwili ściągnęli mu pończochy i koszulę. Białe jak mleko ciało zalśniło w półmroku.

Mężczyźni się zaśmiali, a Jerònim powiedział:

— Nie opieraj się, wiemy, że to lubisz, cioto.

Joan się wahał. Bał się, wiedział, że spotka go coś złego, jeśli będzie próbował bronić Carlesa. Zostanie ukarany i legną w gruzach wszystkie jego nadzieje na poprawę losu, na to, że poznają się na jego umiejętnościach w obchodzeniu się z kolubrynami i że pozwolą mu zobaczyć ukochaną w Neapolu. Poczuł jednak, że nie może porzucić przyjaciela i że jeśli mu nie pomoże, wspomnienie własnego tchórzostwa będzie prześladować go do końca życia.

Gdy podjął decyzję, strach przerodził się w gniew. Gwałtowny gniew na niesprawiedliwość będącą źródłem krzywd doznanych przez Carlesa i przez niego samego.

Miał kajdany na prawej nodze i lewej ręce, ale długość łańcuchów dawała mu pewną swobodę. Był lepiej zbudowany niż przeciwnicy. Oni zresztą nie spodziewali się, że odważy się wkroczyć. Zrobił krok do tyłu lewą nogą i nabierając rozpędu, z wściekłością wymierzył potworne uderzenie pięścią prosto w twarz Garau, który upadł na plecy galerników na następnej ławie. Nie dając mu czasu na reakcję, przełożył łańcuch, którym przykutą miał lewą rękę, przez szyję Jeronima i ciągnąc w kierunku jego ławy, zaczął go dusić. Sanç wypuścił Carlesa, żeby ruszyć na ratunek koledze. Chłopiec doskoczył do przedmiotów wyrzuconych z jego brezentowej torby.

Joan widział, jak w wolnych chwilach Carles coś robił w ukryciu. Udawał, że tego nie dostrzega, ale zauważył, że używa żelaznych kajdan jako narzędzia. Gdy zobaczył, co chłopak bierze do ręki, zrozumiał, czym się wtedy zajmował.

Carles rzucił się na Garau z niespodziewaną furią, nie pozwalając mu wstać, dźgnął go w szyję, a potem kłuł gdzie popadło. Okazał się tak szybki, a Joan tak powolny z Jerònimem, że nim go wreszcie wypuścił, chłopiec zdążył zadać mu już wiele pchnięć w brzuch.

— Wybacz mi, wybacz! — błagał o litość Jerònim.

Sanç usiłował się odsunąć na tyle, na ile tylko pozwalały mu łańcuchy, żeby chłopiec go nie zranił. Ale Carles w ogóle nie zwracał na niego uwagi. Skoczył, żeby dobić Garau. Strażnik leżał jak długi na pokładzie i nie poruszył się nawet po kolejnych ciosach. Pierwsze dźgnięcia przecięły mu tętnicę szyjną i krwawił teraz jak zarżnięty wieprz.

Carles wrócił do Jerònima, który leżał zwinięty w kłębek na ziemi. Wymierzył mu cios swoją bronią. Jerònim krzyknął, ale ostrze drewnianego noża było już tępe i sprawiło mu tylko trochę bólu. Chłopiec rzucił drzazgę i stanął nagi przed przyjacielem, patrząc na niego z tragicznym uśmiechem.

— Czeka nas za to egzekucja — wymamrotał Joan.

70

Gdy oficerowie powrócili na statek, znaleźli martwego strażnika i rannego Jerònima. Lekarz okrętowy pokręcił głową ze zmartwieniem. Rana jelit nie była czysta, jak od broni białej. W brzuchu pozostały drzazgi. Powiedział, że wda się zakażenie, i nie mylił się, przepowiadając ochotnikowi rychłą śmierć.

— Wmieszałeś się w tę sprawę, pomagając mi — mówił Carles, gdy z powrotem przykuwali go do ławy. — Od dawna spodziewałem się ich ataku, ale nie liczyłem na twoją pomoc. Jestem ci za to wdzięczny. Śmierć strażnika i rany Jerònima to wyłącznie moja sprawa. Powiem, że chciałeś im przeszkodzić, ale nie byłeś w stanie. Musisz przedstawić tę samą wersję. Jeśli przyznasz się, że uderzyłeś Garau, skażą cię na śmierć.

Następnego ranka po śniadaniu kapitan Perelló przystąpił do wymierzenia sprawiedliwości. Kasztel stał się salą sądową, na której obecni byli tylko oficerowie. Przesłuchiwał wielu galerników jako świadków, jednego po drugim, każdego oddzielnie. Potem obydwu oskarżonych. Joan zeznał tak, jak polecił mu Carles: że pragnął powstrzymać napaść strażnika, ale nie zdołał. Niemniej twierdził z uporem, że chłopiec jedynie się bronił przed zboczeńcami, którzy usiłowali go zgwałcić.

— Na moim statku nie ma zboczeńców — odparł kapitan.

Joan domyślił się, że kapitana nie obchodziła sprawiedliwość, dbał jedynie o utrzymanie porządku na galerze i odnoszenie się z szacunkiem do władz. Oficer zdawał sobie sprawę, że na galerze, podobnie jak na innych okrętach, zdarzają się praktyki homoseksualne. Ale wolał przymykać na to oczy, dopóki przestrzegano zasad. A admirał Vilamarí, który obserwował uważnie przesłuchanie, siedząc na wygodnym rozkładanym krzesełku, był osobą, która z całą pewnością owe zasady ustalała.

Wkrótce potem strażnicy zaprowadzili Carlesa, Joana i Sança na mostek pod najwyższym masztem. Rozległo się bicie w bęben. Załoga wyszła na pokład, a galernicy wstali, żeby być świadkami wymierzania przykładnej kary. Naczelnik straży odczytał wyrok:

— Trzysta batów dla galernika Carlesa, który następnie zostanie powieszony za napaść na strażnika i zadanie mu okrutnej śmierci. Dziesięć batów dla galerników Sança i Joana za to, że nie powstrzymali go.

Carles ze spokojem spojrzał na Joana.

— Dziękuję, że mi pomogłeś — powiedział. — To tylko dziesięć batów, będziesz żył.

— Bardzo mi przykro — odparł Joan ze smutkiem. — To wielka niesprawiedliwość.

— Mówiłem ci, że nie wyjdę stąd żywy. — I uścisnął go.

Joan odwzajemnił uścisk. Następnie rozdzielono ich i uwiązano do masztu. Joan był zdziwiony, że nie rozległy się gwizdy ani śmiechy. Wszyscy przyjęli ich uścisk w ciszy. Zarówno galernicy, jak i załoga wiedzieli, co naprawdę się stało. Carles zdobył ich szacunek.

— Byłeś moim najlepszym przyjacielem — rzekł chłopiec.

༄

Najpierw wychłostano Joana i Sança. Carles w tym czasie spowiadał się księdzu i otrzymywał ostatnie namaszczenie. Gdy nadeszła jego kolej, z godnym podziwu spokojem stanął przed masztem i popatrzył na mężczyzn z zarazem wyzywającym i smutnym uśmiechem. Potem rozebrano go i przywiązano do słupa plecami do kata. Rozpoczęto wymierzanie kary.

Carles miał bardzo bladą skórę i zaokrąglone kształty. Gdyby nie ogolona głowa, od tyłu można by wziąć go za dziewczynę. Już pierwsze uderzenia poraniły gładką skórę. Ale w odróżnieniu od jęków, które wydawał z siebie Sanç, gdy był chłostany, i skarg, które wyrwały się Joanowi, Carles tylko głęboko wzdychał. Zachowywał się godnie.

Ślady po uderzeniach bata były potworne, skóra otwierała się jak cięta brzytwą. Krew ściekała z pleców po nogach, tworząc kałuże u stóp. Panowała absolutna cisza, słychać było tylko trzaskanie bicza. Joan, stojąc na mostku między rzędami ław w niewielkiej odległości od chłopca, miał oczy pełne łez. Z żalu i wściekłości wbijał sobie paznokcie w dłonie.

Po niedługim czasie Carles zawisł na więzach. Przestał się poruszać. Joan pomyślał, że stracił już przytomność i jest o włos od śmierci z wykrwawienia. Nie otrzymał nawet pięćdziesięciu uderzeń batem, ale strażnicy wymierzający chłostę nie ustali w biciu bezwładnego ciała, dopóki nie doszli do trzystu. Rozcięte mięso odsłaniało kości pleców.

Gdy go odwiązali, Carles runął w kałużę własnej krwi, a strażnicy założyli mu pętlę na szyję. Kazali Joanowi, Sançowi i paru innym więźniom ciągnąć za sznur, aż zwłoki zawisły wysoko na maszcie. Miały tam wisieć i przypominać galernikom, co spotka tego, który się zbuntuje. Sama śmierć nie wystarczyła. Jego szczątki pozostawiono na pastwę morskich ptaków.

Ciało dyndało wraz z ruchami kołyszącego się statku. Krew kapała na pokład. Wiele kropel purpurowego deszczu spadło na Joana, który modlił się za duszę swego przyjaciela, ciągnąc sznur. Był to straszliwy widok. Chłopak ze łzami w oczach raz po raz przerywał modlitwę, przeklinając ogromną niesprawiedliwość.

71

Po egzekucji miejsce Carlesa i Je ̀onima zajęli dwaj ochotnicy. Flota wzięła kurs na wyspy San Pietro i San Antioco, zmierzając na Sycylię. Drugiego dnia żeglugi naczelnik straży osobiście poszedł po Joana. Towarzyszył mu strażnik, który rozkuł wioślarza z kajdan.

— Kapitan chce cię widzieć — powiedział naczelnik.

Kapitan Perelló razem z admirałem i nawigatorem siedzieli przy stole nad mapami. Oficer odprawił gestem naczelnika i strażnika i wrócił do rozmowy o wiatrach i szlakach morskich, nie zwracając na chłopaka uwagi. Joan czekał, aż się zwrócą do niego, zaniepokojony, ale też zaciekawiony tematem ich rozmowy. Wychował się na łodzi i znał podstawy żeglugi. Wreszcie, gdy skończyli pogawędkę, kapitan odezwał się do Joana:

— Od dzisiaj nie będziesz służył już przy wiośle — rzekł. — Będziesz pracował tu, w kasztelu.

Joan nie mógł powstrzymać uśmiechu, na wpół zaskoczenia i szczęścia.

— Nie myśl sobie, że chcemy złagodzić ci karę — oznajmił oficer. — Strażnicy twierdzą, że powinniśmy cię srożej ukarać za śmierć Garau, i są gotowi zabić cię przy pierwszej nadarzającej się okazji. Sądzą, że byłeś uczestnikiem tego, co się stało, a ponieważ w Barcelonie zabiłeś już jednego strażnika, przyszła kolej na ciebie.

Uśmiech zniknął z twarzy Joana. To prawda, bez jego pomocy Carles nie zdołałby wymknąć się gwałcicielom i nigdy nie zabiłby Garau.

— Być może mają rację — kontynuował kapitan — ale nam się spodobało to, jak obsługujesz kolubryny. Możesz nam się przydać. Poza tym nasz najlepszy artylerzysta umarł parę miesięcy temu. Ciebie chcemy mieć żywego.

— Ci ludzie chcieli zgwałcić Carlesa i zrobili to już wcześniej, w Barcelonie. — Joan nie mógł się powstrzymać. — Był już nagi, gdy udało mu się ich odepchnąć. Zabił Garau w obronie własnej.

Kapitan Perelló patrzył na niego przez parę chwil, rozważając odpowiedź.

— Mówiłem już, że na moim statku nie ma rozpusty — rzekł, przeciągając słowa. — Jeśli jeszcze raz to usłyszę, każę obedrzeć ci batem plecy ze skóry.

— Śmierć Carlesa była niesprawiedliwa — napierał Joan z wściekłością, która odbierała mu panowanie nad sobą i strach. — I niesprawiedliwe było skazanie mnie na galery. Zabiłem tego strażnika w obronie własnej, tak jak zeznali świadkowie.

Kapitan skrzyżował wzrok z admirałem i ten przemówił po raz pierwszy:

— Na galerze to admirał decyduje o tym, co jest sprawiedliwe — powiedział Vilamarí, zawieszając głos. — I to jest sprawiedliwe. Jedynym, który może tę sprawiedliwość podważyć, jestem ja. A nie robię tego, bo taka jest moja wola.

Joan nie odważył się odpowiedzieć, a admirał popatrzył mu prosto w oczy.

— Kapitan musi korzystać ze swej władzy, aby chronić swój okręt i zrobić z niego doskonałą machinę wojenną — ciągnął Vilamarí. — A załoga jest najważniejsza. Utrzymanie dyscypliny, posłuchu i szacunku wobec hierarchii to sprawa podstawowa. Twój przyjaciel musiał więc umrzeć dla przykładu, za zabicie strażnika. Galernik, który się buntuje, ginie. Tak samo twoja kara jest przykładem, żeby nikt nie ośmielał się napadać na marynarza na lądzie, i nieważne, czy ma powód, czy go nie ma. Bronić załogi to tyle co bronić statku. — Vilamarí zamilkł na parę chwil i przeniósł wzrok na kapitana, który skinął głową. — Strażnicy mają rację. Bez twojej pomocy ten chłopak nie byłby w stanie zabić kolegi. Zostawiono cię przy życiu dzięki twoim zdolnościom. Przyczyniasz się do poprawy sprawności bojowej galery, zatem kapitan orzekł sprawiedliwie, że zasłużyłeś tylko na dziesięć razów batem, za nieuczynienie wszystkiego, co powinieneś był uczynić, żeby uratować strażnika.

Znowu zrobił pauzę. Dzień był słoneczny. Admirał spojrzał na żagle wzdęte pomyślnym wiatrem, który pchał galerę na południe.

— I mówię ci, że na naszych okrętach nie ma zboczeńców — podjął po chwili. Znowu zamilkł, wpatrując się w Joana i starając się wyczytać coś z wyrazu jego twarzy. — Na moich galerach nie ma inkwizycji, i nie życzę jej sobie. Każdy może żyć w sposób, który uzna za najlepszy, dopóki nie narusza porządku i dyscypliny. Ale gdyby pojawili się zboczeńcy, zostaliby straceni, a pojawiliby się, gdyby ktoś został zgwałcony i naruszony zostałby ład.

— Nie będziemy rozsądzać sprawy, której nie znamy — wtrącił kapitan.

— Słuchaj, chłopcze — kontynuował admirał. — Powiedziano mi, że jesteś bystry. Nie tylko znasz się na artylerii, ale jesteś też dobrym skrybą i znasz wiele języków. Możesz nam się przydać, możesz odbyć karę bez niepotrzebnych cierpień i możesz wyjść stąd żywy. Nie popełniaj tylko więcej głupstw.

Młodzieniec skinął głową i rzekł:

— Jak rozkażecie.

Joan napisał w książce: „Lepiej być posłusznym admirałowi". Po czym dodał: „Ale to wciąż niesprawiedliwe".

72

Pogoda była ładna, wiatr pomyślny, morze spokojne. Joan nie był już przykuty do wioseł, ale nie mógł się cieszyć względną swobodą i wygodami ani przepięknym krajobrazem korsykańskiego wybrzeża. Jego spojrzenie raz po raz wędrowało ku górze, na koniuszek wielkiego masztu. Zwłoki Carlesa wisiały ku straszliwej przestrodze, a mewy żerowały na nich. Za każdym razem, gdy słyszał ich krzyk, przeszywał go dreszcz.

Potrzebował nieco czasu, by wyciągnąć wnioski z rozmowy z Vilamarím.

W końcu zapisał w książce: „To, co opłacalne, władca czyni tym, co sprawiedliwe. Bóg jednak obdarzył nasze serca czymś, co pozwala odróżnić nam dobro od zła. To właśnie jest sprawiedliwość".

Wkrótce kapitan znalazł mu zajęcie. Kaligrafia Joana była niemal doskonała i pomimo morskich przechyłów znacznie przewyższał okrętowego skrybę. Zaczęto więc dyktować mu najważniejsze listy.

Wśród znajdujących się na pokładzie oficerów tylko admirał, kapitan i nawigator umieli swobodnie czytać i pisać, pozostali ledwie czytali. Joan i skryba musieli więc pomagać im przy sporządzaniu raportów i tabel.

Chłopak odkrył, że na pokładzie było trochę książek. Wzruszył się, gdy wśród nich znalazł *Rolanda zakochanego* autorstwa Mattea Marii Boiarda po włosku, ten sam tekst, który Abdalá przetłumaczył dla Anny, a on kopiował i oprawiał.

Ta książka była jego miłosną pocztą. Przez nią łączył się z Anną.

Z przejęciem wziął ją do rąk. Nie było to żadne luksusowe wydanie, zwykła drukowana książka, chociaż w dość dobrej okładce ze skóry. Nie taka jak ta, którą, wkładając w to całe serce, ozdabiał dla ukochanej, ale i tak przycisnął ją do piersi. Ona te słowa przeczytała, napisane jego pismem. Dotykając księgi, wyobraził sobie, że dotyka tej, którą przepisywał. Nieważne, że to nie był ten sam obiekt. Zawierała te same słowa, te same pragnienia i myśli, a ona ją przeczytała, potem coś pomyślała, poczuła, zapragnęła. Na tym polegała magia ksiąg. Otworzył ją i zaczął recytować po cichu:

> *Ach, szalony Rolandzie, cóż to cię zaćmiewa?*
> *Czy nie widzisz, jak jakaś uporczywa ułuda,*
> *Która Boga obraża, mąci cię, olśniewa?*
> *Gdzież jest twa odwaga, która czyni cuda*
> *jedyne, co wszechświat je cały opiewa?*
> *Złamanego byś nie dał grosza za glob cały,*
> *A u stóp tej niewiasty jeńcem jesteś małym.*

Tak się wzruszył, że nawet nie spostrzegł, jak podchodzi do niego admirał. Gdy się zorientował, poczuł się jak zakonnik przyłapany na popijaniu mszalnego wina i zamknął księgę.

— Rozumiesz to? — spytał go znienacka.

— Tak, panie admirale.

— Umiałbyś to przetłumaczyć?

— Tak, bez najmniejszego kłopotu.

— Znam włoski z południa, ale to jest napisane po toskańsku, starym florenckim, i nie jestem w stanie rozszyfrować niektórych ustępów — przyznał się admirał.

Był raczej w dobrym humorze, co uspokoiło Joana. Skinął głową.

— Jeśli zdołam wam pomóc, będzie to dla mnie zaszczyt.

Mężczyzna popatrzył na niego w zamyśleniu, po czym rzekł:

— Mam lepszy pomysł. Poczytasz nam w kasztelu na głos, przy kolacji. Najpierw po włosku, żebyśmy mogli zachwycić się harmonią wersów, a potem przetłumaczysz. W ten sposób sprawimy sobie przyjemność z poezji, przy okazji zaś moi oficerowie poduczą się trochę włoskiego, a to im się przyda.

Joan się zgodził. Wykonać taki rozkaz to nie lada gratka. Prawie na pamięć znał przekład Abdali. Niektóre ustępy mógł deklamować bez czytania, i to ze wzruszeniem, które udzielało się słuchaczom. Wszyscy słuchali, jak recytuje po włosku i natychmiast tłumaczy bez zastanowienia. Dla niego było to jak rozmowa z ukochaną i chwilami musiał się wysilać, aby powstrzymać się od płaczu, ukrywać łzy. I tak dość już myślał o Annie, a lektura sprawiła, że poczuł ją blisko siebie. Ale marzenie rozwiewało się nazbyt prędko. Gonił za chimerą. Anna była w Neapolu, pewnie zamężna już z tamtym starcem.

Jego wrażliwość i uczuciowość poruszyły nawet ludzi zahartowanych na galerach, jak sądzono, najgorszym miejscu na świecie. Zwłaszcza oficerów, ceniących szczególnie ów typ człowieka renesansu, połączenie kochanka, wojownika i mędrca, którego uosobieniem był Roland.

Sam kapitan Perelló pod koniec lektury jednego z fragmentów powiedział, ocierając łzę:

— Świetnie, chłopcze. Zaskakuje nas, że młodzieniec o twardej powierzchowności, a przy tym dobry artylerzysta jak ty, może mieć wrażliwe wnętrze, znać języki i poezję. Cieszę się, że nie powiesiłem cię na maszcie jak twojego przyjaciela.

෪

Wreszcie Joan zdobył się na napisanie listu do Anny. Donosił w nim, że jego miłość do niej pozostała niewzruszona, że będzie ją kochał na zawsze i gdy tylko okoliczności pozwolą, pojedzie do Neapolu.

Żeby wysłać list, musiał czekać, aż dotrą do Palermo, a ponieważ nie znał adresu Anny ani księgarza, musiał przesłać go do swojego przyjaciela Bartomeu, do Barcelony, żeby on wysłał go do Neapolu. A tam, biorąc pod uwagę potajemny charakter ich korespondencji, Anna będzie musiała znaleźć czas, żeby odebrać list z księgarni przyjaciela Bartomeu. Był to długi łańcuch i Bóg jeden raczył wiedzieć, kiedy Anna go otrzyma.

෪

W drugim dniu żeglugi po opuszczeniu wybrzeży Sardynii niebo pociemniało, zerwał się wiatr, a fale zaczęły robić się coraz większe. Nadchodził sztorm, a nie było w pobliżu zatoki, w której można by się schronić, więc kapitan ogłosił alarm sztormowy. Zwinięto żagle, wiosła wciągnięto do środka i zabezpieczono wszelkie ruchome elementy. Deszcz i fale zmywały pokład i łódź zaczęła rzucać się niczym koń stający dęba. Joan zatroszczył się o księgi i materiały piśmiennicze. Okrywał je brezentem i chował pod pokład, by nie zmyła ich woda.

Admirał zszedł do swej kajuty, a kapitan z nawigatorem i sternikiem zostali w kasztelu, by mieć pewność, że statek rozbija dziobem fale. Ci, którzy mogli, schronili się pod pokładem, ale było tam niewiele miejsca. Joan wolał pozostać w kasztelu i mocno trzymać się liny. To było przerażające doświadczenie. Widział, jak fale zderzały się z dziobem, wznosząc się wysoko, jak przeskakiwały przez burty i wpadały na galerniczą brać, zalewając wszystko ciemną i spienioną wodą. Galernicy trzymali się jakoś, skuleni pośród ław. Łańcuchy chroniły ich przed zmyciem z pokładu, ale cierpieli z powodu nieustannych wstrząsów i uderzeń. Gdyby statek zatonął, okowy pociągnęłyby ich na dno. Tych, którzy znajdowali się w kasztelu, też nie ominęła furia nawałnicy. Niektóre fale przetaczały się przez cały okręt, aż po rufę.

Joan nie przeżył nigdy tak rozszalałego sztormu na pełnym morzu. Ojciec i jego towarzysze dobrze znali wiatry i kaprysy Morza Śródziemnego i nie oddalali się zbytnio od brzegu, a gdy przewidywali złą pogodę, chronili się w jakiejś zatoczce. Jednakże morze zmieniało się szybko i chłopiec pamiętał burzę, która zaskoczyła ich na otwartym morzu, ale tego, co działo się wówczas, nie można było porównać z tym, co teraz przeżywał. Deski trzeszczały i łódź zdawała się pękać pod każdym uderzeniem morza. Gdy parę godzin później burza zaczęła słabnąć, ich flota była już tak rozproszona, że z pokładu nie widać było żadnego statku.

I wtedy to się stało. Morze wciąż było wzburzone, ale załoga poruszała się już po pokładzie, choć bardzo ostrożnie. Naczelnik z jednym ze strażników zbliżali się do ław na dziobie, aby oszacować straty. Gdy przechodzili mostkiem, wielka fala uderzyła w dziób statku, mocno nim potrząsając. W porę zdołali się przytrzymać, ale niespodziewanie coś na nich spadło i powaliło na pokład. Były to bezgłowe zwłoki Carlesa.

~

W całym zamęcie sztormu żaden oficer nie zaprzątnął sobie głowy wiszącym na maszcie ciałem. Zwłoki rozkładały się już i były mocno poszarpane przez ptaki. I właśnie podczas jednego z ostatnich przechyłów, w porównaniu z wcześniejszymi dość słabego, głowa oderwała się od ciała, które spadło na pokład tak pechowo dla naczelnika straży i strażnika.

Żaden z nich nie został ranny, ale obaj najedli się śmiertelnego strachu. Plotka rozniosła się z szybkością błyskawicy wśród galerników i reszty załogi. Niezwykłych okoliczności dopatrywano się w tym, że ciało chłopca spadło, gdy sztorm się już kończył, i że dotknęło kogoś, kto okazał się akurat naczelnikiem straży i strażnikiem. Nie byli to tylko jego kaci, ale właśnie oni zajmowali się wymierzaniem chłosty i czynieniem życia skazańców tak nieznośnym.

Rozległy się śmiechy, odwoływania do eschatologii oraz interpretacje wydarzenia jako umyślnego, ostatniego czynu chłopca pośmiertnie karzącego tych, którzy tak go torturowali, aż batem pozbawili życia.

Po odwadze i dumie, z jaką zmierzył się ze śmiercią, brakowało tylko niepowtarzalnego aktu pośmiertnej walki, żeby zapisał się w pamięci wszystkich z szacunkiem i podziwem.

Głowy nie odnaleziono. Kapitan polecił włożyć ciało do worka z kamieniem w środku i natychmiast wyrzucić za burtę.

Joan kątem oka dostrzegł, jak kapitan i admirał z niepewnością komentowali całe zajście, i aby nie stać się celem ich gniewu, ukrył uśmiech, który wywołały w nim ich zakłopotane miny. Co mieli począć z taką niesubordynacją? Zgodnie z ich rozumowaniem to, co się stało, nie było korzystne dla porządku, nie było dobre dla morale, nie było dobre dla okrętu. Carles uciekł na zawsze przed niesprawiedliwą sprawiedliwością ich regulaminu.

W swojej książce napisał: „Dobra robota, Carles! Niechaj Bóg przyjmie cię na Swe łono, przyjacielu".

73

Kapitan oszacował straty spowodowane przez sztorm. Znaleziono dwóch martwych galerników, jednego poważnie rannego wskutek oderwania się belki, i mnóstwo kontuzjowanych, ale ci ostatni się pocieszali, bo były chwile, kiedy się obawiali, że posłużą za pokarm dla ryb. Przeżyli i to się liczyło. Galera nie poniosła większych szkód, choć trzeba było wykonać liczne naprawy. Do strat zaliczono proch, gdyż kilka beczek wypadło ze swych siedzisk i popękało, do niektórych dostała się woda. Kapitan ukarał odpowiedzialnych za to marynarzy, zarzucając im niedbalstwo, a pieczę nad okrętową artylerią powierzył Joanowi. Nie składała się ona zresztą jedynie z dwóch kolubryn i armaty. W jej skład wchodziły też falkonety, mniejsze, ruchome, mocowane przy burtach. W rzeczywistości zaś obowiązki Joana rozciągały się na wszelką broń mającą związek z prochem, łącznie z arkebuzami, którymi posługiwali się zarówno marynarze, jak i piechota podczas abordaży i operacji lądowych. Został mistrzem broni palnej, a to oznaczało, choć kapitan tego nie powiedział, pozycję równorzędną z oficerem. Wręcz przeciwnie, Pau de Perelló oznajmił mu jasno, że pozostaje więźniem odbywającym karę i za jakiekolwiek popełnione przewinienie zostanie ukarany z bezwzględną surowością.

Vilamarí życzył sobie, by w dalszym ciągu pełnił obowiązki skryby i czytał *Rolanda zakochanego*. Pracy miał więc sporo, ale przynajmniej zdjęto mu obręcz, którą wciąż jeszcze nosił na nodze, a która ograniczała mu ruchy.

Nie ofiarowano mu jednak tej wolności, nie pragnąc nic w zamian.

— Będziesz musiał przysiąc przed Bogiem na twój honor, że nie uciekniesz, nim miną dwa lata — powiedział Vilamarí.

Joan się zawahał. Marzył o tym, żeby uciec, gdy dotrze do Neapolu, i połączyć się z Anną! Jeśli złoży przysięgę, będzie musiał jej dotrzymać, choć pokusy ucieczka nie zdoła przezwyciężyć, będąc tak blisko ukochanej. Ale jeśli zbiegnie, jakie życie będzie mógł zaoferować Annie? Nie, ucieczka byłaby niedorzecznością. Oddaliłaby go od niej jeszcze bardziej.

— Pozwólcie mi przysiąc, że przez te dwa lata będę wam służyć tak, jak rozkażecie.

Joan wiedział, że admirał miał możność zamiany lub złagodzenia kary, i łudził się nadzieją, że skróci mu ją, jeśli będzie się dobrze sprawował. Widząc przychylne nastawienie admirała, poprosił o zwolnienie go z obowiązku golenia głowy co piętnaście dni. Admirał odmówił, ale chłopak pomyślał, że później spróbuje znowu. Natomiast dostał pozwolenie na ubieranie się jak marynarz, a że miał trochę pieniędzy w worku, postanowił kupić sobie szaty, gdy dobiją do stałego lądu.

&

Kiedy dopłynęli do Sycylii, odnaleźli drugą galerę flotylli. Bardziej ucierpiała podczas sztormu. Była ogołocona. Po trzeciej łodzi nie było śladu. Gdy wpłynęli do zatoki Palermo, morze było spokojne. Przywitała ich salwa armatnia z zamku. Po chwili Joan odpowiedział na nią, jak nakazywał obyczaj.

Młodzieniec wiele słyszał o Palermo i bardzo pragnął poznać miasto. Było cudowne, wznosiło się wokół La Cala, przepięknego naturalnego portu, niepokojonego jedynie przez północno-wschodnie wiatry, i rozciągało się aż do gór, które tworzyły amfiteatr, zwany przez miejscowych Conca d'Oro, gdyż przypominał olbrzymią muszlę. Było stolicą Sycylii i miało okazałą katedrę, piękne kościoły i potężny zamek królewski z czasów Normanów. Skazanemu nigdy nie pozwolono by zejść na ląd i na własną rękę włóczyć się po mieście, ale miał nadzieję, że wymyśli jakiś pretekst.

Zakotwiczyli w La Cala, ale nie zgotowano im tam takiego przyjęcia jak w Alghero i Cagliari. Morze też nie było im przyjazne. Dwie zbaczające z kursu galery, żeby wpłynąć do portu, przedstawiały obraz klęski.

Gdy tylko rzucono kotwicę, admirał Vilamarí zszedł na ląd. Poszedł ulicą Argentería i dalej w stronę katedry, minął rezydencję arcybiskupa i dotarł do pałacu królewskiego Normanów, gdzie zamierzał zobaczyć się z gubernatorem Fernandem de Acuña. Maszerował w takt uderzeń werbla, a eskortował go oddział dwudziestu kuszników pod rozkazami dowódcy Perego Torrenta. Gwar rzemieślników i bicie ich młotków o drewno lub metal, pogawędki kupców i ich klientów na ulicach, wszystko to na chwilę ustało, żeby przyjrzeć się admirałowi i jego eskorcie. Vilamarí był zaniepokojony. Tylko dwóch funkcjonariuszy niskiej rangi wyszło mu na spotkanie. To był zły znak.

సౌ

Gubernator Fernando de Acuña przyjął go w salonie na piętrze królewskiego pałacu, którego przestronne gotyckie okna wychodziły na plac. Wytłumaczył się, że nie powitał go w porcie z powodu złego stanu zdrowia, i poprosił, by opowiedział, co przydarzyło się flocie. Bernat de Vilamarí zrelacjonował najpierw wypadki w Roussillon i Cerdagne, podróż z królem Ferdynandem i pomoc floty w pacyfikacji wymienionych hrabstw. Pragnął, by gubernator wiedział, że łączą go bliskie stosunki z monarchą. Potem opowiedział o przechwyceniu fust w pobliżu Sardynii i opisał sztorm, który zniszczył okręty.

— Trzecia z galer przepadła — rzekł. — Czas mija, a ja boję się o nią coraz bardziej. Potrzebuję waszej pomocy. Chcę otrzymać z góry królewskie wypłaty, abym mógł naprawić pozostałe dwa okręty. Obliczam, że na opłacenie prac i materiałów będę potrzebował około czterech tysięcy dukatów.

Gubernator pokręcił głową w odmownym geście.

— To wypłaty i koszty utrzymania galer za cztery miesiące. Przykro mi, ale król przyznał tylko cztery tysiące pięćset dukatów na trzy galery. Na dwie mogę dać wam tylko trzy tysiące, co obejmuje wypłaty i utrzymanie za trzy miesiące.

— Ale ja muszę naprawić okręty, nakarmić ludzi i wypłacić żołdy! — zawołał admirał. — Na co królowi galery, które nie nadają się do walki?

— Przykro mi — odparł stary gubernator, ponawiając gest odmowy. — Sytuacja jest ciężka. Karol Ósmy szykuje wojska, jakich dotąd nie widziano, żeby wedrzeć się od północy Włoch, dotrzeć do Neapolu i podbić królestwo. Z tego, co wiem, miał nadzieję, że nasz król Ferdynand pozwoli mu na to, nie stawiając przeszkód, tak się jednak nie stało i teraz grożą sobie nawzajem. Nasz król jest zaniepokojony, bo jeśli Karol Ósmy podbije Neapol, jedynie Cieśnina Mesyńska będzie dzielić go od Sycylii. Argument dziedzictwa Andegawenów, który wykorzystuje do podbicia Neapolu, będzie mógł mu posłużyć do uderzenia na Sycylię.

— W takim wypadku król bardziej niż kiedykolwiek będzie potrzebował galer gotowych do walki.

— Przykro mi, ale nie wy tu jesteście najważniejsi.

Vilamarí zamilkł zaskoczony, oczekując na dalszy ciąg słów gubernatora. Ten wykonał gest znużenia.

— Otrzymałem rozkazy, żeby zaangażować wszystkie środki do wzmocnienia głównych zamków i obrony miasta na wypadek ataku francuskiej floty. Poza tym król mianował admirałem Sycylii Galcerána de Requesens, hrabiego Palamós. Będzie dowodził sześcioma galerami w obronie wyspy. Jego okręty mają pierwszeństwo i muszę mieć na to odpowiednie środki.

To była zła wiadomość dla Vilamaríego. Mianowanie oznaczało bowiem, że jego rywal dowodzić będzie operacjami morskimi we Włoszech, a on znajdzie się na zależnej od niego pozycji. Zniósł cios, jak tylko potrafił. Nie miał już szans na naprawę galer.

— Jaką misję powierza mi król? — zapytał.

— Tutaj macie rozkazy — rzekł gubernator, podając mu list. — Wesprzecie króla Neapolu i papieża przeciwko Francuzom. Zapłaty dla waszych ludzi i na ich utrzymanie powinny znaleźć się w skarbcach Neapolu i Rzymu, popłyniecie więc pod ich banderami. Ale musicie unikać, zawsze gdy będzie to możliwe, bezpośredniej konfrontacji z flotą francuską. Na koniec, jeżeli okaże się to konieczne, przejdziecie pod rozkazy admirała Requesensa, żeby bronić Sycylii.

Vilamarí zdawał sobie sprawę, że bez względu na to, jak nie podobałaby mu się decyzja króla, nie ma na nią żadnego wpływu, więc skoncentrował wysiłki na zdobyciu środków na naprawę okrętów. Znał starego gubernatora od wielu lat. Byli w dobrych stosunkach. Postanowił zatem wykorzystać tę przyjaźń. Fernando de Acuña zaprosił go na obiad i po dobrym winie oraz umiejętnej perswazji Bernat de Vilamarí uzyskał tylko zapłatę za trzy miesiące dla wszystkich trzech galer. Część dla trzeciej galery była specjalnym ustępstwem, na które poszedł gubernator. Nie działał przy tym wbrew rozkazom króla, gdyż żywił nadzieję, że w końcu się odnajdzie. Vilamarí mógł naprawić przynajmniej dwa okręty, a to i tak wiele. Bez nich nie było floty, a bez floty nie mogło być admirała. Niewiele brakowało, aby do tego właśnie doszło.

74

Gdy Vilamarí wrócił na *Świętą Eulalię*, natychmiast podyktował Joanowi list do króla Ferdynanda z prośbą o pomoc. W piśmie przypominał suwerenowi wyświadczone przysługi, między innymi blokadę morską Barcelony, zwycięstwa w walkach z Turkami i zwycięskie bitwy z genueńskimi i prowansalskimi korsarzami. Twierdził, że jego galery są królestwu potrzebne i należy utrzymywać je w stanie gotowości do walki. Choć starał się być pewny siebie i spokojny, chłopak wyczuwał troskę admirała. Vilamarí rozpoczął naprawę galer bezzwłocznie, nie czekając na odpowiedź od monarchy. Prace na *Świętej Eulalii* można było prowadzić w porcie, ale drugi okręt trzeba było wyciągnąć na piaszczysty brzeg.

Ósmego dnia ich pobytu w Palermo ku zaskoczeniu wszystkich pojawiła się trzecia galera. Sztorm zepchnął ją aż do wybrzeży Afryki, miała pokaźne zniszczenia i choć wzięła kurs na Sycylię, gdy tylko mogła, podróż była długa i uciążliwa z powodu licznych uszkodzeń. Burza pozbawiła załogę części zapasów i najsłabsi galernicy i marynarze zmarli na morzu z głodu i pragnienia. Wieść o odnalezieniu trzeciego okrętu została przyjęta z wielkim entuzjazmem przez wszystkich, zwłaszcza przez admirała. Ale teraz potrzeba było jeszcze więcej pieniędzy.

Od gubernatora Vilamarí nie otrzymał żadnych dodatkowych funduszy, a ponieważ nie liczył zbytnio na pozytywną odpowiedź króla, zaczął posługiwać się własnym majątkiem. Choć miał stopień admirała, był też po prostu armatorem paru statków i nie robił wielkiej różnicy między własnością swoją a króla. Na *Świętej Eulalii* pojawili się pożyczkodawcy. Powiadano, że admirał zastawił pod hipotekę posiadłości w Palau i Bosie, aby uzyskać brakujące środki. Galernicy pomagali w pracach w zależności od umiejętności, ale zawsze ograniczały ich kajdany. Jeśli schodzili na ląd, nawet do prac przy osadzonych na piasku galerach, robili to skuci po dwóch. Joan bardzo się cieszył, że jego obowiązki uwalniały go od pracy fizycznej i od kajdan. Pierwszą rzeczą, jaką zrobił po zejściu na ląd, był zakup dobrego kaftana, pończoch, butów i wielkiego kapelusza wedle włoskiej mody, który niemal w całości osłaniał jego ogoloną głowę.

Głównym zadaniem Joana było zaopatrzenie okrętów w proch dobrej jakości. Ten, który ocalał po sztormie, pochodził od rozmaitych wytwórców i różnił się pod względem składu, toteż dawał różną siłę wystrzału. Nie wiązało się to z większymi kłopotami, jeśli strzelano z niewielkich odległości, jak tuż przed abordażem, ale gorzej było, gdy chodziło o strzał do celu oddalonego. Joan znał sycylijski, więc udał się na ulicę kupców korzennych i wybrał jednego z nich, który był w stanie wyrobić proch o stałym składzie z sześciu części saletry, jednej węgla i jednej siarki. Doglądanie procesu wytwarzania i składowania beczek było dobrą okazją do zwiedzania Palermo. Choć to miasto o większej liczbie ludności i bardziej hałaśliwe niż Barcelona, pod wieloma względami mu ją przypominało. Nie mógł odmówić sobie przechadzania się ulicą złotników. Przymykał tam oczy, wsłuchiwał się w stuk metalowych młoteczków i gwar rozmów i wyobrażał sobie, że znajduje się w stolicy hrabstwa, parę lat wcześniej, na ulicy o tej samej nazwie, i widzi ukochaną w drzwiach sklepu jej ojca. A gdy je otwierał, odczuwał przejmujący ból, bo jej tam nie było. Płonął z pragnienia wyjazdu do Neapolu. Był już pewien, że z obecną swobodą poruszania się znajdzie sposób na odnalezienie Anny. Napisał list do Bartomeu, prosząc go, by wysłał sporą część z pieniędzy przeznaczonych na Neapol, a on odbierze je u neapolitańskiego księgarza, za którego pośrednictwem prowadził korespondencję z Anną, dlatego prosił też o jego nazwisko i adres. To miało być miejsce, w którym zamierzał rozpocząć poszukiwania. Kopię tego listu wysłał drugim statkiem, w razie gdyby oryginał zaginął. Był zbyt ważny. Uważał, że wraz z utratą listu straciłby życie.

≈

Gdy tylko zakończyła się naprawa okrętów, do Palermo zawinęło sześć galer admirała Requesensa. Zostały powitane z honorami, a gubernator don Fernando de Acuña odzyskał zdrowie i tym razem przybył do portu.

Galcerán de Requesens, hrabia Palamós, okazał się sporo starszy od Vilamaríego, poza tym był synem i bratem dawnych władców Katalonii i miał długą listę zasług, zarówno na wojnie z Grenadą, jak i na Sardynii oraz w Neapolu. Był człowiekiem despotycznym, a mianowanie go admirałem sycylijskiej floty zobowiązywało Vilamaríego do posłuszeństwa wobec niego przez cały czas, gdy przebywał na wyspie. Obydwaj rywalizowali ze sobą i Bernatowi de Vilamarí nie w smak było owo podporządkowanie. Nie podobało mu się również to, że jego rywal ma więcej okrętów. Sam nosił niegdyś tytuł kapitana generalnego galer Aragonii i Sycylii i dowodził flotą dwudziestu galer i szesnastu okrętów, które blokowały port Barcelony, zmuszając miasto do ugięcia się pod koniec wojny domowej. Zamierzał jak najprędzej wziąć kurs na Królestwo Neapolu i uzgodnił z Requesensem, że gdy jego galery okrążać będą północ Sycylii w oczekiwaniu na możliwe ataki Francuzów, flota Vilamaríego popłynie na południowe wybrzeże, w drodze do Neapolu wyglądając berberyjskich piratów.

Kasztel rufowy był niewielki i choć niektóre rozmowy oficerowie woleli prowadzić na dziobie, z dala od uszu admirała, Joan połączył to, co słyszał tu i ówdzie, i zdał sobie sprawę, że się martwią. Vilamarí włożył prawie wszystko, co uzyskał od gubernatora i od bankierów, w naprawę galer i nie miał już pieniędzy. Nie mieli dość zapasów, żeby dotrzeć do Neapolu, trzeba było racjonować żywność. W razie gdyby wynikły jakieś przeciwności, czekał ich głód.

≈

Sytuacja Joana wyraźnie się poprawiła, odkąd parę miesięcy wcześniej wszedł na statek jako galernik, ale wydawała się niejasna. Chociaż był odbywającym karę skazańcem, ani strażnicy, ani ich naczelnik nie mieli nad nim władzy, podczas gdy, wprost przeciwnie, marynarze zajmujący się artylerią musieli go słuchać. Jego ubiór też nie był taki jak galernika ani nawet marynarza. Nosił dosyć drogie szaty, właściwe raczej wojskowemu, choć nie siadywał w kasztelu razem z oficerami. Niektórzy zdradzali oznaki zaskoczenia i niezadowolenia, widząc go tak odmienionego.

— Myślisz, że kim jesteś? — syknął Pere Torrent, oficer piechoty, na jego widok. — Wciąż pozostajesz tylko nędznym więźniem.

Joana obchodziło jedynie zdanie admirała, a skoro ten nie czynił żadnych komentarzy, wszyscy dali spokój, sądząc, że widocznie ma jego przyzwolenie.

Pewnego dnia Vilamarí rzekł:

— Chłopcze, wiem już, że dobrze władasz bronią palną, a jak sobie radzisz z bronią białą?

— Umiem władać włócznią i strzelać z kuszy.

— Podczas abordażu nie ma czasu na ładowanie broni palnej ani nawet na kusze — odrzekł admirał. — Posługujemy się krótkimi pikami, lancami i włóczniami przy pierwszych starciach, ale przy walce wręcz decydującą bronią są rapiery i puklerze.

— Nigdy nie władałem rapierem ani puklerzem.

— Przy twojej funkcji powinieneś się nauczyć — odpowiedział admirał. — Wydam rozkaz dowódcy Peremu Torrentowi, żeby cię szkolił.

Joan rozdziawił usta. Co to miało znaczyć? Był tylko galernikiem, ale admirał zdawał się traktować go prawie jak oficera. Nie odważył się o nic zapytać, ale pomyślał sobie, że wykorzysta lekcje posługiwania się bronią białą, jak tylko się da.

W książce napisał: „Czemu tak bardzo obchodzę admirała? Co on knuje?".

75

Flotylla ruszyła, biorąc kurs na zachodni kraniec Sycylii. Tam się zatrzymała, przeprowadzając inspekcję wysp Egadi położonych ledwie półtora dnia żeglugi od wybrzeży Afryki. Było to jedno z ulubionych miejsc Saracenów do zaczajania się na statki, które z południa Sycylii kierowały się do wybrzeży Palermo, Sardynii lub Hiszpanii. Na wyspie Marettimo dostrzegli dwie saraceńskie galery, które rzuciły się do ucieczki i podczas pościgu znowu okazały się o wiele szybsze. Joan nie mógł dosięgnąć ich ani razu wystrzałem z kolubryny.

Zapasy żywności były dość skąpe, więc nie urządzało ich oczekiwanie na powrót Saracenów, żeby napaść z zaskoczenia, a admirałowi śpieszno było do Neapolu. Nim powrócili na kurs, Vilamarí rozkazał jednostkom rzucić kotwice w zatoczce i zwołał kapitanów na swoją galerę. Joan i wszyscy oficerowie musieli iść na dziób, a oni dyskutowali nad rozłożonymi na stole mapami i po chwili zawołali paru członków załogi pochodzenia sycylijskiego i Perego Torrenta. Podobne zebranie z kapitanami powtórzyło się dwa dni później, gdy płynęli pod żaglem wzdłuż wybrzeża wielkiej wyspy. Genís Solsona powiedział Joanowi, że przygotowują operację wojenną, na co ten spytał, czy spodziewają się spotkania ze statkami Saracenów. Nawigator wzruszył ramionami. Może nie wiedział, a może nie chciał mu powiedzieć.

Odkąd zostawili w tyle wyspę Marettimo, widywali tylko łodzie rybackie, nie było oznak ruchu na morzu, zapewne z powodu piratów. Ale Joan przeczuwał, że admirał nie szykował bitwy morskiej. Dopiero następnego dnia po południu Joan pojął, co knuł Vilamarí.

෴

Kapitan zebrał wielu marynarzy, paru oficerów, dwudziestu żołnierzy razem z dowódcą Perem Torrentem, który od wielu dni ćwiczył Joana w walce rapierem.

— Wasza grupa została wybrana do specjalnej misji — mówił kapitan Perelló pod czujnym spojrzeniem admirała. — Tę noc spędzicie na lądzie, a o świcie zacznie się walka. Grupą dowodzić będzie Pere Torrent. Oprócz mieczy i kusz weźmiecie arkebuz, którym posługiwać się będzie Joan.

Chłopca przejął potworny smutek. Przeczuwał, że nadchodzi coś strasznego. Zabrakło mu tchu.

— Wasze szaty zmienicie na te, a paru z was włoży turbany — kontynuował kapitan, pokazując zwalone na kupę ubrania, które należały kiedyś do Saracenów pojmanych na fustach.

Joan czuł coraz większy niepokój i musiał oprzeć się o ścianę kasztelu, żeby nie zemdleć. Dusił się. Kapitan kazał przyprowadzić muzułmańskiego jeńca, żeby wymienił im kilka słów po saraceńsku i pokazał, jak wkłada się turbany. O szczegółach operacji mieli dowiedzieć się dopiero na lądzie, ale gdy rozpocznie się walka, wolno im używać tylko saraceńskich słów. Chodziło o najczęstsze rozkazy. Kazano wszystkim powtarzać je po kilka razy, niektórzy znali je już od dawna. Chłopaka przebiegł nagły dreszcz, gdy pojął, że on sam, niestety, słyszał je już wcześniej. Vilamarí był więc o włos od popełnienia takiej samej zbrodni, jakiej dokonał niegdyś w jego osadzie. Joan spojrzał w głąb kasztelu i ujrzał go siedzącego i patrzącego na wszystkich z całkowitym spokojem. Poczuł mieszaninę trwogi i gniewu, a także dogłębną nienawiść do tego człowieka.

— Nie, nie pójdę — powiedział po cichu.

I przestał powtarzać owe przeklęte słowa w saraceńskim języku.

— Panie kapitanie — zwrócił się do Perella, gdy po zebraniu grupa się rozeszła — nie mogę iść. Jestem bardzo chory, ledwie trzymam się na nogach.

423

Joan nie musiał udawać. Naprawdę czuł się chory, żołądek mu się przewracał, a nogi miał jak z waty. Kapitan spojrzał na niego z uśmiechem litości i pogardy.

— Strach, co, chłopaku? — skomentował. — Wszyscy się kiedyś baliśmy. Ale nadeszła twoja chwila. Admirał kazał mi cię natychmiast powiesić, jeśli będziesz się opierał.

Joan spojrzał znowu w głąb kasztelu, gdzie wciąż siedział Vilamarí. Obserwował ich i z całą pewnością wiedział, o czym rozmawiają, ale jego twarz pozostała niewzruszona.

— Otrzymałeś od admirała przywileje, chłopcze — mówił dalej kapitan. — Wszyscy o tym wiedzą i niedobrze by było, gdyby się okazało, że na nie nie zasługujesz.

— Naruszyłoby to porządek na okręcie, nieprawdaż? — powiedział Joan z wściekłością.

— Tak — odparł kapitan ze śmiechem. — Ale ciebie jeszcze bardziej naruszyłoby zawiśnięcie w górze.

Chłopiec przypomniał sobie straszliwe dyndanie ciała Carlesa i pomyślał, że aby utrzymać wymagany przez admirała porządek, kapitan powiesiłby go bez drgnięcia powieki.

෨

Gdy zapadła noc, galery zbliżyły się do wyspy, a kapitańska spuściła szalupę. Księżyc w ostatniej kwadrze dawał dość światła, by dojrzeć niewielką plażę, na którą zszedł oddział.

Joan niósł arkebuz, lont wolnopalny i proch, który podzielił starannie do papierowych torebeczek. Zapakował to wszystko do worka z nasmołowanego brezentu i udało mu się donieść na ląd całkiem suche. Kusza była nieraz celniejsza od arkebuza, ale ten miał większą moc niszczenia. Na swoje nieszczęście Joan dobrze pamiętał, co się stało ojcu.

Sycylijski marynarz zaprowadził ich do sosnowego lasku, gdzie mieli spędzić noc. Joan nie mógłby zmrużyć oka, więc zaproponował, że zostanie na straży, aby jego towarzysze mogli trochę pospać. Stanąwszy obok grupy, słyszał pochrapywania śpiących i cykanie świerszczy. Zapach sosen przypominał mu rodzinną wioskę. Poprzez igły drzew patrzył na niebo obsiane niezliczonymi gwiazdami wokół świetlistej tarczy księżyca. Panujący wokół spokój nie koił jednak piekła, które czuł w sobie i które nie dawało mu zamknąć oczu.

Do tej pory on i jego rodzina byli ofiarami, a teraz miał zostać katem i nie mógł nic zrobić, żeby temu zapobiec. Przyszło mu do głowy, żeby uciec i nie brać udziału w natarciu. I zrobiłby to, gdyby groziła mu tylko kara chłosty, lecz postraszyli go szubienicą. A kapitan galery nie rzucał słów na wiatr. Zrozpaczony Joan snuł jeden plan po drugim, usiłując przechytrzyć los. Wszystko na nic.

෨

Nie wstał jeszcze świt, gdy po śniadaniu składającym się z chleba, sera i wina rozpoczęli marsz skrajem lasu, aż dotarli do ścieżki. Marynarz powiedział, że są na miejscu. Joan poszedł parę kroków tą dróżką i ze wzniesienia, na którym się znaleźli, ujrzał morze w dole, wiele domków na wybrzeżu i kilka łodzi rybackich na szerokiej piaszczystej plaży. Scenariusz był tragicznie znajomy. Zaczaili się za skałami pośród chaszczy, gdy pierwsze promienie słońca zaczęły docierać ze wschodu. Po niedługim czasie usłyszeli dęcie w rogi na alarm. Joan wykrzesał iskry, od których zajął się jeden wolnopalny lont. Potem założył lont na serpentynę, metalową część broni w kształcie litery Z; na jeden koniec zakładało się lont, drugi zaś służył za kurek. Wychylił się znów i ujrzał, jak *Święta Eulalia*, na której masztach trzepotały zielone, muzułmańskie wimple, cumowała na plaży, a mężczyźni, wykrzykując, wyskakiwali z dziobu i przez burty.

Pere Torrent odciągnął go, żeby się schował, a sam stanął za jego plecami.

— Na mój znak wyjdziemy wszyscy na spotkanie tych, którzy będą wspinać się tą ścieżką w poszukiwaniu schronienia za wzgórzem — rzekł głośno, aby wszyscy go słyszeli. — Joan pójdzie przodem i z arkebuza wystrzeli do pierwszego. Przestraszą się i biegiem uciekną. Gdyby mężczyźni stawali do walki, trzeba będzie zabić tego, który da rozkaz do ataku. Musimy wziąć jak najwięcej ludzi do niewoli, zwłaszcza młodych kobiet. Małych dzieci nie chcemy. Czy ktoś nie wie, co ma robić?

Nikt nie odpowiedział.

— Od tej chwili rozmawiamy po saraceńsku.

Oczekiwanie Joana ciągnęło się w nieskończoność. Czuł obecność Perego Torrenta za swoimi plecami i powolne iskrzenie lontu z konopnego sznurka obtoczonego w saletrze. Pocił się ze zgryzoty. Wkrótce usłyszeli głosy i dyszenie. Gdy ujrzeli pierwszych, oficer wydał rozkaz do ataku. Joan się nie poruszył, ale ukłucie w nerki kazało mu wstać.

— Wyłaź stamtąd i strzelaj, jeśli nie chcesz, żebym nadział cię od tyłu — powiedział Torrent, popychając go.

Joan, dołączając do towarzyszy, zrobił parę kroków w stronę tych, którzy szli pod górę. Natknęli się na grupę wieśniaków. Mężczyźni uzbrojeni w miecze, dzidy i kusze wystąpili naprzód. Na ich twarzach widać było strach i zaskoczenie. Zatrzymali się, osłaniając tych, którzy byli za nimi. Joan zrozumiał doskonale, gdy zakrzyknęli do kobiet, żeby uciekały z dziećmi, i jak ten, który dowodził mężczyznami, wydał rozkaz do ataku, żeby odwrócić uwagę od uciekających. Usłyszał syk wypuszczonej z kuszy strzały, która go musnęła, i ujrzał, jak przywódca idzie na niego z uniesionym mieczem i krzykiem. Reszta ruszyła za nim.

— Strzelaj! — rozkazał Torrent.

Chłopak jednak stał jak skamieniały, celując w rybaka, który szedł z naprzeciwka. Szukał w jego oczach spojrzenia swego ojca.

— Strzelaj, przeklęty! — złościł się oficer.

Joan nabrał nagle pewności, że jeśli w tej chwili nie odciągnie kurka, zginie. Odciągnął. Mężczyzna szedł prosto na niego ze wzniesionym mieczem, a Joan, nie mogąc oderwać wzroku od oczu rybaka, usłyszał gwizd lontu podpalającego proch. Straszliwy huk zagłuszył krzyki przeciwników i natarcie mężczyzny zostało gwałtownie przerwane. Uniósł ręce do nieba, upuszczając broń. Spojrzenie Joana przeniosło się na potwornie rozdziawione usta i piersi, z których po chwili zaczęła strumieniami tryskać krew. Mężczyzna runął na plecy.

Wszystko natychmiast się odmieniło. Teraz rybacy uciekali w popłochu, a marynarze puścili się za nimi w pościg. Zostawiali w tyle poprzebijane strzałami ciała leżące na ziemi. Joan nie gonił za nimi. Rzucił arkebuz i stał nieruchomo. Patrzył tylko przed siebie, nie wiedząc, co robić. Z ciała mężczyzny nie uszło jeszcze całkiem życie. Wtem z zarośli wybiegł mały chłopiec. Nie zważając na obecność Joana, zbliżył się do mężczyzny, który ostatkiem sił spojrzał synowi w oczy. Chłopiec ukłęknął i wziął go za rękę. Joan odszedł, żeby dać im chwilę intymności. Nazbyt dobrze wiedział, o czym rozmawiali. Wiedział też, że teraz chłopiec stanie się głową rodziny. A raczej tego, co z niej zostanie. Parę kroków dalej Joan ukucnął i skrywając twarz w dłoniach, wybuchnął płaczem. Po chwili wymiotował, opierając się o sosnę. To on był tym dzieckiem. Ale i katem.

76

Gdy nadszedł przypływ, galera wypłynęła w morze, zostawiając za sobą spustoszoną i splądrowaną osadę, w której nie było ani żywności, ani nic, co można by sprzedać. Ci ludzie byli biedni. Życie i wolność to ich jedyne bogactwo. Dwadzieścia kobiet i czterech pojmanych nastoletnich chłopców właśnie je straciło. Kiedy się oddalali, Joan patrzył na wzgórza, gaje oliwne, sosnowe zagajniki i sitowia. Starał się je dojrzeć, bo wiedział, że stamtąd patrzyli na niego ci, którzy przeżyli, osamotnieni, z rozdartymi sercami. A wśród nich chłopczyk, którego twarzy nigdy nie zapomni.

&

— Możemy wziąć po trzydzieści funtów za głowę, to będzie dwadzieścia pięć dukatów — liczył skryba. — Za ten towar dostaniemy tyle, że starczy na pokrycie kosztów floty na ponad dziesięć dni.

Kapitan Perelló pokiwał głową z zadowoleniem. Siedział przy stole w kasztelu z Torrentem, słuchając raportu z akcji. Na ławie w głębi pomieszczenia, obok sternika, siedział admirał. Był pogrążony w rozmyślaniach i to, o czym mówiono, zdawało się go nie poruszać. Joan stał za oficerem. Wiedział, że jego zachowanie podczas potyczki zawiodło Torrenta i że oficer poruszy tę sprawę w rozmowie z kapitanem. Ale w tej chwili nie obchodziła go kara. Jego uwaga skoncentrowana była na Vilamarím. Przysiągł pomścić ojca i zabił jego mordercę w tawernie. Ale teraz zrozumiał, że choć Jednooki był zabójcą, to rzeczywistym sprawcą zbrodni był Vilamarí. Oczywistość była miażdżąca. On sam musiał zabić, chociaż tego nie chciał, kogoś, kto mógłby być jego ojcem. To admirał był sprawcą śmierci i złodziejem wolności rodziny, to on ją zniszczył. Jego spojrzenie zatrzymało się na tym prawie pięćdziesięcioletnim mężczyźnie, energicznym i śmiałym, który jednak często zamykał się w sobie. Zasługiwał na śmierć z powodu cierpienia, na jakie naraził rodzinę Joana i tyle innych. W miarę jak na niego patrzył, Joan wpadał w gniew podsycający zimną śmiertelną nienawiść. Błagał, aby Bóg zesłał mu okazję, żeby mógł zabić admirała i uciec. Gniew Joana nie był samobójczy. Nie mógł marnować życia, pragnął odnaleźć i odzyskać swoją rodzinę. Pragnął też bardzo odszukać Annę i uścisnąć ją; każdego dnia modlił się o to, żeby z bożą pomocą stała się jego kobietą.

Nagle Vilamarí spojrzał w stronę stołu i ich oczy się skrzyżowały. Było to brutalne zderzenie. Chłopak pomyślał, że w takich chwilach przekazuje mu swój gniew, swą nienawiść. Admirał wytrzymał jego spojrzenie. Na twarzy zwykle bez wyrazu pojawiło się zaskoczenie, a potem Joanowi wydało się, że tańczy na niej cyniczny uśmieszek. Skrzyżowanie się spojrzeń okazało się bolesne. Joan nie mógł już go dłużej znieść i spuścił wzrok. Mężczyzna zrobił to samo.

— Tylko jedno z dzieci zostało ranione w ramię strzałą z kuszy — relacjonował Torrent. — Wyjdzie z tego z łatwością, jeśli Bóg dopomoże. Gdy strzeliliśmy z arkebuza i padł szef, reszta jak zawsze rzuciła się do ucieczki. Ci rybacy nie słyszeli pewnie wcześniej takiego wystrzału i wywołało to w nich panikę.

Gdy zakończył opowieść o zasadzce, splądrowaniu wioski i wzięciu mieszkańców do niewoli, poruszył sprawę Joana.

— Zachował się jak tchórz — donosił. — Dał zły przykład, nad czym ubolewam, bo podczas ćwiczeń w walce na rapiery wydawał mi się odważnym chłopcem.

— No to dostanie za karę dziesięć batów publicznie — powiedział kapitan, oskarżycielsko patrząc na Joana. Ten wytrzymał jego spojrzenie.

— Chłopakowi nie trzeba batów. — Wszyscy zwrócili oczy na admirała, który aż do tej chwili wydawał się kompletnie nieobecny. — Trzeba mu tylko więcej takich akcji. Przy następnej napaści też będzie miał arkebuz. Joan sto razy bardziej wolałby chłostę. Znowu każą mu mordować niewinnych! Miał już się sprzeciwić, choć wiedział, że to na nic, gdy admirał spojrzał na niego i rzekł dobitnie:

— Musisz się jeszcze wiele nauczyć, Joanie Serra de Llafranc.

Joana zamurowało. Jakby dostał obuchem w głowę. Nigdy dotąd na galerze nikt nie nazwał go w ten sposób, odwołując się do jego pochodzenia, wymawiając nazwę jego rodzinnej wioski. Wioski, na którą Vilamarí napadł i wziął do niewoli jej mieszkańców.

Pojął teraz, że ten mężczyzna specjalnie wysyłał go z arkebuzem do niewinnych ludzi. Zapewne Bartomeu posługiwał się argumentami emocjonalnymi, by usprawiedliwić jego nienawiść do Jednookiego. Opowiedział o śmierci jego ojca i nieszczęściach rodziny, żeby zmiękczyć kamienne serce admirała.

Vilamarí wiedział o wszystkim! Od pierwszej chwili. A teraz zabawiał się nim okrutnie, jak kot bawi się myszą, zanim ją zabije.

77

Następne noce i dni okazały się dla Joana bezsenne. Załoga *Świętej Eulalii* napadła jeszcze na dwie osady na trasie do przylądka Passero w południowo-wschodniej części Sycylii. Chłopak przypuszczał, że załogi pozostałych dwóch galer robiły to samo w innych wioskach. Zawsze postępowali według tego samego wzorca: mały oddział wychodził nocą na ląd i prowadzony przez marynarzy o lokalnej proweniencji zaskakiwał wieśniaków, którzy uciekali przed atakiem oddziałów lądujących na plaży. Flota przemieszczała się dużo szybciej, niż rozchodziły się wieści, i mieszkańcy wiosek nie byli przygotowani do obrony.

Patrzenie na te powtarzające się sceny było dla Joana udręką. Mógł zdrzemnąć się jedynie w dzień, w kącie galery, albo parę chwil w nocy, pod gwiazdami na lądzie, z przeklętym arkebuzem u boku, z którego rankiem miał strzelać do nieszczęśników tak bardzo przypominających mu ludzi z jego wioski. W takie bezsenne noce modlił się za swoją rodzinę, za niewinnych, którzy polegną o świcie, i za samego siebie. A kiedy się nie modlił, złorzeczył. Przeklinał admirała Bernata de Vilamarí, sprawcę tego zła. Pragnął zamordować go własnymi rękami.

Na wszystkie sposoby starał się nie ranić osadników i wymyślił nawet, że jeśli wystrzeli z arkebuza, gdy ich tylko zobaczy, nie dając im czasu na zaatakowanie, nie będzie musiał żadnego z nich zabić, żeby ratować własne życie. Huk wystrzału był zawsze dla marynarzy sygnałem do ataku na rybaków, którzy zaskoczeni tym grzmotem rzucali się do ucieczki. Wszystko to działo się tak szybko, że nie było czasu na ponowne załadowanie broni. Ten nadmierny pośpiech w strzelaniu i brak celności nie podobały się Torrentowi, ale nie mógł już oskarżyć go o nieposłuszeństwo i tchórzostwo.

W tych dniach Joan nie był w stanie pisać swojej książki. Jego dusza była zbyt wzburzona, targały nim uczucia zbyt silne i gwałtowne. Zniewolone kobiety trzymano stłoczone pod pokładem dziobu. Na początku zawsze słychać było ich krzyki.

— Możesz do nich iść i sobie jakąś wybrać, jeśli kapitan zechce nagrodzić cię za coś szczególnego albo jeśli masz cztery dukaty — powiedział nawigator, niewłaściwie interpretując zmieszany wyraz twarzy Joana, gdy słyszał ich lament. — Pere Torrent każe obchodzić się z nimi ostrożnie, żeby uniknąć bójek wśród mężczyzn i żeby któraś nie wyskoczyła za burtę. On i jego żołnierze zbierają pieniądze dla admirała.

— Teraz jest też stręczycielem — zamruczał Joan przez zęby.

Słysząc zawodzenie kobiet, wpadał w rozpacz. Myślał o swojej matce, siostrze i Elisendzie. Modlił się za porwane nieszczęśnice, żeby nie potopiły się w morzu, usiłując zbiec przed męką.

Minęło parę dni i kobiety przestały krzyczeć, być może pogodzone z tym, co nieuniknione. To oraz wieść, że nie będzie więcej grabieży, pozwoliło Joanowi uspokoić się na tyle, żeby złapać trochę wciąż niespokojnego snu. Jego myśli zaczęły nabierać spójności. Dużo miał do napisania w swojej książce i z wolna zaczął się do tego zabierać. „Admirał wszystko o mnie wiedział", nagryzmolił pewnego dnia. „Kazał mi zabić własnego ojca", zanotował kolejnego. „To ja byłem osieroconym dzieckiem, a zarazem katem", napisał kilka godzin później. „Czego admirał chce? Mam się nauczyć zabijać niewinnych ludzi, tak jak on?". „Bawi się ze mną, jak kot bawi się myszą, nim ją zabije, ale to ja zabiję go pierwszy", zakończył.

❧

Minąwszy przylądek Passero na wschodnim krańcu Sycylii, flotylla ku rozczarowaniu Joana nie skierowała się do Neapolu, lecz do Otranto, oddalonego od przylądka o pięć dni żeglugi.

— To port wolnocłowy — wyjaśnił Genís. — Tam spieniężymy niewolników.

Życie potoczyło się dawnym torem, gdy flotylla wyszła w morze. Wznowiono czytanie oficerom *Rolanda zakochanego*. Pewnego popołudnia kapitan rzekł:

— Dzisiaj nie będzie czytania. Admirał zje kolację w swojej kajucie, a ty mu ją podasz.

Nie spodobało się to Joanowi. Na galerze pracowali kucharze i to oni usługiwali oficerom przy stole. Poza tym kapitan i admirał mieli wspólnego ordynansa, który zajmował się sprzątaniem oraz utrzymaniem w dobrym stanie ich odzieży i broni, goleniem brody i każdą inną potrzebą. To zadanie należało do ordynansa, a nie do niego, myślał. Nie chciał być sługą.

Kajuta admirała znajdowała się pod kasztelem i z mostka schodziło się do niej krótkimi schodkami, a następnie szło się wąskim korytarzykiem, który prowadził też do infirmerii. Były to jedyne dwa miejsca do prywatnego użytku na galerze. Joan nie był przyzwyczajony do noszenia tacy i szedł w największym skupieniu, ramionami opierając się o ściany, starając się, aby żaden przechył nie powywracał naczyń.

— Wejść — powiedział admirał, gdy zapukał.

Utrzymując równowagę, otworzył jedną ręką drzwi. Znalazł się w maleńkim pomieszczeniu, w którym cała przestrzeń była wykorzystana do granic możliwości. Na kufrach rozłożone było legowisko, a dalej stał stół, przy którym Vilamarí pisał. Nad nim widniało okienko wychodzące na rufę, przez które wpadało światło słoneczne. Admirał siedział tyłem do drzwi.

— Postaw tacę na kroksztynie, nad siennikiem.

— Wedle rozkazu — odrzekł Joan.

Gdy już miał to zrobić, ujrzał na posłaniu ozdobny otomański kindżał, do połowy wyjęty z pochwy. Serce zabiło mu mocniej. Wystarczyło tylko chwycić broń i poderżnąć gardło admirałowi, który w tym momencie siedział do niego plecami. Pohamowywany gniew, tłumiona żądza zemsty uderzyły w niego z taką siłą, że przewracał mu się żołądek, a serce waliło jak oszalałe. Wreszcie mógł pomścić ojca! Miał teraz niepowtarzalną okazję.

Ręce mu drżały. Postawił tacę na wsporniku, obmyślając gwałtowny ruch, którym mógłby wyciągnąć kindżał i zadźgać tego nędznika, zanimby zareagował. Wewnętrzny głos ostrzegał go, że jeśli zabije w tych okolicznościach, nie będzie miał szans na ucieczkę i zostanie stracony w najbardziej okrutny sposób, ale wściekłość połączona z dziką radością narastała w nim coraz bardziej. Musiał to zrobić. Teraz albo nigdy!

Wyciągnął rękę i przeniósł wzrok na admirała, oceniając odległość. Wtedy się zorientował, że Vilamarí tylko udaje. Na ścianie wisiało lustro, w którym ukradkiem go obserwował. Prawą rękę ukrył za połą i Joan był przekonany, że trzyma w niej drugi sztylet.

To zasadzka! Z całą pewnością otomański kindżał na posłaniu był bez ostrza. Jeden fałszywy ruch i skończyłby zasztyletowany. Poczuł, jak mięśnie mu sztywnieją, podczas gdy ostre spojrzenie admirała skrzyżowało się z jego wzrokiem w lusterku.

— Życzycie sobie czegoś jeszcze, admirale? — zapytał chłopak po długiej chwili, w której nie mógł wykrztusić słowa. Gardło miał tak suche, że słowa niemal sprawiały mu ból.

Wargi mężczyzny w lustrze ułożyły się w słaby uśmieszek triumfu i Joan zdał sobie sprawę, że nienawidzi Vilamaríego jeszcze bardziej.

— Nie. Możesz odejść.

Gdy wyszedł na korytarz, drżał od stóp do głów. Zimny pot przyprawiał go o dreszcze w środku lata. Admirał dobrze znał jego motywy, wiedział, że go nienawidzi, że pała chęcią zemsty. Joan nie mógł już i nie chciał dłużej tego ukrywać, a Vilamarí czytał to każdego dnia w jego oczach, ale z jakiejś nieznanej przyczyny zdawał się odczuwać przyjemność, mając go tak blisko, czując tę urazę, to ukryte niebezpieczeństwo.

Vilamarí bawił się nim. Joan żył jednak nadzieją, że któregoś dnia popełni błąd. Modlił się o to. Wtedy role się odwrócą, zwierzyna stanie się łowcą i nadejdzie ostatni dzień admirała.

78

— Opowiedz mi coś jeszcze o Otrante i o targu, gdzie sprzedają niewolników — poprosił Joan Genísa.

Święta Eulalia płynęła pod żaglem, a galernicy wiosłowali na zmianę. Dzień był niezbyt pogodny, morze się wzburzyło i zawiewał chłodny wiatr. Siedzieli na krańcu kasztelu z nogami opartymi o mostek i nikt ich nie słyszał. Bęben wybijał rytm wioślarzom, szumiał wiatr, oficerowie rozmawiali w głębi nadbudówki, a strażnicy pokrzykiwali na zewnątrz.

Joan chciał zdobyć informacje, które pozwoliłyby mu ustalić miejsce pobytu rodziny. I chociaż temat napaści na osady chrześcijan był delikatny i nie rozmawiano o tym bez potrzeby, tym razem nie dało się go ominąć.

Nawigator miał około trzydziestu lat. Joan zastanawiał się, czy był już na galerze Vilamaríego, gdy napadnięto na jego wioskę. Bał się jednak zapytać go wprost, bo gdyby wyczuł jakąś podejrzaną ciekawość, mógłby stać się ostrożny i zakończyć rozmowę. Tak zachował się przecież Jednooki w tawernie.

Oficer zrobił pauzę, zanim odpowiedział, jakby odpowiedź miała być długa i rozwlekła. Spojrzał w morze i zaczął mówić.

Najpierw opowiedział mu o bohaterskiej kampanii, w której Vilamarí na czele floty aragońskiej i neapolitańskiej zdołał przełamać oblężenie Turków wokół wyspy Rodos, kwatery głównej szpitalników. Z przejęciem w głosie opowiadał, że turecka flota liczyła aż pięćdziesiąt okrętów, była pięć razy większa od aragońskiej. Barwnie opisał, jak kapitańska galera admirała wraz z paroma innymi wpłynęły do portu w Rodos pod łopoczącymi na wietrze sztandarami Aragonii, wśród wiwatów wyzwolonych spod oblężenia mieszkańców. Niedługo później Osmanowie musieli się wycofać.

— To my mieliśmy decydujące znaczenie dla zwycięstwa chrześcijan na Rodos — mówił Genís z zapałem. — I ja tam byłem, Joanie. Nawet sobie tego nie wyobrażasz.

Joan popatrzył na uśmiech szczęścia malujący się na twarzy nawigatora i jego wilgotne oczy, gdy wspominał ów wyczyn. Pojął jego podziw dla admirała. Zauważył już wcześniej podobne uczucia wśród załogi *Świętej Eulalii*, ale nie mógł tego zrozumieć. Musieli być chyba ślepi, że nie dostrzegali, jak admirał gnębi biednych rybaków. Był taki okrutny wobec słabszych.

Joan pokręcił głową z niechęcią, zanim zadał pytanie:

— A Otranto?

— Otranto należy do Królestwa Neapolu, ale leży u wrót Adriatyku. Żegluga z Otranto do Neapolu trwa ponad osiem dni, natomiast znajduje się blisko szlaku handlowego łączącego Wenecję z resztą Morza Śródziemnego i zaledwie o jeden dzień podróży od wybrzeży Albanii, których część była już wówczas opanowana przez tureckie imperium. Po klęsce na Rodos Turcy w odwecie uderzyli z zaskoczenia na Otranto, również z wielką przewagą sił, i zdobyli je. Vilamarí na rozkaz króla Aragonii oddał się w służbę króla Neapolu Ferdynanda Pierwszego i na czele własnych okrętów oraz floty neapolitańskiej oblężył miasto od strony morza. Wtedy Alfons Drugi, następca tronu Neapolu, wzmocniony oddziałami włoskimi i węgierskimi, zbliżył się lądem do miasta i razem zmusili Turków do poddania się. Teraz Otranto stało się wolnocłowym portem ochoczo odwiedzanym przez wenecjan, nazbyt blisko imperium osmańskiego, przed którym chroni go niepewny pokój, i nazbyt daleko od stolicy królestwa. Znajduje się tam tętniący życiem bazar. Sprzedaje się na nim niewolników uprowadzonych przez piratów i korsarzy.

— Ale przecież niewolnicy, których wieziemy, to chrześcijanie! — zawołał Joan. — Czy gubernator nic z tym nie zrobi? Nawigator uśmiechnął się i pokręcił głową.

— Gubernator jest przyjacielem Vilamaríego z czasów rekonkwisty i uzyskuje obfite zyski z handlu niewolnikami. Zdobył względną niezależność od Neapolu i każdy, kto płaci daniny, jest tam mile widziany. Nieważne, wenecjanin, Turek czy Berber. Tym, którzy robią intratne interesy, nie zadaje pytań. Niewolników muzułmańskich kupują handlarze, którzy sprzedają ich w krajach chrześcijańskich, a chrześcijan zabiera się do imperium osmańskiego albo czasem do bardziej oddalonych terytoriów chrześcijańskich, na przykład na Kretę.

৵

Joanowi pozwolono zejść na ląd i razem z nawigatorem poszedł na licytację niewolników. Odbywała się na otoczonym placyku, który służył również do handlu bydłem i końmi. Kobiety i mężczyźni stali wystawieni nago na hańbę i wzrok ciekawskich. Niektórzy płakali po cichu, zakrywając swą nagość rękami. W ich spojrzeniach odbijał się strach. Najmniejsze nieposłuszeństwo z ich strony natychmiast karane było batem. Traktowano ich jak towar i jedynie najpiękniejsze kobiety zasługiwały na jakieś uznanie, choć kupujący obmacywali je i oglądali tak, jakby kupowali mulice. Pod skrupulatną uwagą skrybów składano oferty, ustanawiano ceny, na które gubernator nakładał podatki, a handlarze pobierali marże.

Na bazarze Joan nie dostrzegł ani admirała, ani kapitana. Ludzki towar z galery, kilka dni temu wolni obywatele, został doprowadzony przez Perego Torrenta z oddziałem piechoty, skrybami i strażnikami z galer. Niektóre dziewczyny były ładne i dobrze zbudowane, ale Joan nie zamierzał cieszyć oczu ich widokiem. Pożegnał nawigatora. Nie mógł przestać myśleć o matce, siostrze i Elisendzie. Będąc świadkiem tego haniebnego procederu, czuł, że przewracają mu się wnętrzności. Obawiał się, że może rzucić się z pięściami na gapiów, którzy pokrzykiwali lubieżnie na dziewczyny i usiłowali ich dotknąć, gdy je wprowadzano lub wyprowadzano.

Wciąż sobie powtarzał, że to niesprawiedliwe i że admirał nie ma żadnego prawa do takiego unieszczęśliwiania ludzi.

◈

Gdy wrócił na galerę, wyciągnął książkę z kryjówki, spod małej deski, która słabo trzymała się na gwoździach, ale nikt nie wiedział, że jest ruchoma.

„Jaką cenę ma życie? — zapisał. — Jaką cenę ma wolność? Vilamarí jest złodziejem życia i wolności. Któregoś dnia zapłaci za popełnione zbrodnie".

79

Flota płynęła pod żaglami w pogodną ciepłą noc w Zatoce Tarenckiej. Galernicy odpoczywali. Poza sternikiem i wachtowymi wszyscy na *Świętej Eulalii* spali, tylko Joan targany niepokojem nie mógł zasnąć. Wreszcie kierowali się do Neapolu, gdzie żyła jego ukochana. Miasto było trzy razy większe od Barcelony. Nie będzie łatwo jej znaleźć. Anna była już kobietą zamężną i Joan ze strachem i nadzieją zastanawiał się, czy go wciąż kocha. W kasztelu na hamakach oficerowie kołysali się lekko. Joan nie miał hamaka, ale cieszył się z siennika, który nocami rozkładał na podłodze. Wciąż pamiętał twardy pokład, na którym galernicy próbowali zasnąć, i w porównaniu z nim jego posłanie było luksusem. Księżyca przybywało, zbliżał się do pełni. Na niebie pełno było małych chmurek, które przesuwały się, przesłaniając księżyc tak, że sprawiał wrażenie kokieteryjnej damulki, która na przemian odsłania i zasłania twarzyczkę różnymi woalkami. Niespokojny Joan wstał i ostrożnie przeszedł po mostku na dziób. Było niemożliwe przejść tamtędy, nie czyniąc żadnego hałasu, deski skrzypiały pod stopami, ale starał się nie zakłócać snu galerników leżących po obu stronach mostka. Wielu chrapało, niektórzy kaszleli, inni gadali przez sen, a przy każdym ruchu dźwięczały łańcuchy, które łączyły ich ze statkiem. Dotarł na koniec dziobu. Tam znajdowało się królestwo armat. Popieścił chłodny brąz kolubryny. Przeszedł na mostek, który służył do abordażu nieprzyjacielskich statków.

Usiadł tam, patrząc w zachwycie, jak dziób rozcina ciemną, gdzieniegdzie pobłyskującą srebrzyście wodę. Podniósł wzrok wyżej, ponad horyzont, na księżyc, i zobaczył, jak znaczy swym światłem srebrną drogę, która biegnie z oddali do statku po falach. Rozświetlał niebo, ale w porównaniu ze słońcem słabość jego światła stwarzała złudzenie nieustającej walki księżyca z mrokiem.

Chmury były podobne do tych, które wiele lat temu ojciec nauczył go rozpoznawać jako niebiańskie istoty. Tyle że były dużo ciemniejsze. Jak czas, w którym teraz przyszło mu żyć! W jakże tragiczny sposób odmieniło się jego życie! Pokręcił głową, by otrząsnąć się z przykrych myśli i tęsknot, które bolały tak mocno, i skupił się na odczytywaniu srebrzystych niebiańskich kształtów. Koń, skrzat o szpiczastych, sterczących uszach... Księżyc przesłoniły chmury, znowu schował uśmiech. Jedna wyglądała jak głowa Turka w turbanie, druga jak dziewczyna... Serce skoczyło mu w piersi. „Anno!", wyszeptał.

— Dobry wieczór, Joanie Serra de Llafranc.

Młodzieniec podskoczył. Rozpoznał głos i gdy się odwrócił, zobaczył przyglądającego mu się mężczyznę, stojącego w niedużej odległości.

— Dobry wieczór, admirale.

Mężczyzna usadowił się na ławeczce stojącej na wprost dziobu. Odetchnął głęboko, popatrzył na morze, chmury, księżyc i powiedział:

— Pięknie.

— Tak, panie.

Vilamarí milczał, a jego wzrok przemierzał wody, niebo i horyzont. Joan zachowywał się tak samo.

— Wiesz co, chłopcze? — rzekł admirał po chwili. — Nie możesz oskarżać lwa o okrucieństwo, gdy zabija owcę czy gazelę.

Joan spojrzał na niego zaskoczony, ale milczał, w nadziei, że admirał sam wytłumaczy to dokładniej.

— Lew musi przeżyć i zapewnić przeżycie swoim lwiątkom. Bóg dał mu kły, pazury i żołądek, który trawi mięso. Gdy zabija, nie czyni tego z nienawiści ani z przyjemności, jaką sprawia mu cierpienie gazeli. On zdobywa pożywienie, które pozwoli mu być silnym i żyć dalej. Lew nie jest sadystyczny ani okrutny, spełnia tylko wolę Boga. Gazela nie ma kłów ani pazurów, żeby się bronić. Gdy umiera, aby żywić lwa, również spełnia wolę boską.

Admirał zamilkł i dalej wpatrywał się w morze, chmury i księżyc. Joan siedział w ciszy, usiłując ochłonąć z osłupienia, w które wprawił go Vilamarí. Co to za historia? Chłopcu nie umknęło ukryte znaczenie owej powiastki. Mówił o jego ojcu i jego rodzinie, o napaści na wioskę. Twierdził, że jest lwem, że jego rodzina stała się naturalną ofiarą i że działał sprawiedliwie, gdyż wolą boską było, aby się nią pożywił. Czy naprawdę usiłował go przekonać? Mówił też, że nie podoba mu się cierpienie ofiar, które zabijał, rabował i więził tylko po to, aby przeżyć.

Joan miał wrażenie, że ten człowiek o wyniosłym i dumnym wyglądzie prosi go o zrozumienie, niemalże o wybaczenie. To przypuszczenie napełniło Joana trwogą. Admirał miał uczucia! Musiało gryźć go sumienie i aby je uspokoić, musiał przekonać do swoich racji właśnie jego, swą ofiarę.

Uznał więc, że nie wyświadczy mu tej przyjemności. Przysiągł sobie zabić go, kiedy będzie mógł zrobić to bezkarnie. I nie ustąpi ani na włos, nie przyzna mu racji.

— My, ludzie, nie jesteśmy zwierzętami, panie admirale — odparł zdecydowanym tonem. Patrzył mu przy tym prosto w twarz, choć jej rysy ginęły w ciemności. — Bóg nakazał nam się miłować wzajemnie i nie czynić innym tego, czego nie chcielibyśmy, aby wyrządzono nam samym.

Zamilkł, bo zląkł się, że ostatnie jego słowa mogły zostać wzięte za groźbę. A nie zamierzał go przecież uprzedzać, chciał zyskać jego zaufanie i mieć wpływ na okoliczności, w których się zemści.

— Nie, chłopcze, mylisz się — ważąc słowa, odparł admirał. — Wśród ludzi są lwy, gazele i owieczki. Boskie prawo przetrwania najsilniejszych dotyczy ludzi. Nie jesteśmy tacy sami, my, którzy podróżujemy w kasztelu, i galernicza hołota, która wiosłuje. Szlachcic nie rodzi się taki sam jak chłop pańszczyźniany. Chłop to owca, a szlachcic, który jest lwem, broni innych lwów w zamian za pożywienie.

— W takim razie trzeba wam wiedzieć, że chłopi pańszczyźniani zbuntowali się, a jeden z nich prawie zabił króla. Czy on też jest owieczką?

— Znam dobrze tę historię. Joan de Canyamars nie był barankiem. Ty też nim nie jesteś, Joanie Serra de Llafranc, dlatego sypiasz w kasztelu z lwami, a nie z baranami, które wiosłują na galerze.

— Jakże to, panie admirale? — rzekł Joan z przejęciem. — Jesteśmy lwami, choć nie urodziliśmy się szlachtą? Czyż nie jest wolą boską, byśmy zostali owcami, mając za ojców chłopów?

— To właśnie odróżnia nas od zwierząt — odrzekł admirał. — Zwierzęta rodzą się z pazurami lub bez nich i nie mogą się zmienić. Będą ofiarą lub łowcą. Przyjmuję, że istnieją dwa typy szlachectwa: przyrodzone i z serca. Kto urodził się wśród baranów, ale ma lwie serce, ten wyhoduje sobie kły. I były przypadki, że dzięki tym kłom... ubodzy chłopi stali się szlachtą. To też wola boska.

Joan umilkł zbity z tropu. Admirał dobrze przygotował swój wywód, musiał długo się zastanawiać, jak stłumić uczucia chłopca. Niemniej Joana nawiedziły znów obrazy ojca padającego na ziemię z raną w piersi, kobiet na bazarze w Otranto usiłujących zakryć swą nagość rękami, trzęsących się ze strachu i wstydu. Bóg nie mógł tego usprawiedliwić.

— Ty też używałeś kłów, by zabijać, chłopcze — kontynuował Vilamarí. — Zabiłeś strażnika, który strzelał do twego ojca, i uczestniczyłeś w zabójstwie Garau, który też był na wyprawie do Llafranc. Zabiłeś nawet rybaka, który bronił swej rodziny na Sycylii. Dzięki temu jesz każdego dnia i podróżujesz wygodnie w kasztelu, gdy inni za ciebie wiosłują. Dlatego śpisz pośród lwów. Jesteś jednym z nich. Jesz z takim samym apetytem jak one i nie obchodzi cię, że jedzenie pochodzi ze sprzedaży niewolników. Nie chciej być więcej ofiarą ani niewiniątkiem, Joanie Serra de Llafranc. Bo nie jesteś ani jednym, ani drugim.

Vilamarí wstał bez pożegnania i ruszył w stronę rufy. Przez kilka chwil Joan słyszał twarde kroki skrzypiące na drewnianym mostku. Poczekał, aż widok się zatrze, gdy patrzył na morze, księżyc i jego zabawy ze światłem i cieniem. Jedna z chmur zaczynała przybierać przerażającą formę lwa szykującego się do skoku. Serce Joana przepełniał ból. Światłu księżyca nie udawało się już przebić przez zasłony i jego otoczenie zasnuło się chmurami. Czyżby admirał miał rację?

80

Parę dni później flotylla dotarła do Reggio, prawie na czubek buta, z którym kojarzy się półwysep. Galery zacumowały tylko na kilka godzin, żeby uzupełnić wodę i zapasy. Potem przebyli Cieśninę Mesyńską, która dzieli Sycylię od kontynentu, i posuwali się na północ wzdłuż wybrzeża kalabryjskiego. O poranku czwartego dnia przekroczyli Punta Campanella, mijając wyspę Capri po lewej stronie, i otworzyła się przed nimi rozległa Zatoka Neapolitańska.

Joan siedział na dziobie galery, cały przejęty. Wreszcie Neapol! Mimo sierpniowego wilgotnego upału panowała dobra widoczność i jego przyjaciel nawigator Genís wskazywał horyzont w najwyżej położonych punktach.

— Dokładnie na północy zatoki leży miasto Neapol, stolica królestwa — wyjaśnił.

Na sam dźwięk tej nazwy serce Joana, i tak bijące szybciej, skoczyło mu do gardła. Umierał z niecierpliwości, tak bardzo chciał odszukać Annę i zobaczyć jej twarz, jej uśmiech.

— Na lewo od miasta leżą wyspy Ischia i Procida — mówił dalej nawigator, wyciągając palec przed siebie. — A gdy wejdziemy trochę głębiej w zatokę... Tam! — powiedział, wskazując na prawo. — Góra Wezuwiusz. To wulkan.

Morze było intensywnie niebieskie. Dzień był jasny, a krajobraz przepiękny, ale Joan z trudem nadążał za nawigatorem. Jego umysł kreślił jeden za drugim plany odnalezienia ukochanej. Kluczem była księgarnia. Księgarz to z pewnością dobry przyjaciel Bartomeu, a Anna też musiała pozostawać z tym człowiekiem w dobrych stosunkach, skoro stał się jej potajemnym posłańcem. Wciąż nie miał odpowiedzi od Bartomeu. Nazwiska księgarza nie znał, a w Neapolu było dużo księgarni. Nie wiedział, jak ją znaleźć, nie mógł też otwarcie zapytać o Annę. Nie wiedział także, na jak długo flota Vilamaríego zatrzyma się w mieście. Bał się, że nie odnajdzie ukochanej.

&

Wkrótce Neapol ukazał się w całej krasie. Miasto patrzyło na południe zatoki. Od północy osłaniały je łagodne wzgórza z zielonymi gajami i otaczały mury o solidnym wyglądzie. Od wschodu między murami a morzem rozciągała się plaża, na którą można było wyciągać niewielkie łodzie, ale od zachodu mury zatapiały się w wodzie. W tej strefie wznosił się imponujący zamek Castel Nuovo, rezydencja dynastii aragońskiej, która królowała w Neapolu. Od twierdzy odchodził do morza szeroki pomost w kształcie litery L, który dawał statkom schronienie i miejsca do cumowania. Nieco dalej na wschód na wysepce znajdował się potężny Castel dell'Ovo, a na środku zatoki, między oboma zamkami, wznosiła się ufortyfikowana wieża służąca za latarnię morską. Nawigator pokazywał dzwonnice kościołów i wysokie budynki, wymieniając ich nazwy. Joan zdziwił się, że na zachodzie, bardziej w głąb lądu, miasto ma jeszcze jedną twierdzę, la Capuanę, dawny pałac królewski. Bez wątpienia musiało to być bogate, dobrze prosperujące miasto.

Po wejściu do portu z galery huknęła salwa honorowa, na którą odpowiedział Castel Nuovo, i gdy tylko *Święta Eulalia* zacumowała, a admirał zszedł na ląd, pojawił się komitet powitalny. Vilamarí wiedział, że król Ferdynand z Neapolu, zwany też Ferrante de Aragón, zmarł przed sześcioma miesiącami, a jego syn Alfons, towarzysz broni spod Otranto, został nowym królem.

Alfons II z wielkimi oznakami serdeczności przyjął dawnego towarzysza i przedstawił mu bieżące wieści. Król Karol VIII Walezjusz szykował się na wtargnięcie do Włoch i przemarsz przez nie z północy na południe z przelicznym wojskiem. Twierdził, że chce ustawić swe oddziały blisko Turków, aby móc z nimi walczyć, ale oczywiste było, że ma zakusy na Królestwo Neapolu, wobec którego rościł sobie prawo dziedzictwa, wychodząc z dynastii Andegawenów.

Spodziewając się jego ataku, Alfons II wysłał eskadrę trzydziestu sześciu galer, dziesięciu wielkich żaglowców i całego mnóstwa mniejszych jednostek do portu w Livorno i w Pizie, aby powstrzymać francuską flotę. Podziękował Vilamaríemu za ofertę pomocy, ale nie rozpoczęły się jeszcze działania wojenne i na razie pomoc nie była potrzebna.

⁂

W tym samym czasie Joan przechadzał się po wesołym Neapolu, który, niepomny zbliżającej się wojny, tętnił życiem na ulicach i bazarach. Pomyślał, że jego rozkwit przejawia się na tysiąc rozmaitych sposobów i że tak właśnie musiała wyglądać Barcelona przed wojną domową, według relacji tych, którzy poznali jej splendor.

Potrzebowali niewielkich ilości prochu, gdyż odkąd opuścili Palermo, używali go tylko na salwy honorowe i trochę na ćwiczenia strzeleckie. Mimo to Joan odwiedził wielu sprzedawców, żeby poznać ich sposoby wyrabiania i upewnić się co do jakości.

Gdy wieczorem wrócił na *Świętą Eulalię*, czekała go zła wiadomość. Królestwu Neapolu flotylla nie była potrzebna, za to wzywał ją papież. Mieli wyruszyć, gdy tylko uzupełnią zaopatrzenie. A wielkie zapasy nie były konieczne, gdyż podróż do Ostii, rzymskiego portu, trwała zaledwie dwa dni.

Poczuł, jak coś w nim się rozdziera. Zostały mu góra dwa dni. Jak znajdzie księgarnię? Nie mógł wypytywać o Annę ot tak sobie. Była już mężatką, nosiła nazwisko męża, którego nie znał. Poza tym pytanie o zamężną kobietę nie było na miejscu, naraziłoby na szwank jej reputację i postawiłoby małżonka w stan gotowości. Co tu robić?

Tej nocy nie mógł zmrużyć oka, myśląc o tym, jak blisko jest Anny, a zarazem jak wielka przepaść ich dzieli, bo nie miał pojęcia, jak ją znaleźć. Przecież nie wpadną na siebie na ulicy. Żony bogatych mieszczan prawie nie wychodziły z domów, a gdy to się zdarzało, zawsze ktoś im towarzyszył. Nad ranem pomyślał, że chyba znalazł rozwiązanie. Przejrzał dokładnie księgi, które były na galerach. Poza *Rolandem zakochanym*, czytanym już parę razy na głos oficerom *Świętej Eulalii*, znajdowały się tam tylko cztery świeckie pozycje, wśród których wyróżniała się *Sztuka kochania* Owidiusza napisana po łacinie. Resztę stanowiły modlitewniki, niezbyt pociągająca lektura dla oficerów. Rano porozmawiał z Vilamarím. Nietrudno było go przekonać, by wzbogacił biblioteczkę przyjemniejszymi lekturami. Uzyskał jego pozwolenie na złożenie zamówienia.

Joan poczuł się szczęśliwy. Miał już dobry pretekst do odwiedzenia miejskich księgarni w poszukiwaniu tajemniczego księgarza. Ale wciąż nie wiedział, jak go poznać, nie wspominając o Annie. Wreszcie wpadł na znakomity pomysł: zapyta o tłumaczenie *Rolanda zakochanego* na kataloński. Tylko jeden księgarz w całym Neapolu mógł wiedzieć o jego istnieniu, bo sam zlecił tę pracę specjalnie dla Anny. Wreszcie ją odnajdzie!

Neapolitańskie dzwonnice wzywały na tercję, gdy otrzymawszy pozwolenie, Joan z wypełnionym radością sercem zeskakiwał na ląd. Wieżyczki lśniły w słońcu. Miasto wydało mu się jeszcze piękniejsze niż dotąd. Pozwolił sobie na luksus popatrzenia przez parę minut na łuk triumfalny, przez który wchodziło się do Castel Nuovo, zamku usytuowanego na końcu sztucznego półwyspu, gdzie zacumowała *Święta Eulalia*. Joan stanął oczarowany jego pięknem i harmonią. Choć zbudowano go już pięćdziesiąt lat temu, był w nowym stylu, którego Joan nigdy dotąd nie widział. Odrodzenie, pomyślał. Jak nowy czas, który właśnie dla niego się zaczynał.

81

Joan udał się na ulicę księgarzy, w pobliżu katedry. W trzeciej księgarni sprzedawca spojrzał na niego zdziwiony i rzekł, nie kryjąc wrogości:

— Czyżbyście uważali, że jeśli nasi królowie są Aragończykami, będziemy mieli włoskie dzieła po katalońsku? Tutaj rozumiemy *Rolanda zakochanego* po florencku i to nam wystarczy. Cóż za niestosowna zachcianka! Skoro nie przetłumaczyliśmy go na neapolitański, dlaczegóż mielibyśmy mieć go po katalońsku?

Joan podziękował i zbierał się do wyjścia, gdy mężczyzna dorzucił jeszcze:

— A poza tym królowie aragońscy nie przetrwają długo. Wkrótce nadejdą francuscy. Przyjdźcie za rok, to będę miał francuski przekład.

I zaśmiał się gromko.

Joan ruszył dalej szlakiem wiodącym do księgarń, które, podobnie jak barcelońskie, zdawały się większe zyski czerpać ze sprzedaży czystych ksiąg niż zapisanych lub drukowanych. W każdej był warsztat introligatorski i Joan wdychał zapachy papieru, skóry i kolorowych tuszów z rozkoszą, wspominając lata u boku mistrza Abdalí w domu państwa Corrów.

Wszędzie spotykał się z odmownymi odpowiedziami i gdy wrócił na *Świętą Eulalię* na kolację, odczuwał zniechęcenie. Mimo to kontynuował poszukiwania wieczorem. W pewnej księgarni, większej od pozostałych, na ulicy Doumo, obsługiwała go kobieta, mniej więcej czterdziestoletnia, zaokrąglona, o jasnych oczach i jasnych puklach wypadających spod chustki. Uśmiechnęła się chytrze na osobliwą prośbę Joana i zawołała mężczyznę, który wydawał się właścicielem.

Miał kasztanowe oczy, był pękaty i przyjazny jak jego żona i gdy wszedł do sklepu, pospiesznie zakrył łysinę wielkim kapeluszem.

Wysłuchał z uwagą niecodziennego życzenia Joana, uśmiechnął się ironicznie i z teatralną miną zaczął recytować:

— „Dowiedzieć się pragnę, kimże owa dama, mag zapytał, oraz jaki cel ją wiedzie", „Andżelika jej imię, demon odpowiada, i straszliwą zgubę ona na was niesie".

Joan natychmiast rozpoznał wersety *Rolanda zakochanego*.

— To wy! — zawołał z przejęciem. — To wy jesteście tym księgarzem.

Mężczyzna wpuścił go do gabinetu na zapleczu, znajdującego się przed wejściem do czegoś, co wyglądało na wielkie pracownie. W pomieszczeniu stały dwa krzesła i stół i poza oknem osłoniętym filtrującą światło firaneczką wszystkie ściany były szczelnie obstawione regałami z książkami.

— Antonello de Errico, do usług — przedstawił się mężczyzna, robiąc niewielki ukłon.

— Joan Serra de Llafranc — powiedział chłopak, odwzajemniając uprzejmy gest.

— Wiedziałem, kim jesteście, jak tylko usłyszałem wasz akcent i wasze pytanie — rzekł z uśmiechem. — Pan Bartomeu Sastre przysłał mi list i pieniądze, uprzedzając mnie o waszym przybyciu. Pisze w nim, że wysyła drugi na galerę, ale wątpi, czy dotrze na *Świętą Eulalię*, nim mnie znajdziecie.

— Błogosławiony niech będzie! — zakrzyknął Joan z ożywieniem. — Gdzie ona?

Antonello zaśmiał się wesoło.

— Ach, ta niecierpliwa miłość! — odrzekł spokojnie. — Rolandzie zakochany, obawiam się, że będziecie musieli się powstrzymać. Wasza Andżelika jest zamężną damą.

— Wiem!

— Jej mąż jest dobrym klientem, nieładnie byłoby, gdybym go oszukiwał.

Joan żachnął się, czując, jak zimny pot zalewa go w środku lata. Tak długą drogę przebył, żeby się tutaj znaleźć! A jeśli ten mężczyzna nie powie mu, gdzie jest Anna? Przez chwilę zastanawiał się, czy nie rzucić się na niego i sztyletem nie zmusić do mówienia. Ale uznał, że byłaby to ostateczność, i przypomniał sobie zadanie, które powierzył mu admirał.

— Ja mogę zostać lepszym klientem! — zawołał. — Kupię od was mnóstwo ksiąg.

Antonello znowu się zaśmiał.

— Dobrze, pomówmy zatem o interesach.

Mężczyzna miał spory wybór książek zarówno pisanych, jak i drukowanych. Niektóre były przez niego wydane, jako że oprócz warsztatu introligatorskiego miał też drukarnię. Wśród zgromadzonych ksiąg ku swemu zaskoczeniu Joan ujrzał drukowany egzemplarz z 1492 roku *Tirant lo Blanc*. Nie było za to drugiego *Rolanda zakochanego*, choć powiedział, że za parę godzin mógłby mieć go w sklepie, bo ma kolegę, który zbiera egzemplarze. Joan wybrał cztery inne księgi, przy czym zależało mu bardziej na tym, żeby zamówienie satysfakcjonowało księgarza, niż na jakości samych tekstów. Ten podliczył i rzekł:

— Dwadzieścia pięć dukatów.

Joan przejrzał starannie książki. Były drukowane, przez co dużo tańsze, za to znakomicie oprawione w skórę, co gwarantowało im długi żywot. Przeliczył, że dwadzieścia pięć neapolitańskich dukatów odpowiadało dwudziestu sześciu barcelońskim funtom i pięciu soldom. Pamiętał obowiązujące ceny z czasów, gdy kopiował księgi. Wydało mu się, że księgarz żądał sporo, ale nie chciał się z nim zbytnio targować. Pragnął, aby był zadowolony.

— Niech będzie dwadzieścia trzy.

— Nie opłaca wam się zniżać za bardzo — odparł neapolitańczyk, nie przestając się uśmiechać. — Admirał też będzie chciał obniżyć cenę i w końcu cały interes weźmie w łeb. Dwadzieścia cztery, i koniec.

— Dobrze, ale powiedzcie mi, gdzie mieszka Anna.

— Teraz to jest signora Anna di Lucca — odrzekł mężczyzna.

— Anna di Lucca!

— Mieszka w pałacu dwa rogi dalej, ulicą w górę. — Księgarz zrobił smutną minę. — Ale w sierpniu signor Lucca opuszcza miasto, by spędzić lato na wyspie Ischia. Przykro mi, ona nie wróci do Neapolu aż do września.

Cała radość, jaką poczuł Joan, znajdując księgarza, nagle prysła, tak samo jak nadzieja na odnalezienie Anny. Nie wróci aż do września! Bóg jeden raczy wiedzieć, gdzie wtedy będzie flota. Oparł się o regał z książkami. Zakręciło mu się w głowie, jakby go ktoś uderzył. Potwornie się rozczarował.

— Pojutrze odpływamy do Rzymu — powiedział półgłosem. — I nie wiem, kiedy wrócimy.

— Mogę przechować dla niej wasz list — zaoferował się Antonello.

&

Gdy wrócił na galerę, spróbował znaleźć wyspę Ischia. Przypominał sobie, że nawigator pokazywał mu ją, gdy wpływali do zatoki, ale z portu nie było jej widać. Potem poszedł do admirała powiedzieć mu o książkach, które zamierzał kupić, i ten zgodził się co do wyboru, ale nie co do ceny.

— Daj mu dwadzieścia dwa dukaty — powiedział ze złośliwym uśmiechem. — Jak się nie zgodzi, nie kupujemy.

Po powrocie do księgarni Joan podał Antonellowi cenę, za jaką admirał chciał kupić. Księgarz się zaśmiał.

— Wiedziałem. Mówiłem, tacy są szlachcice — tłumaczył. — Nie ustępują przy targowaniu, zawsze obniżają cenę i musisz przyjąć ją albo zrezygnować. No i wygrał, przyjmuję.

Joan wzruszył ramionami. Przestała obchodzić go księgarnia, książki i Antonello. Nic go już nie obchodziło. Jego myśli uciekały do Anny.

Księgarz wystawił kwit, w którym wymienił sprzedawane książki, i wziął dwadzieścia dwa dukaty. Potem powiedział:

— Dziesięć procent z tego jest twoje.

Joan zauważył, że neapolitańczyk zaczął go nagle tykać. Położył po jego stronie stołu dwa dukaty i parę monet.

— To pieniądze admirała, nie mogę ich przyjąć — powiedział Joan zaskoczony.

Mężczyzna się uśmiechnął.

— Musisz się jeszcze wiele nauczyć. Mam w zwyczaju dawać prowizję tym, którzy sprzedają moje księgi. A te sprzedałeś ty. To tak właśnie działa, a tobie potrzebne będą pieniądze. Zwłaszcza jeśli chcesz zabiegać o względy signory Lukki.

Joan utkwił wzrok w monetach. Księgarz miał rację, pieniądze były mu potrzebne. Cała załoga pobierała żołd, z wyjątkiem galerników. On zaś oficjalnie był więźniem i nic nie dostawał, a pieniądze przesłane przez Bartomeu zostawił na czarną godzinę.

— Nie mogę tego wziąć — upierał się Joan.

— Weź je, prześpisz się z tym i jeśli nie będziesz ich chciał, oddasz jutro admirałowi — przekonywał Antonello. — Nie mogę ich zatrzymać, bo są twoje, poza tym mam nadzieję, że sprzedasz więcej moich książek. Ten interes ma swoje prawa i ja się do nich stosuję.

Joan milczał. Miał zamęt w głowie.

— A skąd admirał wziął pieniądze, za które kupuje książki? — ciągnął księgarz. — Czy to naprawdę jego pieniądze?

Joan wiedział aż zbyt dobrze, że to pieniądze ze sprzedaży niewolników. Wziął monety i schował do kieszeni. Neapolitańczyk się uśmiechnął.

— Admirał dobrze wie, że pobierzesz prowizję. Jestem pewien — powiedział Antonello, zanim się rozstali. — I pozwala na to. To sposób na zapłatę za wierność.

❧

Joan oddał księgi i kwit admirałowi. Na twarzy Vilamaríego pojawił się lekki uśmiech. Podobnie się uśmiechnął, gdy rozmawiali o cenach książek. Chłopakowi wydało się, że dostrzega w nim złośliwość.

Choć Joan był wykończony, w nocy nie mógł zasnąć. Kręcił się na posłaniu, myśląc o Annie, o tym, że nie może jej zobaczyć, choć jest tak blisko. Był ogarnięty wściekłością i żalem. Wspominał też słowa księgarza: „Tobie potrzebne będą pieniądze. Zwłaszcza jeśli chcesz zabiegać o względy signory Lukki". Do tej pory tak o tym nie pomyślał. Pragnął odnaleźć Annę, gdyż kochał ją do szaleństwa i uważał, że jego miłość jest odwzajemniona. Ożeniłby się z nią, gdyby się na to zgodziła. Ale nie zastanawiał się nad materialną stroną sprawy. Żyła z bogatym mężczyzną, który dał jej wszystko. A co on miał jej do zaoferowania? Nic. Pieniądze wystarczyłyby mu tylko na kupno nowego kaftana, żeby elegancko się zaprezentować. Jeśli Anna zdobyłaby się na szalony krok i uciekła z nim, nie mieliby nawet co jeść.

Pieniądze w kieszeni parzyły go. Dwadzieścia dwa dukaty kosztowały książki. Czterdzieści to cena niewolnika. Jego matkę musieli sprzedać przynajmniej za tyle. Teraz miał w kieszeni część z tych pieniędzy. Brudnych pieniędzy, uzyskanych z cierpienia niewinnych ludzi. Nie powinien był nawet oddawać ich admirałowi, tylko cisnąć za burtę.

Potem pomyślał, że jednak są mu potrzebne. Bez pieniędzy nie mógłby zdobyć Anny. Ani odzyskać rodziny, kiedy już ją znajdzie. Nie wystarczyła sama broń, jak sądził, będąc dzieckiem. Potrzebował dużo pieniędzy.

Następnego ranka powziął decyzję. Zostawi sobie te monety, choć kojarzyły mu się z judaszowymi srebrnikami. A gdy ujrzał Vilamaríego, poczuł jeszcze większą niż dotąd nienawiść. Ten człowiek uczynił go swoim wspólnikiem. Kazał zabić mu tak, jak zabito jego ojca, i wziąć pieniądze pochodzące ze sprzedaży kobiety, z której zrobiono niewolnicę. Tak samo postąpiono z jego matką. Był pewien, że Vilamarí o tym wszystkim wie i że cyniczny uśmiech tańczący na jego wargach był uśmiechem triumfu. Zabije go, gdy tylko będzie mógł, pomyślał znowu, żeby się pocieszyć.

82

Następnego dnia rano flota wyruszyła w kierunku Ostii, morskiego portu Rzymu. Okręty minęły wyspy Procida i Ischia i wzięły kurs na północ. Joan patrzył melancholijnie, gdy urwiste wybrzeża wyspy Ischia przybliżały się, a potem oddalały. Tam była Anna, jego miłość. Tak blisko! Mógł dostrzec niewielkie wysepki koło północnego wybrzeża. Pomyślał, że gdyby skoczył za burtę, bez trudu dotarłby wpław do wyspy. Przymknął oczy, wyobrażając sobie swoje przybycie. Zaskoczona Anna witała go, tuląc i całując. Ale widząc, jak Ischia oddala się coraz bardziej, Joan musiał przyznać, że to tylko sen. Morze było wzburzone. Jednakże nie wiał wiatr i kazano wiosłować, żeby galery posuwały się naprzód. Gdy Joan wykonał swoją pracę, pogrążył się w rozmyślaniach. Wydarzenia ostatnich dni, a także rozmowa z admirałem wciąż zaprzątały jego umysł. Musiał uporządkować swoje refleksje, zapisać je w książce. Myśli biegały zbyt chaotycznie od jednej sprawy do drugiej i postanowił je poukładać.

„Czy naprawdę wśród ludzi istnieją gazele i lwy?", napisał. „Czy zdradzam rodziców, biorąc nieczyste pieniądze? Admirał powiedział, że muszę się dużo nauczyć. To samo rzekł księgarz. Ale może są rzeczy, których nigdy nie powinienem się uczyć". „Kocham was, Anno, czekajcie na mnie". „Potrzebuję dużo pieniędzy". I myśląc o admirale, dodał: „Zabiję was". Przez ostrożność nie napisał jego imienia.

Gdy flota przybyła do Ostii, sytuacja papieża Aleksandra VI była niełatwa. Umocnił sojusz z Neapolem, doprowadzając do małżeństwa swego syna Jofrégo z Sanchą, córką Alfonsa II, nowego króla. Sojusz ten nie spodobał się kardynałowi della Rovere, który w sekrecie pragnął zostać papieżem i jego nadzieje w pewnej mierze zaważyły na francuskiej inwazji. Po dyskusji z papieżem kardynał uciekł. Z pomocą potężnego włoskiego rodu Colonnów zdobył władzę nad Ostią. Stamtąd kontrolował ruch statków rzeką Tyber, blokując dostawy do wielkiego miasta.

Aby udrożnić przepływ rzeką, papież postanowił skorzystać z pomocy Vilamaríego i jego floty. Admirał był w dobrych stosunkach z papieżem. To właśnie na galerze Vilamaríego przybył do Barcelony papieski syn Juan Borgia, żeby poślubić Marię Enríquez, kuzynkę króla Ferdynanda Aragońskiego.

Zważywszy na porę roku, poziom Tybru był dość niski, więc admirał postanowił popłynąć do Rzymu tylko *Świętą Eulalią*. Pozostałe dwa okręty zostawił u ujścia rzeki. Wyprawa była ryzykowna ze względu na wielkość galery, ale admirał wiedział, że może liczyć na doświadczenie Genísa Solsony, nawigatora, i pomoc miejscowego znawcy rzeki.

❦

Zdołali szczęśliwie dotrzeć na miejsce, nieniepokojeni przez garnizon Ostii. Gdy tylko galera zacumowała w porcie w pobliżu Ponte Vecchio, admirał pośpieszył razem z dowódcą Torrentem i dwudziestoma żołnierzami do Watykanu. Joan zapragnął im towarzyszyć i ku zaskoczeniu wielu osób admirał na to przystał.

❦

Rzym był wówczas dużo mniejszy od Neapolu, wielkością zbliżony do Barcelony, ale otaczały go ruiny z czasów imperium, trzydzieści razy większe.

Admirał Vilamarí poprosił o audiencję u papieża i gdy został rozpoznany, wpuszczono go do Watykanu. Jego towarzysze zostali w bramie ze strażnikami, a jako że ci byli z Walencji, wkrótce nawiązała się koleżeńska rozmowa między Torrentem a oficerem papieskim i między żołnierzami obydwu stron. Nagle rozmowy ucichły i straż stanęła na baczność. W bramie pojawiło się dwóch mężczyzn. Pierwszy z nich był przystojnym, ubranym na czarno młodzieńcem, a drugi miał na sobie wojskowy mundur, był niezbyt wysoki, ale energiczny, o nieco spłaszczonym nosie. Spojrzenia jego i Joana skrzyżowały się i oczy ich rozbłysły.

— Ja was znam — powiedział mężczyzna.

— Ja was też — odpowiedział Joan i nagle sobie przypomniał. — Z Barcelony. Jesteście don Miquel Corella.

Mężczyzna się zaśmiał i poklepał go po ramieniu.

— Rzeczywiście — odparł. I wyjaśnił ubranemu na czarno młodzieńcowi: — Niecały rok temu ten chłopak pomógł mi i waszemu bratu Juanowi wyjść cało z niebezpiecznych przygód.

Następnie poprosił Joana, by przypomniał mu swoje personalia.

— Joan Serra de Llafranc.

— Zatem, Joanie Serra, przedstawiam ci arcybiskupa Walencji, Cesarego Borję, chociaż tutaj mówią na niego Borgia.

Pełen szacunku Joan ucałował pierścień, na co arcybiskup odpowiedział, kreśląc w powietrzu znak błogosławieństwa.

Duchowny nie miał więcej niż dziewiętnaście lat, był mężczyzną atletycznej budowy, o twarzy zdradzającej powagę i stanowczość. Widać było, że nie życzy sobie rozmowy, i z władczością niepasującą do jego wieku dał znak Corelli, by weszli do budynku. Straż w dalszym ciągu stała na baczność, salutując.

— Zaraz wracam — powiedział Corella do Joana. — Zaczekaj tu na mnie, zapraszam cię na obiad.

Gdy pojawił się admirał, Joan poprosił go o pozwolenie na przyjęcie zaproszenia Corelli.

— No proszę! — rzekł Vilamarí. — Znam go. Niezła znajomość, jeden z zaufanych ludzi papieża. Możesz spędzić z nim czas i wrócić wieczorem. Zostajemy tu parę dni.

☙

Wydawało się, że Corella ucieszył się ze spotkania z Joanem. Był bardziej serdeczny i gadatliwy, niż chłopak go zapamiętał. Po wyjściu z papieskich budynków powiódł go do stajni. Tam poprosił parobków o konia dla Joana. Ten spojrzał na zwierzę z namysłem.

— Nie umiem jeździć konno — przyznał się. — Nigdy tego nie robiłem.

Siedząc już na swoim, Corella pokazał mu, jak nakłonić konia, by szedł lub się zatrzymał, jak skierować go w prawo i w lewo. I podsumował:

— Jeśli nie będzie cię słuchał, to znaczy, że ma inne zdanie niż ty i jest przekonany, że ma rację — powiedział, śmiejąc się. — No dalej, dosiądź go.

I wyruszyli w otoczeniu uzbrojonych mężczyzn również na koniach.

— Prawda, że z wysoka świat wygląda inaczej? — spytał mężczyzna.

Joan, starając się, by jego koń szedł równo z wierzchowcem Corelli, nie zdążył zwrócić na to uwagi. Przyznał jednak, że to nie to samo co iść pieszo i że doświadczał pewnego poczucia wyższości.

Mężczyzna zapytał go, co robił na papieskich włościach. Joan odpowiedział mu, że czekał, aż admirał złoży pokłony papieżowi. Corella zaśmiał się sarkastycznie.

— Pokłony? — powtórzył. — To też. Ale tak naprawdę uzgadniał wysokość żołdu. Żąda dwóch tysięcy dwustu pięćdziesięciu dukatów za miesiąc służby trzech galer, co jest sumą zbyt wygórowaną. Wymaga od Jego Świątobliwości zapłaty z góry za trzy miesiące. Poza tym zastrzega sobie prawo nieprzystępowania do bitwy, gdyby siły przeciwnika znacznie przewyższały jego własne.

— Sądzicie, że dojdą do porozumienia?

— Ależ tak — odparł Corella. — Naturalnie, że tak. Trzy dni będą się targować, a twój szef nie wyciśnie więcej niż sześćset za galerę na dwa miesiące z góry.

Joan zamilkł, licząc w myślach. Tysiąc osiemset dukatów. Miesiąc wynajmu trzech galer to prawie pięćdziesięciu niewolników. Cała wioska rybacka.

Miquel Corella powiedział mu, że jest kapitanem oddziałów papieskich. Ludzie schodzili mu z drogi, niektórzy kłaniali się z szacunkiem, nazywając go don Michelotto. Chociaż jazda na koniu rozpraszała Joana, mógł się trochę nacieszyć atmosferą przepychu miasta, które tętniło życiem tak samo jak Neapol mimo inwazji szykującej się na północy.

Corella okazał się znakomitym gospodarzem, a jego żona radosną i piękną osiemnastoletnią rzymianką zachowującą się ze swobodą pani domu. Służący podali przepiórki i inne potrawy oraz wino z oczarowującą młodzieńca zręcznością. Nigdy dotąd nie siedział przy tak wspaniale zastawionym i wytwornym stole.

Gospodarz poprosił Joana, żeby opowiedział mu, co sprowadziło go do Rzymu. Parę miesięcy wcześniej, gdy widzieli się w Barcelonie, nie zdradzał takiego zamiaru. Joan opowiedział mu swą historię, omijając tylko najbardziej intymne szczegóły.

Corella nie wydał się szczególnie poruszony opisami niesprawiedliwości, okrucieństwa i śmierci. Zaciekawiły go natomiast bardzo umiejętności strzeleckie Joana.

— Kto wie, może kiedyś będziesz pracował dla nas, Borgiów — powiedział, jakby był członkiem tej rodziny. — Tutaj musimy wspierać naszych ziomków. Istnieją przepotężne rzymskie rody, które pragną władzy, a nas uważają za cudzoziemskich intruzów. Nigdy nie wiadomo, kiedy zmienią obóz. Powiadają, że my odpłyniemy jak wody Tybru, a oni pozostaną w Rzymie. To samo trapi dynastię aragońską w Neapolu, mimo że więcej już lat króluje. Zobaczysz, że kiedy nadejdą Francuzi, Andegaweni zaczną wyłazić spod ziemi.

Gdy zmienili temat, Joan przekonał się, że pod pozorami nieokrzesanego żołnierza Corella skrywa w sobie wielkiego miłośnika książek.

— Tu, we Włoszech, nie sposób być kawalerem, nie znając się na sztuce i słowie pisanym — powiedział, jakby się zwierzał.

Miquel Corella okazał entuzjazm, gdy Joan wspomniał o *Tirant lo Blanc*.

— Przeczytałem to w młodości jako manuskrypt — oznajmił. — Ale nie wiedziałem, że jest wydane drukiem.

— Wytłoczono w Walencji cztery lata temu — powiadomił go Joan. — Mam na galerze nowy egzemplarz.

— Masz *Tirant lo Blanc*! — zawołał Miquel. Jego policzki zaczerwieniły się od dobrego wina. — Kupię od ciebie za cenę, jakiej sobie zażyczysz! Jest tu wielu rodaków, którzy też chcieliby to przeczytać.

Joan pojął, że nie pora wyjaśniać, że tak naprawdę książka nie należała do niego, lecz do admirała.

— Ale sam jeszcze nie przeczytałem — zaczął się tłumaczyć.

— Podaj cenę i sprzedaj mi, jeśli chcesz, bym pozostał twoim przyjacielem — rzucił Corella z naciskiem. — Galery Vilamaríego pływają do Hiszpanii i z powrotem, kupisz sobie, co będziesz chciał.

Młodzieniec pomyślał, że Corella nie przyjmie odmownej odpowiedzi ani tłumaczeń. Nie chciał też stracić takiego przyjaciela. Postanowił podać niedorzeczną cenę, żeby zrezygnował.

— Dwadzieścia dukatów.

— Dam dwadzieścia pięć — odpowiedział papieski kapitan, podając mu rękę, żeby dobić targu.

Joan rozdziawił usta. Kupił od Antonella sześć książek za dwadzieścia dwa dukaty, a Corella ze szczęściem w oczach płacił dwadzieścia pięć za jedną. Ściskał rękę, myśląc o innym uścisku. O pętli na szyi. Vilamarí powiesi go, jeśli się połapie, że go okradł. Ale to było jedyne wyjście z dziwnej sytuacji, w którą się sam wpakował.

83

Tego wieczoru Joan wrócił na *Świętą Eulalię* oszołomiony nie tylko winem, którym uraczył go Corella. Dwadzieścia pięć dukatów! W życiu nie widział tyle pieniędzy naraz. Mógłby wziąć egzemplarz *Tirant lo Blanc* od Antonella za mniej niż trzy dukaty i jeszcze wypłaciłby mu prowizję. Z takimi zasobami byłby w stanie wykupić matkę, kiedy już ją znajdzie. Nie pozbędzie się tych pieniędzy, choćby miał ryzykować życie.

Postanowił pożyczyć sobie książkę admirała i zwrócić ją, gdy tylko przybędą do Neapolu. Jeśli ktoś go o nią zapyta, powie, że zawieruszyła się w jakimś kącie galery i właśnie jej szuka.

≈

Corella wąchał książkę, kciukiem prześlizgując po jej kartach. Zdawał się oceniać jej jakość, tak samo jak robił to z walenckimi winami podanymi poprzedniego dnia. Poruszał ustami, jakby odpowiadał mu jej smak.

Joana wzruszyła jego zmysłowa nabożność i pomyślał, że jeśli ktoś zasługuje na egzemplarz *Tirant lo Blanc*, to jest to ten człowiek. Mimo pewnej gburowatości w obejściu był ogromnym smakoszem ksiąg. Corella wypłacił mu dwadzieścia pięć dukatów i uściskał go.

— Mój przyjaciel musi być kawalerem albo przynajmniej na niego wyglądać — powiedział po chwili. — Nie obraź się, ale masz wygląd żebraka i tu, w Rzymie, tak cię będą odbierać. Uporajmy się z tym.

Po paru godzinach na Joanie lśnił nowy kaftan i pończochy. Uchylał modnego kapelusza. Corella upierał się, że Joan powinien kupić sobie szykowny strój, a jako że wrzesień był za pasem, także wierzchnie okrycie. Ponieważ miał skłonność do przesady, więc Joan musiał wykłócać się, bo wolał szaty bardziej dyskretne. Nie wyobrażał sobie siebie wchodzącego na galerę w tym, co Corella mu podsuwał. W końcu doszli do porozumienia. Krawiec z pomocnikami od razu zabrali się do pracy, a oni w tym czasie poszli na przechadzkę. Gdy Joan włożył nowy strój, szczęśliwy uśmiechnął się do lustra. Teraz pokaże się Annie jako kawaler. Zrobi na niej wrażenie.

Gdy się żegnali, Corella rzekł:

— Nie zdziwiłbym się wcale, gdybyście jutro odpłynęli. — Miał poważną minę. — Są kłopoty. Papież nie ma czasu na targi, dostawy muszą dotrzeć jak najszybciej i sądzę, że twój admirał zawarł dobrą umowę.

— Wielkie dzięki za wszystko, don Miquelu — odpowiedział Joan ze wzruszeniem, wiedząc, że rozstają się na długi czas.

— Idź z Bogiem. Mam nadzieję, że jeszcze się zobaczymy.

જ્જ

Gdy Joan w nowych szatach wszedł na galerę, paru strażników i marynarzy zagwizdało drwiąco. Admirał przyjrzał się z ciekawością i nic nie powiedział, ale po chwili kapitan kazał mu wyczyścić artylerię samodzielnie, bez pomocy żadnego z marynarzy. Joan od razu pojął aluzję i zdjął kosztowny strój, by przebrać się w rzeczy, które miał w tobołku. Postanowił nie wkładać nowej odzieży, dopóki nie wyjdzie znowu na ląd w dużym mieście.

Przez następne tygodnie patrolowali ujście Tybru, aby nie dopuścić do tego, by małe statki Colonnów strzegące portu uniemożliwiały przepływ towarów do Rzymu. Wobec przewagi flotylli Vilamaríego Colonnowie spokojnie oczekiwali, a admirał też nie przystąpił do ataku na twierdzę Ostii.

W tym czasie nadchodziły wieści, że statki neapolitańskie mające swą bazę w Livorno były pokonywane w niewielkich potyczkach. Stopniowy postęp Francuzów nie martwił Vilamaríego, który wiedział, że Alfons II ma w porcie Civitavecchia, o dzień żeglugi na północ, flotę dwudziestu galer gotową stawić czoło nieprzyjacielowi.

Gdy pierwsza galera pojawiła się przy ujściu Tybru, dla wszystkich na *Świętej Eulalii* było oczywiste, że to galera neapolitańska. Mimo to admirał wszczął alarm bitewny. Piechota morska pod wodzą Torrenta miała zejść pod pokład. Nadano sygnały pozostałym jednostkom, aby również stały w gotowości bojowej. Słudzy admirała i kapitana pomagali dowódcom włożyć zbroje, ale dali im hełmy otwarte i pominęli wiele elementów, aby zapewnić im zwinność. Joan pomyślał, że jeśli wpadną do wody, to niechybnie zatoną. Przez moment młodzieniec zabawiał się myślą, że mógłby pomóc admirałowi wyskoczyć za burtę, ale uznał w końcu, że nie jest to jeszcze odpowiedni moment. Być może w walce nadarzy się lepsza okazja, żeby się zemścić; zabić go i pozostać bezkarnym.

Pere Torrent włożył napierśnik i naramienniki, a żołnierze mieli na sobie skórzane pancerze ochronne pokryte płytkami z żelaza. Co prawda zapewniały mniejszą ochronę, były jednak lżejsze.

W pancerzu i hełmie, z tarczą i rapierem u pasa Joan pobiegł na dziób, żeby sprawdzić, czy marynarze mieli przygotowane arkebuzy i załadowane działa. Nie wrócił do kasztelu, nim się nie upewnił, że wszystko jest w porządku.

Wpływające galery nie zatrzymywały się przy ujściu na zwiady, tylko, jakby doskonale znały rzekę, popłynęły górnym brzegiem. Okazało się nagle, że jest ich pięć. Wpływały do portu Ostii. Na zamku rozległy się owacje.

— To francuskie galery — zameldował wachtowy.

— Francuskie galery? — zdziwił się kapitan Perelló, patrząc na admirała zmieszany. — Co więc się stało z neapolitańską flotą?

Vilamarí wzruszył ramionami, przyglądając się z uwagą manewrom galer. Nad dziobem pierwszej z nich pojawił się obłok dymu i zabrzmiał huk salwy armatniej. Natychmiast grzmotnęła kolejna na zamku. Vilamarí wydał rozkaz załogom swoich okrętów. Miały płynąć w górę rzeki przy przeciwnym brzegu, zachowując bezpieczną odległość.

— Francuskie wojska są jeszcze daleko na północy — rzekł

po chwili. — Na tych pięciu galerach są dostawy i posiłki, żeby wzmocnić Ostię. Nie chcą, by papież odzyskał twierdzę. Będzie dobrym przyczółkiem w razie oblężenia Rzymu. Spójrzcie tylko, jak nisko są zanurzone. To świadczy o dużym obciążeniu. Może nawet wiozą armaty na zamek.

— Nasza misja się tu kończy — powiedział nawigator do Joana. Papież nie zatrudnił nas do odbicia Ostii, tylko do zapewnienia swobodnego przepływu dostaw do Rzymu. W umowie jest jasno napisane, byśmy nie mierzyli się z potężniejszymi siłami. Francuzi mają pięć galer, a my trzy. Wrócimy do Neapolu.

Nic nie wskazywało na to, że francuskie galery mogą zaatakować, i nikt już nie sądził, że dojdzie do walki. Jednakże Vilamarí chciał mieć lepsze rozpoznanie i wysłał szalupę z ośmioma marynarzami uzbrojonymi w arkebuz i kusze na przeciwległy brzeg, aby spośród sitowia obserwowali, co dzieje się w porcie. Wkrótce zaczęli nadawać sygnały.

— Po dwustu żołnierzy na każdej galerze! — zawołał kapitan. — Francuzi zasilają twierdzę tysiącem ludzi.

Galery rozładowywały się jedna po drugiej, po czym opuszczały port.

Nagle załoga pierwszej galery zauważyła ukrytą pośród sitowia szalupę. Gwałtownym manewrem odcięła jej drogę ucieczki i pojmała marynarzy.

Admirał wydał rozkaz kapitanom swojej flotylli, aby ustawili galery na środku nurtu rzeki, dziobem do jej ujścia, stawiając czoło nieprzyjacielskiej galerze. W tym czasie zmuszeni przez francuskich kuszników marynarze z szalupy poddali się i weszli na ich statek po drabinie sznurowej.

Nawigator szepnął Joanowi do ucha:

— Jak ich nie wypuszczą, będzie bitwa.

— Ale oni mają pięć jednostek, a my trzy!

— To nieważne, że jest ich więcej — odparł nawigator. — Admirał nigdy nie porzuca swoich ludzi.

— To samobójstwo — zauważył Joan.

— Vilamarí taki już jest. — W jego głosie brzmiały podziw i trwoga. — Ma swoje zasady i ich się trzyma.

W tym momencie admirał krzyknął:

— Joanie Serra, idź na dziób i tłumacz! — Admirał wiedział, że chłopak zna francuski.

Młodzieniec pobiegł z bronią w ręku na mostek abordażowy i zaczął krzyczeć, aż odpowiedzieli mu z wrogiej galery.

— Powiedz im, żeby oddali nam ludzi i szalupę — rozkazał Vilamarí. — I że służymy papieżowi i jesteśmy Hiszpanami.

Joan wykrzyczał słowa admirała, na co z francuskiej galery odpowiedzieli, że ci z szalupy szpiegowali, a teraz są więźniami króla Francji.

— Powiedz, żeby ich oddali w imię papieża i królów Hiszpanii.

Odpowiedzieli, że papież będzie negocjował ich wolność, gdy wojsko francuskie wejdzie do Rzymu.

W porcie trwał jeszcze wyładunek ostatniej galery, ale trzy pozostałe przybliżyły się, aby sekundować tej, która pojmała szalupę.

— Powiedz, żeby oddali natychmiast moich ludzi albo przystąpimy do abordażu.

Odpowiedzią nieprzyjacielskiej galery był wybuch śmiechu.

Nawigator podbiegł do sternika, przygotowano róg do zadęcia, a wszyscy w napięciu oczekiwali na rozkaz.

— Do wioseł! — wrzasnął admirał. — Abordaż!

84

Zadął róg. Galernicy, wszyscy jak jeden mąż, wstali, by po chwili zanurzyć wiosła w wodzie. Kocioł wybijał rytm najpotężniejszego ze wszystkich wiosłowania. Galera ustawiona zgodnie z nurtem rzeki z wielką mocą ruszyła naprzód. Admirał krzyknął do nawigatora Genísa:

— Taranem w ich bakburtę nad dwudziestą ławą, trochę przed kasztelem.

Joan jeszcze raz rzucił okiem na działa i zajmujących się nimi marynarzy. Chodziło o to, żeby zostawić przejście na mostek abordażowy. Naczelnik straży ustawiał marynarzy z kuszami jako drugą linię, a Pere Torrent wykrzykiwał rozkazy swoim ludziom, którzy wyłazili spod pokładu, dzierżąc krótkie piki i włócznie wysmarowane na końcach smołą. Joan zrozumiał, że przewaga Francuzów nie była tak wielka. Zostawili bowiem piechotę na lądzie i zamierzali wracać do macierzystego portu po nowych żołnierzy, a na galerze Vilamaríego Torrent dowodził osiemdziesięcioma piechurami morskimi zaprawionymi w boju i drugie tyle kryło się na pozostałych dwóch galerach. Vilamarí zamierzał trzymać ich w ukryciu, by nie alarmować Francuzów.

Genís Solsona chwycił koło steru i zręcznie wymanewrował, by wpakować ogromną machinę wojenną prosto w bakburtę galery przeciwnika. Joan obserwował gwałtowne ożywienie na nieprzyjacielskiej łodzi. Francuzi nie spodziewali się, że *Święta Eulalia* zaatakuje. Wrogą galerą zamierzano tak manewrować, by ustawić się dziobem i skierować działa na napastnika, ale skonfiskowana szalupa ograniczała ruchy, a gdy ją porzucono, było już za późno. *Święta Eulalia* zakreśliła okrąg, przewidując unik przeciwniczki, i wkrótce było już wiadomo, że natarcie zostanie przeprowadzone dokładnie tak, jak admirał sobie życzył. Ksiądz modlił się głośno przy maszcie *Świętej Eulalii*, żołnierze i załoga towarzyszyli mu w modlitwie, a galernicy krzyczeli z wysiłku przy każdym uderzeniu wiosłem o wodę, zmuszani do pracy batem. Z nieprzyjacielskiej galery zaczęto strzelać ukradkiem z niewielkiego falkonetu umieszczonego na burcie i z arkebuzów. Joan krzyknął do swoich, żeby siedzieli na dziobie, nie strzelając, podczas gdy on zerkał raz po raz przez otwór strzelniczy armaty, obliczając w myślach odległość dzielącą ich od nieprzyjaciela. Tuż przed samym zderzeniem dał rozkaz do wystrzału artyleryjskiego. Proch zajął się od lontów i wszystkie trzy działa huknęły niemal jednocześnie. Armata i dwa falkonety rzygnęły ogniem i śrutem z kawałkami łańcuchów, które, wirując w locie, kosiły wszystko, co im stanęło na drodze. Rezultat był miażdżący. Przez chmurę prochu Joan dojrzał, jak kawałki statku fruwały roztrzaskane w tumanie drzazg. Załoga na francuskiej galerze pochowała się pod ławki i przez moment nie było widać żywego ducha na pokładzie. Słysząc hałas połamanych wioseł i uderzenie tarana *Świętej Eulalii* w burtę francuskiej galery, Joan wydał komendę: Ognia! Ostrzał z arkebuzów i kusz miał odstraszyć pozostałych przy życiu. Marynarze ze *Świętej Eulalii* zarzucali w tym czasie haki, aby przytrzymać zdobycz, a ludzie Torrenta, krzykiem dodając sobie animuszu, z pikami i włóczniami biegli na mostek abordażowy, by skoczyć z niego na nieprzyjacielski statek. Wkrótce rozpoczęła się walka wręcz na francuskiej galerze. Piechurzy podzielili się na dwie grupy: jedni rzucili się na dziób, drudzy zaś na rufę statku.

Joan widział Torrenta na mostku nieprzyjacielskiej galery: otoczony swoimi ludźmi torował sobie drogę do kasztelu. Tam bowiem znajdowali się kapitan i oficerowie. Ich zabicie lub wzięcie do niewoli oznaczało zdobycie okrętu. Zadanie Joana w zasadzie się skończyło, ale na wszelki wypadek kazał znów załadować broń arkebuzerom. Młodzieniec trzymał włócznię o wadze i cechach bardzo podobnych do włóczni jego ojca. Dzierżąc ją w prawej ręce, z tarczą w lewej i przypasanym rapierem ruszył mostkiem, minąwszy księdza, który wciąż się modlił, w kierunku przeciwnym do galery przeciwnika. Do kasztelu na *Świętej Eulalii*.

Modlił się do Boga o okazję do zabicia Vilamaríego. Gdy dojrzał admirała i kapitana, ich uwaga nie była zaprzątnięta abordażem dowodzonym przez Torrenta, tylko drugą francuską galerą, która ustawiwszy się równolegle do swej towarzyszki, nacierała wprost na sterburtę *Świętej Eulalii*.

— Marynarze do mnie! — krzyknął kapitan. — Atak na sterburtę!

Galernicy pochowali się pod ławy, a Joan zawołał arkebuzerów. Wszyscy skoczyli na przeciwną stronę mostka, żeby nie wystawiać się na ostrzał artylerii. Atak nastąpił po paru chwilach. Rozległy się donośne grzmoty, a po nich chór krzyków i jęków. Wszędzie unosił się duszący zapach prochu. Joan podnosił właśnie rękę do twarzy, by wyjąć sobie drewnianą drzazgę, gdy poczuł gwałtowny wstrząs uderzenia nieprzyjacielskiego okrętu, który omal go nie powalił, i usłyszał trzask łamanego drewna.

— Przygotować pierwszych sześć! — krzyknął, czując, że krew spływa mu po twarzy.

Zaczekał na wystrzał arkebuzów napastnika i dźwięk haków wbijających się w drewno, po czym rzucił:

— Ognia!

Tylko pięciu z jego ludzi się podniosło, żeby strzelić do francuskich żołnierzy, którzy pędzili już po mostku abordażowym. Joan zauważył, że przynajmniej trzech spadło do wody.

— Następnych sześć! — Odczekał chwilę i wrzasnął: — Ognia!

Jego ludzie położyli kolejnych czterech. Gdy naczelnik straży rozkazał strzelać kusznikom, mieli już wrogów na głowach. Nie było czasu na ładowanie broni. Na *Świętej Eulalii* rozpoczęła się walka wręcz.

Joan z włócznią w ręce odszukał wzrokiem admirała. Był chroniony przez dwóch marynarzy i trzymał wyjęty z pochwy miecz, gotowy do walki. Młodzieniec wiedział, że admirał i kapitan stanowią główne cele napastników.

Joan porzucił walkę i przeskakując z ławy na ławę, pod którymi kryli się galernicy, ruszył w stronę Vilamaríego. Czuł dobrze znajomy ciężar włóczni. Tyle razy o tym śnił! Włócznia jego ojca uderzająca w oko admirała, przechodząca przez czaszkę i przybijająca ją do masztu, tego samego, na którym kazał powiesić Carlesa w swej niesprawiedliwej sprawiedliwości.

Znalazł admirała stojącego plecami do ściany, która dzieliła ostatnie ławy od kasztelu broniącego się przed wrogami. Otaczali go, więc można było bezkarnie zadać mu cios, wszyscy pomyślą, że to Francuzi. Teraz albo nigdy! — szepnął w duchu i wzniósł ramię z bronią. Przez moment admirał, pocąc się, z natężonymi rysami twarzy, zadając i parując ciosy, odwrócił wzrok i utkwił go w oczach Joana. Była to krótka chwila, ale dla chłopca bardzo intensywna. Następnie Vilamarí skupił uwagę na przeciwnikach, którzy, cios za ciosem, żądali od niego poddania się.

— Nie poddam się nigdy! — odpowiadał admirał.

Młodzieniec poczuł gulę w gardle i stał przez kilka sekund z bronią w ręku, wyobrażając sobie, jak wbija się w jego ofiarę. I pojął, że brakuje mu męstwa, by nią rzucić. Nie był w stanie. Nie dowiedział się nigdy, czy to spojrzenie, które napotkał, tak go ubezwłasnowolniło, czy też admirał po trochu go omamiał, nakazując mu dzielić jego grzechy, stawać się łupieżcą tego samego pokroju, lwem, jak sam powiedział. Spojrzenie Vilamaríego rozproszyło nienawiść. Joan nie dowiedział się też, czy Vilamarí dojrzał w jego oczach żądzę mordu, ale jeśli ją zauważył, nijak się nie zdradził.

Joan zrozumiał również, że nie może dopuścić, aby obcy zabili admirała. Wymiana spojrzeń zaalarmowała jednego z napastników, który odwrócił się szybko, na co Joan pełen wściekłości cisnął włócznią w pierś nieszczęśnika. Potem dobył rapiera i wraz z Vilamarím natarli na pozostałego wroga, który widząc, że atakują go z dwóch stron, skoczył do rzeki. Joan pozostał u boku admirała, chroniąc go.

Walka trwała krótko. Francuzi zdali sobie sprawę, że hiszpańskie galery dysponują silną piechotą, a sami mieli tylko marynarzy. Kapitan nacierającej galery, której groził drugi okręt z flotylli

Vilamaríego, kazał poprzecinać linki od haków abordażowych i uciekł. Dzięki temu zdołał przynajmniej ocalić swój okręt, ale stracił tych, którym nie powiodła się próba pojmania oficerów Vilamaríego.

Niektórzy francuscy marynarze, widząc, że ich galera się oddala, rzucili się do rzeki, a inni natychmiast się poddali. Admirał w towarzystwie Joana wdrapał się na mostek, żeby rozpoznać sytuację. Pokonali jedną francuską galerę, odparli atak drugiej i odzyskali szalupę i jej załogę. *Święta Eulalia* nie poniosła większych szkód. Mieli wielu rannych, ale tylko szesnastu zabitych.

Pozostałe francuskie galery nie dały jednak za wygraną i wróciły do portu w Ostii, żeby zabrać żołnierzy, których wysadzono na ląd, gdy nikt nie spodziewał się, że dojdzie do starcia. Pragnęli drugiej bitwy, w której Vilamarí nie będzie już mógł liczyć na przewagę liczebną.

To była chwila, w której należało wziąć kurs na Neapol, zanim ich dogonią. Jednakże admirał, tak jak nie porzucał swoich ludzi, nie porzucał też zdobyczy.

— Kapitanie Perelló, czy bylibyście gotowi poprowadzić tamtą galerę?

— Wymaga reperacji, ale najważniejsze są wiosła, a te można wymienić od razu — odrzekł zdecydowanie kapitan, choć na jego zbroi widać było znaczne wgięcie na ramieniu. — Jeśli rozdzielimy jeńców i załogę, gotów jestem dostarczyć galerę do portu w Neapolu, nim Francuzi nas dosięgną.

— Przejmijcie dowodzenie. Płyńmy do Neapolu.

Szybko dokonano wymiany jeńców i marynarzy. W tym czasie dwie pozostałe galery stały na straży, a Francuzi w Ostii ładowali piechotę. Gdy wypłynęli przez ujście Tybru na otwarte morze, śledziła ich tylko jedna galera, do której po pewnym czasie dołączyła druga w sporej odległości za nią, potem trzecia, a gdy pojawiła się czwarta, ledwie było ją widać. Galernicy, wiosłując szybko, dyszeli ciężko i krzyczeli przy każdym zanurzeniu wioseł, chłostani przez strażników.

— Nie odważą się zapuścić za daleko na południe — powiedział Vilamarí. — A ich okręty są tak daleko od siebie, że mam ochotę zawrócić obydwa nasze, które nie brały udziału w bitwie, i pojmać ich pierwszy, nim pozostałe nas dogonią.

Joan i nawigator wymienili spojrzenia. Admirał nie żartował. Ale wkrótce pierwsza francuska galera zwolniła, aby dołączyła do niej druga. Po paru godzinach pościgu, godząc się ze swą porażką, odstąpiły. Wejście francuskich galer na neapolitańskie wody było zbyt ryzykowne.

Vilamarí nigdy, w najdrobniejszy sposób, nie wspomniał o włóczni, którą Joan uratował mu życie. Jakby uważał, że jego czyn był zwyczajny i pospolity, bez żadnego znaczenia.

Gdy Joan usiadł do książki, napisał: „Przepraszam, tato. Nie mogłem". Łza stoczyła mu się po policzku.

85

Joan z niecierpliwością czekał, aż w oddali pojawi się błękitna Zatoka Neapolitańska z konturami Wezuwiusza w głębi i miastem z zielonymi wzgórzami i kremowymi, białymi i różowymi ścianami domów i murów miejskich. A kiedy ją ujrzał, ścisnęło go w żołądku. Anna pewnie już wróciła. Po chwili poczuł ukłucie smutku. Czy wciąż go kocha?

Przed wejściem do portu ostrzygł się u pokładowego fryzjera i włożył nowe, kupione w Rzymie szaty. Chciał zrobić wrażenie na ukochanej. W pośpiechu przy schodzeniu na ląd prawie wpadł na admirała, który w galowym mundurze, z eskortą wybierał się na spotkanie z królem.

— Czyżby skończył nam się proch, że tak ci się śpieszy, Joanie Serra de Llafranc? — powiedział Vilamarí, skrywając uśmiech. — Czy może sam jesteś naładowany materiałem wybuchowym?

— Z pewnością wybiera się do jakiejś dziewczyny, strzelić w nią z armaty — ze śmiechem odezwał się Pere Torrent. A następnie zapytał uszczypliwie: — Skąd ty masz pieniądze, skoro nie pobierasz żołdu?

— Nie idę na dziwki.

— Ach! Zapomniałem — odparł Torrent. — Byłeś przecież przyjacielem tego blondynka z pięknym dziewczęcym tyłeczkiem, którego powiesiliśmy w pobliżu Sardynii, nieprawdaż? — I zaśmiał się znowu.

Joan najchętniej rozbiłby mu pięścią twarz. Admirał przyglądał mu się w milczeniu, jakby sprawdzał, jak bardzo go to zdenerwowało. Nie przyłączał się do uciechy zbira ani go nie hamował. Wreszcie, bez żadnego komentarza, powiedział do Torrenta:

— Chodźmy, król na mnie czeka.

Joan zasalutował i zaczekał, aż sobie pójdą, patrząc z urazą na oficera, który zadowolony z siebie i uśmiechnięty wydawał oddziałowi rozkazy. Torrent był świetnym żołnierzem i przyłożył się, ucząc go fechtunku. To dzięki niemu Joan czuł się pewnie z rapierem u pasa, ale odpychały go jego szorstkie i cwaniackie maniery. Za bardzo przypominały mu Felipa. Obaj byli łobuzami najgorszego sortu.

ॐ

Król przyjął Vilamaríego z oznakami wielkiego wzruszenia, czcząc jak własne jego zwycięstwo u ujścia Tybru. Wieści, które napływały z północy, były niewesołe. Z wyjątkiem Portovenere we wrześniu, nie przegrano żadnej morskiej bitwy, ale dochodziło do niewielkich wyłomów i dezercji. Przybycie pięciu francuskich galer do Ostii, nieniepokojonych przez żadną z dwudziestu neapolitańskich, zacumowanych w Civitavecchia, było zwiastunem tego, co działo się wokół. W królestwie było wielu spadkobierców dynastii Andegawenów, którzy pragnęli, żeby król Francji zdobył Neapol. W tych okolicznościach stronnicy dynastii aragońskiej zaczęli przeczuwać nieuchronny upadek wobec potęgi wojsk francuskich. Obawiano się, że nawet papież sprzymierzony teraz z Florencją i Neapolem nie zdoła powstrzymać najazdu.

Alfons II i Vilamarí zbliżali się do pięćdziesiątki, ale król, strapiony i zalękniony o przyszłość swego królestwa, wyglądał teraz na dużo więcej lat. Miał wygląd staruszka.

Sytuacja odmieniła się w sposób dramatyczny. Wcześniej król miał własną flotę, teraz nie wiedział już, na kogo może liczyć. Targi z Vilamarím trwały zatem krótko. Dostał siedemset dukatów za galerę na miesiąc, płatne z góry za trzy miesiące. Król odetchnął z ulgą. Wiedział, że Vilamarí nie zawiedzie. Niekiedy największa wierność była do kupienia.

ॐ

Joan z niepokojem w sercu biegł uliczkami w stronę del Duomo, nie zachowując powagi, której przydawał sobie eleganckimi szatami. Nie dojrzał księgarza na zewnątrz, więc pozdrowiwszy krótko jego żonę, która stała na ulicy, z impetem wbiegł do księgarni.

— Don Antonello!

W środku nikogo nie było, ale usłyszał dochodzący z zaplecza głos. Nie czekając, poszedł za nim.

— Ach! — zawołał księgarz, śmiejąc się. — Roland zakochany mnie odwiedza. Cóż za zaszczyt!

— Wiecie coś o Annie? — spytał niecierpliwie.

— O signorze Lucce... — odparł księgarz spokojnie. — Jest przepiękna.

— To już wiem! — krzyknął. — Daliście jej mój list? Powiedziała coś?

— Tak, dałem. — Antonello się uśmiechał. Niecierpliwość młodzieńca zdawała się go bawić.

— I co wam powiedziała?

— Nic mi nie powiedziała. Wzięła dyskretnie, i to wszystko. Zawsze przychodzi w towarzystwie damy, która niby ją chroni, a tak naprawdę jej pilnuje. Nawet w księgarni węszy w księgach, które przegląda signora.

— Nie pozwalają jej rozmawiać?

— No cóż, może rozmawiać, ale tylko o tym, co naprawdę niezbędne. Rozmowy z obcymi mężczyznami są jej zabronione. Jej małżonek jest nobilitowanym kupcem, o ponad dwadzieścia lat starszym od niej i zakochanym w niej bez pamięci. I jest zazdrosny. Jako kobieta zamężna, *madama* Anna musi nosić zakrytą głowę poza domem, a on każe jej zakrywać nawet twarz końcem czepca.

Joan westchnął zniechęcony. Pragnął objąć Annę, powiedzieć, jak bardzo ją kocha, opowiedzieć jej o swym cierpieniu, gdy była daleko. Ale najbardziej pragnął usłyszeć z jej ust, że wciąż go kocha.

— Co ja mogę zrobić, aby ją ujrzeć?

Antonello przestał błądzić w zamyśleniu wzrokiem po obładowanych księgami półkach.

— Ona tu przychodzi dość rzadko — powiedział po chwili. — Odkąd wyjechaliście, była tu tylko trzy razy. Nie chodzi też na codzienną mszę. Ale w niedziele chodzi do katedry na jedenastą. Twarz Joana się rozjaśniła. W niedzielę! Zobaczy ją w niedzielę!

— Wreszcie ją zobaczę! — zawołał oszalały z radości.

— Tak, ale z mężem — przypomniał mu złośliwie Antonello. Z twarzy Joana zniknął uśmiech. Gdy ją zobaczy, pozna też mężczyznę, do którego należy. Czarne myśli zakłębiły mu się w głowie. Może przez ten czas przestała go kochać albo zaszła w ciążę, albo zakochała się w swoim mężu... Mogła mieć wiele powodów, dla których dalej chciała być z tym mężczyzną. Antonello wnikliwie badał poważną minę młodzieńca. Radość i entuzjazm zmieniły się teraz w strach i niechęć.

86

Admirał zatrzymał zdobyczną galerę, cały jej ładunek i galerników. Kiedy indziej zażądałby okupu za oficerów i załogę, ale teraz postanowił lądem odesłać ich do Watykanu. Hiszpański król Ferdynand kazał mu nie prowokować Francuzów. Jeńcy wojenni nastręczyliby mu teraz kłopotów, więc odesłał ich do papieża, w którego imieniu oficjalnie walczył. Poza tym nie upłynęły jeszcze trzy miesiące opłacone z góry przez Jego Świątobliwość Aleksandra VI i teoretycznie to jemu podlegał. Joanowi zlecił napisanie listu, w którym po licznych wyrazach szacunku i ukłonach marynarz informował, że musiał przerwać misję ze względu na znaczną przewagę liczebną nieprzyjaciela, na co pozwalała mu umowa, i że wraz z przesłaniem jeńców rachunki się wyrównają, gdy odbierze odkup.

Gdy Joan opowiedział to nawigatorowi, ten się zaśmiał.

— To stary lis — rzekł. — Spycha kłopot na papieża, a nowa galera w razie potrzeby będzie służyła królowi Ferdynandowi, ale zachowa ją jako swoją własność.

Joan dowiedział się przy okazji, że podział łupów wojennych przebiegał zgodnie z określonym protokołem. Połowa dla monarchy, resztę dzielono wśród załogi. Grabieże rybackich wiosek trzymano w ukryciu i król, rzecz jasna, nie liczył się do podziału. Z części dla załogi Vilamarí brał połowę, a drugą Torrent jako dowódca sił zbrojnych statku, które ponosiły największe ryzyko podczas abordażu, i miał prawo wybrać najodważniejszego, któremu przypadało cztery procent. Następni w kolejności byli kapitanowie — oni dostawali po trzy procent — i tak dalej, aż do ostatniego członka załogi. Uwięzieni galernicy nic nie dostawali, a Joan, choć już nie wiosłował, to w kwestiach podziału należał do tej kategorii. W wypadku francuskiej galery do podziału mogły nadawać się tylko rzeczy należące do załogi. Vilamarí pozostał dłużny swoim ludziom część, która należała im się za odwagę, wartość galery i galerników. Król Hiszpanii nic nie wziął, bo porwanie odbyło się w imieniu papieża, a i temu nic się nie dostało, gdyż w zamian przekazano mu jeńców, którzy byli dla niego z pewnością jeszcze bardziej niewygodni niż dla Vilamaríego.

&

Niezwłocznie przystąpiono do napraw *Świętej Eulalii* oraz galery porwanej Francuzom, które opłacono pieniędzmi od papieża i wytargowanymi od króla Neapolu. Potrzebna była nowa załoga poza osiemdziesięcioma żołnierzami piechoty morskiej, których zamustrowano spośród Hiszpanów, Sycylijczyków i neapolitańczyków, zwolenników dynastii aragońskiej.

Joan usłyszał wspaniałą wiadomość. Admirał mianował Pau de Perella kapitanem przejętej galery. Natomiast przyjaciel Joana, nawigator Genís de Solsona, miał kapitanować na *Świętej Eulalii*. Na głównej galerze admirał był najwyższym zwierzchnikiem i to on wyznaczał nowego kapitana.

Co do *Tirant lo Blanc*, to po wizycie u Antonella Joan mógł wreszcie powiedzieć admirałowi, który już w drodze pytał o książkę, że się odnalazła. Vilamarí chciał ją zobaczyć, a gdy to zrobił, rzucił Joanowi podejrzliwe spojrzenie. Chłopak poczuł, że nogi mu drżą. Dobrze wiedział, że dwie skórzane okładki, jakkolwiek doskonale byłyby wykonane, nigdy nie będą takie same. Sam dostrzegał różnicę i admirał, sądząc po jego minie, również. Po wnikliwym przejrzeniu Vilamarí wręczył mu książkę z jednym ze swych cynicznych uśmieszków.

— Od dzisiaj odkładamy drugi tom *Rolanda zakochanego* i będziesz nam czytał przy obiedzie *Tirant lo Blanc* — powiedział.

— Rozkaz, admirale.

— Rzekłbym jednak, że to inna książka — dodał.

Joan wziął egzemplarz i obejrzał, udając zdziwienie. Vilamarí coś podejrzewał, a może nawet wszystko odgadł. Ale nic więcej nie powiedział. Joan pomyślał sobie, że dla admirała o duszy pirata jego szachrajstwa mogły być zabawnym drobiazgiem, niezasługującym na wzmiankę.

❧

Joan napisał do Miquela Corelli list, w którym zrelacjonował mu swoje przygody, a na końcu wspomniał, że znalazł w Neapolu jeszcze dwa drukowane egzemplarze *Tirant lo Blanc*, które mógłby mu wysłać po dwanaście dukatów za każdy. Tylu przybyszów z Walencji, Katalonii i Majorki mieszkało w Rzymie, że na pewno wielu z nich zechce mieć to dzieło. Joan niecierpliwie czekał na odpowiedź, gdyż uzgodnił z Antonellem kupno obydwu egzemplarzy za jedyne siedem dukatów.

Miquel Corella odpisał szybko. Chętnie zakupiłby więcej egzemplarzy, jeśli tylko Joan je znajdzie. Dodał, że dwanaście dukatów wydawało mu się bardzo niską ceną za tak wspaniałą księgę i żeby pod żadnym pozorem nie ośmielił się jej obniżyć, gdyż byłaby to obraza dla Walencji. Księgarz miał rację, gdy mówił, że Joan będzie potrzebować dużo pieniędzy. To był dobry sposób na ich zdobycie.

Joan natychmiast wysłał księgi, a Antonella poprosił o kolejne dziesięć. Księgarz właśnie szykował przesyłkę dla Bartomeu do Barcelony. Korzystając z okazji, Joan wysłał listy do kupca, Gabriela, Abdali i reszty przyjaciół. Napisał już do nich podczas pierwszego pobytu w Neapolu, a teraz otrzymał odpowiedź. Donosili, że są zdrowi i że cieszą się z powodu polepszenia jego sytuacji.

❧

Niecierpliwie wyczekiwał niedzieli. Włożył najlepsze szaty i z rapierem u pasa, jak kawaler, udał się do katedry w Neapolu. Przy głównym wejściu czekał z nadzieją, że ujrzy ukochaną, ale pojawiało się tam wiele par, które pasowały do opisu signora i signory Lucca. Wszystkie zamężne damy nosiły chusty zakrywające włosy, a niektóre ich koniuszkami kokieteryjnie zakrywały sobie usta, dlatego Joan usiłował rozpoznać ukochaną po oczach. Nie mógł jednak patrzeć wprost, gdyż damy przychodziły z małżonkami, którzy poczuliby się urażeni. W miarę jak przybywało ludzi, narastał jego smutek. A jeśli jej nie znajdzie? Miał złudzenie, że dostrzegł błysk w kilku parach zielonych oczu. Starał się zapamiętać stroje właścicielek oraz ich towarzyszy. Ale w końcu, kilka chwil przed rozpoczęciem ceremonii, zauważył drżenie ręki podtrzymującej rąbek chusty i uznał, że poznaje te zielone, piękne oczy i ich mruganie. Czy to naprawdę Anna? Jej wzrok, może bardziej teraz ożywiony, zaniepokoił jej męża, który wyzywająco spojrzał na Joana. Chłopak od razu uciekł wzrokiem, nie chciał, by signor Lucca patrzył na niego. Przepuścił jeszcze kilkoro wiernych i rzucił się do środka katedry. Z pewnej odległości widział plecy małżonków. Para szła usadowić się w jednej z pierwszych ławek, na miejscach, które z pewnością były dla nich zarezerwowane.

Ona miała na sobie suknię z bordowego aksamitu, chustkę haftowaną w białe gwiazdy i perłowe korale. Damy zakrywały twarze tylko na ulicy, Joan wyszukał więc miejsce, z którego mógł na nią patrzeć, ale tak, żeby małżonek go nie zauważył. Stanął za kolumną, czekając, aż ukaże mu swój profil. Początkowo oglądał tylko jej chustę w gwiazdki, gdy rozmawiała z mężem. Ale dokładnie przed samym rozpoczęciem ceremonii religijnej spojrzała do przodu i w końcu ją ujrzał. Anna! Antonello miał rację, była przepiękna.

Serce Joana waliło jak oszalałe w trakcie całej mszy. Myślał o tym, jak nawiązać z nią kontakt, żeby nikt tego nie zauważył. Anna na pewno go dostrzegła i zastanawiała się, czy ją poznał, może była tak samo wstrząśnięta jak on. Gdy ceremonia dobiegała końca, poszedł w pobliże wyjścia, gdzie zazwyczaj ludzie się tłoczą, i schował się tak, żeby signor Lucca go nie widział. Był to mężczyzna wysoki i szczupły, po czterdziestce, nosił rapier u boku i sprawiał wrażenie energicznego i śmiałego. Nie był starcem, jakim Joan wolał go sobie wyobrażać. Anna wzięła go pod ramię i szła z nim wyprostowana i dumna, ale chłopak zauważył w niej jakąś uległość, której nigdy wcześniej nie widział. Oboje pozdrawiali ludzi na prawo i lewo, a ona, gdy się uśmiechała, stawała się jeszcze piękniejsza, choć wydawała się nieco spięta. W króciusieńkiej chwili ich spojrzenia się skrzyżowały i uśmiech zniknął z twarzy Anny. Joan poczuł, jak zalewa go smutek. Przy samych drzwiach ludzie przepychali się, żeby przecisnąć się przez wąskie przejście. Joan stanął dokładnie za nią. W pewnym momencie ktoś pozdrowił jej małżonka, a Joan przysunął wargi do ucha ukochanej, dotykając piersią jej ramienia, i rzekł:

— Kocham was. Odpowiedzcie na list, który zostawiłem wam w księgarni, błagam.

Poczuł, jak przechodzi ją dreszcz, i odsunął się od niej, uważając, żeby ani mąż, ani nikt wokół niczego nie dostrzegł. Zachował odstęp, żeby trochę ludzi wmieszało się między niego a małżeństwo, i poszedł za nimi. W pewnej chwili Anna, która zasłoniła znowu usta rąbkiem chusty, odwróciła się i ich spojrzenia ponownie się spotkały. Joan myślał, że umrze. Kochał tę kobietę beznadziejnie, okrutnie, a patrzenie na nią teraz było dla niego nieopisaną wprost rozkoszą i męką zarazem. Stanął jak wryty na środku ulicy. Gdy państwo Lucca ruszyli dalej, zaczął ich śledzić, ale w dyskretnej odległości, aż weszli do domu.

87

Joan stał się bywalcem księgarni Antonella, a księgarz jego dobrym przyjacielem. Antonello kochał książki, uwielbiał filozofię i teologię. Ową pasję podzielał Joan, więc dyskutowali długo i namiętnie, a gdy Antonello był zajęty, młodzieniec czytał. To miejsce było rajem, a wybór dzieł po neapolitańsku, manuskryptów i druków, okazał się niewyczerpany. Joan powrócił do dawnych marzeń, które tutaj mogły się spełnić.

Przy lekturze zapominał o nieobecności Anny. Ale gdy z delikatnością pieszczoty zakochanego zamykał książkę, aby odłożyć ją na miejsce, smutek powracał. Zapytywał sam siebie raz po raz, czemu Anna nie odpowiada na list, który Antonello dał jej w sierpniu. Napawała go trwogą myśl, że może go już nie kochać.

Godzinami wyczekiwał w pobliżu domu Ricarda Lukki w nadziei, że ujrzy ukochaną. Było to wielkie, piętrowe domostwo, z jednym wejściem i dziedzińcem dla powozów. We wszystkich oknach były kraty, poza nielicznymi na parterze i na piętrze zakrytymi żaluzjami, aby damy mogły wyglądać na ulicę, nie będąc widziane.

Anna wychodziła rzadko i zawsze w towarzystwie pani domu. Gdy się mijali, nie zdradzała się niczym, co najwyżej patrzyła na niego. On zbliżał się i zawracał, by minąć ją raz jeszcze i znów ujrzeć jej oczy. Potem myślał, że powinien się powstrzymać, że robi się natrętny i że towarzysząca jej kobieta może zacząć coś podejrzewać.

Po powrocie z misji, która zatrzymała *Świętą Eulalię* cztery dni na morzu, Joan spotkał Antonella uśmiechniętego jeszcze bardziej niż zazwyczaj.

— Mam coś dla ciebie — powiedział, robiąc do niego oko.

— Co? — zapytał Joan pełen nadziei.

— *Madama* była w księgarni.

— Co?! — zawołał Joan. — Zostawiła wam coś?

Antonello z uśmiechem pokazał mu mały bilecik, złożony i zalakowany czerwoną pieczęcią.

Joan wyrwał mu go jednym ruchem i umierając z niecierpliwości, podszedł do okna, własnym ciałem kryjąc list przed księgarzem, który ciekawsko zaglądał mu przez ramię. Gdy zerwał pieczęć, przeczytał:

Mój ukochany Joanie. Wciąż Was miłuję i Wasze słodkie wspomnienie towarzyszy mi dzień po dniu. Kocham Was i nigdy kochać nie przestanę. Ale jestem kobietą zamężną i moje małżeństwo nie może się rozpaść. Błagam Was zatem, zapomnijcie mnie. Modlę się do Boga, by Was ochraniał i dopomógł znaleźć Wam kobietę, która Was pokocha i którą Wy pokochacie. Niechaj Bóg zechce, byście przynajmniej Wy odnaleźli szczęście.

Wasza nieszczęśliwie zakochana Anna

Młodzieniec miał wrażenie, że jego serce się kurczy. To był list pożegnalny. Antonello, widząc jego minę, zapytał zmartwiony:

— Co się stało?

Joan podał mu list.

— Pisze, że was kocha i zawsze będzie was kochać — rzekł księgarz. — To bardzo dobre wieści. Złymi byłyby takie, że kocha swojego męża.

— Tak, ale żegna się ze mną, odpycha mnie, chce, żebym poszukał sobie innej kobiety — skarżył się Joan.

Antonello przeczytał list i zamyślił się przez chwilę.

— Jest tu coś dziwnego, czego wciąż nie pojmuję — powiedział w końcu.

— Czego nie rozumiecie?

— Wiele jest kobiet zamężnych w Neapolu i gdzie indziej, które nie kochają swoich mężów. I byłoby dziwne, gdyby żegnały swych kochanków listami. — Antonello podrapał się w głowę, — Musisz z nią pomówić.

— Chciałbym. Ale jak?

— Umów się z nią tutaj.

— Ale...

— Zrób, jak mówię.

❧

Następnego dnia, gdy Anna wraz z teściową wyszły z domu, Joan czekał na nią jak wiele razy dotąd, tylko że tym razem trzymał w rękach zamkniętą księgę. Kiedy go mijała, jakiś wyrostek pociągnął mocno towarzyszącą jej kobietę za spódnicę i rzucił się do ucieczki. Pani narobiła krzyku, sądząc, że ją okradł, i chciała go złapać. Pobiegła za nim, ale po chwili się zatrzymała, pewnie pojęła, że nigdy go nie dogoni, i zaczęła szukać sakiewki. Była na miejscu. Odetchnęła z ulgą i odwróciła się do Anny, aby skomentować zajście. Anna jednak nie słuchała jej.

Gdy kobieta krzyczała, ona poczuła miękki dotyk na ramieniu, a gdy spojrzała, zobaczyła Joana z do połowy otwartą książką w taki sposób, że tylko ona mogła przeczytać, co było napisane w środku:

„Przybądźcie jutro do księgarni. Błagam".

❧

Anna z panią domu weszły do przybytku Antonella. Księgarz zaprosił je do środka ze wszystkimi honorami należnymi tak dobrej klientce jak signora Lucca.

Wyłożył księgi na stół, zachęcając, by je przejrzały, a on zajął się szykowaniem jakiegoś zamówienia. Podczas gdy kartkowały opasłe tomy, przesuwał rozmaite kałamarze ustawione na wysokiej półce i z wielkim krzykiem rozlał jeden z czerwonym atramentem na starszą damę. Ze zręcznością zawołanego aktora zaczął przepraszać i zapewniać, że jeśli szybko temu zaradzą, po plamie nie będzie śladu. Zaciągnął damę do pracowni. Tam już czekała na nią żona Antonella, która zawołała służącą, żeby pomogła jej zmienić ubranie. Ale ponieważ w warsztacie byli pracownicy, trzeba było się przebrać na piętrze, gdzie mieszkała rodzina, w specjalnym pomieszczeniu. Chociaż widok starszej damy nie powinien był wyzwolić namiętności u żadnego z pracowników, należało zachować przyzwoitość i dobre maniery. I w owym pokoju, w samej bieliźnie, została uwięziona, przepraszana i udobruchana paplaniną żony księgarza, która w pomysłowości i koloryzowaniu przewyższała nawet własnego męża.

Anna nie miała zbytniego szacunku dla tej kobiety, która jawiła się jej jako strażniczka więzienna i z którą miała niewiele wspólnego. Gdy otrząsnęła się z początkowego zaskoczenia i odgadła podstęp, z trudem powstrzymywała śmiech. Antonello wyszedł i została sama w sklepie, ale zaledwie na moment. Zaraz pojawił się Joan. Wziął ją za rękę, poprowadził do gabinetu, który księgarz urządził sobie na zapleczu, i zamknął drzwi.

Trwali, patrząc na siebie długo, i trzymali się za ręce. Joan czuł, że jej są cudownie ciepłe, a jego chłodne. Napisała mu, że go kocha, ale zrobiła tak, żeby ulżyć jego cierpieniu, tym bardziej że był to list pożegnalny. Czy naprawdę wciąż go kochała po takim czasie? W ciszy patrzył dziewczynie w oczy i myślał, że to najpiękniejsza kobieta na świecie. Po chwili, nie wymówiwszy ani słowa, padli sobie w objęcia. Joan doznał uczucia tak silnego, jak nigdy dotąd. Czuł, że łączą się ze sobą w jedno ciało, pulsując rozkoszną energią. Pomyślał, że ona, przytulając się do niego w ten sposób, całkowicie podziela jego szczęście. Była to rajska chwila i Joan zapragnął, aby trwała wiecznie. Świadomość jej krótkości i tego, że może się już nie powtórzyć, wstrząsnęła nim boleśnie i dogłębnie.

A potem połączyły się ich usta i Joan od nowa przeżywał ową niewypowiedzianą rozkosz. Po trochu zaczęli zdawać sobie sprawę, że ich czas dobiega końca. Odsunęła się łagodnie, by spojrzeć mu w oczy. Po jej policzku toczyła się łza.

— Kocham was — powiedział, uprzedzając to, co ona powie. — Kocham was, jak nie kochałem ani nie pokocham nigdy. Nikt nie może miłować was bardziej niż ja.

— Ja też was kocham — wyznała mu i opuszczając wzrok, przytuliła go znowu. I wtedy usłyszał, jak bardzo cicho mówi mu do ucha: — Ale nie możemy. Musimy o sobie zapomnieć.

Nie, pomyślał, nie odpowiadając. Za nic w świecie z niej nie zrezygnuje. Ale znów dotarło do niego, że poza miłością nie ma jej nic do zaoferowania. Mimo dobrych ubrań i rapiera u pasa wciąż był więźniem na galerze, któremu los i hojny przyjaciel wrzucili parę monet do kieszeni. Za to ona była szanowaną damą. Mieszkała jak w pałacu i miała wszystko, czego zapragnęła. Miał teraz okazję błagać ją, by porzuciła wszystko i uciekła z nim, zanim wróci gospodyni. Ukryliby się gdzieś, gdzie mogliby przeżywać w pełni swą miłość, wolni. Ale on nie był nawet panem własnej wolności. Jedyna przyszłość, którą mógłby jej dać, to los zbiegłego, ściganego niewolnika.

— Dlaczego? — zapytał w końcu, odsuwając ją tylko na tyle, żeby zajrzeć głęboko w jej zielone oczy. — Dlaczego nie możemy się miłować?

— Jestem zamężna.

— Ale kochacie mnie — odparł wzburzony. — Dzisiaj nic nie mogę wam zaoferować, ale obiecuję, że zgromadzę fortunę, by dogodzić wam jak księżniczce...

Przerwała, zakrywając mu usta czułym gestem.

— Tu nie chodzi o pieniądze ani o fortuny, tylko o wierność.

— O wierność? Waszemu mężowi?

— Mojej rodzinie.

— A co ma wasza rodzina z tym wspólnego?

— Wszystko. Mój ojciec uzgodnił to małżeństwo, ja uległam i wyszłam za mąż. Gdy przyjechaliśmy do Neapolu jako uchodźcy, nie było nam łatwo. Z Hiszpanii zbiegło wielu konwertytów, wszyscy dobrzy w swoim fachu. Jubilerów było aż nadto. To, co zdołaliśmy zabrać z Barcelony, nie wystarczało nawet na otworzenie sklepu. Ricardo Lucca pomógł nam, a ja byłam częścią umowy. I to nie wszystko. Dzięki mojemu mężowi mój starszy brat będzie mógł zostać kawalerem, tu w Neapolu. — Szloch wyrwał się jej z piersi. — Teraz rozumiecie? — Jej oczy napływały łzami.

— Ale miłujecie mnie!

Przytaknęła głową.

— Winna mu jestem posłuszeństwo. Dlatego musimy o sobie zapomnieć.

— Nie! — zawołał Joan. — Nigdy o was nie zapomnę! Przenigdy!

Anna zamknęła oczy i pokręciła głową.

— Posłuchajcie — upierał się. — Wasz mąż może posiąść wasze ciało, ale nie ma prawa do waszej duszy ani waszych uczuć. On nie może zmusić was do wyparcia się miłości. Prawdziwa wolność jest w nas i nikt nie zmusi nas do zmiany naszych myśli, naszych uczuć. Nikt nie ma ani takiej siły, ani takiego prawa!

Anna wciąż miała zamknięte oczy. Wydawała się zdecydowana.

— Oddajecie mu już to, za co wam płaci! — zawołał Joan z wściekłością. — Nie może żądać więcej!

Anna otworzyła oczy i spojrzała na niego zaniepokojona. Czuła jego gniew.

— Wybaczcie mi — powiedział, gdy dostrzegł jej niepokój. — Jedyne, o co was proszę, to żebyśmy dalej widywali się w taki sam sposób. Patrzyli na siebie na ulicy. Zostawiali sobie listy w księgarni. Rozkoszowali się szczęściem, którym obdarza nas Bóg, miłując się tak bardzo.

— Będziemy bardzo cierpieć — powiedziała miękkim głosem.

— I tak będziemy cierpieć! — zawołał Joan zaciekle. — Czy sądzicie, że mógłbym o was zapomnieć? Radzicie mi, bym znalazł inną kobietę! Czy doprawdy myślicie, że to możliwe? Nigdy! Słyszycie? Nigdy! — Zamilkł na moment, a potem dodał spokojnym, ale zdecydowanym tonem: — Poza tym jestem pewien, że nadejdzie dzień, kiedy to ja zostanę waszym mężem. Przyrzekam.

W milczeniu łagodnie odsunęła się od niego. Miała łzy w oczach. Pokręciła znów głową.

— Muszę iść — powiedziała. — Pani domu może wrócić w każdej chwili i zaskoczy nas. Mój małżonek kazałby was zabić.

— Błagam was, nie odmawiajcie mi waszych spojrzeń — powiedział. — I napiszcie do mnie, proszę.

88

Przez następne dni cztery galery Vilamaríego patrolowały północne wybrzeże od wysp Procida i Ischia aż do wysp Ponza, nie napotkawszy francuskich okrętów. Na wietrze łopotały barwy Neapolu i Aragonii.

I nagle nadeszła wiadomość o klęsce we Florencji i posuwaniu się wojsk francuskich na południe. Zamierzając stawić mu czoło, król Neapolu wysłał wojska lądowe do Rzymu na pomoc papieżowi. Królowie Katoliccy zaś wezwali Gonzala Fernándeza de Córdoba, dowódcę, który odniósł wielkie sukcesy podczas wojny z Grenadą, aby wraz z niewielkim wojskiem na pokładach floty admirała Galcerána de Requesens wylądował na Sycylii, by bronić jej przed zakusami Francuzów.

Wszystkie te rozważania o wojnie i jej kolejach niewiele obchodziły Joana. Myślał tylko o powrocie do Neapolu i ujrzeniu Anny. Ona nie dała mu żadnej pewności i nie zostawiła dla niego żadnego listu w księgarni. Joan był sfrustrowany i jego niecierpliwość przechodziła w rozdrażnienie z powodu byle głupstwa, które wydarzało się na galerze albo w księgarni Antonella. Zasmucony ledwie sypiał. Chronił się w pełnych rozpaczy deklaracjach miłości, które ze łzami bazgrolił w zeszycie, zaniedbując kaligrafię. W niedzielę, kiedy galera stała w porcie, widywał Annę, jak spaceruje ze swoim mężem. Jego nienawiść do tego mężczyzny, który ją posiadł, narastała z każdym spotkaniem. Gdy wychodziła z panią domu, wyglądała na bardziej odprężoną, nie zakrywała ust i za każdym razem, kiedy z daleka dostrzegał jej uśmiech, Joan czuł się tak, jakby miał zemdleć ze szczęścia.

Pewnego razu, gdy mijał obie kobiety, Anna rzuciła mu spojrzenie, którego nie umiał zinterpretować, ale gdy dojrzał chłopaka podnoszącego z ziemi chusteczkę, wszystko pojął. Chłopiec chciał pobiec za damą, ale czyjaś ręka chwyciła jego dłoń, która trzymała chusteczkę, a druga zatkała mu usta. Moneta szybko załatwiła sprawę. W zaułku Joan zaczął wąchać lekką woń lawendowych perfum i gładzić czule miękką chusteczkę ukochanej. Była gładka, obszyta koronką, a kiedy ją rozwinął, okazało się, że w środku było wyhaftowane jedno krótkie słowo: TAK.

Joan podziękował niebiosom. Ta chusteczka przywróciła mu życie. Przynajmniej będzie mógł kochać Annę na odległość, a ona to odwzajemni.

෴

Mijały dni w oczekiwaniu na to, co nieuniknione: nadejście wojsk francuskich. Neapolitańczycy nie zdawali się tym jednak zbytnio przejmować. Wciąż zapełniali ulice, jedni przychodzili, drudzy odchodzili, kupowali i sprzedawali, gawędzili, śmiali się, śpiewali i płakali, jeśli chciało im się płakać, czyli żyli życiem, które się toczyło.

Codzienny widok na Wezuwiusz, który wypuszczał nieraz czarne kłęby i budził grozę w mieście, przepowiadając być może rychłą katastrofę, nauczył neapolitańczyków nie martwić się na zapas.

Życie Joana upływało między pokładem *Świętej Eulalii* a księgarnią i okolicami domu Anny. Żeglowanie zredukowano do minimum, gdy nadeszła pora sztormów, i po godzinie czy dwóch pracy na pokładzie Joan korzystał z nieograniczonych przepustek.

Podczas jednej z wizyt w księgarni Antonello zaprosił go na obiad i przedstawił mu około sześćdziesięcioletniego mężczyznę o białej brodzie. Nazywał się Innico d'Avalos. Przy stole jadalnym w salonie na piętrze wywiązała się ożywiona dyskusja. Innico okazał się znawcą książek. Po paru banalnych zdaniach na temat Neapolu i o cudzoziemcach takich jak Joan rozmowa zeszła na jeden z wiodących dylematów epoki: przewaga Platona lub Arystotelesa. Joan entuzjastycznie bronił Platona wobec pobłażliwych uśmiechów współrozmówców. Rozmawiali po neapolitańsku, ale naukowe słownictwo używane przez Innica i Antonella bardziej przypominało toskański, zwany staroflorenckim, język Dantego, Boccaccia i Petrarki. Joan, namiętny czytelnik owych pisarzy, bez trudu mógł zrozumieć ich wypowiedzi. W pewnej chwili poczuł się dość niezręcznie. Innico obserwował go ze szczególną uwagą, jakby oceniał jego wiedzę, opinie i reakcje.

Innico naprowadził rozmowę na nowe czasy, w których przyszło im żyć, zwane odrodzeniem; człowiek odkrywał światło wiedzy antycznej po mroku wieków barbarzyńskich, gotyckich, które po upadku Imperium Rzymskiego sprowadziły ciemnotę i niewiedzę na ludzkość. Bóg wciąż był ważny, ale teraz ważny stał się też człowiek, Jego najwyższe stworzenie. Człowiek był centrum wszechświata stworzonego przez Wyższy Byt. Wiedza stała się światłem, które olśniewało, a niewiedza ciemnością.

Mówiąc o odrodzeniu i jego świetle, Innico czynił to z wielkim zapałem, pieszcząc złoty medalion, który zwisał na jego szyi i który w pewnym momencie wyciągnął zza koszuli. Przedstawiał trójkąt równoramienny w kole.

Joan nie mógł nie opowiedzieć o swym tragicznym spotkaniu z inkwizycją, o śmierci państwa Corrów spalonych na stosie za sprzedaż zakazanych ksiąg i podejrzenie o judaistyczne praktyki.

— Co za potworność! — zawołał Innico. — Bóg obdarzył istotę ludzką zdolnością myślenia. Inni nie mają prawa decydować za nią, w co ma wierzyć, co ma czytać. Inkwizycja to ciemność.

— Uważam tak samo! — krzyknął Joan. — Bóg dał nam wolną wolę. Dlatego powinniśmy korzystać z możliwości poznania myśli innych ludzi, wypowiedzianych czy też napisanych, i wyrobić sobie zdanie na ich temat.

— Na szczęście mamy druk, który pozwala na szybkie i tańsze rozprzestrzenianie nauk, opinii i wierzeń — powiedział Innico.

— Religie są przetartymi szlakami do Boga — kontynuował Antonello. — Religii jest wiele, ale Bóg tylko jeden. I winny służyć człowiekowi w zbliżeniu do Wyższego Bytu. Człowiek ma służyć Bogu, nie religii, która jest tylko drogą do Niego.

Innico skinął głową. Wyglądał na mądrego człowieka.

— Jeśli Hiszpania umocni unię królestw, stanie się wielką potęgą — przyznał. — Ale musi być ostrożna przy posługiwaniu się religią jako narzędziem politycznym. To bowiem może stać się przyczyną jej upadku. Królowa Izabela jest żarliwą katoliczką i wspiera inkwizycję całym sercem, namawiana przez swych spowiedników. Król Ferdynand za to używa jej jako instrumentu do zjednoczenia królestw, do straszenia oraz jako źródła dochodów. Posługuje się ciemnotą, podczas gdy żyjemy w czasach światłości.

Rozmowa dała Joanowi wiele do myślenia. Innico d'Avalos był postacią charyzmatyczną, o błyskotliwej myśli, i mówił o religii, ale jego naszyjnik wyglądał na pogański. Czy był tylko człowiekiem renesansu?

Spytał o to Antonella. Powiedział, że d'Avalos był neapolitańskim szlachcicem, stronnikiem królów aragońskich. Jego ojciec, też Innico — czy Íñigo — przyjechał z Hiszpanii z Alfonsem V Aragońskim, pomagając mu podbijać królestwo, i otrzymał w nagrodę hrabstwo i rękę neapolitańskiej markizy. Król Alfons V był wielkim mecenasem sztuk, otaczał czcią klasyków i stał się wyjątkowym promotorem myśli renesansu. Mawiał: „Księgi są najmilszymi spośród mych doradców, bo ani strach, ani nadzieja nie powodują, by powiedzieć mi, co mam czynić". Namiętność do książek zaszczepił na swym dworze, przejął ją Innico, który okazał się nie tylko żołnierzem, stał się również wielkim miłośnikiem sztuk.

— A jak to możliwe, że tak ważna postać zechciała jeść ze mną obiad? — zapytał Joan.

Antonello się zaśmiał.

— Może dlatego, że ty też jesteś ważną postacią — powiedział.

Odpowiedź nie zadowoliła młodzieńca. Wciąż nie dawało mu to spokoju.

89

Gdy zamówione u Bartomeu książki dotarły już z Barcelony, Joan wysłał je do Rzymu i wkrótce otrzymał pieniądze. Było więcej zamówień na *Tirant lo Blanc*, ale młodzieniec zaczął spisywać inne tytuły dzieł hiszpańskich, które mogłyby zainteresować klientów. Jeśli francuska inwazja mu w tym nie przeszkodzi, zamierzał rozwinąć interes. Sprzedawał książki nawet swoim kolegom, oficerom na galerach. Admirał nie mieszał się do jego transakcji, a wręcz zdawał się na nie przyzwalać.

„Kawaler powinien umieć porozmawiać o sztuce czy filozofii w światowych konwersacjach", mawiał często Vilamarí.

— Stajesz się księgarzem z prawdziwego zdarzenia — powiedział Antonello. — Jak tak dalej pójdzie, będę musiał podwyższyć ci prowizję.

— Zgodzę się pozostać przy tej, którą mam, pod warunkiem że pozwolicie mi pomagać wam w drukowaniu.

— Czyżbyś chciał robić mi konkurencję? — zapytał neapolitańczyk ze śmiechem.

— Zawsze marzyłem o księgarstwie — z zapałem zwierzył mu się młodzieniec.

— Tak podejrzewałem — odparł Antonello ze swym złośliwym uśmieszkiem. — Idź do pracowni, ale mam nadzieję, że będziesz mi pomocą, nie zawadą.

Joan mógł znowu zachłysnąć się wonią nowego papieru i świeżego atramentu. Kochał ten zapach. Fach drukarza był jednak dużo brudniejszy niż skryby. Jako uczniowi przypadało mu czyszczenie tuszu z prasy. W kaligrafii tak nie było. Jeśli zdarzały się kleksy, to niewielkie. Kończył pracę z brudnymi paznokciami, co u kawalera było niedopuszczalne. Joanowi to jednak wcale nie przeszkadzało i cieszył się, że może uczestniczyć w narodzinach nowych książek. Co do samych rąk, to na całe szczęście akurat była zima i kawalerowi, którym chciał być, wypadało po ulicy chodzić w rękawiczkach.

٭

W trakcie świąt Bożego Narodzenia 1494 roku Francuzi byli o krok od wkroczenia do Rzymu. Papież Aleksander VI wciąż pertraktował, nie chcąc zostać zbrojnie usunięty. Rezydował w Watykanie, ale Zamek Świętego Anioła, ze strażą składającą się z prawie samych Hiszpanów, w większości z Walencji, był przygotowany na długie oblężenie. Natomiast na ulicach Neapolu w dalszym ciągu nie było widać niepokoju. Niewiele ponad pięćdziesiąt lat temu królestwo było we władaniu francuskiej dynastii Andegawenów i nie uważano, aby ich powrót miał bardzo odmienić życie.

Joan i Anna zaczęli się regularnie spotykać w księgarni. Parę dni przed świętami zaczęła przychodzić tam pod pretekstem poszukiwania bożonarodzeniowego prezentu. Właśnie miała ukończyć dwadzieścia trzy lata. Żona Antonella zaprzyjaźniła się z jej teściową, która czuła się zaszczycona, iż swymi względami obdarza ją mieszczanka o tak wysokim statusie. Omamiona jej błyskotliwą gadaniną, stępiała instynkt pasterskiego psa, przekonana, że signora pozostawała sam na sam z książkami. A signora natychmiast zapominała o książkach, gdy tylko tamta wchodziła na piętro domu, i wpadała w ramiona Joana.

Uściski i pocałunki wciąż były tak cudowne jak pierwszego dnia, ale czas upływał i Joan chciał czegoś więcej. Na czwartym spotkaniu w gabinecie Antonella zdobył się na odwagę i poprosił ją o to, czego pragnął.

— Wpuśćcie mnie dziś w nocy do waszego domu. Muszę pobyć z wami dłużej.

— Czyście oszaleli, Joanie? — oburzyła się, patrząc mu w oczy przestraszona. — A mój mąż?

— Wasz mąż dużo ostatnio podróżuje. Chodzą słuchy, że jest zwolennikiem Andegawenów i przygotowuje nadejście Karola Ósmego do Neapolu.

Anna się zaczerwieniła.

— Nie powiedziałabym wam o tym, nawet gdybym wiedziała — odrzekła pośpiesznie. — Muszę być wobec niego lojalna bez względu na jego stanowisko polityczne.

— Nie zważam na to, czyją trzyma stronę — powiedział, żeby ją uspokoić. — Obchodzi mnie jedynie to, że zostawia was samą na wiele nocy.

— Mój dom to prawie zamek. Służący noszą broń, Joanie — kontynuowała wzburzona. — Niemożliwe, abyście przeszli przez drzwi, a tym bardziej, byście do mnie dotarli.

— Nie zamierzam przechodzić przez drzwi.

Spojrzała na niego pytająco.

— Jestem marynarzem, Anno. Umiem wspinać się po linach. Miałem dużo czasu na obejrzenie waszego domu. Okna na parterze mają kraty, tak samo na piętrze, za okiennicami, które wyglądają na nieruchome. Ale na drugim piętrze okiennice da się otworzyć od wewnątrz. Od fasady po lewej stronie budynku jest zaułek, który w nocy tonie w całkowitym mroku. Wystarczy tylko, że rzucicie mi linę z drugiego piętra, i odtąd będę towarzyszył wam każdej nocy aż po świt.

Anna patrzyła na niego, nie mogąc wyjść ze zdumienia. Potem przebiegła spojrzeniem grzbiety książek spiętrzonych na półkach gabinetu i wreszcie znowu popatrzyła na niego, surowo marszcząc brwi.

— Jesteście szaleni, Joanie! — zawołała gwałtownie. Wydawała się urażona. — Zupełnie szaleni.

— Ależ...

— Żadne „ależ" — ucięła Anna. Joan poczuł ciepło na policzkach. — Chcecie wystawić na niebezpieczeństwo wasze życie, moje życie i spokój mojej rodziny. Dość już ryzykuję, przychodząc tutaj!

— Moje życie niewiele mnie obchodzi — żalił się. — Bez was jest nic niewarte, cierpię, widząc was z daleka, muszę mieć was blisko, przytulić was. A co do waszego, oddałbym swoje, gdyby miała się stać wam najmniejsza krzywda.

— W takim razie przytulcie mnie i nie proście o to, czego dać wam nie mogę — powiedziała.

Tak też zrobił. Chwile były zbyt cenne, by tracić je na kłótnie. Na pożegnanie powiedziała:

— Zrozumcie to, Joanie. Kocham was i nic nie mogę na to poradzić. Gdybym mogła, przestałabym i byłabym szczęśliwa z moim mężem. Ale choćbym go nie kochała, mam wobec niego obowiązki. Nigdy go nie zdradzę ani politycznie, ani fizycznie. Choćbyśmy widywali się co noc, nigdy nie oddam wam mego ciała.

— Starcza mi wasza miłość — odparł. — Ale muszę widywać was dłużej.

Wiedział jednak, że nie mówi jej prawdy. Cieszył się miłością Anny, ale z każdym dniem bardziej jej pragnął. Nie posuwali się dalej niż pocałunki i objęcia, on jednak chciał więcej, chociaż wciąż sobie powtarzał, że to i tak wielkie szczęście, że ona go kocha, i nie powinien kusić losu.

Gdy opowiedział o swym dylemacie Antonellowi, ten uśmiechnął się i rzekł:

— Mój drogi przyjacielu, musisz jeszcze wiele się nauczyć o miłości. Kiedy dama mówi, że nie, to znaczy, że być może. Gdy mówi, że być może, to znaczy, że tak. A gdy mówi, że tak, za pierwszym razem, to nie jest damą.

— Anna nie jest taka jak wszystkie! — przerwał mu rozgniewany Joan.

Księgarz się zaśmiał.

A potem Joan zapisał w swojej książce ostatnie słowa Antonella, po czym dodał jeszcze: „Czy tak może być? Moja dama łamie mi serce, a ten cyniczny diabeł jeszcze mnie torturuje. Nie wiem, jak długo będę w stanie to znosić. Ale nie zatrzymają mnie obawy ukochanej ani drwiny tego pyszałka, co to ma się za znawcę spraw miłosnych. Będę nalegał, Anno, na naszą miłość, na dobro nas obojga".

90

Chmury zakrywały niebo nad Neapolem, zasłaniając gwiazdy w zimną noc dwudziestego lutego 1495 roku. Panowały zupełne ciemności. Głuchą ciszę miasta rozdzierały koty w rui, wydając przyprawiające o dreszcze jęki. Ulice były puste, a jeśli ktoś wałęsał się po nich, to niczym czarny całun spowijał go mrok. Joan od paru godzin wyczekiwał w zaułku, czasem w kucki, skulony, dygocząc z zimna mimo grubego płaszcza, i myślał ze smutkiem o tym, czy Anna zmieniła zdanie. Wreszcie na krótko przed północą dojrzał nikłe światło w okiennicach na drugim piętrze, które natychmiast zgasło. Serce podskoczyło mu w piersi. To był sygnał, na który czekał. Stanął pod oknem i po chwili poczuł jakiś dotyk. Sznur. Pociągnął, żeby sprawdzić, czy jest dobrze umocowany, i zaczął się wciągać, robiąc użytek z rękawic. Pomyślał, że całkiem się zmarnują, ale nie obchodziło go to, w taki ziąb nie mógłby się wspinać z gołymi rękami.

৵

Miesiąc wcześniej papież Aleksander VI zawarł traktat z królem Francji, gdy jego wojska stały u bram Rzymu. Odsunął w ten sposób problem kardynała della Rovere. Papież wezwał neapolitań-skie oddziały stacjonujące w Rzymie do powrotu w swoje strony, nie stawiwszy czoła Francuzom, a sam przezornie zamknął się na Zamku Świętego Anioła otoczony walencką strażą.

Dwudziestego ósmego grudnia Francuzi weszli do Rzymu,

a trzydziestego pierwszego zrobił to sam król Karol VIII Walezjusz wśród wiwatów rzymian oczarowanych wspaniałą defiladą.

Król Alfons II neapolitański nie cieszył się zbyt wielką sławą wśród poddanych. Aby ratować królestwo, abdykował na rzecz swego zaledwie dwudziestopięcioletniego syna Ferdynanda II, zwanego pieszczotliwie Ferrandino. Ruch ten nie powstrzymał jednak klęski wojsk neapolitańskich na różnych frontach oraz upadku miast Capua i Gaeta. W połowie lutego oblężenie Neapolu stało się nieuchronne. Ludność bardziej niż samych Francuzów obawiała się głodu i gromadziła żywność, którą można było przechowywać, zwłaszcza cieciorkę, bób, ryż, zboże i soczewicę. Bazary świeciły pustkami i wszyscy szykowali się na nadejście ciężkich czasów.

— Ferrandino długo już nie przetrwa — powiedział do Joana jego przyjaciel Genís, wcześniej nawigator, teraz kapitan *Świętej Eulalii.* — Jego garnizony poddają się bez walki. Mamy galery zaopatrzone na parę tygodni i podnosimy kotwice, gdy tylko Francuzi wejdą do Neapolu. Przepustki są więc zawieszone.

— Proszę, Genís — błagał Joan. — Daj mi jeden dzień i jedną noc na lądzie.

— Jedną noc? — Kapitan się uśmiechnął. — W końcu twoja dama powiedziała „tak"?

— Nie, jeszcze nie. Ale to moja ostatnia szansa. Proszę, daj mi pozwolenie.

— Oficjalnie nie mogę — odparł ze smutną miną. — Nie wiem, kiedy ruszamy, rozkaz może paść w każdej chwili. Jeśli będziesz na pokładzie, gdy wyjdziemy z portu, przymknę na to oko, ale jeśli nie, to zostaniesz na lądzie i uznają cię za dezertera. Jeżeli złapią cię Francuzi, będzie źle, ale nasi cię powieszą.

— Podejmę ryzyko.

Podczas spotkania w księgarni błagał Annę na klęczkach, a ona powstrzymywała płacz. Może to ich ostatnie spotkanie, może zginie na wojnie i nigdy więcej o nim nie usłyszy. Tylko jedna noc, ostatnia noc, i chce ją spędzić z nią.

Już wiele dni wcześniej Ricardo Lucca opuścił Neapol, by dołączyć do francuskich oddziałów, a Anna spała samotnie. W końcu uległa.

— Chcę, byście przyrzekli mi, że nie poprosicie mnie o więcej niż to, co wam tu daję — powiedziała. — Nie ma rzeczy, której pragnęłabym bardziej, niż spędzić noc z wami, Joanie, kocham was. Ale złożyłam przysięgę i zamierzam w pełni jej dotrzymać.

— Zrobię to, o co mnie prosicie.

— I musicie pomóc mi, gdyby moja silna wola zawiodła. Przyrzeknijcie!

Skinął głową, nie mogąc przestać się uśmiechać. Był taki szczęśliwy.

&

Joan wdrapywał się po linie w absolutnej ciemności z takim impetem, że omal nie rąbnął głową w okiennicę. Musiał przytrzymać się parapetu i drugiej liny, którą Anna podała mu, aby mógł wejść przez okno.

W nikłym świetle świecy kochankowie padli sobie w objęcia, pokrywając się pocałunkami. Był to pokój gościnny. Anna wciągnęła sznury i postanowiła zostać w tym pomieszczeniu, ponieważ dawało możliwość szybkiej ucieczki. Joan prosił, by zeszli do małżeńskiej sypialni, ale odmówiła. I nie chodziło jej tylko o to, że to niebezpieczne, uznała taki postępek za obrazę honoru męża.

Była to cudowna, ale i pełna cierpienia noc. Joan rozkoszował się pocałunkami, objęciami, słodkim dotykiem krągłości ukochanej. Położył się na swojej kochance, oboje byli ubrani. Umierał z żądzy, ale za każdym razem, gdy wkładał jej rękę pod spódnicę, ona zatrzymywała ją na wysokości pasa.

— Pamiętajcie o obietnicy.

— Pragnę was — wzdychał.

— Ja też. Ale to powinność wobec męża.

Joan godził się, wzdychając boleśnie. Tłumaczył sobie, że przynajmniej czuje jej ciepło, jej miłość, jej obecność. Samo to było błogosławieństwem niebios i powinien był dziękować i cieszyć się, zamiast lamentować, że nie ma wszystkiego. Mijały godziny i pieścili się wśród szeptów, w których na tysiąc sposobów wyznawali sobie miłość, obiecując, że będzie trwała do końca życia.

Nadeszła jednak straszliwa chwila i Anna powiedziała:

— Noc się kończy. Musicie iść.

Spojrzał w niebo, widząc, że mrok się rozprasza. Miała rację. Popatrzył na ulicę. Tonęła wciąż w czerni. Pomyślał, że oto jego przyszłość bez Anny. Ale wiedział, że musi iść. Pod żadnym pozorem nie mógł pozwolić, żeby ich nakryto. Wyrządziłby krzywdę Annie.

Buty stuknęły o ziemię. Joan po omacku szukał ścian zaułka, ale mógł już je zobaczyć. Koguty piały, dzwonnice wzywały na primę. Musiał wracać na *Świętą Eulalię* natychmiast, ale nie mógł tego zrobić bez pożegnania się z księgarzem. Chciał podzielić się z przyjacielem tym, co zaszło w nocy. Poranek był szary. Z wolna jego rozproszone światło rysowało ulice, domy, drzwi, okna.

Nie czekał długo. Jak tylko usłyszał ruch wewnątrz księgarni, niecierpliwie zapukał do drzwi. Po chwili Antonello uchylił lufcik, wyjrzał zaniepokojony, a gdy go rozpoznał, otworzył drzwi na oścież i wpuścił do środka. Pukanie nad ranem nie zwiastowało dobrych wieści. Za plecami księgarza stało pół tuzina uzbrojonych uczniów i czeladników. Odprawił ich i zwrócił się do Joana.

— Co się stało?

— Spędziłem z nią noc.

Szeroki uśmiech zagościł na twarzy księgarza.

— Wejdź na górę, do salonu. Zjemy śniadanie i wszystko opowiesz.

Jednakże po wysłuchaniu opowieści księgarz miał ponurą, nietypową dla siebie minę.

— Spędziłeś noc z kobietą, którą kochasz, i nic nie zrobiłeś? — ofuknął go.

— Całowaliśmy się i przytulaliśmy — bronił się zdziwiony Joan.

— Na Boga, chłopcze, to jest nic! — zżymał się Antonello. — Ileż ty musisz się jeszcze nauczyć! Oboje ryzykowaliście życie! Czy sądzisz, że gdyby jej mąż was przyłapał, uwierzyłby, że dawaliście sobie tylko całuski? Jeśli ryzykujesz życie, to już idź na całość! Bierz! Teraz odchodzisz, zostawiając w rękach fortuny waszą przyszłość. Być może nie nadarzy się druga okazja. Powinieneś był argumentować, przekonywać ją racjami, które dotrą do jej serca.

— Ale przyrzekłem jej...

— Takie przyrzeczenia nic nie znaczą, Joanie! — replikował neapolitańczyk. — Nie znaczą nic! Gdyż sprzeciwiają się woli Boga, który popycha was do miłości. Są grzechem przeciwko miłości.

— Nie rozumiecie, Antonello. To cnotliwa niewiasta.

— Nie! — powiedział księgarz, waląc pięścią w stół. — To nie jest cnotliwa niewiasta.

Joana zamurowało. Gdy w końcu się ocknął, zerwał się na nogi i chwycił rękojeść rapiera.

— Odwołajcie, coście rzekli.

— Uczciwa kobieta to ta, która ofiarowuje się ukochanemu mężczyźnie. — Antonello kontynuował, nie zwróciwszy na niego najmniejszej uwagi. — Nie ta, która oddaje się przez konwenans, choćby czyniła to w interesie rodziny. I nie jest usprawiedliwieniem to, że tak właśnie robią królewny i księżniczki. Cnota i uczciwość to oddanie się w pełni temu, kogo się kocha...

Przerwało mu nagłe bicie dzwonów na alarm, wzywających do broni. Na ulicy rozległy się głosy. Słowa księgarza wciąż jednak brzmiały Joanowi w uszach. Stał groźnie, z do połowy wysuniętym rapierem. Jego przyjaciel uwłaczył czci damy.

Nie zwracając uwagi na wyzywającą pozę chłopaka, Antonello otworzył okna na piętrze i wychylił się na ulicę.

— Co się dzieje?! — krzyknął do sąsiada, który z ożywieniem dyskutował z innymi w gromadce.

— Andegaweni przejęli miejskie bramy i grabią pałace Capuano i księcia Altamury! — usłyszał odpowiedź. — Francuzi już weszli. Neapol padnie bez walki.

— Flota! — zawołał Joan, wsuwając rapier do pochwy. — Muszę biec szybko!

I pędem puścił się schodami w dół.

— Idź z Bogiem, chłopcze! — krzyknął księgarz z okna. — Niechaj szczęście ci dopisuje i pomyśl o tym, co ci powiedziałem.

91

Joan biegł do portu, mijając dyskutujące na ulicach grupki i tych, którzy uciekali z całym dobytkiem, szukając morskiej drogi ucieczki. W końcu ujrzał okazałą bryłę Castel Nuovo, u którego stóp rozciągała się keja. Przyśpieszył biegu, dysząc ciężko z wysiłku. Kłęby pary wydobywały się z jego ust w chłodnym rannym powietrzu. Zlany potem i bez tchu wbiegł na początek mola i serce podeszło mu do gardła. Nie było galer. Odpłynęły.

Zobaczył kilku żołnierzy z płonącymi pochodniami. Skakali na statki uwiązane do pomostu, podpalali żagle i wszystko, co z łatwością mogło się zająć. Byli gotowi zasztyletować każdego, kto by im w tym chciał przeszkodzić. Król rozkazał wszystkie spalić, aby nie wpadły w ręce Francuzów. W kilka chwil okręty, wśród nich wiele pięknych neapolitańskich galer, zapłonęły jak olbrzymie stosy. Joan, po bezsennej nocy pełnej silnych wzruszeń, poczuł się rozbity, zaguiony, niepocieszony. W skołatanej głowie wciąż tliła się niepewność, czy rzeczywiście flota odpłynęła, porzuciwszy go. Szedł powoli keją w stronę morza wśród płonących zacumowanych statków. Zrozumiał teraz, że galera, której tak nienawidził, gdy był przykuty do jej wioseł, stała się jego domem. I właśnie go stracił. Co z nim teraz będzie? Żołnierze krzyczeli do niego, by wracał na ląd, płomienie stawały się coraz większe, rozświetlały szary poranek i rzucały złowieszcze błyski na morze. Do Joana dotarło, że jeśli natychmiast nie wydostanie się stamtąd, spłonie żywcem. Odwrócił się i wzrok jego padł na drugi koniec zatoki, która tworzyła port Neapolu. Tam, na małej wysepce znaczącej zachodni kraniec miasta, wznosił się potężny Castel dell'Ovo. Flotylla razem w mnóstwem innych żaglowców zgromadziła się wokół wyspy! Jeszcze nie wypłynęli! Może ich dogoni! Joan pognał na plac przed Castel Nuovo. Potem kluczył uliczkami przez miasto z zamiarem dotarcia na groblę, która łączyła twierdzę z wybrzeżem. Biegł zdesperowany, przepychał ludzi, potykał się i wymijał grupki francuskich żołnierzy, którzy wchodzili do domów, nie spotykając się z oporem. Kilka razy o mało nie wpadł im w ręce. Nie mógł stracić galery! Był dezerterem i gdyby nie zdołał wejść na *Świętą Eulalię*, skończy na szubienicy.

Castel dell'Ovo wydawał się przygotowany na oblężenie. Joan puścił się długą groblą, która łączyła go z lądem, ale gdy dotarł do wrót, wartownicy kazali mu natychmiast zawracać.

— Muszę dostać się na *Świętą Eulalię*, jestem tam artylerzystą! — krzyknął.

— Mamy rozkaz nikogo nie wpuszczać — odpowiedzieli, celując do niego z kusz.

— Muszę wejść na pokład! — upierał się. — Uznają mnie za dezertera!

— Nie możesz wejść! Odejdź!

Joan stanął w miejscu. *Święta Eulalia* zacumowana była do małego pomostu przy zamku i nie mógł do niej dotrzeć.

— Odejdź, jeśli nie chcesz, byśmy cię zastrzelili! — zagrozili mu.

— Muszę dostać się na galerę.

Kusznicy wzięli Joana na cel.

— Ostatni raz. Odejdź!

Zrozumiał, że za moment przeszyją go strzały. Mieli dokładne rozkazy. Spojrzał na wodę. Czy dotarłby tam wpław? Pomyślał, że ma jedną szansę na dziesięć. Odległość była spora, a woda zimna.

— Wpuśćcie tego chłopaka!

Pełen nadziei spojrzał na bramę i po chwili rozpoznał tego, kto wydał rozkaz. Był to Innico d'Avalos, neapolitański szlachcic z dziwnym medalionem!

Młodzieniec poczuł niezmierną ulgę, gdy wartownicy otworzyli wrota. Innico miał na sobie zbroję, a jego biała broda nadawała obliczu powagę.

— Musisz zaczekać, aż wejdą monarchowie — powiedział.

— Dziękuję — odparł Joan.

Innico poprowadził go do portu. Joan zobaczył, jak młody Ferrandino — wraz ze swym stryjem Fryderykiem, królową wdową Joanną, córką króla Hiszpanii, i resztą rodziny królewskiej — wchodził na pokład *Świętej Eulalii* i był witany przez Vilamaríego i Genísa Solsonę. Joan pozdrowił krótko Genísa i czmychnął na dziób. Kasztel rufowy zapełnił się monarchami i nie było czasu na tłumaczenia. Pozdrowił marynarzy i padł wykończony na zwoje lin koło armaty.

Do floty Vilamaríego dołączono dziesięć galer neapolitańskich, które pozostały wierne Ferrandinowi, i sporo żaglowców. Gdy wzięli kurs na wyspę Ischia, nad Neapolem stały słupy dymu: jedne z pożarów w pałacach wiernych dynastii aragońskiej, inne z ogromnych płomieni, które trawiły port. Był to przerażający widok, wzbudzał w Joanie przeciwstawne uczucia. Te płomienie i dym oznaczały koniec pewnej epoki, a jego serce ściskało się na myśl, że upłynie wiele czasu, nim znów ujrzy Annę. A jednak chłodny znajomy dotyk artyleryjskiej broni niósł spokój i poczucie bezpieczeństwa. To był jego dziwny dom.

~

Mimo to dręczyły go myśli, że gdyby mógł, oddałby ten osobliwy komfort, aby być z Anną. Wciąż czuł ciepło jej ciała i żeby je zachować, zwinął się w kłębuszek. Choć kołysało, a deski pokładu były twarde, wkrótce zasnął wycieńczony. Po chwili jego twarz rozjaśnił uśmiech — śnił, że tuli Annę w ramionach.

92

Wystrzały armatnie obudziły Joana. Strzelali do nich!

— Przygotować artylerię! — krzyknął kapitan. — Cel: zamek. Dopłynęli do wyspy Ischia, ale nie spotkało ich takie powitanie, jakiego się spodziewali. Z twierdzy, która wznosiła się na skalistej wysepce połączonej z Ischią mostem, strzelano do statków. Na blankach widniały wciąż neapolitańskie sztandary. Młody król Ferrandino klął i ubolewał nad kolejną zdradą.

Wyrwany ze snu Joan zobaczył strumienie wody, które kule armatnie wznosiły na morzu, i odruchowo obliczył w myślach siłę strzału, kąt rzutu, kaliber i odległość artylerii nieprzyjaciela.

— Załadujcie tylko kolubryny! — krzyknął ludziom. — Kulami z litego żelaza!

Pobiegł do kapitana, swego przyjaciela, który stał na środku mostka.

— Jeśli utrzymamy tę odległość, kule z naszych kolubryn naruszą mury twierdzy, ale ich armaty nas nie dosięgną — powiedział.

Genís Solsona przekazał tę informację admirałowi, a ten zwrócił się do króla i jego wuja Fryderyka oraz Innica d'Avalos, którzy obserwowali zamek z kasztelu galery. Instrukcje admirała przekazano wszystkim jednostkom kodem flagowym. Hiszpańskie galery i ich wyćwiczeni artylerzyści mieli grzmocić zamek z morza, podczas gdy z neapolitańskich łodzi zeszłyby oddziały, które miały otoczyć go od strony lądu. Szalupa ze *Świętej Eulalii* płynęła ku brzegowi, mając na pokładzie Innica d'Avalos, z dala od zasięgu armat zamkowych.

Joan się nie pomylił. Kolubryny z galer trafiały z mocą w mury i wieże twierdzy, której armaty pruły tylko wodę przed dziobami okrętów flotylli. Poczuł się dumny. Trwało nieubłagane bombardowanie. W południe biała flaga zawisła na blankach twierdzy. Neapolitańscy żołnierze zbuntowali się przeciwko komendantowi Giustowi di Candida. Dowództwo nad bastionem przejął Innico. Słychać było głośne wiwaty na cześć króla.

&

Na zamkowym dziedzińcu zebrali się przedstawiciele królewskiej rodziny i szlachty wiernej Ferrandinowi. Był tam też admirał Vilamarí i oficerowie floty. Razem z nimi przyszedł Joan, który nie chciał, żeby coś mu umknęło.

Giusto di Candida klęczał przed królem i błagał go o wybaczenie. Pozostali otoczyli ich kołem.

— A zatem dogadałeś się z Francuzami, że przekażesz im wyspę, prawda? — Ferrandino pytał głośno, żeby wszyscy słyszeli.

— Tak, mój panie, ale popełniłem błąd — mówił cicho kasztelan. — Błagam o miłosierdzie.

— Ale nasza flota przybyła wcześniej — rzekł król w zamyśleniu, jakby mówił sam do siebie.

Ferrandino był wytwornym młodzieńcem o melancholijnym spojrzeniu, starszym od Joana tylko o dwa lata. Lud neapolitański kochał go. Kiedy jego ojciec abdykował, wiwatowano, gdy następca pojawiał się na ulicach na grzbiecie kasztanka. Stary król miał rację, myśląc, że syn zdoła zjednoczyć siły oporu. Ale Ferrandino był bardzo młody i mimo całej sympatii, jaką się cieszył, niewielu uważało go za zdolnego do powstrzymania wojsk francuskich.

Król położył powoli lewą rękę na głowie proszącego o wybaczenie kasztelana, jakby miał go pobłogosławić, ale nagle pociągnął za włosy, dobył prawą sztyletu i wymierzył potężne cięcie w szyję. Mężczyzna zaczął krwawić, rękami przycisnął ranę i upadł w spazmach na ziemię, w kałużę własnej krwi. Po paru chwilach leżał bez ruchu.

Joan spojrzał na Vilamaríego. Admirał wymieniał pochwalne gesty z Innikiem d'Avalos. Cięcie trafiło bezbłędnie w tętnicę szyjną. Dwóm starym wojownikom przypadł do gustu drapieżny pokaz władzy Ferrandina.

Król nakazał wrzucić zwłoki do morza. Po chwili orszak wydał się szczęśliwszy i bardziej ufny młodemu monarsze. Joan pomyślał, że choć było to okrutne, to tego właśnie wszyscy oczekiwali od króla.

Ferrandino mianował Innica d'Avalos gubernatorem Ischii, która ze względu na bliskość Neapolu była ważnym strategicznie punktem. Następnego dnia Karol VIII Walezjusz wkroczył do Neapolu, a lud przywitał go entuzjastycznie.

Młody neapolitański monarcha mimo to nie upadł na duchu. Na pokładzie *Świętej Eulalii* i na czele floty czternastu galer dowodzonych przez Vilamaríego zbliżał się do Neapolu, by z morza dodać otuchy obrońcom zamków Nuovo i dell'Ovo ostrzeliwanych nieustannie przez francuską artylerię. Francuzi nie mieli dość dużej floty, żeby stawić czoło Vilamaríemu. Ferrandino zaczął przemierzać wybrzeże na południe od Neapolu i spotykać się z gubernatorami nadbrzeżnych twierdz, którzy jeszcze pozostali mu wierni, namawiając ich do stawiania oporu.

֍

Gdy przycichł zgiełk wojenny, Joan znalazł czas i spokój, by zająć się książką. Słowa Antonella rozbrzmiewały w jego głowie i myślał o nich nieustannie. Może i musiał się jeszcze wiele nauczyć, jak twierdził księgarz, ale nie miał zamiaru przyjmować wszystkiego i chciał zatrzymać sobie tylko to, co sam uznał za wartościowe. Nieważne, że nauki pochodziły od kogoś, kogo szanował tak bardzo jak Antonella. Mogły pochodzić nawet od samego Platona.

„Uczciwa kobieta oddaje się mężczyźnie, którego kocha", napisał, a po chwili dodał: „Czyż nie jest uczciwością chronienie rodziny? Poświęcenie się dla rodziców, dla brata?".

Po części zgadzał się ze zdaniem księgarza, ale to, że Anna zadowalała Ricarda Luccę, nie będąc w nim zakochana, nie czyniło z niej nieuczciwej kobiety. Pomyślał, że Antonello jest niesprawiedliwy. Ta refleksja stała się przyczyną absurdalnego wniosku, zanotował więc: „Czy wobec tego Anna powinna oddawać się nam obydwu, aby postępować uczciwie? Wobec naszej miłości i miłości do swoich rodziców". Joan potrząsnął głową z wściekłością. Nie mógł znieść myśli o Annie oddającej się swemu mężowi. W jego starannej kaligrafii ukazały się ponure i kręte mazgi, gdy napisał: „O jednego jest za dużo. I to on jest zbędny". Zamknął oczy i zobaczył dumną twarz Ricarda, a potem scenę poderżnięcia gardła zdrajcy na Ischii. Tyle że w tym widzeniu to on był Ferrandinem, a Lucca zasztyletowanym.

93

Po paru dniach we francuskie ręce wpadły zamki Nuovo i dell'Ovo w Neapolu bronione przez Alfonsa d'Avalos, brata Innica, stronnika dynastii aragońskiej. Po nich jedna po drugiej padały twierdze królestwa.

Joan współczuł Ferrandinowi, który podróżował *Świętą Eulalią*. Za każdym razem, gdy monarcha kierował się do bastionu, który uważał za sobie wierny, widział nieprzyjacielską banderę łopoczącą na blankach. Mimo sympatii, którą budził Ferrandino, nawet najwierniejsi poddani nie widzieli szans w starciu z potężnym wojskiem francuskim i to przeświadczenie skłaniało ich do poddania się Francuzom.

Joanowi trudno było rozpoznać w młodym monarsze o melancholijnym spojrzeniu, miękkich i spokojnych rysach, miłującym poezję i wzruszającym się nią człowieka zdolnego poderżnąć komuś gardło z zimną krwią. Medytował nad dwoistością natury monarchy i nad tym, co było w nim naturalne, a co narzucała odpowiedzialność za los królestwa. W książce napisał: „Czy można być królem, nie będąc okrutnym?". Potem pomyślał o Carlesie, o jego niesprawiedliwej i brutalnej śmierci, i o historii Vilamaríego o lwach i owieczkach. „Czy można rządzić, nie wyrządzając krzywdy? Może władza to właśnie nic innego, jak zdolność do krzywdzenia".

Na początku maja po stronie króla broniły się już tylko wyspa Ischia pod wodzą Innica d'Avalos, Reggio i jeszcze odległy skrawek

Kalabrii, któremu wojska najeźdźcy nie przypisywały istotnego znaczenia.

W miarę jak siły lądowe posuwały się na południe, francuska flota zajmowała kolejne porty i jej potęga rosła. Obrona Ischii była coraz słabsza, a musiała odeprzeć wiele prób lądowania nieprzyjacielskich oddziałów. Potęga francuska zaalarmowała jednak państwa europejskie, których dyplomacje pracowały niestrudzenie. Trzydziestego pierwszego marca 1495 roku ukonstytuowała się Święta Liga utworzona przez Maksymiliana I Habsburga, Wenecję, Mediolan, papieża oraz monarchię hiszpańską.

Wieść ta zaskoczyła Karola VIII, który bawiąc się na polowaniach i ucztach w stolicy nowo podbitego Królestwa Neapolu, zdał sobie sprawę ze swej słabości.

Suweren francuski, obawiając się, że zostanie pojmany, koronował się na króla Neapolu i zostawiając ogromną armię, wycofał się do Francji z resztą swych oddziałów. Na północy odcięły mu jednak drogę zjednoczone siły Wenecji i Mediolanu. Musiał się z nimi zmierzyć w bitwie pod Fornovo, gdzie mało brakowało, a poniósłby klęskę.

≈

Losy wojny się odmieniły. Dwudziestego czwartego maja flota Requesensa z oddziałami hiszpańskimi przybyła do Mesyny. Ferrandino natychmiast spotkał się z Gonzalem Fernándezem de Córdoba. Młody monarcha chciał od razu ruszać na Neapol, ale Gonzalo i admirałowie Vilamarí i Requesens przekonywali go, aby zacząć od Kalabrii, regionu położonego najbliżej Sycylii, gdzie mogliby otrzymać pomoc albo schronić się, gdyby kampania się skomplikowała.

Andaluzyjczyk, kierując się doświadczeniem wyniesionym z wojen z Grenadą i na północy Afryki, wiedział, że oddziały francuskie przewyższają ich liczebnie i są lepiej przygotowane. Przeprawa z Hiszpanii trwała miesiąc, musieli walczyć z burzami i przeciwnymi wiatrami, jedni ludzie umarli, inni chorowali i byli bardzo słabi. Ponadto większość żołnierzy stanowili rekruci i wielu mówiło tylko po galicyjsku lub baskijsku, nie rozumieli kastylijskiego. Potrzebowali czasu.

Młody król jednak palił się do boju. Dwudziestego szóstego maja, zaledwie dwa dni po dotarciu Gonzala Fernándeza de Córdoba do Mesyny, flota Requesensa razem z flotą Vilamaríego przeprawiały oddziały przez Cieśninę Mesyńską, żeby wysadzić je na ląd w Reggio. Rozpoczynała się rekonkwista.

～

Szóstego lipca Ferrandino znowu znalazł się na pokładzie *Świętej Eulalii*. Flota dowodzona przez Requesensa i Vilamaríego żeglowała w stronę stolicy królestwa. Młody monarcha wiedział, że wielu neapolitańczyków nienawidziło francuskich najeźdźców, więc postanowił to wykorzystać.

Flota, lśniąc neapolitańskimi i aragońskimi wimplami, przemierzyła wybrzeże zatoki blisko brzegu, żeby z lądu można było oglądać jej potęgę. Okręty francuskie, teraz mniej liczne, schroniły się w porcie pod osłoną armat zamkowych Castel Nuovo. Francuzi, świadomi swej przewagi na lądzie, wyszli z miasta, żeby uniemożliwić wejście do portu i uderzyć na nowo przybyłych. Ale padli ofiarą fortelu Vilamaríego i udali się w niewłaściwe miejsce, podczas gdy młody monarcha bez przeszkód zszedł na ląd i wkroczył do miasta oklaskiwany przez swych zwolenników. Otoczono zabarykadowany garnizon, napadano na domy przywódców frankofilów.

Kiedy francuski generał wrócił do miasta, zastraszony przez uzbrojonych obywateli i przez wojsko hiszpańskiej eskadry, nie miał innego wyjścia, jak wycofać żołnierzy do zamków dell'Ovo i Nuovo.

Ci sami, którzy wcześniej popierali Francuzów, przysięgali teraz wierność Ferrandinowi, tłumacząc się, że zostali zmuszeni do zdrady okolicznościami. Młody król czuł się szczęśliwy. Odzyskał ukochane miasto Neapol. Okazywał łaskawość tym, którzy wcześniej się od niego odwrócili. Jednakże poza terytorium zdobytym na południu Kalabrii, gdzie pozostał Gonzalo, i stolicą większą część królestwa okupowała ogromna armia wspierana przez potężną magnaterię andegaweńską i jej oddziały. Kres wojny niestety nie był bliski.

94

Joan niecierpliwie czekał na pozwolenie zejścia na ląd w Neapolu. Słupy dymu wznosiły się w różnych punktach miasta. Na *Świętej Eulalii* słychać było strzały. Bał się o Annę. Ricardo Lucca należał do frakcji andegaweńskiej, więc jej dom w każdej chwili mógł zostać zajęty przez gmin.

Francuzi wciąż kontrolowali port dzięki zamkom Nuovo i dell'Ovo, dlatego galery wylądowały na pobliskiej plaży poza zasięgiem artylerii francuskiej.

Gdy tylko zszedł z okrętu, pobiegł ulicą Duomo, przeciskając się przez tłum, który świętował powrót Ferrandina. Przed domem państwa Lucca odetchnął z ulgą. Stał zamknięty, bez oznak zniszczenia. Czyżby opuścili miasto? Joan miał ochotę zapukać, żeby Anna się dowiedziała, że tam jest, ale się powstrzymał. Nie zamierzał stanąć twarzą w twarz z Ricardem. Jeszcze nie teraz. Nie chciał zaszkodzić ukochanej. Tłumiąc w sobie żądzę i niemoc, ruszył do księgarni Antonella.

— Ależ to Roland zakochany we własnej osobie! — krzyknął Antonello na jego widok. — Cóż to za kwaśna mina? Wypij szklankę wina, odpręż się.

Joan zbliżył się, by wznieść toast z księgarzem. Ten z zadowoleniem degustował trunek.

— Prawda, że dobre? Trzymałem je na specjalną okazję.

Chłopak nie wiedział, jak przerwać jego gadaninę, żeby zapytać o Annę, ale neapolitańczyk, odgadując jego pragnienie, jakby na złość nie dostrzegał tej niecierpliwości.

— Antonello, czy wiecie coś...?

— Francesca! — przerwał mu przyjaciel, wołając dziewczynę. Uśmiechnęła się, na co z przesadą zaczął dawać jej znaki, żeby podeszła. Drocząc się, dziewczyna ukazała jeden z czarujących uśmiechów i wreszcie zbliżyła się do nich, poruszając się z wdziękiem. Joan zauważył od razu, że natura hojnie ją obdarzyła.

— Francesco — powiedział księgarz, biorąc ją za ramię. — Pragnę ci przedstawić mojego hiszpańskiego przyjaciela, który jest najlepszym artylerzystą floty. Świetna partia i dobry chłopak. Jak ci się podoba?

Zrobiła grymas niezobowiązujący do odpowiedzi, choć uśmiechnęła się do Joana, patrząc mu w oczy.

Joan odwzajemnił jej uśmiech, ale poczuł się niezręcznie. O co chodziło Antonellowi? Chciał oczarować go tą pięknością, żeby zapomniał o Annie? Nie mógł ani na chwilę nie myśleć o niej. Księgarz był przewrotny i bawił się nim, przekraczając granice. Ale nawet gdyby przedstawił mu samą boginię Wenus, nie zdołałby wyrwać Anny z jego myśli.

Jeden z uczniów wyciągnął gitarę i Antonello zaczął śpiewać. Potem przyłączyła się reszta i ruszyli w tany. Był to dzień hucznej zabawy. Joan zamienił z piękną neapolitanką kilka zdań, ale i tak był nieobecny duchem. Nie mógł uwolnić się od troski o Annę. Wkrótce Francesca przesłała mu pożegnalny uśmiech, gdyż pojawił się oficer kawalerii i upomniał się o nią.

— Co wiecie o Annie? — drążył Joan, gdy w końcu znalazł się sam na sam z Antonellem.

— Signora Lucca siedzi zdrowa i piękna w domu — odparł. — A jej małżonek wyjechał z Neapolu z francuskimi oddziałami, które walczą na południu.

— Ale skoro Ricardo Lucca jest stronnikiem andegaweńskim, ona też znajduje się w niebezpieczeństwie. — Joan był zaniepokojony. — Nie napadną na jej dom, jak napadli na inne?

— Możliwe, że napadną — odpowiedział księgarz spokojnie — ale jest dużo bogatszych domostw na liście, więc napastnicy mają dużo roboty. Ale jeśli król Ferrandino nie będzie chciał albo nie będzie mógł zaprowadzić porządku na ulicach, wcześniej czy później dom Lucców też zostanie splądrowany. Joan musiał czekać dwa ciągnące się w nieskończoność dni, nim zobaczył się z Anną. Antonello wysłał jej wiadomość, że ma pewną interesującą ją książkę, i wreszcie razem z teściową pojawiły się w księgarni. Joan pobiegł się ukryć, serce waliło mu jak oszalałe. Gdy tylko żona Antonella zajęła się starszą damą, młodzi spojrzeli sobie w oczy, uśmiechając się, i szczęśliwi zatopili się w uścisku w zaciszu gabinetu księgarza.

— Jakżeż ja za wami tęskniłem, Anno!

— Ja też — odpowiedziała. — Tyle się za was modliłam!

— Nie wracajcie do domu, uciekajcie ze mną! — powiedział Joan, patrząc jej w oczy.

Był to nagły, niespodziewany impuls. Od razu pożałował tych słów. Jakie życie mógł zaoferować takiej damie jak Anna? Życie zbiega, jeńca z galery, który porwał żonę kawalerowi. Bo to nieważne, że Lucca był przeciwko królowi, wciąż był kawalerem, a on, Joan, nikim. Wiedział, że mu odmówi. I tak też się stało, chociaż jej argumenty były inne.

— Nie ma rzeczy, której pragnęłabym bardziej — powiedziała. — Ale dobrze wiesz, że dobro mojej rodziny zależy od mojego małżeństwa i nie mogę pozwolić, aby oni zapłacili za konsekwencje mojego szaleństwa.

Przytulił ją pocieszony, że ciągle go kocha, choć czas nie sprzyjał ich miłości. I wtedy się odsunęła, by spojrzeć mu głęboko w oczy.

— Joanie, to nasze ostatnie spotkanie.

— Dlaczego? — spytał zaniepokojony.

— Nie mogę tak żyć — odparła ze smutną miną. — Jeśli wszystko się wyda, moja rodzina tego nie zniesie. Poza tym Ricardo jest dobrym człowiekiem i nie zasługuje na zdradę. To nieuczciwe, abyśmy się widywali.

— Nieuczciwe! — zakrzyknął Joan i przypomniał sobie słowa Antonella. — Za nieuczciwe uważam to, że jesteście żoną mężczyzny, którego nie kochacie! Uczciwie jest być z tym, kogo się kocha.

Anna pokręciła głową.

— To nie jest tak, jak ludzie myślą — powiedziała.

— Błagam was! — zawołał Joan ze łzami w oczach. — Nie zostawiajcie mnie!

— Nie mogę inaczej — odparła zapłakana.

Parę minut się spierali, aż w końcu Joan powiedział:

— To się nie może tak skończyć, Anno. Nie możemy pożegnać się kłótnią. Nie będę dłużej nalegał. Ale tej nocy przyjdę pod wasze okno, i następnej też, aż rzucicie mi linę.

— Nie sądzę, bym to zrobiła, Joanie. Przykro mi — odparła Anna smutnym głosem. A po paru chwilach wahania dodała: — Ale gdyby się tak stało, dacie mi wasze słowo i przysięgniecie, że nie poprosicie mnie o głębsze zbliżenie niż pocałunek i uścisk?

— Tak, oczywiście! Przysięgam!

95

Zapadła gorąca noc. Okna domów w Neapolu były otwarte w oczekiwaniu na chłodną bryzę, a głosy sąsiadów wypełniały ulice pomrukiem.

Joan niespokojnie czekał w zaułku zachęcony ostatnimi słowami Anny. Ryzyko było spore, bo choć wątłe ogniki kaganków w oknach już gasły, to zostały jeszcze gwiazdy i półksiężyc, który za parę minut miał się wznieść nad uliczką.

Modlił się. Tak bardzo pragnął ujrzeć ją znów! Pomyślał, że nie byłby w stanie znieść jej nieobecności. Po pewnym czasie, gdy minęła północ, z duszą na ramieniu dostrzegł nikły ruch przy okiennicy na drugim piętrze. Lina!

Joan wdrapał się zręcznie i od razu bez słów padli sobie w objęcia. Wciągnęli sznur i schowali go. Tym razem na paluszkach zaprowadziła go do swej sypialni na pierwszym piętrze.

— Pamiętajcie o waszej obietnicy — szepnęła, nim legli w łożu.

Pamiętał jednak też słowa Antonella. Księgarz powiedział mu, że obietnice tego typu są nic niewarte. Albowiem sprzeciwiają się woli Najwyższego, który chce, żeby się miłowali. Takie obietnice są grzechem przeciwko miłości. A kobieta prawa oddaje się mężczyźnie, którego naprawdę kocha.

Leżąc, obejmowali się, całowali, pieścili. Było lato, mieli cienkie szaty, a Joan czuł na swoim ciele rozpalone ciało Anny. Ona zaś ustanowiła granice i odpychała jego rękę, gdy pożądliwe palce je przekraczały.

— Pamiętajcie, coście mi obiecali! — szeptała.

A Joan wzdychał, prosił o wybaczenie, dodawał, że nie mógł się powstrzymać, i po paru chwilach powracał znowu w zakazane rejony. Pierwsza wielka bitwa zakończyła się na piersiach dziewczyny. Gdy wreszcie z westchnieniem przyjęła swą porażkę, młodzieniec mógł pieścić nabrzmiałe piersi i sterczące sutki. Był pijany z namiętności. Jęczała i drżała, starając się odwzajemnić mu pieszczoty. Wkrótce okazało się to niewystarczające i zaczął posuwać ręce niżej, w stronę łona. Anna chciała go powstrzymać, odsuwała jego dłoń, ale nic to nie dało. Joan zdobył kolejną strefę pragnień. Szeptem przypominała mu o obietnicy, ganiła za jej niedotrzymanie, na co jęczał, że nie mógł, że nie był w stanie.

Opuściwszy rosnący między cudnymi udami las, Joan zaznał ukojenia, pieszcząc i ściskając okrągłe pośladki, a ona nie stawiała oporu. Wkrótce jednak powrócił do wzgórka łonowego i z delikatnością, ale i zdecydowaniem, przezwyciężył jej zawziętość i wkroczył do raju ciepłych wilgoci.

— Nie, proszę, Joanie! — szeptała Anna, oddając mu się już bez oporów.

Nigdy nie czuł czegoś podobnego. Upajająca mieszanina fizycznej rozkoszy i duchowego spełnienia. Był w niej! Była jego! Oddała mu się! Została jego kobietą! Pieścili się, poruszając się gwałtownie w rytm westchnień, aż dotarli do ekstazy i poczuli się tak, jakby umierali z przepełniającej słodyczy, kiedy rwący potok wytrysnął z niego.

Leżeli potem długo. Ich oddechy wyrównywały się, aż do lekkiego, prawie nieodczuwalnego tchnienia. Jego ciężar zdawał się jej nie przeszkadzać, ale położył się obok, przytulając ją do siebie.

— Joanie — szepnęła. — Nigdy więcej się nie zobaczymy.

Poczuł się tak, jakby wbiła mu sztylet w pierś. Parę chwil temu oddałby życie, by uczynić ją swoją, nie pragnął niczego więcej i jeśli jakaś zła istota obiecałaby mu spełnić to pragnienie pod warunkiem, że potem zginie, zgodziłby się. Ale teraz chciał więcej, pragnął jej na całe życie. Bez względu na cenę. Milczał, całując ją. Czas był tragicznie krótki i nie chciał go tracić na spory. Nie odpuści. Anna będzie jego.

Tym razem oddała się bez walki i kochali się desperacko. Gdy dali upust pragnieniu, leżeli objęci. Joan zapadł w lekki sen, z którego wyrwał się, czując wilgoć na piersi. Płakała cicho. Milczał przestraszony. Nie wiedział, co zrobić ani co powiedzieć, ale jego oczy też napełniły się łzami, które wkrótce zaczęły ściekać po policzkach.

— Nie martwcie się, moja miłości — odezwał się w końcu. — Znajdziemy sposób, żeby być razem.

— Nie, Joanie — odparła spokojnie i stanowczo mimo szlochu. — Nie spotkam się już z wami. Nigdy więcej nie zdradzę Ricarda.

— Ale kochacie mnie! — odpowiedział. — I uczyniłem was moją. Teraz jesteście już moją kobietą, tego nie da się cofnąć. Jesteście moją i nie zostawię was.

— Nie, Joanie. Mylicie się. — Wciąż była spokojna. Mówiła powoli i dobitnie. — Nie jestem waszą kobietą. Jestem żoną Ricarda Lukki. To prawda, że was kocham i że niczego nie pragnęłabym bardziej, niż zostać waszą, ale nie jestem. Niestety, istnieją rzeczy ważniejsze od naszej miłości.

Zapadła cisza. Joan wolał milczeć. Bał się pewności i spokoju w jej głosie i zaczął obawiać się, że to prawda, że to ich ostatni raz. Powrócił do pieszczot i pocałunków i wypełnił się poczuciem rozpaczliwego szczęścia, gdy mu je odwzajemniła. Kochali się znów.

తా

Joana obudziły odgłosy uderzeń w drewno. Wciąż czuł przy sobie ciepłe ciało Anny. Uderzenia powtórzyły się i zerwała się zaskoczona.

— To pan! To signor Lucca! — krzyknął służący z podwórza. Ubierajcie się i otwórzcie bramę, będziemy mu potrzebni!

— Mój mąż! — zawołała Anna, patrząc na Joana ze strachem. — Musicie stąd wyjść!

Słychać było skrzypienie wielkiej furty wychodzącej na ulicę. Joan ubierał się w pośpiechu. Anna, ubrana, wychyliła się za drzwi komnaty.

— Wszędzie jest służba! — powiedziała. — Nie możecie wejść na drugie piętro, nakryją was na schodach. Nie mamy czasu, żeby rzucać linę i się po niej spuszczać.

Podbiegła do okna, wyjrzała przez okiennice na zewnątrz i dodała:

— Mój mąż przyjechał po nas. Przekupił strażników przy jednej z bram miasta i przywiódł wozy, żeby zabrać, co się da, nim tłuszcza napadnie na dom. Uciekniemy statkiem.

Słychać było głosy i krzątaninę w całym domu.

— Co chcecie, bym uczynił? — spytał Joan, chwytając odruchowo za rękojeść rapiera.

— Nie może znaleźć was w naszej sypialni — powiedziała, patrząc mu w oczy. — Pójdę się z nim przywitać i pomóc mu w załadunku. Dzięki temu nie wejdzie od razu tutaj. Kiedy wszyscy będą zajęci, zbiegnijcie szybko po schodach i wybiegnijcie na ulicę. Jeśli ktoś was zobaczy, zawsze może pomyśleć, że przyszliście tu, żeby coś ukraść albo do którejś służącej.

Badała sytuację przez uchylone drzwi, a gdy się odwróciła, popatrzyła z mieszaniną niepokoju i smutku.

— Żegnaj, Joanie — powiedziała. — Niech Bóg obdarzy cię dobrą żoną. — I wyszła z komnaty.

96

Pożegnanie było dla Joana niczym kara śmierci. Anna wyjeżdżała, może do Francji, już na zawsze. Rozpaczał nie tylko dlatego, że nie chciała go więcej widzieć, ale też dlatego, że nie miał pojęcia, gdzie jej szukać. Kilka chwil stał bez ruchu, nie wiedząc, co począć, jakby nagle opuściły go siły. Potem wyobraził sobie, jak Anna wita męża na podwórzu, rzuca mu się na szyję i całuje go. Ogarnęła go furia, która dodała mu sił. Nie bał się o siebie, obawiał się tylko o Annę, postanowił więc dostosować się do jej wskazówek. Przez szparę w niedomkniętych drzwiach słyszał pokrzykiwania, odgłosy otwieranych drzwi i stuki rozchodzące się echem w opustoszałych przestrzeniach domu. Widział służbę dźwigającą kufry. Pomyślał, że zaraz ktoś wejdzie do sypialni. Było to jedyne miejsce, w którym nie mogli go zastać. Wykorzystał moment, kiedy nikogo nie było na korytarzu, i wyszedł bez pośpiechu, jakby się przechadzał, kierując się ku okalającym dziedziniec schodom. Jakiś służący, który wchodził na górę, zrobił mu przejście, ale stanął jak wryty, przyglądając mu się w zaskoczeniu. Joan, grożąc, oparł rękę na rękojeści rapiera i ruszył za służbą, która z tobołkami wychodziła na ulicę. Na podwórzu Anna rozmawiała z mężem stojącym tyłem do drzwi, a Joan poszedł dalej z zamiarem przemknięcia się za jego plecami. Nie zdołał jednak się powstrzymać, żeby ostatni raz na nią nie popatrzeć. Ich spojrzenia skrzyżowały się na parę chwil.

— Co to za człowiek?! — krzyknął ktoś, kto wyglądał na majordomusa.

Lucca odwrócił się zaalarmowany wzrokiem żony i okrzykiem.

— Wy! Kim jesteście?

Wszyscy popatrzyli na Joana. Jeden ze służących chciał zastąpić mu drogę, ale odepchnął go jednym ruchem i szybkim krokiem wydostał się na ulicę, uważając, by nikt nie blokował mu drogi.

— Stójcie! — krzyczał Lucca. Zbliżał się.

Ponieważ rozstawione wozy zagradzały Joanowi drogę, musiał iść wzdłuż domu, a słysząc za sobą kroki, wyciągnął rapier i obrócił się, mierząc nim na wysokość piersi. Ricardo Lucca zatrzymał się gwałtownie.

— Widziałem was wcześniej, jak kręciliście się koło mojego domu — rzekł Ricardo, dobywając rapiera. — Co robiliście w moim domu?

— Szukałem was, żeby was zabić. — Tego właśnie Joan w tej chwili pragnął.

Ujrzał zaskoczoną minę rywala, ale natychmiast pojawili się za jego plecami uzbrojeni służący. Joan przypomniał sobie, że za wozami byli żołnierze. Chciał zmierzyć się z Luccą, zatopić rapier w jego piersi, ale przypłaciłby to życiem. Zrobił półobrót i ruszył w dół ulicy. Natknął się na dwóch zbrojnych, którzy wyszli zza ostatniego wozu. Być może widok nagiego rapiera sprawił, że się usunęli. Joan poszedł dalej przekonany, że nie będą go gonić. Byli zbyt zajęci.

Zatrzymał się w bezpiecznej odległości. Patrzył, jak ładują wozy, i zastanawiał się, co zrobić. Nie mógł pozwolić Annie odejść na zawsze. Sam nie był jednak w stanie zatrzymać Lukki, który razem z żołnierzami i służbą miał ponad dwudziestu ludzi. Ale mąż Anny uciekał, zatem był słaby, można go było pokonać. Anna powiedziała jasno, że choć bardzo go kocha, nigdy nie zostawi męża, gdyż wierność rodzinie była dla niej najważniejsza. Musiał pozbyć się Ricarda Lukki.

Wstawał świt, piały koguty. Miasto jeszcze spało. Gdzie szukać pomocy?

Pobiegł do domu Antonella na tej samej ulicy w stronę portu i zastukał do drzwi. Było gorąco i okna na pierwszym piętrze były otwarte. Po chwili w jednym z nich pojawił się księgarz.

— Ach, ten Roland zakochany! — zamruczał na jego widok. —
Nie podoba mi się twój zwyczaj budzenia mnie o świcie.

— Don Antonello, potrzebuję waszej pomocy. Proszę!
Księgarz zszedł mu otworzyć, burcząc pod nosem. Joan szybko
wszystko mu opowiedział.

— Ricardo Lucca ucieka — podsumował opowieść. — Pomóżcie mi go zatrzymać.

— A dlaczego miałbym to zrobić? — zdumiał się księgarz.

— Bo to Andegaweńczyk, który walczył przeciwko królowi.
Zdrajca Neapolu.

— Słuchaj, synu — odparł Antonello. — Ta rodzina to dobrzy
klienci i dlatego żałuję, że wyjeżdżają. Ponadto to dobrzy ludzie,
życzę im, żeby uratowali się przed wrogami. Poza tym ani ja, ani
moi chłopcy nie jesteśmy ludźmi zbrojnymi i przegralibyśmy
z nimi.

— Ale powstrzymalibyście ich, aż przybyliby królewscy żołnierze.

— Albo te sępy, które rabują i gwałcą. — Pokręcił głową. —
Nie, ja nic nie zrobię.

— Ale jesteście za królem Ferrandinem, prawda?
Antonello parsknął zaraźliwym śmiechem.

— Oczywiście, że jestem po jego stronie! — powiedział. —
I świętowałem jego powrót. Chociaż świętowałem też, gdy nadeszli
Francuzi, i mam nadzieję, że utrzymasz to w tajemnicy. Życie jest
krótkie i trzeba się śmiać i świętować, gdy się tylko da.

— Zabiera Annę! — zawołał płaczliwie Joan.

— Ale ona jedzie z własnej woli — przypomniał mu neapolitańczyk.

Joan był przybity i nic nie odpowiedział. Najcudowniejsza noc
w jego życiu skończyła się potwornym koszmarem. Straci Annę
na zawsze.

— Pojedź do zamku Capua — poradził mu Antonello. Współczuł chłopakowi. — Może król będzie miał jakieś oddziały i zechce
posłać je przeciwko Lucce.

— Za późno — powiedział Joan.
Turkot wozów i krzyki woźniców poganiających zwierzęta

rozległy się w górze ulicy. Młodzieńca zdziwiło to, że tak szybko je załadowali. Lucca musiał mieć wszystko dobrze obmyślone.

Wkrótce znaleźli się naprzeciwko księgarni i z jej wnętrza Joan widział Ricarda Luccę na koniu, wysokiego i dumnego jak zawsze, a obok niego jechała na klaczy Anna — wyprostowana, poważna i piękna.

Nic innego nie przyszło mu do głowy, jak ruszyć za nimi. Przejazd karawany budził ciekawość sąsiadów. Wychylali się z okien albo patrzyli, stojąc w drzwiach domów, ale nikt nie próbował zastąpić im drogi. Nawet oblegający Castel Nuovo patrol nic nie zrobił, żeby zatrzymać grupę żołnierzy i eskortowane przez nich wozy. Karawana pośpiesznie wjechała na teren znajdujący się w zasięgu ognia dział i muszkietów z zamku i to ją uratowało.

Nie tracąc czasu, skierowali się do portu będącego w rękach Francuzów i bez zwłoki przystąpiono do przenoszenia ładunku na zacumowaną karawelę. Joan obliczał w myślach szybkość przeładunku i stan morza. Wiał pomyślny wiatr. W niecałe pół godziny karawela znajdzie się na pełnym morzu.

Słońce oświetlało już najwyższe wieże neapolitańskich kościołów. Zrozpaczony Joan patrzył bezsilnie, jak Anna odchodzi na zawsze.

97

— Kim był mężczyzna, który wychodził z naszego domu? — zapytał Ricardo Lucca. Anna zamarła. Cały ranek oczekiwała na to pytanie, pragnąc, aby nigdy nie padło. Odkąd jej mąż i Joan stanęli naprzeciwko siebie o świcie na ulicy, dręczył ją strach pomieszany z poczuciem winy, co usilnie starała się ukryć.

Lucca zaczekał, aż wsiądą na statek. Dopiero na pokładzie, gdy wszystko było już załatwione i żeglowali, minąwszy Castel dell'Ovo, zadał żonie pytanie. Nawet w najbardziej krytycznych momentach tego ranka jego umysł dręczyły bez przerwy czarne myśli. Uratował Annę i dużą część dobytku, ale ulga, którą miał nadzieję teraz poczuć, przemieniła się w potworną podejrzliwość.

— Nie wiem — odpowiedziała, patrząc nań zielonymi oczami, które tego dnia przybrały szarawy odcień. — Nie widziałam go wcześniej.

Ricardo Lucca przyjrzał się jej nieufnie. Kochał do szaleństwa swą młodą małżonkę, z którą dopiero niewiele ponad rok był żonaty i jeszcze nie zdążył nacieszyć się jej towarzystwem tak bardzo, jak by pragnął. Zbyt często wojna rzucała go na odległe pola bitew.

Zakochał się prawie natychmiast, gdy tylko ujrzał ją u jubilera, upłynęło jednak sporo czasu, zanim Anna pozwoliła mu na konkury, ale czekał cierpliwie. Był świadom, że to pomoc udzielona jej ojcu i bratu giermkowi w jego ojczystej Apulii zdecydowały, że przyjęła go najpierw jako zalotnika, później jako męża. Ale wiedział też, że zwykł podobać się kobietom, i był przekonany, że jego starania, zabiegi, miłość odniosą skutek i uczucia zostaną odwzajemnione. Gdy wzięli ślub, po trochu żona zaczęła mu ulegać, co napawało go szczęściem. Dumnie spacerował ulicą, ciesząc się czułością, z jaką wtulała się w jego ramię.

Jednakże w ostatnich miesiącach po powrocie z przymusowych wyjazdów zaczął zauważać w niej coś dziwnego. Tego ranka ogarnął go niepokój, gdy zastał w swoim domu nieznajomego młodzieńca.

— A ja pamiętam, że go wcześniej widziałem — odparł. — Kręcił się w okolicach domu, nawet w katedrze w niedzielę. Dziwne, że uszedł waszej uwagi.

— Nie przystoi cnotliwej kobiecie przyglądać się mężczyznom na ulicy, Ricardo.

Serce jej się ściskało. Nienawidziła kłamać mężowi, ale nie mogła wyznać mu prawdy. Pamiętała upojną noc z Joanem, na samą myśl jeżyły jej się włoski na skórze, ale ta miłość była teraz odległym snem. Teraźniejszość napawała ją trwogą i zgryzotą. Zgodziła się zobaczyć z Joanem sam na sam, bo wiedziała, że wszystko jest już przygotowane do ucieczki i z pewnością więcej się nie spotkają. Nie przypuszczała, że miłość i namiętność ją pokonają i że właśnie ten ranek wybierze jej mąż, żeby uciec z Neapolu.

Nie chciała zdradzić Ricarda, ale zrobiła to. Jako mąż był czuły, przystojny, męski. Kochał ją i starał się jej we wszystkim dogodzić. I zawsze dbał o jej rodzinę. Była mu bardzo wdzięczna, szanowała go i kochała. Inaczej i nie tak mocno jak Joana, ale kochała. Przerażała ją myśl o zdradzie tej nocy i gdyby mogła cofnąć czas, wymazałaby ją ze swojego życia. Jednakże z Ricardem nic już nie mogło być takie samo. Kłamstwo stanęło między nimi.

Kochała Joana, pragnęła go od pierwszego dnia, ale teraz chciała, żeby ta noc nigdy się nie zdarzyła, żeby karawela zabrała ich daleko na zawsze, a pytania i podejrzenia męża ustały. Z Joanem łączyła ją młodzieńcza miłość wzmocniona przeszkodami i dziecięcymi marzeniami.

— A jak myślicie, co ten młodzieniec robił w naszym domu? — drążył Ricardo.

— Nie wiem. Może przyszedł do którejś ze służących albo chciał coś ukraść.

— Nie wyglądał na kogoś, kto zalecałby się do służącej. Ani na złodzieja. Raczej wyglądał na kawalera.

— Nic na to nie odpowiem, ledwie go widziałam.

— Powiedział, że przyszedł mnie zabić.

Oczy Anny otworzyły się szeroko. Odetchnęła z ulgą, kiedy Ricardo wrócił do domu bez walki z Joanem. Ale nie wiedziała, że ten groził jej mężowi. Potwornością byłoby, gdyby mieli się pozabijać.

— Jak myślicie, dlaczego chciał mnie zabić? — naciskał Ricardo. — Co ja mu mogłem zrobić?

Anna przełknęła ślinę i wzruszyła ramionami.

— Nie wiem. Może to jakiś wasz polityczny przeciwnik. Albo najemny zabójca.

— Nie, to nie był nikt taki. Znam moich wrogów. Ich katów też. — Jego ciemne oczy wpatrywały się w nią głęboko. Był w nich ból. Kochał ją całym sercem i podejrzenia go rujnowały. — Nie przyszedł do was, Anno?

Poczuła, że zmiękły jej nogi, a żołądek się ściska, ale zrobiła urażoną minę i odrzekła, opierając się o burtę statku.

— Ricardo! Jak możecie myśleć, że ja...?

— Hiszpańskie galery! — krzyknął wachtowy. — Śledzą nas hiszpańskie galery!

Ricardo przeniósł wzrok z żony na bocianie gniazdo, skąd dobiegał krzyk, a potem na kapitana.

— Wybaczcie, Anno. — Ricardo pochylił głowę i poszedł do oficera.

— Południowo-wschodni wiatr nam sprzyja — wyjaśnił kapitan grupie szlachciców, którzy zgromadzili się wokół niego. — Ale sprzyja też galerom, które dopędzą nas, nim dotrzemy do Gaety.

— Pięć francuskich galer wyruszyło nam na spotkanie z Gaety, żeby nas eskortować — powiedział Ricardo. — Popłyniemy pod żaglami. Nie dadzą nam rady.

Lucca był wojskowym liderem zwolenników Andegawenów i przygotował ucieczkę do ostatniego szczegółu.

— Dziwi mnie, że Hiszpanie wyruszyli tak szybko — kontynuował kapitan. — Nie sądziłem, że będą nas gonić, ich galery nie były gotowe do wyjścia w morze.

— To prawda, ja też się z tym nie liczyłem. Trzymajcie dalej rozwinięte żagle.

Odległość stopniowo się zmniejszała. Załoga i pasażerowie patrzyli z niepokojem na rosnące w oczach galery.

— Powinniście wziąć pod uwagę możliwość, że się poddamy — dodał kapitan.

— A po co? — rzucił Ricardo. — Jeśli staniemy do walki, zyskamy szansę ucieczki. Jeżeli się poddamy, i tak zabiorą nas i nasz statek.

— Ale można uniknąć rozlewu krwi.

Ricardo spojrzał na niego, marszcząc brwi. Zanim zdążył odpowiedzieć, odezwał się wachtowy.

— Francuskie galery! Płyną z północy, wiosłując na całego!

Rozległy się okrzyki radości i andegaweńscy baronowie zaczęli padać sobie w objęcia. Ricardo Lucca i kapitan spojrzeli po sobie.

— Gdyby mieli nam grozić, wciągnijcie chorągiew z kwiatem lilii! — krzyknął oficer. — Staniemy do walki!

98

Joan doszedł do wniosku, że jedynie flota Vilamaríego może zapobiec zniknięciu Anny na zawsze. Wolałby tego uniknąć, gdyż dobrze znał los porwanych statków, ich załóg i pasażerów. Najgorzej miały młode kobiety. A dla admirała ważne było jedno: dobry stan jego statków i ich skuteczność. Inne zasady go nie obchodziły. Lwie prawo. Joan był jednak zdesperowany. Może na zawsze stracić Annę. Mimo dręczących go wątpliwości i ogromnego ryzyka postanowił chwycić się tego jedynego sposobu.

Pobiegł tam, gdzie cumowały galery, poza zasięgiem armat Castel Nuovo. Po drodze zastanawiał się, jak przekonać admirała do napadnięcia na karawelę.

Wiedział, że po wysadzeniu króla Ferrandina i jego oddziałów galery admirała Requesensa miały natychmiast wyruszyć i wesprzeć działania Gonzala Fernándeza de Córdoba w Kalabrii, i to one miały pierwszeństwo do uzupełnienia zapasów. W Neapolu brakowało żywności. Było to strategiczne dobro, kluczowe w działaniach wojennych, i zaopatrzenie odbywało się powoli. Bernat de Vilamarí musiał czekać na swoją kolej. Admirał zawsze czuwał nad tym, żeby nie podejmować żadnych działań bez przepisowego zaopatrzenia. Dotyczyło to w równym stopniu ludzi, jak i jedzenia, wody, broni i prochu. Opowiadano wiele historii o marynarzach, którzy ginęli z głodu i pragnienia na łodziach zniszczonych i zepchniętych z kursów przez nieoczekiwane sztormy. Lwie prawo admirała nie pozwalało mu narażać życia swoich w niepotrzebny sposób.

Z pewnością Lucca wiedział, że galery nie są gotowe do drogi, co skwapliwie wykorzystał w swoim planie ucieczki. Nie było łatwo Joanowi znaleźć argumenty, którymi mógłby przekonać Vilamaríego.

෴

Kiedy zdyszany wpadł na *Świętą Eulalię*, zaczął szukać przyjaciela, kapitana Solsony, i znalazł go jedzącego śniadanie z paroma oficerami w kasztelu.

— Powinieneś spędzać noce na galerze, chłopcze — powiedział na jego widok Pere Torrent, dowódca piechoty. — Kapitan za dużo ci pozwala. Jesteś zwykłym galernikiem, chociaż służysz jako artylerzysta.

Torrent był oficerem najwyższym rangą po admirale, ale na pokładzie nominalnie podlegał kapitanowi. Joan pomyślał, że jest paplą, był przyzwyczajony do jego przytyków i nie zważał na nie. Poprosił Genísa o rozmowę na osobności.

Niczego nie ukrywając, opowiedział mu o swojej sytuacji i o tym, co go trapi. Genís Solsona był jego przyjacielem i znał jego miłość do Anny.

— Admirał spędza noc na lądzie, ma romans z bogatą wdową szlachcianką — powiedział. — Nie będzie łatwo przekonać go do wyjścia w morze. Możemy jedynie nabrać wody, a mamy mało sucharów, fasoli, grochu i boczku.

— Proch i zasoby artyleryjskie przekraczają osiemdziesiąt procent — odparł Joan. — A chodzi tylko o jedną karawelę, którą powinniśmy dopędzić w kilka godzin.

— Nie, jeżeli wypłynie z przypływem i ją zgubimy — odpowiedział mu kapitan. — Gdyby wiatr południowy się utrzymał, mogą być z tym trudności. Może nawet dopłynąć do Gaety wcześniej i wyjść cało. Nie sądzę, żeby dobytek jakiegoś neapolitańskiego szlachcica stanowił dostatecznie łakomy kąsek dla Vilamaríego. Nie będzie chciał narażać na ryzyko swoich galer.

— Wypłyniemy *Świętą Eulalią*, to wystarczy.

— Żeby dogonić karawelę, tak, ale na północnym kursie możemy spotkać francuskie statki, więc admirał nie zaryzykuje wypuszczania tylko jednej. Jeżeli się zdecyduje, to weźmie wszystkie cztery.

— To musicie mu powiedzieć, że ta karawela przewozi wielki skarb.

Genís Solsona parsknął śmiechem.

— Powiedz mu tak, jeśli masz odwagę. Ale wiele ryzykujesz, jeśli łupy zawiodą nasze nadzieje. Nie chciałbym być w twojej skórze, kiedy tak się stanie. Ja tylko wiem od ciebie, że ogromny skarb płynie w stronę Francji.

৵

Kiedy Joan pędził do pałacu wdowy położonego w okolicy zamku przy bramie Capua, Genís Solsona szykował *Świętą Eulalię* do drogi i alarmował kolegów z pozostałych galer.

Joan nie miał kłopotów z wejściem, gdyż służba wiedziała, że musi zaprowadzić do admirała każdego, kto by go szukał zarówno w dzień, jak i w nocy. Zastał go przy wielkim stole w jadalni na parterze spożywającego z damą śniadanie.

— Wielki skarb? — nie dowierzał Vilamarí. — A skąd wiesz?

— Widziałem, jak ładowali wozy, panie — odparł Joan. — Dużo andegaweńskiej szlachty płynie tym statkiem.

W oczach Bernata de Vilamarí pojawiły się szczególne iskierki. Pokusa była zbyt wielka.

— Chodźmy! — powiedział. — Nie ma czasu do stracenia.

Ubrał się szybko, każąc służbie osiodłać dwa konie, i galopem pędził na nabrzeże. Za nim jechali Joan, który niezbyt pewnie się czuł konno, i sługa, który miał potem zająć się końmi.

Galery wyruszyły po największym natężeniu przypływu. Gdy mijały Castel Nuovo, karawela była już daleko. Nie dojrzeli jej, póki nie znaleźli się daleko za Castel dell'Ovo. Joan sprawdził sprzęt artyleryjski. Gdy uznał, że wszystko było jak należy, ułożył się na workach z prochem na dziobie, daleko od oficerów. Tej nocy doznał najmocniejszych i najcudowniejszych uczuć w życiu, a potem przeżywał najboleśniejsze rozdarcie.

Karawela przepłynęła cieśninę między wyspami Ischia i Procida, a galery tropiły ją niczym charty zająca. Były jednak wciąż tak daleko, że rezultat pościgu nie wydawał się oczywisty, gdyż południowo-wschodni wiatr sprzyjał uciekinierom.

W połowie drogi między Neapolem a Gaetą ścigany statek znalazł się na tyle blisko, że przy maksymalnym wysiłku wioślarzy galery mogły go dopaść. Nie był jeszcze w zasięgu kolubryn, ale Genís Solsona rozkazał wystrzelić ostrzegawczą salwę, aby wymusić poddanie. Joan wykonał rozkaz, na co załoga karaweli odpowiedziała wyzywająco wciągnięciem francuskiej bandery na maszt. Potem wystrzelili z falkonetu na rufie. Mała fontanna wody wzbiła się na morzu. Wystrzał nie miał szans na dosięgnięcie żadnej z galer. Sygnalizował, że karawela będzie kontynuować ucieczkę, a w razie potrzeby walczyć do końca.

Gdy Vilamarí wydał rozkaz do ataku, nie wiedział, że francuskie galery dostrzegły karawelę i pędzą z całych sił na ratunek. Wkrótce wachta doniosła o nieprzyjacielskich statkach, ale admirał, chociaż się przejął, postanowił nie odpuszczać łowów. Galery miały iść do abordażu.

Kości zostały rzucone.

99

Vilamarí świadom był wielkiego ryzyka i rozważał wszystkie możliwości. Wiedział, że mimo potęgi i szybkości galery w pewnych warunkach załoga karaweli może sobie z nią poradzić. Choć karawele poruszały się tylko dzięki sile wiatru, miały o wiele wyżej położony pokład i bardziej stromą budowę. Taktyka galery polegała na natarciu z jednego boku, w miejscu, gdzie burta była niższa. Ale przy pomyślnym wietrze karawelom udawało się nieraz wywinąć od ataku i zaczepić haki abordażowe na ustawionej równolegle galerze. W takiej pozycji galera nie mogła użyć ani artylerii usytuowanej na dziobie, ani wykorzystać mostka abordażowego. Na jej odkrytym pokładzie siali spustoszenie kusznicy i arkebuzerzy z karaweli, stojący wyżej i osłonięci dębowymi burtami. Sytuacja wyglądała jeszcze gorzej, jeśli załoga karaweli dysponowała bronią, która ostatnimi czasy pojawiła się na morzu: granatem. Był to drewniany kubełek wypełniony prochem i śrutem, z lontem zapalanym na moment przed wybuchem. Zrzucony na nieprzyjacielski pokład sprawiał potworną rzeź. Na galerze nie było się gdzie schować, gdy atak następował z góry.

Admirał zastanawiał się nad obecnością wrogich statków w liczebnej przewadze. Uznał, że wiatr, który sprzyja karaweli, jest dla nich niekorzystny. Z tego względu mogą liczyć tylko na napęd wiosłowy. Jeszcze raz rozważył wszystkie możliwości. Jeżeli wyda rozkaz szybkiego wiosłowania, dościgną karawelę szybciej niż nieprzyjaciel. Jeśli jednak Francuzi dopadną ich podczas ataku, wyrządzą galerom wielkie szkody, może nawet którąś stracić. Mimo to instynkt łowcy dał o sobie znać. Nie odpuści ofierze. To zew krwi. Musi szybko działać.

Admirał wydał rozkaz do wioseł. Jednocześnie instrukcje przekazano załogom pozostałych galer. Zadął róg i galernicy *Świętej Eulalii* wstali, żeby zatopić wiosła w wodzie i rozpocząć wyścig, który miał zakończyć się atakiem.

Kiedy *Święta Eulalia* znalazła się w odległości odpowiedniej dla artylerii, Vilamarí polecił utrzymywać normalny rytm. Francuskie galery były już wyraźnie widoczne.

Joan otrzymał jasny rozkaz: zniszczyć ster karaweli. Przeżywał każdy strzał i musiał być ostrożny. Na tym statku znajdowała się jego ukochana i modlił się, aby nie stała się jej najmniejsza krzywda. Parę salw kosztowało go osiągnięcie celu, ale w końcu się udało. Ster był roztrzaskany w drzazgi, a statek zdany na łaskę wiatru i niezdolny do manewrów uniemożliwiających abordaż.

Do pierwszego natarcia przystąpiła galera dowodzona przez dawnego kapitana *Świętej Eulalii*. Szła do abordażu od rufy po uprzednim oczyszczeniu jej artylerią. Zarzucono haki abordażowe i pod osłoną ognia muszkietów i strzał piechota morska usiłowała przeprowadzić atak, ale burta w tym miejscu była bardzo wysoka. Obrońcy karaweli rzucali granaty i sytuacja napastników stała się krytyczna. Mieściło się to jednak w rachubie Vilamaríego. Gdy nieprzyjaciel zajęty był przy kasztelu na rufie, rozkazał galernikom *Świętej Eulalii* szybko wiosłować i zataczając półokrąg, wpłynął na bakburtę karaweli, między kasztelami na dziobie i rufie, gdzie burta była najniższa. Artyleria galery wypaliła parę chwil przed zderzeniem. Na wrogim statku wzbiła się chmura dymu, drzazg i pyłu. Taran natychmiast wbił się w drewno karaweli, a piechurzy pod osłoną arkebuzów i strzał zarzucili haki. Ze statku nieprzyjaciela nie padła odpowiedź. Gdy piechota wtargnęła na pokład, obrońcy ukryli się w nadbudówkach na dziobie i na rufie. W jednej chwili osiemdziesięciu ludzi pod wodzą Perego Torrenta znalazło się na pokładzie karaweli. Rozpoczęła się walka wręcz.

Joan był jednym z pierwszych. Był szefem artylerii i nie powinien opuszczać stanowiska, ale pomyślał, że gdy ta ludzka masa, rycząc na cały głos, rzuci się na atakowany pokład, nikt nie będzie mógł go powstrzymać. W ręce dzierżył włócznię, którą z całych sił wbił w pierś marynarza wrogiego statku. Nieszczęśnik runął na deski, rękami chwytając broń, która przeszyła jego ciało. Kobiety ukryte były pod pokładem, ale Joan nie szukał Anny; tym, kogo teraz pragnął ujrzeć, był jej mąż. Zobaczył go, jak z innymi mężczyznami broni kasztelu. Joan razem z piechurami ruszył na niego. Chciał go dopaść, nim się podda. Ucieszył się, że mężczyzna czeka na nich zuchwale z rapierem w dłoni.

— Ricardo Lucca! — krzyknął.

— Znowu ty?! — zawołał tamten, dziwiąc się, co popycha Joana do tego wszystkiego.

— Anna i ja się kochamy! — rzucił mu, gdy znalazł się już w zasięgu jego broni.

Joan ujrzał zdumienie i ból na obliczu mężczyzny. Ricardo zdał sobie sprawę, co go zadręczało: Anna go zdradziła. A Joan dodał to, co było oczywiste:

— Wczoraj spaliśmy ze sobą.

Gdy to powiedział, poczuł nagłe współczucie dla mężczyzny, który nie miał już innego wyjścia — musiał zabić albo zginąć. I pojął jednocześnie, że ze wszystkich sił pragnął zgładzić Ricarda, i z tego właśnie powodu z całym okrucieństwem wbił mu najboleśniejszą szpilę. Od niej pękło mu serce. Podczas gdy Lucca rzucał się na niego z wściekłym rykiem, Joan ujrzał zaskoczony, że zuchwałe oczy jego przeciwnika wypełniają się łzami.

Wilgotne oczy Ricarda ledwie poznawały intruza, którego o świcie zastał w swoim domu, znieważony współudziałem jego żony, gdyż widział ją piękną i uśmiechniętą. I mówił sobie, że tak nie może być, ale tak było. Czuł, jak skręcają mu się wnętrzności, podczas gdy szloch żalu i furii usiłował wydrzeć się z jego gardła.

Joan z trudem parował ciosy, które z niespodziewaną siłą wymierzał mu małżonek Anny. Zaczął się bać, że jego umiejętności nie wystarczą i Ricardo może go ranić. Wiedział, że nie ma mowy o poddaniu. Toczyła się walka na śmierć i życie. Wtedy pomyślał o Annie. Walczył o nią. I cały wstrzymywany gniew wybuchł w jego piersi. Zaczął odpierać ciosy z równą furią, z jaką zadawał mu je przeciwnik. Joan starał się jednak zachować trzeźwy umysł, natomiast Lucca, czując, jak śmierć mrozi mu już serce, bił się z desperacją kogoś, kto pragnie zginąć w walce.

Abordaż nie był kawalerskim pojedynkiem i gdy marynarze z karaweli się poddali, żołnierze piechoty wezwali Luccę, by uczynił to samo. Neapolitańczyk nie słuchał ich jednak i ani na chwilę nie zaprzestał wymiany ciosów z Joanem. Wtem jeden z piechurów wbił mu lancę w plecy, w okolice lędźwi. Lucca wydał jęk i opuścił broń. Joan wykorzystał okazję, by wymierzyć mu potężne cięcie w szyję, po którym przeciwnik upadł na pokład. Legł z otwartymi ustami, patrząc w niebo. Ricardo Lucca zapragnął jak najprędzej oddać swą duszę Panu i przestać cierpieć. W parę chwil uszło z niego życie wraz z krwią, która zbroczyła pokład.

Joan miał wrażenie, że mąż ukochanej przez cały czas patrzył mu w oczy. I że robił to, leżąc martwy w szkarłatnej kałuży. Nigdy przez resztę życia nie zapomniał tego spojrzenia. Budził się w nocy, widział jego oczy i zastanawiał się, co mu mówiły przed śmiercią i potem, już martwe. Lucca nie zginął, broniąc skarbów i złota, tylko w beznadziejnej walce, nie mogąc pogodzić się z utratą tego, czego najbardziej pragnął. Miłości Anny.

Joan miał zamęt w głowie. Zalewała go lawina uczuć. Nie było nic szlachetnego w sposobie, w jaki zabił Luccę. Nie powstrzymało go nawet to, że został ranny, że nie mógł mu już nic zrobić. Był sprawcą śmierci i pojął, że dopuścił się zbrodni, zanim zadał śmiertelny cios. Chciał tego i nie spoczął, póki nie osiągnął celu. Popełnił tę zbrodnię, nie przebierając w środkach.

Neapolitańczyk zginął jako odważny człowiek, ale przekroczył bramy życia, niosąc w sobie przeokropny żal. Dlaczego mu powiedział, że Anna go zdradziła? Właśnie ten postępek może okazać się nie do wybaczenia, jeśli w ogóle będzie mógł sobie wybaczyć.

100

Nie był to jednak czas na płacze i zgryzoty. Gdzie Anna? Załoga karaweli się poddała. Gdy francuska flota podpłynęła bliżej, było już za późno. Galery Vilamaríego stały gotowe do walki, a wiatr im sprzyjał. Żadna ze stron nie paliła się do bitwy, której wynik nie był pewny. Po oczekiwaniu przez jakiś czas w szyku bojowym statki zawróciły do swych portów.

Karawela i jej zawartość, także ludzie, zostały uznane za łupy wojenne. Vilamarí nie silił się na szczególne tłumaczenia, żeby przywłaszczyć sobie coś, co zdobył zbrojnie, ale to, że statek wciągnął francuską banderę, było ostatecznym dowodem, że grabi statek andegaweński, czyli nieprzyjacielski, a nie neapolitański, wierny królowi.

Napastnicy wywlekli kryjących się pasażerów na pokład. Jak Joan podejrzewał, statkiem podróżowało wielu przedstawicieli drobnej szlachty neapolitańskiej z rodzinami i trochę ich służby. Ci ludzie w przeciwieństwie do Lukki nie wzięli udziału w walce. Anna wyróżniała się urodą. Była blada i zapłakana, ale nie wyglądała na ranną. Joan odetchnął z ulgą, nie wyobrażając sobie jeszcze, co się wkrótce stanie.

Pere Torrent, korzystając ze swego prawa do wyboru łupów, podszedł do Anny i obejrzał ją bezczelnie, obchodząc ze wszystkich stron.

— Chcę mieć tę kobietę jako część mojego łupu.

Anna nic nie powiedziała, zacisnęła tylko wargi, aż prawie

znikły, i spojrzała na Joana. Wytrzymał jej wzrok, nie wiedząc, jak zareagować, ale jeżeli czegoś był teraz pewien, to tego, że nie odda jej w łapy zbira z galonami. Pomyślał o targu w Otranto i wyobraził sobie Annę nagą w rękach Torrenta, jego cielsko kładące się na niej. Nie mógł tego wytrzymać.

— Ta kobieta jest moja! — krzyknął Joan. — Nie dotykajcie jej! Wszyscy popatrzyli na niego ze zdumieniem. Nikt nie ośmieliłby się przeciwstawić Torrentowi. Ten, przez chwilę zbity z tropu, podszedł do Joana rozkołysanym, wyzywającym krokiem, marszcząc brwi.

— Czyżbyś podważał moje prawo do pierwszeństwa w wyborze łupów? — powiedział groźnie, stając naprzeciwko Joana w bliskiej odległości.

— Nie podważam waszego prawa — odparł Joan. — Mówię tylko, że moje prawo do tej kobiety jest większe niż wasze.

— Twoje prawo? — Torrent ryknął śmiechem. — O jakim ty prawie mówisz, chłopaku? Jakie ty możesz mieć prawo?

— Prawo miłości! — odpowiedział Joan wzburzony. — Kocham ją, a ona kocha mnie!

Zapadła pełna oczekiwania cisza, podczas której zaskoczony Torrent ważył jego stwierdzenie.

— Może ci się wydawać, że masz takie prawo — powiedział w końcu. — Ale ja nie uznaję go i ta kobieta będzie moja, jeśli nie zdobędziesz jej w walce.

Joan rozważał te słowa. Postrzegał siebie jako dobrego szermierza, ale Torrent był wyjątkowy. W końcu to on nauczył go władać bronią białą na wniosek Vilamaríego. Z pewnością oficer pokonałby go, a może nawet zabił w pojedynku za to, że przy wszystkich rzucił wyzwanie jego niezmiernej pysze. Ale... Joan wiedział, że nie było innego wyjścia, i w odpowiedzi wyciągnął z pochwy rapier skąpany jeszcze we krwi męża Anny. Wyzywająco spojrzał w srogie niebieskie oczy Torrenta. Ten sięgnął do rękojeści swojej broni i odwzajemnił krwiożercze spojrzenie, złagodzone nieco uśmieszkiem wyższości.

— Schowaj rapier, chłopcze — rozległ się głos Vilamaríego. — Moi oficerowie nie biją się publicznie. I nie chcę więcej sporów.

Nie będzie podziału łupów, póki nie przybijemy do portu. Sam zadecyduję.

Joan z ulgą wykonał rozkaz.

৵

— Torrent cię zabije — powiedział Genís w drodze powrotnej. — Nie zgodzi się, żeby ktoś zabrał mu kobietę, której pragnie. A tym bardziej nie zniesie, żeby taki młodzik mu się sprzeciwiał.

Joan wzruszył ramionami. Póki on żyje, Torrent nie weźmie Anny. Jeśli oficer go zabije, przynajmniej będzie to godna śmierć i może zmyje z niego choć trochę hańby, którą okrył się, mordując męża ukochanej.

— Pocieszy się nią tylko przez parę dni, potem weźmie okup od rodziny albo ją sprzeda w niewolę — dodał kapitan.

Czy Genís sugeruje, żeby się poddał i pozwolił, aby Torrent posiadł Annę? Sama myśl o tym obrażała go.

— A niech mnie zabije — odparł hardo.

৵

— Przemyśl swoją postawę — powiedział Bernat de Vilamarí. — W każdym wariancie przegrywasz. Nawet gdybyś jakimś cudem pokonał Torrenta, osiągnąłbyś tylko tyle, że nie dotknąłby tej dziewczyny. Jeśli jej rodzina nie jest w stanie zapłacić, zostanie sprzedana jako niewolnica, a jej właściciel będzie z nią robił, co zechce. Ty nie masz prawa do łupu ani do zysków. To piękna kobieta i zostanie sprzedana drogo, nie kupisz jej. A jeśli uprzesz się, żeby wyzwać Torrenta, i pobijecie się, uznam to za sprzeniewierzenie się władzy niedopuszczalne na moich łodziach. Nie tylko on jest wysokim rangą oficerem. Ty nie jesteś nawet marynarzem ani żołnierzem. Jesteś skazańcem na galerze, któremu łaskawie wyświadczam przysługę. Będę cię musiał przykładnie ukarać.

— Póki żyję, Torrent nie tknie mojej ukochanej — odparł Joan.

৵

Zdobycze z karaweli nie okazały się wyjątkowym skarbem, były jednak fortuną, która wynagrodziła Vilamaríemu straty: cztе-

534

rech zabitych ludzi i dwunastu rannych. Skrupulatnie obrachował część łupu przypadającą królowi Ferrandinowi, od którego wciąż pobierał pieniądze za służbę galer, odliczając niewielką część dla króla Ferdynanda z Hiszpanii, jego naturalnego pana. Z takimi opłatami zyskiwał błogosławieństwo dla swych czynów.

Joan mógł wreszcie parę dni i nocy odpocząć, mając pewność, że nikt przed pojedynkiem nie będzie Anny niepokoił. Kilka razy usiłował dostać się pod pokład karaweli, gdzie ją trzymano, żeby się z nią spotkać, ale straży wydano rozkaz, żeby nikogo, nawet oficerów, nie wpuszczać do jeńców. Odwiedził Antonella i parę razy spowiadał się księdzu na galerze. Śmierć Lukki dręczyła go, czuł ulgę, opowiadając o nim duchownemu, ale rozgrzeszenie i zadana pokuta nie wystarczały, by zdjąć z niego ciężar. Ksiądz mówił mu, że były to działania wojenne, i wybaczał w imieniu Boga, ale on sam nie mógł sobie wybaczyć. Miał czas, żeby pomyśleć i popisać w swojej książce. Za dużo przeżył w ciągu ostatnich godzin i ciężko było mu przełożyć swe uczucia na słowa, ale bardzo tego potrzebował: „Panie, przyjmijcie duszę Ricarda Lukki na Wasze łono i zmażcie mu grzechy". „Ricardo, byliście człowiekiem mężnym i prawym. Proszę was o wybaczenie, bo żałuję tego, co zrobiłem, a zabiłem was w haniebny sposób". Joan o mało nie wydrapał ostatniego zdania, ponieważ uzmysłowił sobie, że gdyby jego rywal żył, gdyby znowu stanął między Anną a nim, zabiłby go ponownie. Zakończył prośbą: „Panie, wybaczcie mi i ulitujcie się nad moją duszą, jakikolwiek będzie rezultat pojedynku".

❧

Przed spotkaniem z Torrentem Joan udał się na karawelę i mimo sprzeciwów straży, która nie dawała mu przejść, zawołał głośno do Anny:

— Jeśli nie zobaczycie mnie już nigdy, wiedzcie, że zginąłem! Kocham was, Anno!

Wypchnięto go spod pokładu i nic więcej już nie mógł powiedzieć.

101

Uwięzienie pod pokładem karaweli było dla Anny męką nie do zniesienia. Co rusz przypominała sobie rozmowę z Ricardem o Joanie, przerwaną, gdy wachtowy krzyknął, że ścigają ich hiszpańskie galery. Mąż zostawił ją z krótkim „Wybaczcie, Anno", żeby stawić czoło temu nieoczekiwanemu niebezpieczeństwu. Stało się to dokładnie wtedy, kiedy pytał ją, czy obecność Joana w ich domu miała z nią jakiś związek. Udała obrazę, chociaż poczuła się, jakby skręcały się jej trzewia. Nie tyle był to strach przed zhańbionym mężem, ile nieprawdopodobne wyrzuty sumienia. Nigdy nie chciała go zdradzić, ale Joan i jego namiętność zwyciężyły.

Wiedziała, że mieli sobie jeszcze dużo do powiedzenia, i bała się tej nieuniknionej rozmowy. Odgadywała jego myśli, kiedy na pokładzie rzucał jej smutne spojrzenia, pełne żalu, szykując się do obrony. Uścisnęła Ricarda na pożegnanie tuż przed abordażem, kiedy kobiety, dzieci i starcy chowali się pod pokład. Z początku nie odwzajemniał uścisku, ale potem rozluźnił usztywnione ciało, przytulił się czule i spojrzał na nią głęboko ciemnymi oczami, które zwilgotniały, gdy wyznał, że ją kocha. Poczuła tę miłość i łzy napłynęły jej do oczu, kiedy powiedziała, że też go miłuje, i błagała, żeby się poddał, nim zostanie ranny.

Anna spędziła napaść pod pokładem. Pełna trwogi i wyrzutów sumienia zeszła pod pokład, razem z innymi modliła się głośno, kiedy statek drżał od armatnich strzałów, uderzeń galer, huku muszkietów i granatów, tupotu i zgiełku bitwy na pokładzie. Wkrótce rwetes ustał, a gdy rozległ się okrzyk zwycięstwa, wiedziała, że załoga karaweli przegrała.

Następnie nieznani uzbrojeni ludzie kazali im wyjść na pokład, gdzie dołączyli do uwięzionych obrońców. Ricarda wśród nich nie było. Przeczuwała najgorsze i łzy napłynęły jej do oczu.

Gdy ustawili ich już tam wszystkich, jakiś jasnowłosy mężczyzna o nieprzyjaznym wyglądzie i cwaniackich manierach, który wyglądał na oficera, powiedział, że chce wziąć ją w niewolę. Poczuła mdłości na myśl, że mogłaby zostać poddaną kogoś takiego. I wtedy, zaskoczona, wśród wrogich żołnierzy rozpoznała Joana. Patrzył na nią. Nigdy nie przyszło jej do głowy, że mógłby znaleźć się wśród napastników. Młodzieniec wystąpił z szeregu i przeciwstawił się mężczyźnie. Krzycząc, rzucali sobie wyzwania, a Joan, nim wyciągnął broń, ogłosił swą miłość do niej i powiedział, że ona też go kocha. Jednakże ten, który sprawiał wrażenie najważniejszego, wtrącił się i wówczas się okazało, że szykowali się do pojedynku.

რ

Uwięzienie pod pokładem w trakcie powrotu do Neapolu i cumowanie w zatoce było dla Anny udręką. Wiedziała już, że Ricardo zginął. Miała wyrzuty sumienia. Jednocześnie współtowarzysze niedoli, którzy usłyszeli słowa Joana, traktowali ją chłodno. Nie rozmawiali z nią, odsuwali się. Czuła się napiętnowana podejrzeniami. Kiedy Joan pożegnał się z nią przed pojedynkiem, krzycząc, że ją kocha i gotów jest dla niej umrzeć, tylko okrył ją hańbą. Była załamana, ledwie ośmielała się spojrzeć w twarz przyjaciołom. Wciąż płakała ze wstydu, poczucia winy i smutku. Czuła się niegodna szacunku.

Kolejne godziny wieczoru i nocy przyniosły niepokój i bezsenność. Jeńcy snuli domysły na temat wybujałych sum za wykup z niewolnictwa, które ich czeka, jeśli nie zdobędą tych kwot. Anna wiedziała, że jej rodzina nie ma pieniędzy. Trafi do niewoli. Ale to nie było jej najważniejszym zmartwieniem. Modliła się za duszę Ricarda, prosząc o wybaczenie, i o Joana, aby wyszedł cało i zwycięsko z walki. Ale jeden straszliwy niepokój przyćmiewał wszystkie jej myśli. Czy Joan zmierzył się z Ricardem? Czy to on go zabił? Modliła się do utraty sił, aby jej obawa okazała się bezpodstawna.

Jeżeli Joan zabił Ricarda, zrobił to z miłości do niej, więc to ona byłaby bezpośrednią sprawczynią śmierci męża. A był dobrym człowiekiem i nie zasługiwał ani na zdradę, ani na śmierć.

Zadręczała się tym, wiedząc też, że Joan mógł zginąć w ciągu następnych godzin. Jej zgryzota była tak dotkliwa, że przyszła jej do głowy myśl, że mogłaby połączyć się z mężem w jego tragicznym losie.

102

Vilamarí zadecydował, że pojedynek odbędzie się na lądzie, gdzie nikt z załogi poza oficerami go nie zobaczy, i zacznie się o zmierzchu w zadrzewionej dolince na północy Neapolu. Torrent zaproponował, żeby bili się do pierwszej krwi, ale Joan domagał się prawa do walki mimo ran. Admirał zawyrokował, że pojedynek zakończy się z pierwszą raną, chociaż młodzieniec nie miał zamiaru tego respektować. Nie zgodził się z decyzją Vilamaríego i nigdy nie zgodziłby się na to, żeby Torrent posiadł Annę. Przenigdy. Jeśli ten pyszałek pokonałby go, zamierzał rzucić się do desperackiego ataku i zadać mu śmiertelne uderzenie.

Przypomniało mu się, jak musiał zmierzyć się z innym zbirem, Felipem, który był od niego silniejszy i starszy, i jak dzięki radom mistrza Abdali zdołał go pokonać. Wciąż pamiętał jego słowa. Wola zwycięstwa, współdziałanie i efekt zaskoczenia. Dwa ostatnie w jego wypadku nie wchodziły w grę, za to wola zwycięstwa — bardzo. Ta właśnie wola, silne pragnienie wygrania tej walki, odróżniała go od przeciwnika. Pomyślał, że on rozpaczliwie potrzebuje zwycięstwa, podczas gdy dla jego rywala jest to tylko próżna zabawa, kolejna kobieta, którą może posiąść. Torrent przewyższał go doświadczeniem, techniką, także siłą, ale nie wolą walki. Joan gotów był oddać życie, a oficer nie.

Wyznaczono krąg o średnicy dwudziestu kroków na wzniesionej równinie z widokiem na Neapol i otoczono go pochodniami. Świadkami pojedynku byli oficerowie *Świętej Eulalii* oraz ksiądz i lekarz okrętowy. Vilamarí przypomniał zasady: kto wyjdzie za okrąg lub zostanie raniony jako pierwszy — przegrywa. Bronią były rapiery i puklerze — niewielkie tarcze używane na hiszpańskich galerach.

Walka miała rozstrzygnąć spór roszczeniowy. Joan powoływał się na prawo miłości, na mocy którego miał zostać z Anną Luccą, gdyby tylko zapłacił za nią okup, a Pere Torrent na prawo pierwszeństwa przysługujące mu jako dowódcy oddziału, który zajął nieprzyjacielski pokład. Joan nie znał ustalonej ceny za Annę, ale był pewien, że nie zdoła zapłacić. To byłoby jego kolejne zmartwienie, gdyby trafiło mu się nieprawdopodobne szczęście i pokonałby Torrenta.

Vilamarí nie lubił przesadnej rywalizacji wśród oficerów. Jeśli dwóch z nich wdało się w konflikt, umieszczał ich na różnych okrętach. Wymagał jedności i koleżeństwa w każdej drużynie. Tym razem nie miał jednak innego wyjścia, jak zgodzić się na honorowe załatwienie ich sprawy. W razie konfliktu wolał być tym, kto pokieruje sytuacją, narzucając swoje zasady, żeby nie pozabijali się potajemnie. Nigdy nie pozwoliłby na to, żeby ktoś taki jak Joan pojedynkował się z oficerem, ale skoro to Torrent rzucił wyzwanie, nie miał nic innego do powiedzenia, jak się zgodzić. A zatem, chcąc nie chcąc, o zachodzie słońca rozkazał zapalić pochodnie i pozwolił księdzu wypowiedzieć słowa modlitwy. Potem, nie ukrywając niechęci, rzekł:

— To zaczynajcie i niech Bóg sprawi, byście się nie pozabijali ani nie okaleczyli.

Torrent wykonał kilka młynków rapierem jak prawdziwy mistrz fechtunku, po czym rzucił się na Joana, który wyminął go ostrożnie, odsuwając się na bok. Młodzieniec pomyślał sobie, że właśnie ta przewaga jego nauczyciela, którego nigdy nie uznał za mistrza, mogła w jakiś sposób tłumaczyć jego wyższość. Torrent zaczął zadawać pchnięcia, które Joan powstrzymywał rapierem lub tarczą, ciągle odkręcając się, nigdy nie odsłaniając. Skoncentrował się na szukaniu błędów rywala. Oficer zadał już dwadzieścia ciosów i wykonał wiele popisowych fint, Joan zaś nie uderzył ani razu.

Nagle Torrent rozpoczął serię uderzeń, które spowodowały, że młodzieniec cofał się w stronę jednej z pochodni i już miał przekroczyć linię, ale w porę odskoczył.

— Obrona idzie ci świetnie, chłopcze — powiedział Torrent, jakby ciągle go uczył. — Ale zobaczmy, jak atakujesz.

Joan nie zwrócił na niego uwagi i bronił się dalej. Słyszał, jak przeciwnik sapie, i pomyślał, że piętnaście lat różnicy to jednak coś. Czas pracował na jego korzyść. Torrent wydawał się już trochę znudzony i przypuścił kilka ataków bezpośrednich, ale też tylko groził mu dla zmyłki. Joan poruszał się żwawo, odkręcał to w jedną, to w drugą stronę, wymijając go lub blokując ciosy.

— Uderz wreszcie! — krzyknął w końcu rozzłoszczony Torrent.

Młodzieniec się nie przestraszył. Za wiele ryzykował i nie zabiegał o prestiż jako szermierz. Pragnął jedynie zwycięstwa. Zatem oficer nacierał dalej i chociaż czasem spychał Joana na koniec pola, ten zawsze się uwalniał. Wszystkie zmysły miał wyostrzone, a w myślach powtarzał sobie dwa słowa: „Anna" i „zwyciężyć". Widział, że zmęczenie i znużenie wpływają niekorzystnie na dawnego nauczyciela, i oczekiwał kolejnych natarć. Wtem, nie pozwalając Torrentowi wrócić do pozycji obronnej, runął na przeciwnika, wymierzając cios za ciosem, nie dając przy tym szansy na zrobienie kroku w bok. Mógł się tylko cofać. Skry wzbiły się w ciemne niebo, gdy plecy przeciwnika uderzyły o jedną z pochodni. Przewrócił ją i wyszedł z kręgu, wciąż zagrożony przez Joana, który nie ustępował w natarciu.

— Stój! — krzyknął admirał. — Wygrałeś!

Jednakże Joan nie przestawał.

— Zatrzymaj się, przeklęty szaleńcze! — dyszał Torrent. — Kobieta jest twoja.

Dopiero wtedy Joan ustąpił. Rzucił broń na ziemię i nie zwracając uwagi na tych, którzy go otaczali, ani na Genísa Solsonę składającego mu gratulacje, przeżegnał się i zaczął modlić.

Gdy jego spojrzenie skrzyżowało się znowu ze wzrokiem Torrenta, ujrzał jego zmarszczone brwi i napiętą twarz. Oficer podszedł do niego i powiedział:

— Dobrze się spisałeś. Jestem z ciebie dumny. I obdarzył zdumionego Joana lepkim od potu i cuchnącym uściskiem.

— Gratuluję, chłopcze — rzekł admirał z poważną miną. — Wygrałeś tę walkę uczciwie. Tej nocy zbierzemy się na naradę, aby ustalić cenę damy i wyznaczyć karę, jaką otrzymasz za to, że ośmieliłeś się wyzwać starszego stopniem oficera. Rano się dowiesz, co cię czeka.

103

Joan drżał ze zdenerwowania, gdy następnego ranka został wezwany przez admirała. Doskonale zdawał sobie sprawę, że losy jego i jego ukochanej zależą od słów, które zaraz padną. Bernat de Vilamarí siedział na ławie w głębi kasztelu. Otaczali go Pere Torrent, Genís Solsona i naczelnik straży. Joan stanął przed swymi sędziami w oczekiwaniu na wyrok.

— Joanie Serra de Llafranc — rzekł Vilamarí podniosłym tonem. — Na moich galerach panują prawa, których się przestrzega, przez co stały się najlepszymi okrętami wojennymi na Morzu Śródziemnym. Pierwszym z praw jest pierwszeństwo władzy i posłuszeństwo. Mierząc się z oficerem, złamałeś to prawo i zasługujesz na karę, która winna być surowa, żeby stała się dobrą nauczką dla wszystkich.

Spojrzenie Vilamaríego było srogie i Joan poczuł gulę w gardle. Dobrze znał okrucieństwo i niesprawiedliwość szefa stanowiącego władzę. Przypomniał mu się Carles i jego bohaterska śmierć. Admirała nie obchodziło, co było sprawiedliwe, a co nie, dla niego sprawiedliwość stanowiła porządek, który on ustanawiał. Z trwogą czekał na jego dalsze słowa.

— Od tej chwili przestajesz pełnić funkcje szefa artylerii na tym statku. Mimo że umiesz obsługiwać sprzęt artyleryjski, wielu sądzi, że skazany na galery otrzymał niezasłużony przywilej. Zresztą niektórzy z twoich podwładnych nauczyli się wystarczająco dużo, by objąć dowództwo nad artylerią.

Joan obawiał się najgorszego. Przykują go znowu do wioseł? Nie przerażał go wysiłek fizyczny, tylko kajdany, brak wolności. Nie będzie mógł zobaczyć się z Anną!

— Przestajesz też być lektorem i skrybą okrętowym.

Młodzieniec oczekiwał natychmiastowego ciosu i wyprostował się, żeby przyjąć go z godnością. Gdyby mógł cofnąć czas, zachowałby się tak samo. Jedynie godność mu pozostała. Admirał mówił dalej:

— Niemniej Pere Torrent twierdzi, że ponosi część winy, bo rzucił ci wyzwanie.

Młodzieniec spojrzał na oficera, na co ten skinął głową na znak zgody ze słowami admirała. Joan był zaskoczony. Nigdy nie spodziewałby się, że Torrent jest w stanie przyznać się do jakiejkolwiek winy.

— Doceniliśmy też to, że sprawdziłeś się na *Świętej Eulalii*, zasłużyłeś nawet na uznanie jako artylerzysta — ciągnął admirał. — To każe nam złagodzić wyrok, który brzmi następująco: od dzisiaj przestajesz być członkiem załogi galery.

Osłupiały Joan nie mógł oderwać wzroku od admirała.

— Już nie należę do załogi? — powtórzył, usiłując zrozumieć, co to ma znaczyć.

— Nie.

— Mam znowu wiosłować?

— Nie! — zawołał Vilamarí. — Galernicy są częścią mojej załogi. Ty w niej już nie jesteś. Wydalamy cię z naszych okrętów.

— To znaczy, że jestem wolny? — Oczy Joana zamieniły się w spodki.

— Nie — odparł admirał. — Brakuje ci dziesięciu miesięcy do końca kary. Odbędziesz ją, walcząc w wojskach królewskich. Wystawię ci dokument potwierdzający twoje umiejętności artylerzysty, ale dasz mi słowo, że odsłużysz brakujące miesiące jak najwcześniej. Jeśli nie zrobisz tego w ciągu pięciu lat, zostaniesz skazany nowym wyrokiem jeszcze na dwa lata.

Joan nie mógł uwierzyć w to, co słyszy. Był wolny! Ale pohamował euforię. Na co mu swoboda, skoro Anna zostanie niewolnicą?

— A pani Anna Lucca?

— Doszliśmy do porozumienia co do jej wyceny.

Joan wstrzymał oddech.

— Czterysta dukatów — rzekł Vilamarí.

— Czterysta dukatów! — powtórzył Joan, patrząc na admirała załamany.

Pośrednicząc w sprzedaży książek, ledwie zaoszczędził dwadzieścia, a możliwe, że rodzina Anny nie miała nawet połowy żądanej kwoty. Rozważał tysiące możliwości. Może Antonello zechce mu pomóc. Ale ileż mógł mu pożyczyć? Nawet razem z tym, co dołożyłby ojciec Anny, nigdy nie zbierze takiej fortuny. Wszystkie wysiłki na nic.

— Chcę, żebyś wiedział coś jeszcze — kontynuował Vilamarí.

Joan nie chciał już niczego słuchać, pragnął odejść, ale nie pozwalało mu na to posłuszeństwo wobec admirała. Stał więc dalej, czekając, aż skończy.

— Odbywając karę jako galernik, nie masz prawa do części, która przysługuje szefowi artylerii przy podziale łupów. Wykonywałeś bowiem tę pracę zamiast wiosłowania.

Joan skinął głową. Wiedział o tym. Galernicy nie brali łupów.

— Twoje obowiązki nie obejmowały jednak zadań wypatrywacza.

— Wypatrywacza?

— Tego, który czatuje na zdobycz — objaśnił Vilamarí. — Bez twojej informacji nie porwalibyśmy karaweli. Wykonałeś pracę. A wypatrywacz uczestniczy w podziale łupów.

— Uczestniczę w podziale łupów? — Joan ciągle nie mógł uwierzyć w to, co mówił admirał.

— Tak. Twoja część wynosi czterysta dukatów.

Joan spojrzał na niego ogłupiały. Czy w ten sposób bawią się jego kosztem? Przyjrzał się twarzom oficerów. Uśmiechali się, ale nie wydawali się z niego kpić. Mógł oswobodzić Annę! I sam też był wolny!

— Czy to prawda? — dopytywał się admirała.

Ten potwierdził skinieniem głowy.

— Dziękuję — wybełkotał wzruszony. — Dziękuję.

— Podziękuj przyjaciołom, których zdobyłeś na *Świętej Eulalii* — powiedział admirał.

Wkrótce naczelnik straży ogłosił załodze, że Joan Serra przestaje być szefem artylerii na *Świętej Eulalii*. Z powodu niesubordynacji zostaje wydalony z galery. Funkcję szefa artylerzystów będzie pełnił jeden z marynarzy służących do tej pory pod rozkazami Joana. Joanowi zrobiło się smutno. Zdziwił się, bo przecież te słowa niosły mu wolność.

❧

Żegnając się ze swym przyjacielem kapitanem Genísem Solsoną, Joan podziękował mu za pomoc.

— Największe podziękowania winien jesteś Torrentowi — odpowiedział kapitan.

— Torrentowi? — zdziwił się Joan.

— Tak, on był twoim największym obrońcą.

— On?

— Tak, zdaje się, że wzruszyłeś go sposobem, w jaki broniłeś swej kobiety. Powołanie się na prawo miłości poruszyło jego serce.

— On, wzruszony? — Joan nie mógł wyjść ze zdumienia. Torrent wydawał mu się zwierzem niezdolnym do uczuć. — Moje słowa poruszyły jego serce?

— Tak, pozostałych również. Nawet admirała, chociaż się nie przyznał.

Joan miał zamęt w głowie. Ludzie, którzy nie wahali się rabować, gwałcić i zabijać, wzruszali się miłością. Wysiłki Vilamaríego wydały owoc. Lektura zrobiła swoje. Miłość i zakochany kawaler, który oddałby wszystko, także życie, za swoją damę, pojawiały się nieustannie w księgach i stały się wartościami nawet dla nieokrzesanych marynarzy. Przypadek sprawił, że Joan znalazł jedyny argument, który zdołał pohamować Torrenta przed wzięciem sobie tego, na co miał ochotę. Miłość.

Przy pożegnaniu Torrent był dumny i oschły. Joan podziękował mu, ale nie mógł się powstrzymać przed zadaniem pytania:

— Daliście mi wygrać pojedynek?

— Nie — odparł szorstko oficer. — Miałeś szczęście. Ale walczyłeś dobrze, zdobyłeś kobietę uczciwą walką. Ciesz się nią.

Jego odpowiedź nie rozproszyła wątpliwości Joana.

❧

Z podpisaną kopią dokumentu zwolnienia warunkowego w ręku Joan miał ochotę porozmawiać z Bernatem de Vilamarí o wielu sprawach, lecz zabrakło mu odwagi. Ciągle się go bał, a emanująca od admirała władza budziła respekt. Zadał mu tylko jedno pytanie. To, które przez cały spędzony na galerze czas pragnął wypowiedzieć, ale nie pozwalał mu na to strach.

— Gdzie sprzedaliście jeńców z Llafranc?

Admirał spojrzał na niego surowo, nie zdradzając najmniejszych oznak poczucia winy czy wyrzutów sumienia. Ukrywał emocje, które wywoływał w nim ten chłopak. Patrzył na ofiary swych czynów z oddali, zdawały się owieczkami idącymi na rzeź, których cierpienie było czymś normalnym. Nigdy dotąd z żadną z nich nie miał styczności. Bartomeu powierzył mu Joana, ale on nie zamierzał go chronić. Obiecał jedynie ocalić go od zemsty za śmierć Jednookiego. Jednakże chłopak uderzył w jego czułą strunę. Zdawał sobie sprawę, że Joan chciał go zabić, choć w końcu uratował mu życie. Pragnął z nim porozmawiać, miał mu dużo do powiedzenia, ale nie mógł. Nie uchodziło. Był admirałem.

Ograniczył się do zdawkowej odpowiedzi na pytanie, którego od dawna oczekiwał:

— W Bastii, na Korsyce.

— Jak mogę znaleźć moją matkę i siostrę?

— Korsyka należy do Genui, która kontroluje ją za pośrednictwem koncesji przyznanej republice przez Bank Świętego Jerzego. Bank ingeruje we wszystkie sprawy wyspy, także w handel niewolnikami w Bastii. Jego siedziba mieści się w wielkim gmachu w porcie Genui. Może przechowują tam jeszcze dokumenty dotyczące transakcji i będziesz mógł się dowiedzieć, dokąd zostały sprzedane.

Joan ocenił wartość informacji. To było wszystko, czego potrzebował. Powiedział krótko:

— Do widzenia, admirale.

— Żegnaj, Joanie Serra de Llafranc. Powodzenia.

CZĘŚĆ CZWARTA

104

Joan pragnął przytulić Annę, a zarazem nachodziła go słodka tęsknota, która kazała mu odwlekać cudowny moment spotkania. Opuszczał *Świętą Eulalię* na zawsze i leniwie pakował swoje rzeczy, usiłując uporządkować myśli. Ciężko było mu ogarnąć wszystko, co wydarzyło się w ostatnich godzinach, uzmysłowić sobie, że działo się to naprawdę, że nie był to tylko cudowny sen, z którego w każdej chwili może się obudzić.

Spojrzał w niebo nad Zatoką Neapolitańską. Dzień był pogodny. Słyszał krzyki mew i widział je fruwające pod chmurami i słońcem, nad błękitnym morzem. Poszedł na dziób i gładząc chłodny brąz armat, urzeczony patrzył na ptaki. Były wolne. Jak on.

W książce napisał: „Wreszcie wolność. Moja ukochana też jest wolna i tylko moja. Dzięki Ci, Panie".

Fryzjer okrętowy przystrzygł mu włosy i ogolił brodę. Joan ubrał się w najlepsze szaty, a potem uśmiechnięty i zadowolony pożegnał się z resztą osób ze *Świętej Eulalii*.

Radość rozpierała mu serce, gdy wchodził na karawelę, trzymając w ręku kwit, wystawiony przez skrybę i podpisany przez Vilamaríego. Anna odzyskała wolność. Nie mógł doczekać się chwili, gdy padną sobie w ramiona. Nadchodził koniec koszmaru. Teraz nikt nie mógł zagrozić ich miłości, nigdy się nie rozłączą.

Marynarze stojący na straży skrupulatnie obejrzeli pieczęcie na dokumencie, po czym jeden z nich krzyknął w głąb ładowni statku:

— Anna Lucca! Na pokład.

Po paru chwilach, które ciągnęły się w nieskończoność, wyszła. Ubrana w te same szaty, które miała na sobie w dniu napaści na karawelę, mrużyła oczy przed słonecznym blaskiem. Ujrzała Joana uśmiechającego się szczęśliwie i rozkładającego ramiona, żeby przytulić ją do siebie. Pojęła wynik pojedynku, odetchnęła z ulgą i podeszła do niego z uśmiechem. Lecz kiedy Joan chciał przyciągnąć ją do siebie, zatrzymała się i zapytała, patrząc oskarżycielsko zielonymi oczami:

— Czy to wy zabiliście Ricarda?

Tego pytania Joan się nie spodziewał. Przeszedł go dreszcz na myśl o tym, że może ją utracić, i poczuł wyrzuty sumienia.

— Nie. To nie ja.

Padła mu w ramiona. Joan przytulił ją namiętnie, ale jego spojrzenie zatopiło się w błękicie nieba. Targał nim niepokój. Czując ciepło ukochanej, odetchnął głęboko i przymknął wreszcie oczy, rozkoszując się jej dotykiem, zapachem młodego ciała, które teraz nosiło ślady dni niewoli. Poczucie szczęścia powróciło.

Joan pomyślał, że choć w Królestwie Neapolu wciąż toczyła się wojna, dla nich nadszedł czas miłości.

Kiedy uwolnili się z uścisku, dowódca straży powiedział:

— Ten mężczyzna was kupił. Od tej chwili należycie do niego.

Spojrzała na Joana, który uśmiechał się radośnie.

— Co to ma znaczyć? — zapytała, poważnie patrząc mu w oczy.

— No — wybąknął. — Ten dokument...

— Zamierzacie uczynić mnie waszą niewolnicą? — dopytywała się napastliwie.

Joan się zawahał. Nigdy nie przyszłoby mu do głowy, żeby ją zniewolić. Kupienie było po prostu jedynym sposobem na zapewnienie jej wolności.

— Nie — wybełkotał. — Nie mam takiego zamiaru. Kocham was i chcę się z wami ożenić.

— Dobrze — odparła oschle. — Czy w takim razie darujecie mi wolność?

— Tak, oczywiście.

— I podpiszecie stosowne dokumenty?

— Naturalnie.

— Więc jestem wolna — podsumowała, łagodząc ton głosu.

— Tak, jesteście.

— Odprowadźcie mnie zatem do domu rodziców.

— Nie mam zbyt wiele pieniędzy, ale poszukam miejsca, gdzie moglibyśmy zamieszkać razem...

— Nie, Joanie — ucięła. — Skoro jestem wolna, nie zamieszkam z wami. Jestem wdową po Ricardzie Lucce i jedyne, czego teraz chcę, to móc go po chrześcijańsku pochować.

— Ale ja was kocham, Anno, do szaleństwa, a wy też mnie kochacie.

— Kocham was. Ricardo był jednak dobrym towarzyszem życia i mam wobec niego dług. Przez was nie byłam dobrą żoną, więc teraz zostanę dobrą wdową.

Joan uspokoił się trochę, słysząc, że jest kochany, ale miał zamęt w głowie.

— Nie do końca rozumiem.

— Chcę, byście pomogli mi odzyskać ciało Ricarda, po czym trzymali się z dala ode mnie — powiedziała oschle.

— Czy to znaczy, że nie chcecie mnie więcej widzieć? — zapytał Joan niepocieszony i przypomniał sobie nieszczęsny świt, kiedy się z nią żegnał.

Anna spojrzała na niego, jakby był tępy. Joan wpatrywał się w nią, myśląc, że mimo śladów uwięzienia wciąż była przepiękna.

— Nie, Joanie, tego nie mówię. Musimy jednak uszanować żałobę.

Odetchnął z ulgą. Anna uśmiechnęła się wreszcie i prześliczne dołeczki pojawiły się na jej policzkach. Joan pomyślał, że zrobi wszystko, aby kolejny uśmiech rozpromienił jej oblicze.

— Mógłbyś pomóc mi z ciałem Ricarda? — zapytała łagodnie.

Joan wiedział, gdzie się znajduje. Trzymali je w drewnianej skrzyni jak najdalej na dziobie. Leżało tam od kilku dni, a że było lato, więc dochodził stamtąd odór zgnilizny. Gdyby chodziło o kogoś innego, wyrzuciliby zwłoki w worze z kamieniem na dno morza. Ponieważ Lucca był szlachcicem, ktoś uznał, że rodzina zapłaci za ciało. Joan musiał wrócić na *Świętą Eulalię* i uzgodnić cenę ze skrybą. Zażądał pięćdziesięciu dukatów, na co Joan powiedział, żeby powąchał ciało i przekonał się, iż jeszcze dzień i musieliby się go pozbyć. Zaczął się targować, aż stanęło na przystępnej cenie. Zapłacił tylko trzy dukaty oraz połowę tej kwoty za transport skrzyni do domu rodziców Anny. Pałac Lucców był niezamieszkany. Ludzie splądrowali go, a ponieważ nie było w nim wiele do zrabowania, podpalili.

Anna zapragnęła zobaczyć zwłoki męża. Nieznośny odór wydobył się ze skrzyni. Ricardo Lucca znajdował się jednak jeszcze w stanie, który pozwalał na rozpoznanie zwłok. Widać było też wielkie cięcie na szyi, które pozbawiło go życia. Anna złożyła pocałunek na policzku męża i pomodliła się po cichu. Odwróciła się w stronę Joana i spojrzała na niego oskarżycielskim wzrokiem. Widząc w jej oczach niemy wyrzut, Joan znowu się wzdrygnął. Bał się, że może ją utracić.

— To nie ja — wyszeptał bezgłośnie, ledwie wytrzymując jej spojrzenie.

❧

Natychmiast odbył się pochówek. Joan uczestniczył w uroczystościach pogrzebowych w katedrze, trzymając się z dala od Anny i jej rodziny. To było osobliwe przeżycie — słać modły za spokój duszy człowieka, któremu zadał śmierć. Rozgrzeszenia okrętowego kapelana nie wystarczyły. Prawdą było, że zabił go w ferworze walki, sam czując strach przed śmiercią, ale pomyślał, że gdyby chciał, mógłby darować mu życie. Zabił go z powodu Anny. Nigdy nie zapomni oczu Ricarda, jego ostatniego spojrzenia.

❧

Antonello zaoferował mu pokój na piętrze, Joan jednak odmówił. Chciał spać razem z uczniami i czeladnikami księgarza. Wciąż czuł się uczniem, tak w życiu, jak i w miłości. Nie pojmował, co dzieje się w umyśle jego ukochanej. Sądził, że dzień ich spotkania będzie najszczęśliwszym dniem, a skończyło się na wielkim rozczarowaniu.

Noc była gorąca i parna. Joan kręcił się na pryczy, nie mogąc zasnąć mimo pociechy, jaką dawały mu znajome zapachy papieru, tuszu i skóry. Był smutny i rozbity. Im dłużej rozmyślał, tym bardziej nie mógł zrozumieć postawy Anny. Doszedł do wniosku, że musiała kochać męża o wiele bardziej, niż mu się wydawało. Może nawet bardziej niż jego.

O brzasku wziął swoją książkę i zapisał: „Nie mam odwagi powiedzieć jej prawdy". A potem: „Nie chcę jej stracić".

105

Joan poszedł do państwa Roigów następnego ranka. Warsztat złotniczy ojca Anny w Neapolu nie był tak wielki i tak dobrze usytuowany jak w Barcelonie, ale pozwalał rodzinie na przeżycie. Anna akurat pomagała w pracy. Nosiła żałobę. Choć na jej twarzy widać było jeszcze ślady ciężkich przeżyć, to Joanowi wydała się prześliczna. Zapragnął ją przytulić i pocałować, ale obecność rodziców uniemożliwiła jakiekolwiek zbliżenie. Anna trzymała się na uboczu, podczas gdy państwo Roigowie dziękowali Joanowi za ocalenie córki. W końcu rodzice wyszli na ulicę popatrzeć na wystawę, żeby młodzi mogli porozmawiać ze sobą.

— Czy obstajecie przy darowaniu mi wolności? — zapytała Anna poważnym tonem, opierając się próbom zbliżenia.

— Naturalnie. — Joan rozpiął koszulę, wyciągnął zza pazuchy dokument wykupu Anny i wręczył go jej. — To wasze — powiedział. — Jesteście wolni.

Przeczytała go uważnie.

— Tutaj umieszczono wasze nazwisko obok mojego. Chcę, abyście ponadto potwierdzili moją wolność u notariusza.

— Zatrzymajcie ten dokument, a gdy tylko stąd wyjdę, udam się do notariusza.

Uśmiechnęła się.

— Dziękuję — rzuciła.

Joan poczuł się szczęśliwy, widząc Annę zadowoloną, i wyciągnął ręce, żeby ją przytulić, ale nie dopuściła do tego.

— Odbędę trzymiesięczną ścisłą żałobę po Ricardzie — powiedziała. — Przez ten czas nie będziemy się widywać.

— Czy będę przynajmniej mógł na was patrzeć z daleka? — prosił Joan. — Jak wtedy, gdy byliście zamężną lub gdy ukrywaliśmy się w Barcelonie przed waszymi rodzicami.

Zaśmiała się.

— Tak, oczywiście — odparła z uśmiechem. — Ale zrozumcie, że spełniam obowiązek.

— Miłujecie mnie?

— Tak. Gdy te miesiące miną, będziecie mogli mnie adorować.

— Adorować? — Westchnął. — Chcę was pojąć za żonę.

— Będziecie mnie musieli przekonać — odpowiedziała, spoglądając zalotnie.

&

Pierwszego dnia wolności Joan napisał do Gabriela, Bartomeu, Abdali i reszty przyjaciół, oznajmiając im nowinę. Upewnił się, że listy popłyną dwiema różnymi galerami. Ponieważ było lato, obliczył, że przy sprzyjających wiatrach za miesiąc otrzyma odpowiedź. Zostało mu jeszcze dziesięć miesięcy w służbie dla króla, ale nie było pośpiechu. Miał na to pięć lat i najpierw musiał odnaleźć rodzinę. Rozmawiał z Antonellem, prosząc go o radę w tej sprawie. Księgarz powiedział, że napisze do Fabrizia Colomba, genueńskiego kolegi, i poprosi go, aby popytał w Banku Świętego Jerzego.

Joan podziękował mu za to z całego serca. Poza miłością do Anny najważniejsza była dla niego rodzina. Czekając na odpowiedź z Genui, zamierzał zgromadzić pieniądze na podróż i ewentualny wykup.

Brak kontaktu z Anną był bardzo dokuczliwy. Ledwo co wychylała się z domu i bywały dni, kiedy nawet z daleka jej nie widywał. Zadręczało go tysiąc różnych myśli. Jego ukochana była wdową po kawalerze, on zaś ciągle uczniem. Czy jego miłość zdoła przezwyciężyć społeczne bariery? Niespokojny budził się nocą i przypominał sobie jej słowa o adorowaniu. Być może będzie musiał rywalizować z jakimś innym mężczyzną.

☙

Antonello zapewniał Joanowi mieszkanie i wikt, a ten odpłacał mu się pracą w drukarni. Młodzieniec uznał, że znowu zaczyna coś od nowa. Aby zapomnieć o nieobecności Anny, poświęcił się całkowicie nowemu fachowi.

Znał się na tuszach, rodzajach papieru i pergaminu. Jeśli chodzi o druk, to najważniejsze były metalowe części zwane czcionkami, przedstawiające litery i znaki. Należało umieścić czcionki w rzędach na drewnianej tabliczce o nazwie *galera**, okalanej prostokątną ramką przytrzymującą ściśle znaki drukarskie.

Joanowi wydało się zabawne, że w druku posługiwano się nazwą *galera*. Doszedł do wniosku, że pierwsi drukarze nazwali tak ramę dlatego, iż ustawione równo w rzędach czcionki przypominały galerników na ławach.

Sztuka składu polegała na osiągnięciu harmonijnej całości, w której, tak samo jak w manuskryptach, należało zachować marginesy i nagłówki. Taką matrycą posługiwano się do wydrukowania strony lub grupy stron i określenia kształtu. Gdy go już ustalono, umieszczano wzór w prasie i zwilżano go dwiema belami skóry nasączonej wcześniej tuszem.

W końcu wkładano papier, albo czasem pergamin, i dzięki naciskowi dębowej prasy dochodziło do cudu tworzenia zbiorów liter, słów i zdań uporządkowanych na luźnych stronicach. Te zaś, oprawione, uczestniczyły w cudzie powstania książki.

— To bardzo pracochłonne, ale gdy już się wszystkiego nauczy, cały ten proces nie stwarza poważniejszych trudności — mawiał Joan.

Antonello kręcił głową.

— Każdy fach raz opanowany traci swą tajemnicę. Ale piękna księga to dzieło sztuki. A druk pozwala ów cud stwarzania dzieła sztuki wielokrotnie powtarzać. Stąd określenie: sztuka poligrafii.

Joan się zgadzał. Wciąż pamiętał cudowną księgę wystawioną

---

* W języku hiszpańskim szufelka drukarska nosi nazwę *galera*.

przed sklepem państwa Corrów w Barcelonie. Tamta była, rzecz jasna, manuskryptem, otwartym na stronie, na której widniała ilustracja w przepysznych kolorach. Drukowano już jednak księgi, w których reprodukowano obrazki, czasem nawet w różnych barwach, zwłaszcza czerwonej, czarnej i niebieskiej. Pomyślał, że to tylko kwestia czasu, aby odciskane ilustracje stały się podobne do ręcznie malowanych.

— Istnieją jednak rzeczy bardziej skomplikowane, którymi niewielu drukarzy włada — dodał Antonello.

— Jakież to? — zaciekawił się Joan.

— Wyrób czcionek. Ołowiane czcionki to podstawa dla drukarza. Wiesz już, że są wędrowni drukarze, w większości niemieckiego pochodzenia, którzy w zależności od pracy, jaką mają do wykonania, zatrzymują się w rozmaitych miastach. Zawsze wożą ze sobą własne czcionki, to ich najcenniejsze mienie. Resztę materiału można znaleźć w miejscach, do których się udają. Wyrób pięknych czcionek to najtrudniejsze zadanie i niewielu drukarzy potrafi temu sprostać.

Joanowi zrobienie czcionek nie wydawało się skomplikowane. Umiał rzeźbić w drewnie, a w warsztacie mistrza Eloi nauczył się technik wytapiania brązu, którego temperatura topnienia była wyższa niż ołowiu.

We Włoszech panowała moda na czcionkę o romańskich zaokrąglonych kształtach, którą nazywano antykwą renesansową. Wielkie litery wzięto z pisma, które znaleziono w ruinach starożytnego Rzymu, *romana capital quadrata*, małe zaś pochodziły z karolińskich okrągłych literek, *rotundas*. Czytanie tego pisma było dużo łatwiejsze niż rozmaitych stylów gotyku i czytelnicy dzieł klasycznych je preferowali. Antonello dysponował trzema zestawami typografii gotyckich, ale nie miał antykwy renesansowej. Joan postanowił zrobić dla niego antykwową czcionkę, aby w ten sposób odwdzięczyć się za nieocenioną pomoc, którą otrzymywał od księgarza. Z pomocą różnych rzemieślników wytopił mieszankę ołowiu, antymonu i bizmutu, którą napełnili wyrzeźbione w drewnie formy.

Chociaż wykonane na podstawie tych samych wzorów, wydrukowane litery różniły się nieznacznie między sobą z powodu wykończeń. Joan poszukiwał w nich znaków, min czy ekspresji, które widział w literach podczas kopiowania, kiedy nie umiał jeszcze czytać. Wtedy litery przemawiały do niego. Ale teraz już nie.

Napisał: „Czas albo wiedza pozbawiły mnie fantazji. Mam nadzieję, że ujrzę jeszcze kiedyś niebiańskie istoty".

❧

— Stałeś się już doświadczonym drukarzem — powiedział Antonello, poklepując go po plecach. — Nigdy nie widziałem, żeby ktoś w tak krótkim czasie tyle się nauczył.

— Umiem kopiować książki, drukować je i oprawiać — rzekł Joan, uśmiechając się z zadowoleniem. — Znam cały proces tworzenia. Jednakże tym, co mi się podoba, jest wasza praca.

— Moja praca?

— Tak, to, czym zajmujecie się wy. Macie drukarnię i warsztat introligatorski, ale procesem wyrobu ksiąg zajmują się pracownicy. Wy zaś sprzedajecie książki ludziom, którzy pragną je czytać, czy to zrobione w waszym warsztacie, czy kupione od innych księgarzy. Tak samo jak Bartomeu w Barcelonie.

— Rozumiem już — odparł Antonello. — Jesteś bystry i zauważyłeś, że drukowanie zabiera dużo czasu, a daje niewiele pieniędzy, jeśli nie drukuje się dużych nakładów.

— Nie, Antonello, choć Bóg jeden wie, jak bardzo mi trzeba pieniędzy. Poszukiwania mojej matki i siostry pochłoną wiele, a muszę mieć jeszcze na to, żeby stworzyć z Anną rodzinę i zapewnić jej godne życie, jeśli mnie wreszcie zechce. Teraz jednak nie miałem na myśli pieniędzy, tylko satysfakcję z bycia pośrednikiem między czytelnikiem a książką. Zawsze marzyłem o tym, aby pomóc innemu człowiekowi znaleźć książkę, która do niego przemówi i stanie się dla niego szczególną wartością. To coś wspaniałego.

— Zatem zamierzasz robić mi konkurencję.

— Tak, chcę zostać księgarzem — przyznał Joan. — Zawsze tego chciałem.

Antonello spojrzał na niego z uśmiechem i skinął głową. Wiedział o tym od dawna.

106

Joan zaczął znowu krążyć wokół Anny, tak jak robił to dziesięć lat temu w Barcelonie, usiłując pozostać niezauważony. Tyle że nie byli już dziećmi. Miał dwadzieścia trzy lata, a ona niedługo miała skończyć tyle samo. Anna nosiła żałobę i stosowała się do wszystkich zaleceń wynikających z tradycji. Ale gdy widziała Joana na końcu ulicy, kiedy pomagała ojcu, uśmiechała się do niego wesoło, by po chwili spuścić wzrok. Ten uśmiech dawał mu szczęście. To nie była już radość z ukradkowych spojrzeń rzucanych w Barcelonie, ale uzasadniona nadzieja Joana na to, że Anna zostanie jego żoną.

Pełen zapału zabierał się do tworzenia przyszłości, którą widział jako przyszłość ich dwojga. Miał zostać handlarzem książek, księgarzem, i pod uprzejmą kuratelą Antonella zaczął szukać nowych horyzontów poza pracowniami introligatorskimi i drukarniami.

Dotarły wieści z Barcelony. Wraz z ładunkiem książek od Bartomeu, w które Joan włożył cały swój kapitał i pożyczkę od Antonella, a także drugą od kupca. Kolejne egzemplarze *Tirant lo Blanc* i wybór książek nie tylko z drukarni walenckich i katalońskich, ale też z Saragossy, Sewilli i Salamanki. Zapłacone z góry, lecz lista była długa i za część kupiec musiał sam założyć.

Wszystkich ucieszyła wiadomość o uwolnieniu Joana. Przysyłali powinszowania i gratulacje. Bartomeu, od paru miesięcy owdowiały, w dalszym ciągu zasiadał w zarządzie miasta i doradzał

Joanowi w interesach, polecając książki do Włoch. Abdalá, którego list utrzymany był już w mniej poważnym tonie niż kiedyś, pełen jednak harmonii i mądrości, pisał, że przez cały czas modlił się za niego. Staruszek wychwalał Pana każdego dnia za udzielenie mu łaski czytania mimo podeszłego wieku. Nadeszły nawet listy od zakonników. Bitwy z przeorem nie ustawały na owym skrawku pozornego pokoju, jakim był klasztor Świętej Anny.

Gabriel pisał, że za przyzwoleniem mistrza Eloi ubiega się o względy Ágaty, jego najmłodszej córki, w której jest do szaleństwa zakochany. Joan powiadomił brata o tym, co powiedział Vilamarí, i o staraniach księgarza z Genui. Gabriel prosił teraz, aby jak najszybciej przekazał mu informacje o losie matki i siostry, bo chciałby pomóc w poszukiwaniach. I przesłał jeszcze coś, co dogłębnie wzruszyło Joana: włócznię ojca i resztę koralu.

Joan przycisnął do siebie broń Ramóna, a łzy napłynęły mu do oczu. Była symbolem wolności jego rodziny. Teraz Gabriel mu ją zwracał, gdyż zajął miejsce ojca i znowu był wolny. Zarazem stanowiła gorzkie wspomnienie pojmania ich matki i siostry. Joan wiedział, że mężczyzna nie jest wolny, jeśli nie jest wolna jego rodzina. Na nim spoczywała odpowiedzialność.

Zapytał Antonella o jego genueńskiego kolegę. Nie było wieści. Zniecierpliwiony postanowił, że nie może czekać. Pojedzie do Genui. Może koral wystarczyłby na przejazd. Księgarz odwiódł go od zamiaru. Zapewnił, że jego przyjaciel jest bardzo skrupulatny i ufa mu. Radził Joanowi, żeby się nie śpieszył i nie wyruszał bez pieniędzy. Zwłoka paru miesięcy po prawie jedenastu latach niewiele odmieni.

„Czekać", z goryczą w sercu napisał w swej książce. „Znowu czekać. Ale teraz jest inaczej. Mam siłę. Brakuje mi tylko pieniędzy".

❧

Wykorzystując doświadczenia okrętowego skryby na *Świętej Eulalii*, Joan zaczął oferować skrybom hiszpańskich statków w Neapolu białe księgi, idealne na dzienniki okrętowe. Poza tym atrament, pióra, pergamin, papier listowy i wszelkiego rodzaju materiały piśmiennicze. Traktował skrybów jak kolegów, odwdzięczał im się niewielkimi podarunkami i wkrótce zapewnił sobie stałe dostawy. Hiszpańskie statki w Neapolu przypływały już nie tylko z Korony Aragonii, ale i z innych rejonów Hiszpanii, zwłaszcza biskajskie i andaluzyjskie. Joan mówił czystym kastylijskim, którego nauczył się od Abdali i ćwiczył z marynarzami w tawernach, co stanowiło jego mocną stronę w ubijaniu interesów na statkach Kastylii.

Ze sprzedaży materiałów piśmienniczych brał prowizję od Antonella, ale sprzedaż książek drukowanych czy pisanych to był jego własny interes i zarówno ryzyko, jak i zysk należały w całości do niego.

W tym czasie jednym z najlepiej sprzedających się autorów wśród skrybów okrętowych stał się Antonio de Nebrija. Jego gramatyka *Introductiones latinae* okazywała się wielce użyteczna w wypadku tekstów po łacinie. Dla tych zaś, którzy pisali po kastylijsku, gramatyka jego autorstwa wydana w 1492 roku, pierwsza w Europie gramatyka języka potocznego, którym posługiwał się lud, stała się nieodzowna. Patronowała jej sama królowa Izabela. Co do powieści rycerskich, to dostał od Bartomeu parę egzemplarzy pierwszych dwóch ksiąg *Amadis de Gaula*, zebranych przez Garciego Rodrígueza i wydrukowanych w Saragossie w poprzednim wieku. Rozeszły się na pniu.

Joan utrzymywał korespondencję ze swym przyjacielem Miguelem Corellą. Ponieważ papież powrócił do Rzymu z całym dworem, Corella powiadomił go, że istnieją wielkie możliwości sprzedaży hiszpańskich książek. Joan złożył więc Bartomeu kolejne zamówienie, a z książkami, które już miał, wybierał się do Rzymu.

❧

Nawet pragnąc trzymać się z dala, Anna nie była w stanie omijać księgarni, gdyż była namiętną czytelniczką. Pewnego dnia, gdy Joan eksperymentował z drukiem i rytem, który sam wyrzeźbił w drewnie, Antonello wetknął nos do warsztatu.

— Rolandzie zakochany — powiedział ze zwyczajową ironią — może zainteresuje cię, że twoja Andżelika jest w sklepie i przewraca moje książki.

— Pytała o mnie? — powiedział Joan z nadzieją w głosie.

— Nie, o ciebie nie pytała — odparł księgarz z uciechą. — Tylko o ostatnie nowości.

Joan miał ręce zabrudzone tuszem i pobiegł je wyszorować. Nie udało mu się zmyć go z paznokci, więc włożył swoje najlepsze szaty i rękawice, chociaż nie nosiło się ich latem w domach. W tym dziwacznym stroju wpadł do sklepu w poszukiwaniu ukochanej. Ujrzał ją, jak kartkowała jakąś księgę. W ścisłej żałobie, ale piękna jak zawsze. Była sama. Jako wdowa nie musiała chodzić w towarzystwie innej kobiety. Na jego widok pozdrowiła go serdecznie, jak starego przyjaciela, ale opierała się wszelkim próbom zbliżenia. Joan nalegał, by poszli do gabinetu Antonella jak kiedyś, ale gwałtownie mu przerwała.

— Mówiłam, byście uszanowali mą żałobę — strofowała go. — Zaczekajcie, aż miną trzy miesiące.

— Ale...

— Przykro mi — powiedziała, łagodząc słowa jednym ze swych najsłodszych uśmiechów, z dołeczkami w policzkach. — Tak się umawialiśmy.

— Umawialiśmy? — zdziwił się Joan.

Uśmiechając się, skinęła głową. Tak, taka była ich umowa. On tego tak nie zapamiętał. Jemu zostało to narzucone, ale nie chciał tracić chwili na spory. W końcu Anna wzięła książkę, zapłaciła i pożegnawszy się, zachowując dystans jak podczas powitania, zakryła usta rąbkiem czarnej chustki i wyszła ze sklepu elegancka, poruszając się z wdziękiem.

Antonello z uśmiechem patrzył na Joana, który wodził za nią wzrokiem, stojąc w drzwiach.

— Uwolniłeś się od galery — powiedział, śmiejąc się. — Ale nie od kapitana, który tobą rządzi.

Joan pomyślał, że to prawda. Anna była kobietą z charakterkiem. I nie przeszkadzało mu to.

જ

Spokój na granicy z Państwem Kościelnym pozwolił Joanowi wyruszyć w upragnioną podróż do Rzymu. Wybrał się lądem.

Gaeta, w połowie drogi morzem, pozostawała w rękach Francuzów. Najął wóz i furmana, załadował go książkami i dołączył do karawany zmierzającej do Wiecznego Miasta, chronionej przez wojsko neapolitańskie. Gdy zakwaterował się już w zajeździe, wybrał się do domu Miquela Corelli. Przyjaciel ucieszył się na jego widok.

— Twoje artyleryjskie zdolności przydadzą się Jego Świątobliwości — powiedział na wieść, że nie jest już u Vilamaríego. — Mogę załatwić ci wypłatę, która przewyższy twoje dochody z książek.

— Wielkie dzięki, don Miquelu — odparł Joan. — Ale sądzę, że literami przysłużę się lepiej Jego Świątobliwości i Hiszpanom w Rzymie.

Miquel wzruszył ramionami, nie nalegając. Joan obawiał się, że poczuje się urażony, ale przyjaciel zaczął mu przedstawiać klientów, a miał rozległe znajomości. Wszyscy kupowali księgi i obserwując ich, Joan wywnioskował, że nie czynili tego z miłości do lektury, tylko ze strachu przed Miquelem. Chcieli mu się przypodobać. Miquel Corella był wpływowym człowiekiem.

Joan zrobił dobre interesy, zdobył ważną grupę klientów wśród mieszkających w Rzymie Hiszpanów. Ale odkrył coś nowego. Papież Aleksander VI dawał schronienie wygnanym Żydom i zbiegłym konwertytom z Hiszpanii, którzy stworzyli spore osiedle na Zatybrzu. Wywodzili się spośród finansistów, bankierów, poborców podatkowych lub prezentowali zawody, które wymagały konkretnych studiów, i byli świetnymi czytelnikami.

Zważywszy na to, że Żydzi żyli w Hiszpanii od wielu wieków, posługiwali się hebrajskim tylko do obrzędów religijnych. Zarówno więc konwertyci, jak i Żydzi tkwili w kulturze hiszpańskiej i stanowili dobrą klientelę.

Joan napisał: „Jak Królowie Katoliccy mogą wyrzucać Żydów, skoro papież, najwyższy religijny autorytet, ich przygarnia?".

107

Po powrocie Joan oznajmił Antonellowi, że zamierza otworzyć w Rzymie księgarnię.

— Skąd weźmiecie pieniądze? — zaciekawił się księgarz.

— Postaram się o kredyt — odpowiedział Joan z zapałem. — Ta podróż przyniosła mi niezłe zyski. W Rzymie przebywa mnóstwo Hiszpanów: są w papieskiej świcie i wojsku. Trudnią się też kupiectwem. Osiedliło się tam sporo konwertytów i Żydów. Jestem pewien, że po roku zdołam zwrócić pieniądze. Zamierzam zacząć od sprzedaży zeszytów, materiałów piśmienniczych i drukowanych ksiąg hiszpańskich. Naturalnie również po łacinie. Potem rozszerzę asortyment o tytuły włoskie, a nawet francuskie, chciałbym, aby była to księgarnia międzynarodowa. Kolejnym krokiem będzie mój własny warsztat introligatorski i, kto wie, może drukarenka.

— Ale mnie nastraszyłeś! — zawołał Antonello, uśmiechając się po swojemu. — Całe szczęście, że wyjeżdżasz do Rzymu i nie będziesz mi robił konkurencji. A co z zaopatrzeniem hiszpańskich flot? To dobry interes, szkoda go tracić.

— Myślałem już o tym. Będę starał się spotykać ze skrybami osobiście, a potem ustanowię przedstawicieli w każdym z głównych portów. Może wy zostaniecie takim w Neapolu.

— Szybko ci idzie, chłopcze — śmiejąc się, odparł księgarz. — Zaledwie w kilka dni zrobiłeś ze mnie swojego agenta, sam będąc wcześniej moim.

Joan wzruszył ramionami. Był szczęśliwy. Mógł zapewnić Annie przyszłość i zdobyć pieniądze na poszukiwania swojej rodziny.

— Sądzę, że nadszedł czas, abyś pomówił znowu z Innikiem d'Avalos — rzekł księgarz po chwili. Uśmiech znikł z jego twarzy i wydawał się zamyślony.

— Innikiem d'Avalos? — zapytał Joan zdumiony.

— Tak, znasz go już przecież. Teraz został gubernatorem wyspy Ischia. Utrzymał ją mimo prób podbicia. Jego dwór stał się świątynią artystów. Nie bacząc na czas wojny, odnajdują wolność tworzenia. Opiekuje się nie tylko artystami, ale też takimi jak my, którzy sztukę rozpowszechniamy. Spodobałeś mu się, gdy cię poznał. Jestem pewien, że jego poręka i list polecający pomogą ci w uzyskaniu potrzebnych funduszy.

&

Joan nie mógł się doczekać, by oznajmić Annie wspaniałą wiadomość. Miał jej coś więcej do zaoferowania niż rolę żony introligatora. Zostałaby panią księgarz utrzymującą stosunki z kupcami, przedstawicielami władz i szlachtą.

Była to świetlana przyszłość. Z całego serca pragnął jej o niej opowiedzieć, postanowił jednak uszanować jej żałobę. Mimo to nie mógł się powstrzymać i kupił jej złoty pierścionek. Wyobrażał sobie raz po raz wyraz twarzy ukochanej, jej wesoły uśmiech podczas słuchania dobrych nowin, i marzył o chwili, gdy wkłada jej pierścionek na palec. Jednakże to ona przyszła do niego i było to zupełnie inne spotkanie, niż sobie wyobrażał.

&

— Jestem w ciąży — powiedziała Anna.

Wiadomość była dla Joana tak zaskakująca, że zaniemówił. Byli sami w gabinecie Antonella, którego poprosiła, by dyskretnie zawiadomił Joana o jej wizycie. Gdy wszedł do pokoju, zastał ją z poważną miną. Jak zwykle trzymała go na dystans.

— Od dawna? — zapytał, kiedy odzyskał już zdolność reakcji.

— Od dwóch miesięcy.

567

— A więc to moje dziecko! — zawołał Joan uradowany, gdy poczynił obliczenia.

— Nie sądzę — odparła, patrząc mu w oczy. — Jeśli to dwa miesiące, jest Ricarda.

— Ricarda?

— Tak, Ricarda — potwierdziła surowo. — Pamiętacie? Był moim mężem.

— Tak, oczywiście, że pamiętam — odpowiedział niechętnie. — Ale to mnie kochacie. Takie były wasze słowa.

Pokręciła głową z niedowierzaniem.

— A co to ma wspólnego? — zdziwiła się. — Był moim mężem i nigdy nie odmawiałam mu mego ciała. Miał do niego prawo.

Joan zamilkł. Dlaczego uroił sobie taką głupią iluzję? Może dlatego, że kochał ją tak mocno, że po pierwszej nocy spędzonej razem, kiedy tylko się pieścili, sądził, iż odtrąci męża. Tak się nie stało. Poczuł się strasznie zawiedziony. Przez chwilę wyobraził sobie Annę, jak kocha się z Ricardem, i owładnęła nim dawna furia. Spojrzał na brzuch dziewczyny. Nie było nic widać, ale rosło w nim nasionko, które złożył tam jego rywal. Mające stać się żywą istotą, która zawsze będzie przypominać mu jego zbrodnię i pośmiertne zwycięstwo Ricarda.

— Rozumiem — powiedziała Anna na widok miny Joana. — Tego się nie spodziewaliście, gdy chcieliście mnie adorować. Nie martwcie się, jesteście wolni. Powiem rodzicom, że zmieniliście zdanie.

Joan jej nie słuchał. Przed oczami miał spojrzenie Ricarda, kiedy zadawał mu cięcie w szyję. Dusił go natłok emocji. Nienawiść, gniew, żądza mordu i zarazem wyrzuty sumienia z powodu zbrodni i kłamstwa. Kłamstwa, które go zadręczało. Nie mógł już dłużej wytrzymać.

— To ja go zabiłem — odezwał się w końcu, rozciągając słowa.

— Co takiego?

— Spotkaliśmy się podczas napaści na karawelę. Walczyliśmy i zabiłem go — rzekł Joan.

— Ale powiedzieliście mi, że to nie wy!

— Skłamałem ze strachu, żeby was nie stracić.

Patrzyli na siebie w ciszy. Na twarzy Anny malował się ból, jej oczy napełniły się łzami. Potwierdziło się podejrzenie, które nie dawało jej spokoju, spędzając sen z powiek, gdy błagała Boga, aby nie było to prawdą. Joan zabił Ricarda, a zrobił to dla niej, z jej winy. Gdyby mimo miłości, którą czuła do Joana, trzymała się od niego z dala, gdyby zachowała się, jak na uczciwą żonę przystało, chłopak nie rościłby sobie prawa do niej i Ricardo byłby wśród żywych. Do zdrady męża musiała dodać teraz odpowiedzialność za jego śmierć. Miała pewność, że dziecko, którego się spodziewała, było Ricarda. Cieszyło ją to. Nie mogłaby nosić w swym łonie owocu zdrady.

— Mój Boże! — załkała w końcu. I odwróciwszy się, ruszyła ku drzwiom.

— Zaczekajcie, proszę. — Joan chciał ją zatrzymać, ale odepchnęła go z wściekłością.

— Zostawcie mnie! Obawiałam się tego! Tyle się modliłam, żeby to nie była prawda!

— Ale kochacie mnie! — krzyknął. Usiłował ją zatrzymać.

— Już nie! — Uwolniła się znowu od Joana i zanim wybiegła drzwiami, spojrzała mu ostro w oczy i dodała: — Nie rozumiecie, że jesteśmy podli? Nie chcę was więcej widzieć!

Joan został sam w gabinecie, który był świadkiem ich potajemnej miłości, załamany, nie mogąc wciąż uwierzyć w to, co się stało, i niezdolny do reakcji. Jak mogło wszystko pójść tak źle? Przed paroma minutami czekał na spotkanie z ukochaną, na którym rozmawialiby o cudownej przyszłości wśród książek. Teraz wszystkie jego marzenia rozpadły się w proch i został mu tylko, na dowód jego klęski, pierścionek w ręce.

&

Kolejne dni były pełne smutku. Joan próbował kilka razy porozmawiać z Anną, ale chowała się za plecami rodziców. Nawet nie było jej widać w sklepie. Skończyły się uśmiechy.

Napisał do niej, rozpaczliwie wyznając jej swą miłość. Ubolewał nad śmiercią Ricarda i twierdził, że walka była szlachetna. Nie otrzymał jednak odpowiedzi.

Po paru ponurych dniach, porzuciwszy nadzieję, uznał, że Anna z pewnością kochała bardziej Ricarda niż jego i że nic go nie trzyma już w Neapolu. Pragnął uciszyć żal, chciał jak najprędzej rozpocząć nowe życie w Rzymie. Napisał w swojej książce: „Zawsze będę was kochać, Anno. Wasz uśmiech był dla mnie światłem poranka. Teraz żyję w ciemności".

108

Pod koniec września Joan wyjechał do Rzymu. Wziął wszystkie swoje rzeczy i spore pieniądze ze sprzedaży książek. Chciał zapomnieć o Annie i myślał o rozpoczęciu nowego życia, czekając zarazem niespokojnie na wieści z Genui. Poprosił Antonella, aby napisał raz jeszcze do swojego przyjaciela księgarza, co ten uczynił, powtarzając jednak, że Fabrizio Colombo jest bardzo skrupulatny i jeśli spóźnia się z odpowiedzią, to nie dlatego, że zapomniał, tylko dlatego, że wciąż drąży sprawę.

Joan przyłączył się do karawany kupców podążających trasą, na której nie spodziewali się napotkać działań wojennych. Grupa była silna, uzbrojona i dotarła do Rzymu nieniepokojona przez przydrożnych bandytów.

Tak samo jak podczas poprzedniej podróży, Joan zatrzymał się w zajeździe El Toro poleconym mu przez Miquela Corellę. Znajdował się na Campo de' Fiori, w dzielnicy, gdzie potężny ród Orsini odbudował właśnie swą rezydencję, a Raffaele Riario, bratanek papieża Sykstusa IV i kardynał od siedemnastego roku życia, rozpoczął dwa pięciolecia wcześniej budowę gigantycznego pałacu. Była to pierwsza w Rzymie budowla w stylu renesansowym i chodziły pogłoski, że młody kardynał zapłacił za nią pieniędzmi zdobytymi jednej nocy w domu gry. Marmury pałacu pochodziły z pobliskiego Teatru Pompejusza. Poza poważaniem, z jakim rzymianie traktowali to miejsce, stanowiło ono źródło znakomitych materiałów budowlanych. Rzym był domem dla ponad miliona mieszkańców w epoce klasycznej i ledwie trzydziestu tysięcy w czasach, gdy przybył Joan. Starożytny Rzym stał się ogromnym kamieniołomem dla współczesnego, który nieustannie się rozrastał.

To, co pięćdziesiąt lat wcześniej było łąką nad jednym z meandrów Tybru, gdzie zieleń i kwiaty porastały ruiny sprzed ponad tysiąca lat, wraz z powrotem papiestwa z Awinionu do Rzymu przekształciło się w jedno z najbardziej żywotnych centrów kultury renesansowej. Miejsce tętniło życiem. Miało rozmaite bazary, wśród których wyróżniał się koński targ, ale były tam też place do egzekucji i pojedynków.

Barwne tkaniny ulicznych stoisk wypełniały dzielnicę kolorytem, pieczone w południe mięso i odchody zwierząt tworzyły szczególny zapach, a krzyki sprzedawców zachwalających swe towary mieszały się z gwarem, śmiechem i dźwiękami wędrownych muzyków. Było tam wiele zajazdów i niektóre, jak właśnie El Toro, należały do Vannozzy dei Cattanei.

Gdy Joan spotkał się z nią po raz pierwszy, kobieta obdarzyła go zachwycającym uśmiechem.

— Skoro jesteście od Miqueleta Corelli, to będziemy traktować was jak księcia — powiedziała. — Opowiadał mi, jak pomogliście mojemu synowi Juanowi w Barcelonie, gdy chcieli go napaść bandyci, i jestem wam bardzo wdzięczna.

— To hrabia Gandíi jest waszym synem?

Kobieta potwierdziła uśmiechem, dumna ze swego potomka, a Joan dyskretnie nie omieszkał wyjaśnić, że jego napastnicy nie byli wcale bandytami i że Juan Borgia nieustannie wdawał się w zatargi.

Vannozza przekroczyła pięćdziesiątkę, ale wyglądała zdrowo, a nawet ponętnie, chociaż obrosła już lekko tłuszczem. Musiała być kiedyś pięknością. Czarowała otoczenie kokieteryjnym uśmiechem i odkrytymi włosami zebranymi w okazały kok, z którego wymykały się pukle ufarbowane modnie na blond. Nosiła szaty damy i miała szlacheckie maniery. Zaciekawił ją interes, który sprowadził Joana do Rzymu.

— Księgarz! Uwielbiam lekturę, zostanę waszą najlepszą klientką. — I dodała: — Mam parę domów w Borgo, na Zatybrzu i tu, na Campo de' Fiori, które powinniście obejrzeć. Jeden z nich mógłby posłużyć wam do urządzenia w nim księgarni.

I uczyniła mu zaszczyt, podejmując książęcą kolacją mimo ubóstwa, jakie cierpiał Rzym z powodu blokady portu w Ostii przez Francuzów. Służące podały rosół z warzywami i grochem, pieczeń wołową jako specjalność domu i słodycze z miodu i migdałów. Do tego wszystkiego dobrze wypieczony chleb z żyta i pszenicy oraz świetne wino z Lazio.

Ożywiło to nieco duszę Joana umęczonego długą podróżą. Wciąż cierpiał po stracie Anny i wszystko mu ją przypominało, powtarzał sobie jednak, że najważniejsze dla niego jest teraz odnalezienie matki i siostry.

W swojej książce napisał: „Rzym. Niechaj odrodzenie zagości w moim sercu".

∾

— Powiadają, że nazwę gospody El Toro Vannozza nadała na cześć naszego papieża Aleksandra Szóstego — wspomniał Miquel Corella, gdy wraz z Joanem przemierzali konno most Sisto na wezbranej rzece Tyber. Jechali w stronę Zatybrza w poszukiwaniu odpowiedniego miejsca na księgarnię. — Jak wiesz, na herbie rodu Borgia widnieje byk otoczony lamperią i płomieniami. Moim zdaniem dobrze wyraża naszego papieża. Jest silny fizycznie, namiętny, pełen ognia i ma szczególny magnetyzm.

Joan przypomniał sobie, że istotnie, szyld zajazdu przedstawiał pięknego barwnego byka, czerwonokasztanowatego, ale bez płomieni.

— Vannozza jest piękną i bardzo uprzejmą matroną — zauważył Joan. — Za młodu musiała być pięknością. Nie wiedziałem, że to matka Juana Borgii.

Miquel Corella się zaśmiał.

— Jako jedyny w Rzymie o tym nie wiedziałeś — rzekł. — Ona i papież byli kochankami niemal dwadzieścia lat temu, gdy on był kardynałem Rodrigiem de Borgia. Ich związek zakończył się niedługo przed wyborem na papieża. Mieli czworo dzieci.

573

Poznałeś już Juana i Cesarego, dwoje pozostałych to Lukrecja i Jofré.

Joan przypomniał sobie Juana Borgię, zarozumiałego chłopaka o parę lat od niego młodszego, który upijał się, obrażał ludzi i przeszywał koty i psy rapierem na ulicach Barcelony. Kontrastował z powagą i opanowaniem, którą okazywał jego starszy brat Cesare, kardynał Walencji, gdy przedstawił mu go Miquel.

— Vannozza jest córką hrabiego i wyszła już za mąż po raz czwarty — kontynuował Miquel z uśmiechem. — Była zamężna mimo związku z papieżem.

— A czy duchowni nie powinni przypadkiem żyć w celibacie? — przerwał Joan zgryźliwie.

— Chciałeś powiedzieć: w kawalerstwie — uciął Miquel szorstko. Uśmiech zniknął z jego twarzy. — Bo tu, w Rzymie, niewielu jest takich, którzy mieliby władzę i zachowali celibat. Tylko biedacy muszą obejść się bez kobiet.

Joan się nie zgadzał. Pamiętał eremitę ze Świętego Sebastiana czy superiora Antoniego. Byli ludźmi, którzy mieli władzę, a zostawili ją, aby służyć Bogu, i zachowywali celibat. Tak czy inaczej, nie chciał wdawać się w polemiki z przyjacielem. Był mu potrzebny, a obawiał się, że jakąkolwiek krytykę papieża uzna za zdradę.

Kontynuowali przejażdżkę upstrzonymi ulicami Zatybrza, które zapełnione warsztatami rzemieślników i sklepami tętniło życiem handlowym. Z domów napływały zapachy jedzenia, a wygląd i mowa ludzi zdawały się Joanowi znajome i przez chwilę poczuł się jak w Barcelonie.

— To konwertyci i Żydzi, którzy uciekli z Hiszpanii — wyjaśnił mu Miquel. — Wiesz przecież, że papież ich chroni.

— W takim razie to tu powinienem założyć księgarnię — zauważył Joan. — Na początku będę sprzedawał hiszpańskie książki.

Miquel pokręcił głową.

— Nie — powiedział. — Hiszpanie są w całym Rzymie. Nie opłaca ci się być razem z uchodźcami, lecz z tymi, którzy mają władzę. Zaufaj mi, dzielnica Campo de' Fiori jest na szczycie. To tam powinien zainstalować się jeden z naszych.

Z jakiego powodu Miquel uznał mnie za jednego ze swoich? — zastanowił się Joan.

❧

— Dlaczego oprócz uchodźców w Rzymie jest tylu Hiszpanów? — zapytał, gdy wracali na Campo de' Fiori.

— To miasto kontrolowane było zawsze przez potężne rody, spośród których wyróżniają się Colonna i Orsini. Ich własnością są ufortyfikowane domy w Rzymie i ogromne posiadłości i zamki poza nim. Czterdzieści lat temu rodziny te zabijały się na ulicach, zabiegając o to, by kandydat jednej z nich został papieżem. Przestraszeni kardynałowie zebrali się nocą w latrynach, żeby uciec przed presją, i wybrali neutralnego kardynała, aby położyć kres konfliktowi. Objął tron Piotrowy jako Kalikst Trzeci, był cudzoziemcem, miał siedemdziesiąt siedem lat, był bardzo chory i miano nadzieję, że niedługo umrze. Chcieli zyskać na czasie. Lecz gdy już został mianowany, Alfonso de Borgia cudownie ozdrowiał i otoczył się krajanami z Walencji, Aragonii, Katalonii, Majorki, Sycylii, Sardynii i Neapolu. W tamtej epoce bowiem król Aragonii panował również w Neapolu. Rzymianie zwali ich wszystkich, bez wyjątku, *catalani*. Owi „Katalończycy" uwolnili papieża od ciągłych nacisków rodów Colonna, Orsini i całej niekończącej się listy innych rodów i klanów, które zabiegały o kontrolę nad papiestwem. Papież cudzoziemiec nie ma lekko w Rzymie. Nie wystarczy być dobrym, trzeba być potężnym. Jednakże trzy lata później, gdy ten pierwszy papież z rodu Borgia leżał na łożu śmierci, tłum podburzany przez Colonnów i Orsinich wybiegł na ulicę z okrzykiem „śmierć *catalani*" na ustach. Zabili, kogo się dało, i napadli na nasze domy. Wielu uciekło, ale również wielu zostało, jak Rodrigo de Borgia, nasz obecny papież, narażając się na śmierć.

— Czyżby *catalani* wyrządzili tu tyle zła? Skąd ta nienawiść?

Miquel Corella znów się zaśmiał przez zęby i rzucił posępne spojrzenie, a Joan pomyślał, że nie chciałby mieć w nim wroga.

— Naszą zbrodnią było przeciwstawienie się potężnym rzymskim rodom przyzwyczajonym do tego, że papież był jednym z nich albo stawał się ich bezwolną marionetką. Jak papież może pełnić swą boską misję, jeśli ciągle ma nóż na gardle, a czyjś głos dyktuje mu, co ma robić? Nasz papież ustanowił niezależną władzę watykańską opartą na sile zbrojnej, jedynym argumencie, który trafia do tych ludzi. — Corella zaśmiał się złowieszczo.

— To jednak dziwne, że atakowali nas z taką gwałtownością — rzekł Joan.

Miquel się zatrzymał i przewiercił młodzieńca mrocznym i przenikliwym spojrzeniem, które wraz ze spłaszczonym nosem nadawało mu niebezpieczny wygląd. Była w nim determinacja i gniew. Joan pomyślał znowu, że ten człowiek budzi trwogę.

— Nie — powiedział. — Tu nie chodzi tylko o nas, lecz o rzymski obyczaj. Gdy umarł Pius Drugi, który pochodził ze Sieny, tłum wybiegł na ulice, krzycząc „śmierć sieneńczykom", i zabijał, kogo tylko dopadł. Gdy umarł Paweł Drugi, rozpoczęły się mordy i grabieże wenecjan, a gdy zmarł Sykstus Czwarty, przyszła kolej na genueńczyków. Inną z rzymskich tradycji są napaści i rabunki pałacu kardynała, który zostaje wybrany na papieża. To sposób, w jaki biedni rzymianie chcą uczestniczyć w bogactwie papiestwa.

— Niebezpiecznie zatem być cudzoziemcem w Rzymie — podsumował Joan.

— Zwłaszcza gdy papież jest tej samej co ty narodowości i umiera — zgodził się Miquel. — Ale nie martw się, nasz papież Borgia cieszy się znakomitym zdrowiem, prawdziwy z niego byk. Poza tym nazywają *catalani* wszystkich, którzy przybyli z Półwyspu Iberyjskiego, także Kastylijczyków, Basków, Portugalczyków i Włochów z południa w służbie papieża. Jesteśmy potężniejsi niż za czasów starego papieża Borgii. Tym razem nie pójdzie im tak łatwo.

Jechali dalej, a Joan rozmyślał w ciszy.

— Czekają cię lata powodzenia w Rzymie — zagaił Miquel po chwili, gdy zauważył skupienie młodzieńca. — Ciesz się, to piękne miasto. Przyciąga najlepszych artystów świata i umie radować się życiem.

— Ale nadejdzie dzień, gdy stanie się niebezpieczne — odparł Joan.

Miquel gwizdnął z uśmiechem.

— Niebezpieczny jest każdy dzień — powiedział. — Nie ma ranka, by nie było trupów w Tybrze, do którego wyrzuca się śmieci. Ale gdy nasz papież Borgia umrze, miasto stanie się śmiertelną pułapką dla ciebie i twojej rodziny. Będziesz wtedy musiał walczyć, jeśli nie zechcesz uciekać jak szczur.

Te zdania zmartwiły Joana. Wieczorem napisał w swej książce: „Trzeba będzie walczyć lub uciekać. Miquel Corella będzie walczył i nie sądzę, by tolerował dezercję. W co ja się ładuję?".

109

Joan postanowił założyć swoją księgarnię w pobliżu Campo de' Fiori, tak jak radził mu Miquel Corella. W Rzymie nie było jeszcze cechu księgarzy, ale łączyli się w bractwo religijne, które miało swą siedzibę w kościele Santa Barbara alla Regola. Nie zdziwiło to Joana, w Barcelonie było tak samo. Gdy się zorientował, że jeden z wolnych domów Vannozzy dei Cattanei znajdował się na rogu Largo dei Librai, drogi, która prowadziła do owego kościoła i głównej ulicy, wiodącej na położony nieopodal Campo de' Fiori, uznał, że to idealne miejsce. Largo dei Librai to właściwie wydłużony placyk, który zwężał się aż do kościoła Santa Barbara, gdzie kończył się ślepym zaułkiem, zbudowanym na dawnym Teatrze Pompejusza. Nazwa wzięła się stąd, iż była to jedyna droga do kościoła księgarzy i mieściły się przy niej dwie inne księgarnie. Sklep Joana miał być trzecią. Nie przejmował się tym, gdyż było normalne, że kupcy jednej branży gromadzili się na określonych ulicach, aby klienci wiedzieli, gdzie się udać i cieszyć się różnorodną ofertą.

Gdy obejrzał nieruchomość, doszedł do wniosku, że może w niej z powodzeniem ulokować księgarnię z warsztatem introligatorskim, a po pewnych przeróbkach nawet drukarnią. Zawarcie umowy z Vannozzą poszło łatwo. Zachwycona przyjęła wystawioną przez Innica d'Avalos akredytywę.

Joan postanowił przedstawić się swoim najbliższym konkurentom przed otwarciem księgarni. Miał zamiar udać się do kościoła księgarzy i wierzył, że prędzej czy później przyjmą go do bractwa.

Spotkanie było dość chłodne. Wyczuł nawet, że momentami podejrzliwość wynikała z czegoś więcej niż obawy przed nowym konkurentem. Jeden z księgarzy zapytał go wprost:

— Jesteście *catalano*?

— Tak, jestem nim — musiał przyznać. — I będę specjalizował się w hiszpańskich księgach.

Wydało się, że to uspokoiło mężczyznę.

— Zrobicie dobry interes, w Rzymie jest wielu waszych rodaków — powiedział księgarz.

Joan zrozumiał, że mówiąc „wielu", mężczyzna miał na myśli „zbyt wielu". Było jasne, że bez względu na to, jak dobrze władałby włoskim i jak bardzo starałby się wstąpić do bractwa księgarzy, będzie dla nich zawsze jednym z *catalani*, a taka klasyfikacja w Rzymie Borgii zawierała w sobie groźbę. Ale wspominając słowa Miquela Corelli, pomyślał, że owa groźba działa w obie strony.

ॐ

Po śniadaniu w zajeździe El Toro Joan zasiadł przy stole w głównym salonie oświetlonym słońcem poranka i zabrał się do projektowania księgarni. Na parterze miał mieścić się sklep wraz z warsztatem introligatorskim. Na podwórzu zamierzał otworzyć w przyszłości drukarnię, ale wcześniej musiał je zadaszyć. Piwnica miała być magazynem, pierwsze piętro będzie stanowiło część mieszkalną, a na ostatnim, gdzie było najwięcej światła, chciał urządzić *scriptorium*, na wzór pracowni państwa Corrów w Barcelonie. Joan pokazał projekt Miquelowi i Vannozzie, którzy przyjęli go z równym entuzjazmem jak przyszły księgarz.

— Gdy księgarnia będzie gotowa, urządzimy bal na otwarcie i zaproszę przyjaciół, którzy lubią książki — obiecała Vannozza.

ॐ

Joan ze wszystkich sił starał się zmiękczyć serce Anny i pielęgnował nadzieję, że ona i dziecko zamieszkają na pierwszym piętrze domu. W listach opisywał jej Rzym jako piękne miasto, pełne cudów, i opowiadał o postępach w zakładaniu księgarni. Twierdził też, że kocha ją teraz jak nigdy dotąd i że potraktuje jej dziecko jak własne. Anna nie odpowiadała, ale Joan popychany na przemian żalem i nadzieją wysyłał listy prawie codziennie. Na początku października dobiegała końca żałoba po mężu i wierzył, że wówczas otrzyma wieści od Anny.

Zamiast tego dostał list od Antonella z jakże oczekiwanymi wiadomościami od Fabrizia Colomba, genueńskiego księgarza. Mężczyzna uruchomił wszystkie swoje kontakty w Banku Świętego Jerzego i uzyskał potwierdzenie, że wszystkie dokumenty dotyczące transakcji zawartych w Bastii, łącznie z handlem niewolnikami, znajdują się w budynku siedziby banku w porcie Genui. W tej sytuacji Fabrizio poprosił o przejrzenie ksiąg z lat 1484 oraz 1485, niestety, w rejestrach niewolników nie pojawiali się Katalończycy. Genueńczyk zapytał nawet o to, czy możliwe jest, żeby część dokumentów znajdowała się w Bastii, lecz otrzymał odpowiedź negatywną. Bank Świętego Jerzego szczycił się swoją administracją i tym, że wszystkie genueńskie rejestry są przechowywane w jego archiwach. Skrupulatny księgarz na tym nie poprzestał, lecz poprosił przyjaciół mieszkających w Bastii o znalezienie kogoś, kto w owym czasie pracował na targu, na którym handlowano niewolnikami. Odpowiedź była negatywna. Jedni umarli, a inni wrócili do Genui.

To pogrążyło Joana w rozpaczy. Był pewien, że Vilamarí powiedział mu prawdę, ale nie było śladu po jego ukochanych istotach. Stracił nie tylko Annę, ale i nadzieję na odnalezienie rodziny, nadzieję, która zawsze dodawała mu sił, gdy wpadał w najgorsze nieszczęścia. Był zrozpaczony.

Nie mógł zapomnieć ani o Annie, ani o matce i siostrze. Jednakże ta pierwsza nie chciała na niego patrzeć, natomiast Eulalia i María, jeśli żyły, czekały na niego.

„Muszę próbować je odnaleźć nawet bez nadziei w sercu. Muszę zrobić wszystko, co w mojej mocy", napisał. „Ale są pieniądze tylko na księgarnię". I przytłoczony nieszczęściem dodał: „Muszę więc wybierać między księgarnią a nimi".

Cokolwiek zdecyduje, nie wiedział, gdzie ani jak szukać rodziny. Mógł jedynie jechać do Genui i osobiście badać szczegóły. Nie wydawało się jednak prawdopodobne, żeby księgarz coś pominął. Postanowił zatem skoncentrować się na księgarni i przełożyć podróż na później, gdy będzie miał pieniądze.

❧

Pewnego dnia Miquel Corella przedstawił Joanowi dwóch florentczyków, ciotecznych braci: Giorgia di Stefano i Niccola dei Machiavelli. Giorgio miał czterdzieści pięć lat, a Niccolò dwadzieścia sześć, o trzy więcej od Joana. Giorgio był księgarzem i drukarzem, a Niccolò pracował w administracji Florencji.

— To wygnańcy, zbiegli przed reżimem Savonaroli — wyjaśnił Miquel.

— Słyszałem, że to fanatyk religijny, który utrzymuje republikę w terrorze — powiedział Joan.

— To prawda — odparł Niccolò. — Girolamo Savonarola jest dominikaninem. Wielkim kaznodzieją, który zastrasza lud groźbami katastrof i kar piekielnych.

— Jedna z jego przepowiedni głosi, że Francuzi pobiją Florencję, a ich króla zesłały niebiosa, aby zaprowadził porządek wśród sprzedajnego kleru — kontynuował Giorgio. — Krzyczy, że nasz papież Aleksander Szósty jest „najhaniebniejszym w całej historii, tym, który najwięcej nagrzeszył, reinkarnacją samego szatana".

— Gdy Florencja upadła, bunt prowadzony przez Savonarolę usunął z miasta Medyceuszów — powiedział Niccolò. — Wtedy razem z fanatycznymi pokutnikami, płaczkami, przejął kontrolę nad Florencją.

— Płaczki? — zapytał Joan.

— Nazywamy ich tak, bo noszą włosiennice, biczują się, chodzą po ulicach, płacząc z powodu grzechów ludzkości, i zachowują umiarkowanie w jadle i napoju.

— Piękną Florencję zamienili w piekło na ziemi — dodał Giorgio. — Nie wolno organizować balów karnawałowych, a tak zwana milicja dziecięca zaciekle ściga zwolenników gier karcianych i w kości, nawet szachów. Niedozwolone są też trunki, kosmetyki, lustra, perfumy, ozdobne grzebienie do upinania włosów oraz wszelkie męskie i damskie strojne szaty. Domy są przeszukiwane, wszystkie te przedmioty konfiskowane, a Savonarola każe je palić przy śpiewach i modłach na placu Signoría w centrum miasta. Nazywa się to „stosem próżności".

— Jeśli pali tylko przedmioty... — powiedział Joan, myśląc o hiszpańskiej inkwizycji.

— Nie, nie tylko przedmioty — przerwał mu Niccolò. — Brutalnie prześladuje się homoseksualistów. Savonarola ma na ich punkcie obsesję, widzi ich wszędzie. Są sądzeni, wieszani, a ich ciała lądują na stosach. Taki los czeka również tych, którzy ośmielą się przeciwstawić zakonnikowi.

Joan skonsternowany pokręcił głową.

— Ale nie myślcie, że prześladowania za zachowania seksualne ograniczają się do homoseksualistów — kontynuował Giorgio. — Każda księga o tematyce seksualnej, nawet dzieła sztuki, malowidła i rzeźby ukazujące nagość lub ludzi skąpo ubranych uznawane są za grzeszne i wędrują na stos. Reżim Savonaroli zachęca do szpiclowania i donosicielstwa. Nie można już ufać sąsiadom.

— To gorsze od inkwizycji! — zawołał Joan poruszony. — A co dzieje się z księgarzami?

— Nic, jeśli sprzedają tylko książki czyste albo religijne, dozwolone przez Savonarolę — powiedział Niccolò.

— A jeśli nie?

— Ścigają nas, wsadzają do więzienia, a nawet skazują na śmierć — odparł Giorgio. — Księgi klasyków grackich czy rzymskich uznano za pogańskie i idą na stos. Ten sam los spotyka dzieła słynnych pisarzy, Petrarki, Boccaccia i Dantego.

— Co takiego?! — krzyknął Joan oszołomiony i niedowierzający. — Mogę zrozumieć, że podobny fanatyk zakazuje Boccaccia. Ale Dantego?

— Tak, tak, Dantego Alighieri też — potwierdził florentczyk. — Księgarze zmuszani są do oddawania tych książek. Mieszkańców wzywa się do dobrowolnego przynoszenia dzieł, które mają w swoich zbiorach, na plac Signoría i tam mają rzucić je na „stos próżności". Lud jest posłuszny ze strachu. Boi się donosów sąsiadów.

— I nikt z tym nic nie robi?

— Franciszkanie zamierzali się przeciwstawić, głosząc miłość i tolerancję, lecz zostali uciszeni — wyjaśnił Niccolò. — My połączyliśmy się w grupę oburzonych, która stanowczo przeciwstawiła się czynom tych szaleńców. Czy jesteście w stanie wyobrazić sobie Florencję, kolebkę renesansu, pod podobnym jarzmem?

Joan pokręcił głową.

— Nasz bunt przyniósł krwawe walki na ulicach — ciągnął Giorgio. — Ale zostaliśmy pokonani przez płaczki i wielu z naszych zginęło lub zostało straconych. Pozostali musieli uciekać. Wielu przybyło do Rzymu.

෴

Opowieść florentczyków poruszyła Joana dogłębnie. Przypomniał sobie księgarnię pana Corra i jego tajną walkę o wolność słowa pisanego. Przed oczami stanął mu jej tragiczny koniec. Gdy wieczorem, leżąc w łóżku, przymknął oczy, widział twarze i płomienie stosu, czuł swąd palonego mięsa. Zrozumiał, że on sam też zalicza się do oburzonych.

Odbył rozmowę z Miquelem. Przyjaciel powiedział mu, że obaj azylanci nie mają w Rzymie środków do życia i godna praca, na przykład w księgarni, polepszyłaby ich sytuację. Parę dni później znów spotkali się we czterech.

— Giorgio, czuję się jednym z was — powiedział Joan do starszego florentczyka. — Byłoby dla mnie zaszczytem, gdybyście współpracowali ze mną w mojej księgarni. Wasze doświadczenie bardzo by mi się przydało.

— Z wielką ochotą — odpowiedział florentczyk po krótkiej przerwie.

— Was też zapraszam, Niccolò. Don Miquel opowiadał mi o waszym wykształceniu, waszych umiejętnościach. Jestem pewien, że choć nie macie doświadczenia jako księgarz, będziecie mi wielką pomocą.

— Jestem wam bardzo wdzięczny — powiedział Niccoló i skłonił się lekko.

Miquel Corella uśmiechnął się z zadowoleniem, widząc, jak Joan brata się z florentczykami. Byli ważnymi postaciami w działaniach przeciwko Savonaroli i wspieranie ich tworzyło część polityki Aleksandra VI.

— Poznajcie mnie z innymi oburzonymi, których znacie tutaj, w Rzymie, i którzy pracują w księgarniach, pracowniach introligatorskich lub drukarniach — kontynuował Joan. — Dam pracę, komu tylko będę mógł. — A patrząc na Miquela Corellę, dodał: — Gdy tylko ruszy księgarnia i warsztat introligatorski, chcę założyć drukarnię.

— Nie za bardzo się rozpędzacie? — zapytał Miquel, wiedząc, że to zamiary długookresowe.

— Nie ma czasu do stracenia — odpowiedział Joan, patrząc na wszystkich trzech. — Chcę wydrukować dziesięć książek na każdą jedną, którą spali Savonarola. Panowie, mogę liczyć na waszą pomoc?

Odpowiedź była entuzjastyczna.

Wieczorem Joan napisał: „To będzie moja zemsta na inkwizycji i inkwizytorach".

110

Joan nie przeliczył się, zatrudniając florentczyków. Giorgio znał się świetnie na interesach, władał łaciną i greką. Natomiast Niccolò, który zdobywał wiedzę z myślą o objęciu urzędu ambasadora Republiki Florenckiej, odebrał staranne wykształcenie z gramatyki, retoryki i łaciny. Nie minął jednak nawet rok od przyjęcia go do administracji rządowej, gdy rozpętał się przewrót Savonaroli, któremu się przeciwstawił, i musiał uciekać wskutek klęski oburzonych w starciach z płaczkami.

Giorgio i Niccolò z entuzjazmem przystąpili do pracy w tworzącym się wydawnictwie Joana. Wspólnie walczyli przeciwko fanatyzmowi Savonaroli i jego zwolenników zasnuwających ciemnymi chmurami świetlistą przeszłość Florencji. Kultura była blaskiem, fanatyzm ciemnością.

Dla Joana księgarnia stanowiła nie tylko spełnienie młodzieńczych marzeń. Była jego zemstą na tych, którzy prześladowali wiedzę i niszczyli księgi, bez względu na to, czy chodziło o inkwizycję w Hiszpanii, czy o płaczki Savonaroli we Florencji. Była także hołdem złożonym pamięci małżeństwa Corrów.

Napisał: „W imię wolności i światła wiedzy, a przeciwko wszelkim prześladowaniom inkwizycyjnym uczynimy wszystko, aby książki przetrwały. Za każdą księgę, którą Savonarola spali, wydrukujemy dziesięć nowych".

Te zdania stały się dewizą grupy, która nie szczędziła wysiłków, żeby stworzyć wspaniałą księgarnię.

Marzenie Joana było o włos od spełnienia, ale on sam nie czuł się szczęśliwy. Odtrąciła go ukochana. Jego matka i siostra wciąż były w niewoli w nieznanym miejscu. Ilekroć spoglądał na włócznię, którą trzymał za drzwiami pokoju w zajeździe, przypominała mu się dana ojcu obietnica. Miał wprawdzie pieniądze, żeby wyruszyć na poszukiwania, ale nie swoje. Była to pożyczka na urządzenie księgarni. Ledwie sypiał z powodu dylematu: zostać czy wyjechać. Nie był w stanie cieszyć się wolnością, skoro jego matka i siostra żyły w niewoli — zakładając, że w ogóle żyły. „Albo rodzina, albo księgarnia", zanotował w książce. Pomyślał, że może w ciągu roku uda mu się zgromadzić dość pieniędzy na rozpoczęcie poszukiwań i nie zawieść przy tym przyjaciół. Ale gdy tylko miał pieniądze w rękach, wyrzucał sobie, że nie jedzie natychmiast do Genui.

Wreszcie postanowił opowiedzieć Miquelowi Corelli o swojej rozterce.

— Jedź teraz do Genui — powiedział Miquel. — W listopadzie żeglowanie będzie niebezpieczne. Poza tym obecnie jest sprzyjająca sytuacja polityczna, a kto wie, co wydarzy się za parę miesięcy. Po tej wojnie przyjść może kolejna. Jeśli przepuścisz tę szansę, może będziesz musiał czekać lata, żeby wyruszyć w drogę. Jedź, choćbyś miał ich nie znaleźć, bo inaczej nie zaznasz spokoju. Rodzina jest najważniejsza. Musisz być wierny swoim.

— Z całego serca tego pragnę, ale mam pieniądze tylko na księgarnię — odparł Joan. — Korci mnie, żeby je wziąć i zawalić nasze przedsięwzięcie, choć to wielce prawdopodobne, że ich nie odnajdę.

— Pieniędzmi się nie przejmuj — odparł przyjaciel. — Pożyczę ci.

Młodzieńcowi łzy napłynęły do oczu. Nie wiedział, jak dziękować Miquelowi za ten gest. Uścisnął go. Miquel pomógł mu rozstrzygnąć dylemat. Joan wysłał list Gabrielowi, w którym napisał, że mimo nikłej nadziei na odnalezienie postara się zdobyć adres matki i siostry w Genui. Nigdy nie wybaczyłby sobie, gdyby nie spróbował. Dodał także, że wyjeżdża za kilka dni, bo sprzyjające warunki mogą się nie powtórzyć.

Niccolò zaproponował mu wspólną podróż, na co Joan przystał z zachwytem. Byli w podobnym wieku, mieli wspólne zainteresowania i zdążyli się zaprzyjaźnić. Florentczyk był bystrym obserwatorem i dobrym negocjatorem; często rozśmieszał Joana celnymi uwagami. Miał krótkie włosy, twarz o subtelnych rysach zawsze starannie wygoloną, z ironicznym uśmiechem i przenikliwym wzrokiem. Odebrał nie tylko wykształcenie dyplomatyczne, ale również wojskowe i nieźle władał rapierem. Joan pomyślał, że to idealny towarzysz podróży, szczególnie że wiózł sporą sumę pieniędzy.

Powierzył prace remontowe budynku na rogu Largo dei Librai Giorgiowi, który miał zdawać sprawę Miquelowi Corelli. Niestety, niektórych decyzji żaden z nich dwóch nie będzie mógł podjąć. Joan wiedział, że wyjazd opóźni sprawy księgarni, ale teraz nie przejmował się tym.

᪶

Stojąc na dziobie statku, Joan i Niccolò patrzyli na Genuę, stolicę słynnej republiki morskiej o tej samej nazwie. Wpływali do największego włoskiego portu. Znajdował się pośrodku zatoki o półkolistym kształcie, którą niewielki półwysep niemal zamykał od północy. Na półwyspie wznosiła się potężna wieża, która chroniła wejścia do portu, na drugim zaś koniuszku stała druga wieża, jeszcze wyższa i solidniejsza — pełniła funkcje obronne oraz latarni morskiej.

Za czterema wielkimi molami rozpościerało się okazałe miasto otoczone grubymi murami, wspinające się na wzgórza. Joan nigdy nie widział tak dużego ani tak dobrze strzeżonego portu.

Marynarz wskazał mu palcem duży budynek stojący u stóp mola. Była to siedziba Banku Świętego Jerzego. Joan przeżegnał się i zaczął modlić o cud. Być może uda mu się znaleźć jakąś informację, do której nie dotarł genueński księgarz.

Gdy tylko statek zawinął do portu, Joan i Niccolò wyskoczyli na ląd i przecisnęli się przez tłum kupców, niewolników i tragarzy niosących towary. Miasto pachniało morzem i smażoną rybą. Kierując się wskazówkami jednego z marynarzy, minęli Pałac

Świętego Jerzego po lewej stronie i weszli w zatłoczoną ulicę San Lorenzo, pełną barwnych stoisk rzemieślników. Mając naprzeciwko piękną katedrę z białego kamienia, dotarli do okolic Porta Soprana, monumentalnej bramy miejskiej rozpościerającej się między dwiema wysokimi stylowymi wieżami osadzonymi w murach. Nietrudno było tam odnaleźć księgarnię Fabrizia Colomba. Joan miał ze sobą list od Antonella, w którym przyjaciel przedstawiał go księgarzowi.

Fabrizio Colombo miał około sześćdziesięciu lat, siwe włosy i nosił okulary. Jego księgarnia wyglądała na dużo bardziej zabytkową niż Antonella. Zapewne odziedziczył ją już po kimś. Joan z całego serca podziękował mu za wysiłek włożony w poszukiwania i wytłumaczył, że nie był w stanie ukoić swego niepokoju, więc przybył osobiście.

Księgarz okazał się uprzejmy i wyrozumiały. Następnego dnia towarzyszył gościom do Banku Świętego Jerzego. Tam zapytał o urzędnika, który przechowywał archiwa dotyczące wpływów z Bastii. Czekali długo i Joan musiał poświęcić parę dukatów, żeby namówić mężczyznę do ponownego wyciągnięcia dokumentów sprzed jedenastu lat. Po zainkasowaniu pieniędzy urzędnik stał się miły i pomocny. Na wielkim stole rozłożyli księgi rachunkowe i zwoje pergaminów. Joan zwrócił uwagę, że dokumenty banku sporządzone zostały w doskonałym toskańskim, zwanym staroflorenckim, języku Dantego, mimo że w Genui mówiło się po liguryjsku, w dialekcie innym od rzymskiego, neapolitańskiego czy florenckiego.

Z rejestrów dowiedzieli się, że na początku wieku poza muzułmanami dominowali niewolnicy ze Wschodu, w tym greccy chrześcijanie prawosławni, w ostatnich zaś latach kolorowe ludy z północy Afryki i Turcy. Trafiali się też Sardyńczycy i Korsykanie pojmani podczas powstań na obydwu wyspach. Przyszło im drogo zapłacić za koszty poniesione na gnębiące ich wojska. W rejestrach nie wymieniano religii Korsykan i Sardyńczyków, ale byli katolikami i władze, zarówno świeckie, jak i duchowne, skrzętnie ten niezbity fakt pomijały.

Znaleźli też niewolników pochodzących z terytoriów Korony

Aragonii, jeńców wojennych, którzy nie zdołali się wykupić, i to w całkiem nieodległych latach. Ale ani śladu po rodzinie Joana.

— Nie ma Katalończyków w spisach z lat tysiąc czterysta osiemdziesiąt cztery ani tysiąc czterysta osiemdziesiąt pięć — oznajmił Fabrizio pod koniec dnia. — Nie ma co kontynuować. Joan się załamał. Klęska się potwierdziła. Tyle lat czekał na chwilę, w której wyruszy na poszukiwania rodziny! A teraz napotykał mur nie do przebycia!

Nocą nie mógł zmrużyć oka, przeżywając porażkę. Nie wierzył, że admirał Vilamarí oszukał go, podając miejsce sprzedaży jeńców z Llafranc. Niemożliwe też, żeby się pomylił. Czy w Bastii przeprowadzano transakcje, które nie zostały uwzględnione w rejestrze? Może powinien udać się na Korsykę i poszukać kogoś, kto pamiętałby sprzedaż niewolników jedenaście lat temu. Ale skrupulatny Fabrizio zrobił już to bez powodzenia.

Krążył myślami wokół tych pytań, modląc się w przerwach. Czasami nadchodził płytki sen, z którego budził się gwałtownie. Gdzie one mogą być? Jak znaleźć kogoś, kto umiałby powiedzieć coś o miejscu ich pobytu? O świcie był wyczerpany, ale podjął decyzję. Nie przerwie poszukiwań. Nie po to czekał jedenaście lat, żeby teraz poddać się tak łatwo.

111

Joan i Niccolò stali u wrót Banku Świętego Jerzego, kiedy otwierały się następnego ranka. Udali się do tego samego urzędnika, z którym załatwiali sprawę poprzedniego dnia, i za kolejnego dukata uzyskali zgodę na wznowienie poszukiwań.

— Wszystko przejrzeliście wczoraj — powiedział, chowając monetę do kieszeni. — Więcej ksiąg ani zwojów nie ma.

— Musi być coś, co nam umknęło — rzekł Joan. — Czy mogły być finalizowane transakcje, których nie odnotowano w księgach? Mężczyzna spojrzał na niego, jakby rzucił mu obelgę.

— Absolutnie! — odparł dotknięty. — Myślicie, że z kim macie do czynienia? To Bank Świętego Jerzego!

I zagłębili się znowu w księgach i zwojach. Ale poddając się po paru godzinach, Joan pojął, że powtarzają te same czynności, nie uzyskując nic nowego. Nie było w rejestrach katalońskich jeńców ani w interesującym go roku, ani następnym, ani we wcześniejszych, ani w późniejszych latach. Oparł łokcie na stole i zrozpaczony ukrył twarz w dłoniach. Był wyczerpany i zapadł w dziwny sen. „Sardyńczycy!", usłyszał głos. Obudził się zaskoczony.

— Sardyńczycy! — zawołał. — Niewolnicy z Sardynii! Niccolò spojrzał na niego zdziwiony.

— Jak mogło mi to wcześniej nie przyjść do głowy! — krzyczał Joan, klepiąc się w czoło. — Bez względu na to, jak cyniczny był admirał Vilamarí, nigdy nie pozwoliłby, żeby z rejestrów wynikało, że brał do niewoli własnych rodaków! Musieli być wpisywani jako zbuntowani Sardyńczycy albo nawet Korsykanie. W rezultacie znaleźli długą listę niewolników sardyńskich z tamtych lat. Joan pomyślał, że jeśli wszyscy zeszli z galer Vilamaríego, to musiał złupić sporo wiosek. Nie zapisywano nazwisk, ale wśród kobiet z końca 1484 roku znaleźli kilka o imieniu María i Eula, z pewnością Eulalia, również kilka zwanych Elisa, co mogło oznaczać Elisenda, i jedną Martę. To pewnie one! Rejestry wskazywały, że trzy Maríe, dwie Eule, Elisa, Clara i Marta, kobiety sardyńskie, czyli białe niewolnice, w wieku odpowiadającym szukanym, zostały sprzedane niejakiemu Simonemu, handlarzowi z Genui, pod koniec 1484 roku. Joanowi serce podskoczyło do gardła.

— Myślę, że wśród nich są one, Niccolò — rzucił ledwo słyszalnym z wyczerpania głosem.

Dowiedział się, że ów Simone miał budynek przylegający do Porta dei Vacca i korzystał z wież stojących po bokach bramy, używanych jako miejskie więzienie, do przetrzymywania niewolników, którzy mogliby uciec. Przed złożeniem mu wizyty Joan poszedł do Fabrizia, aby przekazać mu wieści.

— Bardzo się cieszę. Taka możliwość nie przyszła mi do głowy — przyznał genueńczyk. — Jedyny kłopot to Simone.

— A co z nim?

— Jestem przeciwnikiem niewolnictwa, ale umiem rozróżniać rodzaje handlarzy niewolników. Są lepsi i gorsi.

— I?

— Simone jest handlarzem o najgorszej reputacji w całej Ligurii — oznajmił. — Z przykrością muszę wam powiedzieć, że traktuje ludzi gorzej niż zwierzęta. Jest nieprzyjemny i agresywny. Bądźcie ostrożni. To zły człowiek i nie zdziwiłbym się, gdyby nie chciał wam nic powiedzieć.

— Mam jeszcze pieniądze — wymamrotał Joan, ale ręką odruchowo złapał nie za sakiewkę, lecz za rękojeść rapiera.

৵

Porta dei Vacca znajdowała się na drugim końcu miasta, w części północno-wschodniej, i była równie olśniewająca jak Porta Soprana.

Dwie wysokie, zwieńczone blankami wieże z kamienia wznosiły się na końcach imponującego, wysokiego gotyckiego łuku, który przez mury prowadził do miasta. Nie trzeba było pytać o Simonego. Na ulicy Campo, która prowadziła do Porta dei Vacca, widniał afisz ogłaszający jego działalność, a przy wejściu, po obu stronach, stało czterech ciemnoskórych mężczyzn przykutych łańcuchami na kostkach nóg do ścian. Krzepki mężczyzna koło pięćdziesiątki, obrosły już tłuszczem i łysiejący, siedział na ławce przy bramie i nie wstając, obijał kijem jednego z niewolników, który przykucnął.

— Wstawaj, kupo węgla! — syknął. — Niech ci panowie zobaczą, że niewolnicy od Simonego są silni.

Widząc, że Joan i Niccolò zaglądają do środka sklepu, powiedział:

— Mam najlepszych niewolników w całej Ligurii. Szukacie samca czy samicy?

— Szukam kobiety — odpowiedział Joan. — I to białej.

— Młodej i pięknej, tak? — dopytywał się mężczyzna, robiąc lubieżną minę. Po czym puścił do niego oko.

— Zdecydowanie — odparł Joan. — Jesteście Simone?

— Tak, to ja — powiedział mężczyzna. — I powiem wam, że będziecie musieli zadowolić się czymś innym, bo teraz nie mam białych kobiet.

— W takim razie spośród tych, które sprzedaliście. Może właściciel byłby gotów jakiejś się pozbyć — upierał się Joan.

— Tym się nie zajmuję — rzucił Simone nieprzyjaznym tonem. — Jeśli nic nie kupicie, to tracę tylko czas. Popytajcie się, a jeśli wam śpieszno, to tanie dziwki są w porcie. — Splunął Joanowi pod nogi.

Zbir swoim zachowaniem przypomniał Joanowi Felipa. Najchętniej odpowiedziałby mu ostro, ale się opanował. Nie mógł szukać zwady. Wyciągnął z sakiewki złotego dukata i błysnął mu nim przed oczami.

— Jeśli znajdę niewolnicę, której szukam, to będzie wasze. Chodzi mi o białą niewolnicę. Nie chcę tureckiej ani mauryjskiej.

— Przemówiliście po mojemu — powiedział mężczyzna z uśmiechem i chciwie spojrzał na monetę. — Rozumiem was doskonale. Biała kobieta, chrześcijanka o ładnym wyglądzie.

Joan skinął głową, trzymając wciąż monetę przed oczami zbira.

— Ostatnio nie dowieźli chrześcijańskich niewolnic — oznajmił Simone. — Nasi stali dostawcy takiego towaru są zbyt zajęci wojną. Musiałby to być materiał sprzed lat. Ale po co wam chrześcijanka? Chyba nie po to, żeby modlić się z nią do Dziewicy Maryi, prawda? — I wybuchnął śmiechem.

Joan dostrzegł, że pod maską prostackiej wesołkowatości mężczyzny kryje się podejrzliwość. Uznał, iż jeśli chce otrzymać odpowiedź, na której mu zależy, musi odkryć karty. Ten osobnik wyczuwał, że chodzi o coś bardzo konkretnego, i ujrzał blask złota. Informacja będzie trochę kosztować, ale to nie ma znaczenia. Ważne, żeby była prawdziwa.

— Szukam niewolników, których kupiliście w Bastii jedenaście lat temu — rzekł w końcu. — Większość to kobiety i sprzedano je wam jako Sardynki, ale to były Katalonki.

— Aha! Katalonki! — zakrzyknął osobnik i zmarszczył brwi. Chyba myślał.

Joan miał duszę na ramieniu. Ten mężczyzna był bardzo nieprzyjemny, ale w nim jedyna nadzieja. Wstrzymał oddech, modląc się. Po chwili Simone krzyknął do środka sklepu:

— Andrea! Chodź tu! — Na jego twarzy pojawił się chytry uśmieszek.

Gdy krzyknął po raz drugi, usłyszeli dobiegającą z wnętrza odpowiedź. Po chwili pojawił się typ poniżej trzydziestki o równie obfitym cielsku. U pasa miał rapier i sztylet. Joan zastanawiał się, czy to syn Simonego.

— Przypominasz sobie transport Katalonek, które kupiliśmy w Bastii jedenaście lat temu? — zapytał z uśmiechem. — To nie na nich się ćwiczyłeś?

Andrea potwierdził z zadowoloną miną, a serce Joana zabiło mocniej. Wreszcie trafił na ślad! Musiał pohamować gniew i skupić się na tym, co mówili.

— Nie ja jeden, reszta też miała uciechę — powiedział młodszy. Simone westchnął z uśmiechem szczęścia.

— Co to były za czasy! — rzucił. — Bywały piękne kobiety na świecie.

— Dokąd je sprzedaliście? — zapytał Joan, starając się ukryć furię.

Handlarz niewolników spojrzał na niego, jakby zapomniał o jego obecności.

— Jesteście Katalończykiem, tak? — spytał nagle.

— Tak.

— I nie szukacie pierwszej lepszej Katalonki, prawda?

Joan skinął głową.

— Jeśli chcecie wiedzieć, co z nimi zrobiliśmy, dajcie mi dziesięć dukatów w złocie od razu — oświadczył Simone naglącym tonem. — I nic mnie nie obchodzi, czy je znajdziecie. Zatrzymam pieniądze, nawet gdyby już nie żyły.

Suma wydawała się astronomiczna. Typ mierzył Joana wzrokiem. Joan dobrze wiedział, że jest w jego rękach. Zrozumiał, że powinien się targować, w przeciwnym razie ten człowiek zażąda jeszcze więcej pieniędzy. Tak też zrobił.

— Dziesięć dukatów albo nic — uciął Simone. — Jak wam się nie podoba, możecie wracać, skąd żeście przyszli. — I z pogardliwą miną splunął znów Joanowi pod nogi.

Joan próbował się spierać.

— Dam wam je dopiero wtedy, gdy uzyskam informacje — powiedział w końcu, pokazując pieniądze.

— Chcę od razu.

Targowali się, ale ostatecznie doszli do porozumienia. Joan miał dać mu pięć dukatów, zanim przekaże informacje, a potem wręczyć pozostałe pięć.

— Sprzedaliśmy je nad wybrzeżem liguryjskim — powiedział wreszcie. — Daleko, w okolicach Cinque Terre i La Spezia. Biskup Genui nie lubi patrzeć na chrześcijańskich niewolników w mieście, zabraliśmy je więc tam prosto z Bastii. Szerzyła się w tym rejonie zaraza, potrzebowali ludzi i daliśmy im dobrą cenę.

— W jakich wioskach?

— W różnych — odpowiedział wyzywająco. — Myślicie, że pamiętam? Ja nie mam gryzipiórków i nie prowadzę rejestrów jak Bank Świętego Jerzego.

Joan wcisnął mu kolejne pięć dukatów w rękę.

— Lepiej, żebyście mówili prawdę.

— A jeśli nie, to co? — rzucił mu w twarz Simone. — Mam tu czterech uzbrojonych ludzi, a strażnicy murów Vacca to moi kumple. Co mi zrobicie, zasrany *catalano*?

— Poskromcie język! — Niccolò skoczył, kładąc dłoń na rękojeści rapiera. — Nie ośmielajcie się obrażać mego protektora.

Simone przyglądał mu się z ciekawością podczas rozmowy, a teraz usłyszał jego toskański akcent.

— Zamknijcie się, florentczyku, kataloński lizusie! — warknął. — Wynocha stąd, już!

Trzej uzbrojeni mężczyźni wyszli z pomieszczenia i przyłączyli się do Andrei. Patrzyli na nich groźnie. Pięciu zbirów najgorszego pokroju, pomyślał Joan i biorąc Niccola za ramię, odciągnął go.

— Chodźmy — powiedział. — Mam już to, czego szukałem.

Gdy odchodzili, handlarz niewolników, śmiejąc się, zabrzęczał złotymi monetami.

112

Joan wynajął rybacką łódź. Płynąc wzdłuż wybrzeża, zamierzali dotrzeć do La Spezia, zatrzymując się w każdej zamieszkanej osadzie od Levanto, ostatniej miejscowości przed Cinque Terre. Joan miał dobre oko do łodzi i wybrał taką o lekkim kadłubie, czterech miejscach do wiosłowania i dobrym żaglu. Załogę stanowili doświadczony kapitan i jego syn, dziesięcioletni chłopiec spalony słońcem, który przypominał Joanowi własne dzieciństwo. Zjedli kolację weseli i pełni nadziei. Wyczerpany bezsennymi nocami i pełnym napięcia dniem Joan padł na łóżko i natychmiast usnął. Niccolò obudził go dopiero przed świtem.

O brzasku weszli na pokład. Żeglowali już na południowy zachód, gdy złotoczerwonawe słońce zaczęło wznosić się nad morzem. Joan od razu zaprzyjaźnił się z Bernardem, kapitanem łodzi rybackiej, i jego synem Giannim. Chłopcu powiedział, że w jego wieku też pomagał ojcu, który był rybakiem, i że jego łódź była nieco starsza, ale bardzo podobna. Patrzył na Bernarda z tęsknotą i wspominał ojca. Pomodlił się za jego duszę, a potem o to, by Gianni nigdy nie stracił swego ojca, jak to przydarzyło się jemu.

— Morze Liguryjskie kończy się łukiem, którego północny kraniec sięga Genui — tłumaczył Bernardo. — Strefa Cinque Terre znajduje się na wschodzie Zatoki Genueńskiej i nosi tę nazwę, gdyż tworzy ją pięć niezależnych wiosek na wybrzeżu Morza Śródziemnego, do których dostać się można praktycznie tylko drogą morską. Okolica jest bardzo górzysta i pełna urwisk.

Ścieżki łączące wioski wiją się nad przepaściami na zboczach tak porośniętych igliwiem, że trzeba by być kozą, żeby móc nimi wędrować.

෴

Wybrzeże liguryjskie okazało się bardzo nierówno ukształtowane i poza niewielkim wzniesieniem o długich plażach reszta terenu wyglądała jak wchodzące w morze góry, z wielkimi skałami i paroma zatokami, z których wyglądały małe osady. Joanowi przypominało to wybrzeże, które znał jako dziecko. Przed samym zmierzchem dotarli do Levanto, otoczonego murami miasteczka z jedną wieżą kościelną. Rozciągało się na końcu doliny porośniętej sosnami i drzewkami oliwnymi, otwierającej się na szeroką plażę. Posadzili łódź na piasku i pod przewodnictwem Bernarda wypytywali mieszkańców o chrześcijańskie niewolnice noszące imiona: María, Eula, Marta, Elisa, Eulalia i Elisenda. Dowiedzieli się, że w osadzie jest tylko paru niewolników saraceńskich. Nikt nie miał pojęcia, czy są w sąsiedniej miejscowości. Wobec tego przenocowali na plaży, a o świcie ruszyli w dalszą podróż. Wkrótce napotkali górzysty cypel wysunięty daleko w morze.

— Za tą górą znajduje się pierwsza osada wchodząca w skład Cinque Terre. Monterosso — powiedział Bernardo.

Krajobraz stał się bardziej urwisty. Fale rozbryzgiwały się o wysokie skały. Gdy tylko opłynęli cypel, pojawiły się przed nimi dwie piaszczyste zatoczki. Przy drugiej z nich wznosiło się na obwarowanym wzgórzu Monterosso. Zatrzymali łódź na piasku, aby zasięgnąć języka.

— Nie mamy tu niewolników — powiedział stary marynarz, znajomy Bernarda. — Ale była kiedyś biała kobieta.

— Była? — zapytał Joan. — A co się z nią stało?

— Zmarła.

— Jak się nazywała?

— Nie pamiętam, to było dawno.

— Ile lat temu?

— Dziewięć albo dziesięć.

— Ile miała lat?

— Nie wiem — odparł mężczyzna zniecierpliwiony trochę natarczywością Joana. — Dlaczego nie zapytacie Giuseppego? On był właścicielem.

— A gdzie go mogę spotkać?

— Na łodzi, jak wróci z połowu, albo w domu, obok kościoła Świętego Jana Chrzciciela.

Bernardo powiedział, że zna tego rybaka, a czekając na niego, rozmawiali z sąsiadami, którzy przyznali, że Giuseppe miał niewolnicę o imieniu Eula. Gdy się zjawiła w miasteczku, miała niewiele ponad trzydzieści lat. Była kobietą smutną i chorowitą, nigdy nie nauczyła się dobrze porozumiewać po liguryjsku i zmarła po dwóch latach. Joan się zasmucił. Wszystko wskazywało na jego matkę. Przez resztę dnia krążył między warownym wzgórzem a plażą, czekając na powrót rybaka. Modlił się, pragnął, żeby to nie była ona, ale dręczyło go złe przeczucie.

෴

— Kupiłem ją, bo dżuma zabrała mi żonę i córkę, zostałem sam, nie było dla mnie kobiety w wiosce — opowiadał Giuseppe, gdy popijali wino, na które zaprosił ich do domu. Był mężczyzną ogorzałym, szczupłym, o zapadniętych policzkach. — Wiele wycierpiała i bardzo ją to wyniszczyło. Dlatego sprzedali mi ją tanio. Była piękną kobietą, ale zrobiłem kiepski interes. Sądziłem, że skoro trudniła się rybactwem i umiała naprawiać sieci, pomoże mi, będę miał towarzystwo, a że to chrześcijanka, to może uda nam się coś więcej. Ale nie mogła przeboleć utraty rodziny. Dwóch chłopców i dwóch dziewczynek, jednej jeszcze przy piersi. Ani męża. Ani tego, co zrobili z nią handlarze niewolników. Widziałem ją ciągle zapłakaną i nie potrafiłem jej pocieszyć. — Mężczyzna westchnął poruszony. — Zamykała się w sobie, ledwie mówiła, nie chciała nawet uczyć się naszego języka.

Joan słuchał pełen boleści. To była jego matka!

— Tak, mówiliśmy do niej po imieniu. Eula. Może nosiła imię Eulalia, była Katalonką, ale nie wiem, skąd pochodziła. Miała piękne kasztanowate włosy i ciemne oczy. Kupiłem ją pod koniec tysiąc czterysta osiemdziesiątego czwartego roku — powiedział mężczyzna, odpowiadając na pytania Joana.

— To moja matka! — zawołał, nie mogąc powstrzymać płaczu. Obaj mieli w oczach łzy. Mężczyzna wytrzymał jego spojrzenie. Chłopak nie wiedział, czy go znienawidzić, zemścić się za to, co się stało jego matce, czy może podziękować, że się nią opiekował. Nie mógł przecież wiedzieć, jak było naprawdę.

— Przykro mi — rzekł Giuseppe. — Przykro mi z powodu tego, co stało się twojej matce. Była obrazem nędzy i rozpaczy, chorowała bez przerwy. Nie wiedziałem już, co z nią począć. Chyba pozwoliła sobie umrzeć. Nigdy więcej nie kupię niewolnicy.

&

Joan uwierzył mężczyźnie, wydawał się szczery. Nie mógł go nienawidzić. Giuseppe powiedział Joanowi, gdzie pochowano matkę, a ten spędził resztę dnia, klęcząc przed stosem kamieni na cmentarzu, na porośniętym sosnami zboczu. Rozpościerała się stamtąd panorama na morze, skały z sosenkami, podobnie jak w jego wiosce. W górze fruwały mewy.

Wspominał matkę, płacząc i modląc się. Przed oczami pojawiały mu się obrazy ostatniego spożytego razem posiłku. Ramón pobłogosławił stół, a gdy jedli, opowiedział jedną z tych historii, które wprawiały chłopców w osłupienie. Joan słyszał ją już wcześniej i rozpraszał się, przyglądając się z czułością Eulalii pilnującej, żeby wszyscy jedli. Ojciec reprezentował świat zewnętrzny, przygodę, to, co nowe i fascynujące, a matka opiekę, bezpieczeństwo i miłość do swoich. Była cudowna. Tej nocy młodzieniec zastanawiał się, czy Elisenda, dziewczynka, która miała zostać jego żoną, zdoła przemienić się w tak zachwycającą kobietę.

Dopiero gdy utracił matkę, pojął wartość tego, czym hojnie ich obdarzała. To ona była domem. Wspominał jej uśmiech i czułość, z jaką karmiła piersią Isabel, i to, jak dawała mu odczuć, że kocha go tak samo mimo opieki nad dzieciątkiem. Potem zobaczył brutalne obrazy napaści i wzięcia w niewolę, ujrzał Jednookiego — najpierw popychającego matkę, a potem w chwili, gdy on, Joan, zatopił ostrze w piersi tego nędznika. Co zrobili jej na tej galerze?

Historia opowiedziana przez Giuseppego rozdzierała mu serce. Cóż za smutny koniec dla kogoś tak wspaniałego! Nie zasługiwała na to. Gdyby tylko wytrzymała cierpienie, gdyby mogli zobaczyć się choć ostatni raz, gdyby on przyjechał wcześniej. Ułożył kamienie w porządku i poszedł na łąki szukać kwiatów. Noc spędzili na łodzi. Następnego ranka Joan opłacił mszę w kościele Świętego Jana Chrzciciela i dziesięć kolejnych w rocznice śmierci Eulalii. Był przybity i zdruzgotany. Zastanawiał się, jak opowiedzieć historię matki Gabrielowi.

113

Joan spędził jeszcze dwa dni w Monterosso. Wdrapywał się na skały i schodził urwistymi ścieżkami, patrzył na morze, wspominał i modlił się na małym cmentarzyku. Bernardo i jego syn Gianni łowili, a Niccolò gawędził z miejscowymi i rozrywał się, jak mógł. W końcu Joan doszedł do wniosku, że jego cierpienie nie zmieni przeszłości. Uczepił się nadziei na odnalezienie siostry, i to żywej. Musiał kontynuować poszukiwania.

Ruszyli o świcie piątego dnia. Przepłynęli obok urwistego wybrzeża i napotkali imponujący bastion wzniesiony na skale na morzu i ukoronowany wysoką, cylindryczną wieżą. Vernazza. W Monterosso mówili, że w Vernazzie nie ma niewolników, ale Joan był zdecydowany wydobyć wszystkie możliwe informacje. Może kiedyś byli. Drążyłby pod ziemią, gdyby było trzeba.

Ukazała się przed nimi mała zatoczka z piaszczystą plażą, a dalej, na skałach, wznosił się kościół. Znaleźli się w znakomitym naturalnym kotwicowisku. Stłoczone między twierdzą a kościołem domy w większości wznosiły się na zboczu wzgórza. Skalne górskie ściany opadały tarasami, na których rosły winorośle, drzewa oliwne i czasem migdałowce. Strumyk spływający między skałami zasilał ledwie kilka ogródków. Reszta wymagała nakładu nieludzkiego wysiłku, a nawet geniuszu. Miejsce przyciągało swoim urokiem, ale Joan ledwie go dostrzegał. Gdy tylko łódź zakotwiczyła, skoczył do wody ku zaciekawieniu znajdujących się na brzegu ludzi, zdziwionych takim pośpiechem.

— Czy żyje tu jakaś biała niewolnica? — zapytał parę staruszków umęczonym głosem.

Starcy spojrzeli po sobie, zanim odpowiedzieli, po czym upłynął długi czas, nim jeden z nich pokręcił głową.

— Niewolnica? — powiedział drugi. — Nie. Tutaj nie mamy niewolników.

Takiej odpowiedzi się spodziewał.

— A może przed laty? — dociekał. — Szukam dziewczyny o imieniu María, teraz miałaby dwadzieścia pięć lat, a gdy brali ją do niewoli, miała czternaście. I drugiej, która nosiła imię Elisenda, dwudziestotrzyletniej.

Mężczyźni o twarzach ogorzałych od słońca i pooranych zmarszczkami patrzyli na niego bez wyrazu. Po chwili jeden z nich pokręcił głową.

— Nie.

Nagle ten, który do tej pory milczał, spojrzał na swego towarzysza.

— Ej, a ta kobieta, która mieszka z wdową Elisabettą?

— Co z nią?

— To cudzoziemka.

— Tak, ale nie jest niewolnicą i ma koło czterdziestu pięciu lat.

— Ale przyjechała tu jako niewolnica.

— A jak ma na imię? — zapytał Joan.

— Nie pamiętam, dziwne imię — wymamrotał starzec, który odezwał się pierwszy, i wzruszył ramionami.

— Eulalia — wtrąciła się dziewczyna. Naprawiała w pobliżu sieci i przysłuchiwała się rozmowie.

— Eulalia!? — zawołał Joan zaskoczony. Poczuł, jak serce mu podskoczyło. Może jego matka jednak żyje.

Dziewczyna skinęła głową.

— Szukam pewnej Eulalii — oznajmił Joan z duszą na ramieniu. — Gdzie mieszka?

Dziewczyna wytłumaczyła mu, jak dojść do domu, a Joan, starając się powstrzymać wzruszenie, ruszył razem z Niccolem, Bernardem, jego synem, staruszkami, dziewczyną i ludźmi, którzy wychodzili z domów zaalarmowani wrzawą. Zanim dotarł do domostwa, jakaś kobieta powiadomiona przez dzieci, które przybiegły wcześniej, wyszła na próg, wycierając ręce w fartuch.

Patrzyła na niego wielkimi oczami i Joan pomyślał, że jest w wieku jego matki, ale to nie ona.

— Czego chcecie?

— Chcę widzieć się z Eulalią.

— Po co?

— Jestem jej synem. — Nie miał żadnej pewności, ale postanowił nie owijać niczego w bawełnę.

Kobieta wpatrywała się w niego z rozdziawionymi ustami, potem uniosła dłonie do nieba i opuściła, klaszcząc w nie.

— Syn Eulalii! — zakrzyknęła. — Mój Boże, dzięki Ci!

I jakby na dany przez nią sygnał podniósł się gwar i towarzyszący im ciekawscy zaczęli gadać ze sobą wszyscy naraz. Kobieta uściskała Joana, zdziwionego taką wylewnością.

— Gdzie ona jest?

— Na górze, zbiera winogrona. Idźcie do niej, nie traćcie czasu! Dzieci was zaprowadzą.

Z jej oczu popłynęły łzy radości.

Poszły z nim nie tylko dzieci, ale też Elisabetta oraz tłumek sąsiadów, którzy, w miarę jak rozchodziła się wiadomość, wybiegali z domów. Wszyscy rozpoczęli wspinaczkę po niesamowitych zboczach pełnych schodków, które łączyły jeden porośnięty winoroślą taras z drugim. Większą część drogi trzeba było iść gęsiego, tak wąska była ścieżka, ale nikt nie zrezygnował. Joan bał się, że ktoś może runąć w przepaść.

Czuł serce w gardle i brakowało mu powietrza, bardziej z podniecenia i nadziei niż ze zmęczenia wspinaczką. To ona, mówił sobie, to musi być ona. I powróciły tragiczne obrazy matki, jak szarpie się z Jednookim, aby nie porzucić dziecka, mimo ciosów walczy rozpaczliwie, podczas gdy napastnicy ciągną ją na powrozie. Tyle lat cierpiał nad losem matki! Przypomniał sobie jej ciepło, gdy było mu zimno, i smak jej kuchni, kiedy był głodny.

Przedzierali się przez winorośle i zielone liście, które zmieniały kolor na szare brązy i jesienne żółcienie, a których dojrzałe kiście były już zbierane. W dali otwierała się wąziutka dolina porośnięta winną latoroślą, widać było domy stłoczone pod zamkiem na skalistej, wchodzącej w morze górze i intensywnie niebieskie wody. Joan dyszał z wysiłku, ze zdenerwowaniem oczekując spotkania. Czy to będzie ona?

❧

Kilka chwil wcześniej, zanim jeszcze usłyszała, że ktoś woła ją po imieniu, Eulalia przerwała pracę. Kolejny raz spojrzała melancholijnie na granatowe morze, które dzieliło ją od ukochanych istot. Przeczuwała śmierć małżonka. W pierwszych latach niewoli marzyła, że Ramón przybywa ją wyzwolić, silny, odważny i zręczny. Wiedziała, że bardzo ją kocha i że tylko śmierć mogła przeszkodzić mu w poszukiwaniach. Zamykała oczy i widziała męża... uśmiechniętego, z wielkimi oczami miodowej barwy, kasztanowatymi włosami i brodą. Ale mijały dni i lata i to granatowe morze nie przyniosło nawet najmniejszego promyczka nadziei. Modliła się za niego, za jego zdrowie, jeśli żył, i za jego duszę, jeśli odszedł na zawsze. I za dzieci. Tak bardzo pragnęła je ujrzeć! Vernazza była pięknym miejscem, a Elisabetta opiekuńczą i serdeczną przyjaciółką. A jednak nie chciała tu umrzeć, nim nie przytuli choć raz w życiu swej rodziny. Przyjaciółka wspominała o pożyczeniu jej skromnych oszczędności, ale Eulalię przepełniała trwoga. Oddalała się od Llafranc najwyżej o parę mil, które dzieliły wioskę od Palafrugell, a po straszliwej podróży zakończonej w Vernazzie nigdy tego miejsca nie opuściła. Każdego wieczoru mówiła sobie, że może jutro rano zbierze się na odwagę, poprosi przyjaciółkę o pieniądze, wsiądzie na statek do Genui, a potem do Hiszpanii. Ciężkie westchnienie wydobyło się z jej piersi.

— Eulalio! — krzyczeli malcy biegnący na czele grupy.

Zdyszany Joan ujrzał kobietę dwa tarasy wyżej, odstawiającą kosz z ciemnymi winogronami na ziemię. Podeszła do krawędzi muru w towarzystwie dwóch chłopców, którzy zdawali się jej pomagać. Młodzieniec rozpoznał natychmiast ukochane rysy, ciemne oczy i kształtne usta mimo zmarszczek i posiwiałych włosów. To była ona! Stanął jak wryty. Nie mógł wydobyć słowa. Czuł, jak serce wali mu szaleńczo w piersi i w gardle rośnie gula.

Cieszył się nie do opisania, zastanawiając się zarazem, czy nie zawodzą go zmysły.

— Eulalio! — krzyknęła bez tchu kobieta, która stała za Joanem.

— Co się stało, Elisabetto? — spytała zdziwiona przybyciem orszaku wdrapującego się po wzgórzu.

Potem utkwiła wzrok w Joanie, który znalazł się dwa stopnie niżej.

— To twój syn! — zapiszczała Elisabetta, prawie się dusząc.

Eulalia wpatrywała się w młodzieńca parę chwil, po czym wyraz jej twarzy zaczął się zmieniać.

— Joan! — zawołała w końcu, otwierając ramiona. — To ty?

— Tak, matko — powiedział, pokonał dzielącą ich odległość i rzucił się jej w objęcia.

Ten uścisk rekompensował jedenaście lat życia w rozłące i sieroctwie. Joan poczuł znowu ciepło i miękkość tej kobiety, drobnej w porównaniu z postacią ze wspomnień, i poczuł się chroniony i kochany jak wtedy, kiedy był mały. Pancerz, który przez tyle lat osłaniał serce dziecka, stopił się w okamgnieniu: Joan wybuchnął szlochem, jak zraniony malec w ramionach matki. Ona też płakała, próbując jednocześnie go pocieszyć.

— Już dobrze — mówiła, głaszcząc go po policzku. — Jesteśmy już razem.

— Kocham cię, mamo — łkał mały chłopczyk, nie mogąc powstrzymać płaczu.

— Ja ciebie też, Joanie. Bardzo.

— Ściskają się! — krzyczeli malcy do tych, którzy stali na stopniach ścieżki, nie mogąc wejść wyżej.

Krzyk podniósł się w tłumie, który nie widząc sceny, wyobraził ją sobie.

Ta chwila przyniosła Eulalii szczęście. Gdy postawny mężczyzna ubrany jak kawaler łkał w jej ramionach jak dziecko, patrzyła w niebo, dziękując Bogu.

Potem padły szybkie pytania, a wraz z nimi potworny ból, gdy potwierdziło się, że Ramón nie żyje. Wieść, że Gabriel ma dobry fach w Barcelonie i że jest o krok od założenia rodziny, wypełniła ją radością. Zapłakała, dowiedziawszy się o śmierci Isabel, jej dzieciątka. Eulalia nie przestawała zadawać pytań. Chciała wiedzieć o wszystkim, co wydarzyło się w owych latach. Natłok uczuć wypełniał jej piersi. Powracała nadzieja.

&

— Eulalia zdobyła wolność dzięki swemu charakterowi i rzetelnej pracy — opowiadała Elisabetta przy kolacji, którą uczczono spotkanie. — Byłyśmy przyjaciółkami, nim jeszcze owdowiałam, teraz jesteśmy jak siostry. Kupiliśmy ją, bo zaraza wybiła wielu naszych, a ona umiała naprawiać sieci i była podobna do nas. Ale od dawna jest już wolna. Jest jedną z nas.

— Nie wiedziałam, co z wami, synu — tłumaczyła się Eulalia. — Kiedy dano mi wolność, nie miałam pieniędzy i nie wiedziałam, jak wrócić. Obawiałam się, że wasz ojciec nie żyje, myślałam, że wasza siostra jest gdzieś we Włoszech, a wy jesteście już starsi. Tutaj mnie lubią i bałam się stąd wyjechać.

Mówiła, że po odzyskaniu wolności zaczęła ze skromnej zapłaty odkładać monetę po monecie, aby któregoś dnia móc przemierzyć morze w poszukiwaniu rodziny. Jednakże dopadające ją jedna po drugiej choroby, niewiedza, przerażający lęk przed światem i niepewność czyniły ją przykutą do miejsca. Brakowało jej pieniędzy i zapału, a nieustające wojny Genui z Aragonią sprawiały, że łączność prawie nie istniała. Miejscowy skryba napisał jej listy do zarządcy Palafrugell, ale czekała na próżno. Nigdy nie dostała odpowiedzi. Nie wiedziała też nic o Maríi, chociaż wypytywała zawsze nielicznych cudzoziemców, którzy pojawiali się w miasteczku. Żaden nic jej nie powiedział. Sądziła, że musi być gdzieś bardzo daleko. Albo nie żyje.

&

— Przeżyła ten sam dramat, ale jako matka przeżywała podwójnie — tłumaczyła Elisabetta. — Poza tym zbóje, którzy nam ją sprzedali, obchodzili się z nią bardzo źle. Myślała dużo o was i waszym ojcu, modliła się i płakała. Nie zapomniała o was ani przez chwilę, nie miała jednak pojęcia, co począć, żeby was odnaleźć.

— Pojedziecie ze mną, prawda, matko? — zapytał Joan, powątpiewając.

— Oczywiście, że tak — odparła. — Chcę towarzyszyć ci w poszukiwaniach Marii.

Spojrzała potem na przyjaciółkę i rzekła:

— Przykro mi, Elisabetto, ale muszę zobaczyć się z dziećmi.

Elisabetta przytaknęła skinieniem głowy i uśmiechnęła się przez łzy.

Następnego dnia, gdy wsiadali na łódź, cała wioska zebrała się, by pożegnać Eulalię. Joan uściskał Elisabettę.

— Dziękuję, że tak pokochaliście moją matkę i opiekowaliście się nią — powiedział. I zdejmując z palca pierścionek kupiony dla Anny, dał go jej, całując w rękę. — To dla was, abyście nosili go, pamiętając o Eulalii.

Napisał w książce: „Elisabetta jest kimś, kto naprawdę zasługuje na pierścień".

114

— Poznałam Eulę na galerze — opowiadała Eulalia synowi. — Była w tym samym wieku, ale do niewoli wzięto ją w okolicach Tarragony. To musiała być kobieta, z którą mnie pomyliłeś.

— Dziękuję niebiosom, matko — powiedział Joan, przytulając się do niej. — Byłem przeświadczony, że to wy.

Eulalia uważała, że w sąsiedniej wiosce nie ma jeńców, bo tak było podobno przez cały ten czas, ale Joan postanowił się zatrzymać i zdobyć wszystkie możliwe informacje. Matki też nigdy by nie znalazł, gdyby zadowolił się pierwszą wieścią.

Żeglowali wzdłuż urwistego wybrzeża na południowy wschód i dotarli do Corniglii. Tutaj domy nie stały nad samym brzegiem morza, tylko na wysokiej skale wchodzącej w morze. Dalej była Manarola, grupa budowli wzniesionych na skalistych wzgórzach górujących nad morzem i małą zatoczką. Następnie Riomaggiore, kolejne zadziwiające domostwa na skałach, o które rozbijały się fale, a pośród nich niewielka piaszczysta plaża, gdzie spoczywały łodzie rybackie. W każdej z tych miejscowości zatrzymywali się, żeby pytać mieszkańców, ale, niestety, zdołali dowiedzieć się, że w tym rejonie przebywał tylko jeden niewolnik, który zmarł przed dwudziestu laty!

— Mój Boże, znajdźmy Marię! — modliła się Eulalia, tracąc nadzieję. Od jedenastu lat już pytała i nic to nie dało.

Ruszyli w dalszą drogę wybrzeżem równie urwistym jak do tej pory, aż dotarli do cieśniny, która oddzielała kontynent od wyspy.

Znaleźli się w Portovenere, osadzie podobnej do poprzednich, tyle że zrujnowanej, gdyż ubiegłego roku neapolitańskie galery ostrzelały ją z armat, usiłując powstrzymać zapędy Francuzów. Dowiedzieli się, że w trakcie tej bitwy zginęła jedna z niewolnic z Llafranc. Była to siostra Daniela, rybaka z *Mewy*; to on towarzyszył Tomásowi, gdy znaleźli konającego Ramóna. Chociaż na szczęście nie była to María, wiadomość ta bardzo ich poruszyła. Joan postanowił zanocować w Portovenere i pomodlić się za nią.

&

Rankiem wypłynęli. Wkrótce otworzyła się przed nimi szeroka zatoka.

— To zatoka La Spezia — oznajmił Bernardo, kapitan. — Przed nami miasto. To najbardziej zamieszkana strefa regionu.

Eulalia zaczęła się modlić. Jeśli tu nie znajdą Maríi, to nie wiadomo, gdzie jej szukać. W trakcie podróży Joan i matka nie przestawali rozmawiać. Mówili o Gabrielu i o wszystkim, co wydarzyło się przez długi czas ich rozłąki. Matka nie mogła nacieszyć oczu synem. Nosił się jak kawaler, takie miał też maniery. Trudno jej było uwierzyć, że to ten sam chłopiec, który biegał boso i zamierzał zostać rybakiem jak jego ojciec. Była jednak niespokojna o córkę, nerwowo tarła dłonie.

— Nie martwcie się, matko — zapewniał Joan. — Znajdziemy Maríę.

&

Miasta La Spezia strzegły mury i zamek Świętego Jerzego wznoszący się na wzgórzu między dwiema uprawnymi dolinami. Zostawili łódź na piasku pod opieką załogi i podeszli do grupy kobiet, które reperowały rozciągnięte na plaży sieci. Powiedziały, że nic o Maríi nie wiedzą.

Joan ujrzał troskę odbijającą się na twarzy matki. Wydawała się bardzo zmęczona.

— Jej tu nie ma — powiedziała cicho.

— Znajdziemy ją — odparł Joan z uporem, choć sam był zrozpaczony.

Wziął ją pod ramię, by się na nim wsparła, i razem z Niccolem skierowali się ku bramie miasta. Pytali strażników strzegących wejścia, potem różnych rzemieślników w sklepach, ale nikt nic nie wiedział. Eulalia w oczach się postarzała.

Brak wieści oznaczał najgorsze. La Spezia stanowiła koniec terytorium wskazanego przez handlarza niewolników. Może jej pierwszy nabywca odsprzedał Marię i znajdowała się teraz w jakimś innym, odległym miejscu. A może handlarz nie pamiętał już, dokąd ją sprzedał, i skłamał, żeby zostać z pieniędzmi. Dotarli do końca rejonu poszukiwań i nie było innego wyjścia, jak zostać i pytać dalej. Joan przewidywał smutne zakończenie, a tragiczny wyraz twarzy jego matki mówił, że obawiała się tego samego.

— W pobliskich dolinach są gospodarstwa — powiedział Joan, aby dodać matce otuchy. — Znajdziemy zajazd w mieście i nie wyjedziemy, póki nie zwiedzimy całej okolicy.

— W miasteczku zna się ludzi z okolicznych terenów — odrzekła Eulalia smutno. — Gdyby przebywała gdzieś w pobliżu, już byśmy się dowiedzieli.

— Gospody to dobre miejsca, żeby zasięgnąć języka — rzekł Niccolò dla zachęty.

— To prawda — dodał Joan zmartwiony złym samopoczuciem matki. — Chodźmy do gospody, odpoczniemy trochę.

꙼

Zajazd wyglądał staro. W środku były cztery stoły. Usiedli przy jednym z nich i czekali, aż ktoś ich obsłuży.

— Czego sobie życzycie? — zapytała ich szczupła, na oko dwudziestopięcioletnia kobieta, która przyszła, gdy usłyszała hałas. — Za wcześnie jeszcze na obiad.

— Chcielibyśmy się dowiedzieć, czy nie znacie... — zaczął mówić Joan.

— María! — wykrzyknęła Eulalia.

Kobieta spojrzała na nią zdziwiona i zawahała się.

— Znacie mnie?

— Nie poznajesz nas? — spytała Eulalia.

Na twarzy służącej ukazała się mieszanina zaskoczenia z niedowierzaniem, potem radość, a w końcu osłupienie, które zdawało się ją paraliżować. Ramiona opadły wzdłuż ciała i wyszeptała:

— Matko!

Eulalia zerwała się jednym skokiem, by ją przytulić, uważając, żeby nie upaść.

— A ty jesteś Joan, prawda? — zapytała dziewczyna wciąż niepewnie. Patrzyła na niego wychodzącymi z orbit oczami.

Młodzieniec nie był w stanie przyswoić tego nagłego uderzenia szczęścia i przyglądał się siostrze, usiłując się upewnić, że to naprawdę ona. Stopniowo zaczął rozpoznawać rysy, chociaż ta smutna kobieta niewiele miała wspólnego z dziarską, uśmiechniętą dziewczynką, którą pamiętał. Wreszcie uznał, że to María. Był zdziwiony. Nie rozumiał, dlaczego nikt nie powiedział nic o niej, skoro była tak blisko.

— Tak, to ja — rzekł w końcu, nim złączył się z nią w uścisku.

Potem spojrzała pytająco na Niccola i zmarszczyła brwi.

— Nie, to nie Gabriel — uprzedził Joan. — Nasz brat mieszka w Barcelonie i ma się dobrze. — Przysunął drugi taboret do stołu i widząc, jaka jest słaba, powiedział: — Usiądź.

— Nie mogę — odparła.

— Dlaczego?

— Dlatego że jestem niewolnicą i nie mogę siadać z klientami.

— Niewolnicą po jedenastu latach! — zawołał Joan, zmuszając ją, by usiadła. — Cóż za niegodziwość!

W tej chwili w drzwiach, które pewnie prowadziły do kuchni, pojawił się gruby mężczyzna i krzyknął:

— Julio! Co tam robisz na siedząco? — I zbliżył się, groźnie podnosząc na nią rękę. — Leniwa próżniaczko!

Joan zdziwił się znowu, słysząc imię, którym mężczyzna zwrócił się do Maríi. Podniosła się ze stołka gotowa na przyjęcie ciosu, a Joan ujrzał twarz matki zdjętą strachem. Karczmarz nie opuścił ręki, zawisła w powietrzu, a jego oczy otwierały się szeroko ze zdziwienia, gdy poczuł ostrze sztyletu na gardle.

— Co czynicie, kawalerze? — pełnym szacunku tonem powiedział do Joana. — To moja niewolnica. Nie wykonuje swojej pracy.

— Twoja niewolnica, skurwysynu?! — zagrzmiał Joan, podczas

611

gdy tamten cofał się dźgany czubkiem ostrza. — Masz niewolnicę chrześcijankę od jedenastu lat i nie oswobodziłeś jej? I jesteś chrześcijaninem? Nie obchodzi mnie, jeśli przekupiłeś tutejsze władze. Doniosę na ciebie biskupowi Genui. Każe cię powiesić! Joan wiózł ze sobą glejt z Watykanu, który załatwił mu Miquel Corella, i nie gadał ot tak sobie. Trzymanie chrześcijańskich niewolników było zabronione. Kościół zezwalał na to tylko w szczególnych wypadkach. Dotyczyło to wykupów wojennych w razie niewypłacalności, a także sytuacji, kiedy niewierny jeniec dopiero co przyjął chrzest. Chodziło o nieobciążanie finansowe właściciela, który miał obowiązek go schrystianizować. Obowiązywało też uzgodnienie warunków, na podstawie których jeniec odzyska wolność.

— Ale... — wydukał mężczyzna.

— Ta kobieta jest moją siostrą i urwę ci jaja, nim ją stąd zabiorę! — przerwał mu Joan, wykrzykując, ogarnięty szałem.

W tym momencie oberżysta oparty plecami o ścianę, z rozłożonymi rękami i dłońmi dotykającymi muru, nie mogąc już zrobić kroku w tył i czując sztylet wbijający się w jego szyję, zsikał się z przerażenia.

To rozwścieczyło Joana jeszcze bardziej. Schował sztylet i zaczął okładać pięściami mężczyznę, łkającego ze strachu i wstydu.

— Zostaw go już! — Maria próbowała odciągnąć go od ofiary.

— Czy nie zdajesz sobie sprawy z tego, co on ci zrobił?

— Nieważne, zostaw go. Ma rodzinę do wyżywienia.

Joan uczynił ruch, jakby chciał rzucić się znowu na oberżystę, który zakrył przed nim twarz rękami. W tym momencie zareagował Niccoló.

— Zostawcie go, Joanie. Jeśli go zabijecie, tylko sobie zaszkodzicie. Lepiej, by skazał go wymiar sprawiedliwości. — A zwracając się do karczmarza, spytał: — A może wolelibyście dojść do przyjacielskiej ugody?

— Tak, na miłość boską! — zawołał mężczyzna. — Julia jest wolna. Wolna!

❧

Tego wieczoru Eulalia poznała swe wnuki, a Joan siostrzeńców. Mieli osiem i dziesięć lat, a oberżysta wziął ich do niewoli, uzasadniając to tym, że ich nieznani ojcowie mogli być poganami. Nie mógł nie dopuścić do ich ochrzczenia, lecz w dalszym ciągu się upierał, że stanowią jego własność.

Joan poprosił Niccola, żeby zostawił ich samych we troje. Pośród łez, uśmiechów i wyrazów miłości zrekonstruowali wszystko, co zaszło od zabójstwa ojca i pojmania kobiet przez ludzi Vilamaríego.

— To my oddawałyśmy się żołnierzom i marynarzom na galerze — powiedziała matka w surowej relacji, mając na myśli siebie i przyjaciółkę Martę, matkę Elisendy i żonę Tomása z Llafranc. — Dogadzałyśmy im we wszystkich zachciankach, w zamian za co mieli nie skrzywdzić dziewczynek. Miałyśmy niewiele ponad trzydzieści lat i wyglądałyśmy dobrze, więc wszyscy się zgodzili. Zadowolili się tylko dotykaniem ich trochę i dotrzymali umowy. Ale choćbym nie wiadomo jak się starała, nie zdołałam przekonać handlarzy niewolników, którzy kupili nas w Bastii — kontynuowała ze łzami w oczach. — Przykro mi, Marío, nie udało mi się.

Joan przypomniał sobie twarze Simonego i Andrei i zacisnął pięści z wściekłością. Wiedział, gdzie znaleźć tych nędzników.

— Elisendę też gwałcili, ale ponieważ była jeszcze niezbyt rozwinięta, wkrótce zostawili ją w spokoju — wyjaśniła María. — To ją uratowało. Kiedy sprzedali ją tutaj, w La Spezia, wciąż dobrze wyglądała, a teraz jest piękną kobietą. Wyszła za mężczyznę, który kupił ją, gdy owdowiał. Jest od niej o wiele starszy. Mają gospodarstwo w dolinie Chiappa, niedaleko stąd. Jest wolna i ma dzieci. Jej matka też odzyskała wolność, ale zmarła przed kilkoma laty.

— Och! — zawołała Eulalia. — Biedna Marta.

— A ty? — zapytał Joan.

— Moje życie potoczyło się zupełnie inaczej — odparła María, pochylając głowę. — Na mnie się uwzięli. Byłam już w ciąży, kiedy rozdzielono nas, żeby sprzedać mnie do tej gospody. Gdy przyszedł czas, wydałam na świat starszego syna. Moi właściciele zachowali się wobec mnie dobrze i zaopiekowali się mną.

— Naturalnie! — zawołał Joan. — Nie chcieli tracić wydanych

na ciebie pieniędzy i próbowali zyskać więcej, robiąc niewolnika z twojego syna.

— Gdy poprosiłam właściciela, żeby wyznaczył mi cenę za wykup, zażądał sześćdziesięciu dukatów — kontynuowała María, nie odnosząc się do uwagi brata.

— Sześćdziesiąt dukatów! — zawołał Joan oburzony. — Co za barbarzyństwo! Ten typ jest nędznikiem. To za drogo, nie chciał cię uwolnić.

— Ale to nie on, tylko jego ojciec. Chociaż kiedy umarł, syn podtrzymał cenę. Wielokrotnie próbowałam zaoszczędzić, ale kiedy tylko zebrałam jakieś pieniądze, zawsze któryś z chłopców chorował i wszystko wydawałam na lekarzy. Pan opłacał mi lekarza, ale nie im.

Eulalia przytuliła córkę i kołysała, żeby ją pocieszyć. Joan zamilkł. Wiedział, że jedynym sposobem zaoszczędzenia pieniędzy przez niewolnicę była prostytucja. Niewolnicy mężczyźni z łatwością znajdywali dodatkowe prace fizyczne przy rozładunku w porcie albo w polu. Ale tego rodzaju zajęcia nie były dostępne dla kobiet, które w większości parały się pracami domowymi. Jedynym więc dla nich wyjściem było prostytuowanie się, a gdy pracowały w oberży, sam oberżysta zostawał sutenerem i zgarniał lwią część ich zarobków. Był pewien, że tak też było w wypadku jego siostry. Nie musiał nawet pytać, czemu nazywali ją imieniem Julia. Wiedział, że stręczyciele nadawali prostytutkom przybrane imiona, które brzmiały jak najbardziej wyzywająco. Teraz już rozumiał, dlaczego matka nigdy nie otrzymała żadnej wieści, mimo że wypytywała rybaków. To nie tylko na skutek odległości czy braku łączności komunikacyjnej. Jego siostra nie była dla nich Maríą, tylko Julią. Prostytutką.

— To już przeszłość — oświadczył. — Chodź ze mną. Twoje dzieci będą moimi dziećmi.

Obie kobiety popatrzyły na niego z nadzieją.

115

Joan pragnął zobaczyć się z Elisendą. Drugiego dnia razem z matką, siostrą i Niccolem wybrali się na farmę, gdzie mieszkała z mężem. Po nocy spędzonej głównie na rozmowach Joan szedł zatopiony w myślach. Droga opadająca ku dolinie obsadzona była drzewkami oliwnymi.

Uznał, że jego przyjaciółka z lat dziecięcych i jej matka zostawiły Maríę na pastwę losu, kiedy odzyskały wolność. Być może dlatego, że María prostytuowała się w gospodzie, ale to ich nie usprawiedliwiało. Przyrzekł jednak Tomásowi, swemu ojcu chrzestnemu, że oswobodzi jego córkę. Dojrzały mężczyzna nie musiał rzecz jasna wierzyć słowu dwunastoletniego młokosa, ale nie zwalniało go to z dotrzymania obietnicy. Powinien się upewnić, że Elisenda ma się dobrze, i stworzyć jej możliwość powrotu do Llafranc, gdyby tego chciała.

Odkąd poznał Annę i zakochał się w niej, Joan czuł się winny. Miał wrażenie, że przeciął święty węzeł z Elisendą, i nigdy nie zdołał uwolnić się od tego poczucia zdrady mimo wielu tłumaczeń, które sobie wynajdywał. Świadomość, że jest zamężna i ma dzieci, bardzo go pocieszyła, ale chciał ją zobaczyć nie tylko z ciekawości. Pragnął dotrzymać obietnicy i uspokoić sumienie.

Dom Elisendy miał dwa piętra i wyglądał na zadbany. Po obydwu jego bokach rosły figowce i spośród zielonych liści wyglądały świeże figi. Pnąca się pożółkła już winorośl zachowała jeszcze parę dojrzałych kiści. Zaszczekały psy. Z domu wybiegło dwóch jasnowłosych malców, jeden trzy-, drugi pięcioletni. Popatrzyli i pokrzykując, wrócili do środka. Następnie pojawiła się służąca, która zaczęła wołać panią, przytrzymując psy. Pachniało rosołem. Gdy wstąpili na wiodącą do domu ścieżkę, w drzwiach stanęła Elisenda. Joan wstrzymał oddech. W kobiecie w czerwonej sukni od razu rozpoznał rysy twarzy, jasne włosy, niebieskie oczy. Ale choć jako dziecko przewyższała go wzrostem i smukłością, to teraz była niższa, a jej kształty zdawały się bardziej krągłe.

Spojrzała pytająco i natychmiast poznała Marię.

— Witaj, Mario! — pozdrowiła ją czule. — Jak się miewasz?

Oczy Elisendy zatrzymały się jednak na towarzyszach Marii. Zastanawiała się nad tymi twarzami, które wydawały się znajome, ale nie mogła skojarzyć ich z osobami.

— Nie wiesz, kim są? — zapytała Maria.

— To Eulalia, Joan i Gabriel! — krzyknęła nagle Elisenda. W jej głosie była radość.

Ponownie musieli tłumaczyć, że to Niccolò, nie Gabriel, co nie umniejszyło jej entuzjazmu. Zaprosiła ich do domu i poczęstowała winem, migdałami, figami i słodką bułką. W parę minut opowiedzieli jej o wszystkim. Elisenda okazała radość, gdy dowiedziała się, że przyjaciółka i jej dzieci są wolne i że wszyscy razem z Joanem jadą do Rzymu. Raz po raz spojrzenie Elisendy zatrzymywało się na Joanie, spoglądali na siebie. Joan musiał przekazać wiadomość o śmierci jej ojca i chociaż starał się zrobić to delikatnie i nie wspomniał o samobójstwie, uśmiechnięta twarz Elisendy zatonęła w łzach. Joan sięgnął do torby i wyjął dwa przepiękne kawałki czerwonego koralu. Pamiętał je dobrze. Były najpiękniejsze. Dał je Elisendzie, która spojrzała na niego zdziwiona.

— Należały do twojego ojca — powiedział. — A teraz są twoje. Nie wiesz, jak bardzo cię kochał.

Wzięła i znowu zalała się łzami. Ucałowała je, a potem przytuliła się do Joana.

— Jesteś tu szczęśliwa? — spytał, gdy się uspokoiła. — Chcesz wrócić z dziećmi do Llafranc?

Popatrzyła ze zdziwieniem.

— A co mielibyśmy tam robić? Moje życie jest tu, na farmie, z mężem.

Joan zapytał o męża. Chciał mieć pewność, że jego dziecięca miłość jest szczęśliwa. Ale niejasne odpowiedzi Elisendy zaniepokoiły go. Czyżby jego podejrzenia się potwierdzały? Wzbierał w nim gniew. Obiecał Tomásowi opiekować się jego córką, a ten jej wstrętny mąż ją maltretował. Tak samo jak karczmarz jego siostrę. Miał jedyną okazję, żeby nauczyć owego mężczyznę szacunku dla żony.

— A gdzie on teraz jest? — zapytał, próbując uśmiechem zamaskować swoje zamiary.

— Po co ci to wiedzieć? — spytała Elisenda zdumiona poważną miną Joana.

— Siedzimy w jego domu, pijemy jego wino i jemy jego chleb. Nie możemy odejść bez przywitania.

Powiedziała, że pracuje w polu, i zaproponowała im pójście do niego. Po drodze Joan rozmyślał, jak upokorzyć tego człowieka, dać mu nauczkę. Wreszcie dotarli do winorośli, gdzie grupa osób pracowała przy zbiorach ciemnych winogron, ostatnich już w sezonie. Elisenda zawołała męża.

Mężczyzna podszedł przygarbiony. Joan ujrzał już niemal staruszka o jasnoniebieskich oczach odznaczających się na ogorzałej od słońca i pooranej zmarszczkami twarzy. Mąż Elisendy okazał się uprzejmy i przywitał ich grzecznie. Kiedy zachęceni przez niego usiedli na kamiennym murku służącym za miedzę, poczęstował ich winogronami. Podczas rozmowy Elisenda łajała go kilkukrotnie, nie zważając na obecność gości, za prace do wykonania w domu, za ubiór i za to, że rano wylegiwał się w łóżku. Małżonek słuchał cierpliwie i spoglądał tylko czasem zawstydzony. Żegnając się z nim, Joan uścisnął go serdecznie.

— Odwagi — szepnął, żeby usłyszał tylko on. — To kobieta z charakterkiem, ale ma dobre serce. Życzę wam wszystkiego dobrego w życiu.

Wracając, Joan i Elisenda szli z tyłu. Ich ręce zetknęły się w pewnej chwili. Joan zapragnął ją chwycić jak wtedy, kiedy byli dziećmi. Ale się powstrzymał.

— Widzę, że bardzo polubiłeś mojego męża — powiedziała.

— Wygląda na dobrego człowieka — odparł. — Gratuluję wyboru.

Zrobiła powątpiewającą minę, żeby obniżyć wartość jego pochwały. Joan pomyślał sobie, że Elisenda ma mocny charakter, może nawet za mocny, i zaczął się zastanawiać, jak wyglądałoby jego małżeństwo z tą dziewczyną. Chyba wreszcie miał za co podziękować Vilamaríemu.

෴

Gdy wrócili do domu, Elisenda zaprosiła ich na obiad. Wykorzystując chwilę, w której dorośli bawili się z dziećmi, a służące w kuchni przygotowywały jedzenie, wzięła Joana za rękę i powiodła na stóg siana koło domu.

— Czekałam na ciebie pół życia — powiedziała. — Lecz przybyłeś za późno.

— Przykro mi. Tak chciał los.

— Zostawiłam dla ciebie tyle pocałunków! — mówiła dalej. Miała łzy w oczach. — Wciąż je chowam, tych dla ciebie nie oddałam nikomu.

Objął ją ramieniem. Przywarła do jego ust, potem zaczęli się pieścić. Joan pomyślał, że nie powinien odwzajemniać jej pieszczot, że kocha Annę, ale wybuchła w nim namiętność. Zapragnął z Elisendą ukoić swój ból. Gdy zrzuciła suknię, w zachwycie podziwiał cudownie krągłe, bujne ciało dwudziestotrzyletniej kobiety, nie mogąc porównywać go z ciałem zapamiętanej dziewczynki. Jej swobodne zachowanie naprowadziło go na myśl, że nie był to pierwszy raz, kiedy oddawała się mężczyźnie, który nie był jej mężem. Uznał jednak, że to nie jego sprawa.

Kochali się ogarnięci szaleńczą żądzą, a potem pozostali złączeni przez parę chwil. W końcu Joan rzekł:

— Muszę iść, czekają na mnie.

— Ja dłużej na ciebie czekałam — odparła Elisenda.

Nie zważając na gości ani służbę, zatrzymała go dłuższy czas w objęciach, a Joan rozkoszował się chwilą.

116

W Genui spotkała ich miła niespodzianka. Kiedy Joan powiadomił Fabrizia o pomyślnym rezultacie wyprawy, ten odrzekł, że chętnie poznałby jego rodzinę i że z żoną zapraszają wszystkich na kolację, także Niccola. Dodał, że ma dobre wieści, które przekaże podczas wizyty. Księgarz był uosobieniem życzliwości i szacunku. Eulalia, María i dzieci weszły pierwsze. Joan nie przekroczył jeszcze progu, gdy usłyszał okrzyki radości kobiet. Czekał na nie Gabriel we własnej osobie, a one rozpoznały go natychmiast! Uściskom, całusom i okrzykom nie było końca. Płakali ze szczęścia. Fabrizio zorganizował spotkanie tak, że Gabriel też nie wiedział, że spotka się z matką i siostrą.

Przybył do miasta przed dwoma dniami. Gdy tylko dostał list od brata, poszedł do portu i szczęśliwie trafił na galerę, która płynęła do Genui. Mając pozwolenie Eloi, wziął wszystkie oszczędności i wyruszył, aby pomóc w poszukiwaniach. Znał jedynie nazwisko księgarza. Gdy go odnalazł, okazało się, że Joan wyruszył dziesięć dni wcześniej i płynął już do La Spezia. Fabrizio poradził mu, żeby zaczekał w Genui.

Bracia ze łzami radości padli sobie w ramiona. Nie minęło nawet półtora roku, odkąd pożegnali się w Barcelonie. Dwudziestojednoletni Gabriel wydał się Joanowi nieco wyższy i trochę bardziej korpulentny.

— Po coś ty przyjeżdżał? — ganił go z czułością, przy czym docierało do niego, że wciąż czuje się opiekunem młodszego brata, którego mimo zaledwie dwóch lat różnicy zawsze uważał za dziecko. — To długa i niebezpieczna podróż. Poza tym wyniesie cię majątek, a przecież masz się wkrótce żenić.

— Rodzina jest najważniejsza. Czyż nie? — odparł Gabriel ze słodkim uśmiechem. — Nie pamiętasz, jak umawialiśmy się, że razem je wyzwolimy? Czemu na mnie nie poczekałeś?

— Wybacz mi — przepraszał go Joan, myśląc, że jego brat jest już mężczyzną, który decyduje sam za siebie. — Nagle pojawiła się okazja, nie chciałem jej zaprzepaścić. Nie sądziłem jednak, że wszystko tak dobrze pójdzie. Nie przypuszczałem też, że ty będziesz mógł przyjechać.

— Tym bardziej powinniśmy być razem, gdyby poszukiwania poszły niepomyślnie, nie uważasz?

Joan skinął głową, patrząc mu w oczy. Jego brat głęboko przeżywał wszelkie emocje, do czego on, Joan, czuł się niezdolny.

Gabriel przyjął tłumaczenia całusem w policzek i skupił się na radości z połączenia rodziny. Joan pomyślał, że brat jest tak życzliwy jak wtedy, kiedy miał dziesięć lat, a on pozazdrościł mu szczerości i bezinteresowności.

Eulalia, jej córka i wnuki w zdumieniu podziwiały miasto w towarzystwie Gabriela. Nigdy dotąd nie widziały tak ogromnej miejscowości. Żona Fabrizia posłużyła im za przewodniczkę i pomogła dobrać modne stroje, gdyż Joan powiedział, by kupiły sobie po dwie zmiany nowych rzeczy. Przez ten czas Joan i Niccolò dyskutowali z księgarzem o literaturze. Przeglądali tytuły, liczby i ceny ksiąg z genueńskiej drukarni. Chcieli wrócić z towarem do swojej księgarni. Możliwości dostaw dla Joana poszerzały się. Genua, Neapol i Rzym we Włoszech, a dzięki Bartomeu Barcelona, Walencja, Saragossa, Sewilla i Salamanka w Hiszpanii.

Podczas jednego z rodzinnych spacerów Joan poprowadził wszystkich w okolice Porta dei Vacca i tam poprosił siostrę, by udała się na ulicę Campo i przyjrzała mężczyźnie na ławce. Z miejsca, w którym stała, dostrzegła siedzącego w bramie człowieka, a obok stojących niewolników. Gdy wróciła, miała zmienioną twarz.

— To on? — zapytał Joan.

— Tak — odpowiedziała roztrzęsiona.

❧

Nadeszła chwila rozstania. Galera, którą przybył Gabriel, wracała do Barcelony o dzień wcześniej niż ta, która płynęła do Rzymu. Był to ostatni żaglowiec o tej porze roku i młodzieniec musiał popłynąć. Bardzo chciał zostać, żeby wykorzystać ten ostatni dzień, ale Eulalia kazała mu wracać. Powrót małymi łodziami kabotażowymi na jesieni mógł być długi i pełen przygód. Zaproponował matce i siostrze, żeby udały się z nim, ale one postanowiły towarzyszyć Joanowi. Był najstarszym synem i Eulalia pomyślała, że taka byłaby wola jej męża. Obiecali sobie, że spotkają się niebawem wszyscy w Barcelonie. Pożegnanie było smutne, ale szczęśliwe dni spędzone w Genui — niezapomniane.

— Został nam jeszcze saraceński skarb do odnalezienia — powiedział Gabriel do Joana, puszczając oko, gdy się uścisnęli.

— To prawda — odparł Joan z uśmiechem na wspomnienie tego, co powtarzali w dziecięcych marzeniach. — To jeszcze zostało.

❧

Na krótko przed wypłynięciem galery do Rzymu, załadowawszy rodzinę na pokład, Joan powiedział kapitanowi, że ma jeszcze pilną sprawę do załatwienia, i poprosił, aby poczekał na niego, jeśli się trochę spóźni.

— Odpływ nie poczeka — odparł mężczyzna. — Trzeba wyruszyć razem z nim, aby nam sprzyjał.

— Odpływ nie zaczeka, ale macie wiosła i możecie wypłynąć bez niego — rzekł Joan, pokazując parę złotych dukatów. — Jeśli się spóźnię, dobrze zapłacę.

Joan wszedł do sklepu Simonego bez przywitania i upewnił się, że nikogo nie ma. Pomyślał, że reszta zbirów musi być na dziedzińcu lub w kazamatach z jeńcami.

— O, *catalano*! — rzucił mężczyzna, podnosząc się z ławy. Przekroczył próg, żeby podejść do Joana, równie nieuprzejmy jak poprzednim razem. — Czego chcecie? Mówiłem, że nie oddam wam pieniędzy!

Za jego plecami pojawił się Niccolò. Popchnął go w stronę Joana, a ten z całej siły uderzył go pięścią w twarz. Mężczyzna poleciał do tyłu, gdy zaś Niccolò popchnął go znowu, Joan złapał go, a florentczyk wymierzył mu cios pałką między czaszkę i kark. Handlarz wydał jęk, ugięły się pod nim kolana. Po paru chwilach leżał na ziemi, a dwaj napastnicy upychali mu szmaty do ust, żeby nie mógł krzyczeć. Joan błyskawicznie założył mu kajdany. Zrobił to z wprawą, zbyt wiele razy miał z tym do czynienia na galerze.

W tym momencie z podwórza wszedł Andrea. Kiedy zrozumiał, co się święci, krzyknął, sięgając po rapier. Było jednak za późno, gdyż Niccolò wbił mu już w ramię swoją broń. Po paru chwilach Andrea leżał też na ziemi zakuty w kajdany i zakneblowany.

— Chcesz żyć? — spytał go Joan. Jego sztylet cisnął gardło Simonego, który zaczynał odzyskiwać świadomość.

Handlarz niewolników, z oczami wychodzącymi z orbit, pokiwał głową energicznie. Joan pomyślał, że ten człowiek, podobnie jak wszystkie łobuzy, na końcu okazał się tchórzem. Simone wzbudził w nim taką furię, że nie był w stanie usunąć go ze swoich myśli przez całą podróż. Teraz będzie mógł wyładować swój gniew na winowajcy. Pierwotnie zamierzał go zabić, ale ostatecznie postanowił nie odbierać mu życia, jeśli będzie współpracował. I to właśnie mu powiedział. Tamten skinął znowu głową.

— Teraz wyjmę ci knebel, żebyś mógł mówić — oznajmił, przykładając mu sztylet do szyi. — Jeśli zaczniesz krzyczeć, poderżnę ci gardło.

— Na Boga i Dziewicę! — wyszeptał mężczyzna. — Mój syn jest ranny i się wykrwawi. Zrobię, co każecie, ale trzeba wezwać lekarza. Zwrócę wam dziesięć dukatów!

— To dużo pieniędzy, ale nie chcę ich — odparł Joan. —

Powiedziałeś prawdę, więc zasłużyłeś na nie. Powiedziałeś też prawdę o gwałtach i za nie zapłacisz. Jeśli chcesz, żeby twój syn przeżył, bądź posłuszny, a im szybciej skończę, tym szybciej będziesz mógł go ratować.

౨

Wkrótce trzech zbirów siedziało w klatkach dla niewolników w piwnicy, a Joan znów zatykał usta Simonemu, aby kopniakami i pięściami wyładować na nim całą dławiącą go złość. Handlarz wydawał zduszone jęki, ale wymierzona mu kara była niczym w porównaniu z torturami zadanymi matce i siostrze Joana. Poza tym Simone był dla Joana przykładem okrutnego i bezwzględnego zbira i bijąc go, wyobrażał sobie znienawidzonego Felipa, który uciekł przed karą za zbrodnie pod osłoną inkwizycji. Z pewnością nie ujrzy go więcej, nie wymierzy mu tego, na co zasługuje, ale teraz ten handlarz zapłaci też za niego.

Kiedy złość trochę opadła z Joana, Simone mimo potwornego bólu był wciąż przytomny.

— Teraz moja kolej — powiedział Niccolò, ku zdumieniu Joana zakasując rękawy.

Mężczyzna zaczął skowyczeć, był przerażony.

— O! — zawołał Niccolò z uśmiechem. — Chcesz mi coś powiedzieć? Na chwilę wyjmę ci knebel, żebyś mógł mówić, ale gdyby zachciało ci się krzyczeć, rozłupię ci czerep.

— Miejcie litość — wykrztusił handlarz, jąkając się, kiedy mógł już mówić. — Dosyć, nie wytrzymam tego.

— To będziesz musiał zwrócić dziesięć złotych dukatów — rzekł Niccolò.

— Nie chcę ich — upierał się Joan. — Powiedziałem, że może je zatrzymać.

— Słuchajcie, Joanie — odrzekł Niccolò. — Jesteście dumnym Hiszpanem, a ja praktycznym florentczykiem z poczuciem sprawiedliwości. Nie pozwolę, żeby te pieniądze zostały w jego kieszeni.

— Są jego.

— Jeżeli są jego, to już wystarczająco nakradł. Ten nędznik żyje z kradzieży życia innym, a kto złodzieja okrada, temu jest wybaczone.

I kopniakami zmuszając mężczyznę do dźwignięcia się na nogi, kazał mu powiedzieć, gdzie trzyma sakiewkę.

— O, proszę, jest trochę więcej niż dziesięć dukatów — zauważył Niccolò z uśmiechem. — Zatrzymam resztę za fatygę.

Joan zebrał wszystkich niewolników na podwórzu. Było ich ponad trzy tuziny, w większości kolorowych, wśród nich wiele kobiet. Na ich twarzach pojawiło się zaskoczenie i niepewność.

— Kto chce uciekać, niech biegnie szybko, kiedy powiem! — wykrzykiwał Joan we wszystkich znanych mu językach.

Tym, którzy nie zrozumieli, przekazał wiadomość na migi. Miał ochotę zabrać ich ze sobą na galerę, ale byli to legalni niewolnicy i zostałby oskarżony o kradzież cudzej własności. Niestety, ludzi nie można było przewozić tak łatwo jak dukatów, które Niccolò odebrał handlarzowi.

Wątpił, żeby większości udało się skutecznie ukryć i odzyskać wolność, ale przynajmniej ten, kto chciał, mógł spróbować. Pozdejmował im kajdany i krzyknął:

— Wszyscy na zewnątrz! — Jednocześnie wyrażał to życzenie gestem.

Ci, którzy wyglądali na Europejczyków, może genueńczyków, wziętych do niewoli za długi albo drobne przestępstwa, wybiegli pierwsi. Ulica Campo nagle się zapełniła. Przechodnie odsuwali się przestraszeni, a strażnicy Porta dei Vacca, widząc niewolników, puścili się w pogoń. Joan i Niccolò spokojnym krokiem poszli do portu.

— Ach! — powiedział Joan, zdejmując zbroczone krwią rękawice. — Ależ jestem zadowolony! Kawał dobrej roboty!

117

Droga powrotna nie była przyjemna. Załoga galery musiała szukać schronienia przed ciężką jesienną burzą na Elbie. Nieprzyzwyczajony do morskich podróży Niccolò źle znosił przechyły. Nieustannie wymiotował. Za to synowie Maríi, mały Martí i Andreu, po ustaniu pierwszych mdłości czuli się jak stare wilki morskie. Joan opowiadał im, że w ich wieku wypływał już na połowy łodzią dziadka o nazwie *Mewa*; była dla niego symbolem wolności. Chłopcy w skupieniu słuchali opowieści i zachwycali się, gdy mówił o wielorybach, wyspach Medas i czerwonym koralu.

Jeszcze kilka dni temu byli tylko dziećmi niewolnicy, tawernianej nierządnicy, bez ojca, bez rodziny, bez korzeni, sługami zdanymi na łaskę swych panów i pogardę innych dzieci. Teraz poza matką nagle zyskali rozpieszczającą ich babcię i wuja wyglądającego jak kawaler, silnego, z rapierem u pasa, który bronił ich i opowiadał o tradycjach rodzinnych. Chłopcy byli szczęśliwi. Ani matce, ani babci nie udało się zabronić im wędrówek po czymś tak fascynującym i zarazem straszliwym jak galera. Joan myślał czasami, że starszy jest synem gwałciciela dziewczynek, z pewnością handlarza niewolników Simonego albo jego syna. O młodszego natomiast nie miał zamiaru pytać siostry. Pewnie zresztą ona sama tego nie wiedziała, a jego to nie obchodziło, bo teraz chłopcy byli częścią rodziny.

Po tylu dniach niepewności, modlitw, życia w niewiedzy, czy matka i siostra są żywe, czy martwe, z nadzieją na ich znalezienie, ale i zwątpieniem, rozkoszował się ich obecnością. Wzruszał go widok szczęśliwej twarzy matki, gdy mówiła do dzieci, i przypominał sobie, z jaką miłością się nim opiekowała, kiedy sam był dzieckiem.

Kobiety nie ustawały w składaniu podziękowań, aż zaczęło go to męczyć.

— Przyrzekłem tacie, że was odszukam — mówił.

— Byłeś taki malutki! — odpowiadała matka.

Joan był bardzo szczęśliwy, że wyruszył w tę podróż. Pragnienie i obowiązek uratowania rodziny ciążyły na nim okropnie przez wiele lat. Od dziecka sądził, że jako starszy syn będzie wszystko umiał i bohatersko ruszy im na ratunek. Potem, gdy rósł, widząc piętrzące się przeszkody, wielokrotnie tracił nadzieję i myślał, że nigdy mu się to nie uda. Jednakże jego dziecięce marzenie wreszcie stało się rzeczywistością.

W książce napisał: „Wykonałem zadanie, tato". A gdy to zrobił, poczuł, jak łzy napływają mu do oczu i ulatuje ów ciężar, który od tylu lat tłamsił jego umysł. Po przelaniu tego zdania na papier Joan miał wrażenie, że za sprawą magii liter jego słowa popłyną dalej. Ramón wreszcie się dowie, że jego rodzina jest bezpieczna, niech spoczywa w pokoju.

≈

Pozostał tylko jeden rachunek do wyrównania, z którym Joan dotąd sobie nie poradził: wymierzenie kary Vilamaríemu za zabójstwo ojca i krzywdy wyrządzone rodzinie. Śmierć Jednookiego nie umorzyła krwawego długu. Joan zrozumiał, że nieszczęśnik, którego nienawidził przez tyle czasu, był tylko nic nieznaczącym biedakiem, którym on sam też się stał, popełniając podobne zbrodnie na Sycylii.

Vilamarí okazał się źródłem zła, to on był za wszystko odpowiedzialny. Joan jednak nie potrafił się na nim zemścić, nie mógł go zabić, gdy miał okazję zrobić to bezkarnie. Wprost przeciwnie, pomógł mu, uratował mu życie, sądził nawet, że zrobiłby to samo, gdyby sytuacja się powtórzyła. Nigdy nikogo nie nienawidził tak bardzo jak admirała. Ale czuł do niego coś jeszcze, czego nie był w stanie określić.

Przez długi czas myślał, że zawiódł ojca, darując życie Vilamaríemu, ale teraz nabrał przekonania, że postąpił właściwie. Gdyby dokonał zemsty, wszystko potoczyłoby się inaczej. Dalej siedziałby przykuty do galery albo by go stracili. Napisał w książce, zwracając się ponownie do ojca: „Miłość zatriumfowała nad odwetem". Bo teraz dopiero pojął, że darując życie admirałowi i chroniąc go podczas bitwy, zawarł z nim pakt. „Dzięki temu, że ocaliłem życie Vilamaríemu, on dał mi wolność i mogłem odnaleźć matkę i siostrę", dodał.

Choć morze było wzburzone, Joan pisał, siedząc na dziobie osłoniętym od częstych porywów spienionych fal jesiennego Morza Śródziemnego. Zbliżał się zmierzch. Nagle, pod koniec pełnego strasznych, ołowianych chmur dnia, otworzył się prześwit na horyzoncie i promienie słońca na krótko rozświetliły niebo. Joan wciągnął powietrze w płuca, ciesząc się zapachem morza, i pomyślał, że to znak. Do ojca dotarły jego słowa. Przyjął dzieło syna i jest szczęśliwy.

&

Nawet kiedy bawił się z siostrzeńcami albo rozmawiał z matką, siostrą lub Niccolem, gdy dolegliwości choroby morskiej ustępowały na tyle, że florentczyk mógł mówić, Joan nie mógł uwolnić się od myśli o Vilamarím. Admirał był grabieżcą tak samo jak Simone. Joan zdawał sobie jednak sprawę, że jego stosunek do admirała nigdy nie będzie taki jak do handlarza niewolników.

Było mu obojętne, czy Simone i jego syn umrą z powodu odniesionych ran, chociaż nie pozwolił sobie na ich zabicie. To były wszy.

Co odróżniało ich od Vilamaríego? Może to, że gwałcili dziewczynki, że sprawiało im przyjemność zadawanie bólu ofiarom, że brudzili sobie ręce krwią.

Admirał żadnej z tych rzeczy osobiście nie czynił, ale wysyłał ludzi, żeby rabowali i mordowali, jeśli zajdzie taka konieczność, i pozwalał na gwałty, byleby zachowany był porządek i przestrzegano zasad wprowadzonych przez niego. Ta jego niesprawiedliwa sprawiedliwość. Czy to nie było gorsze od tego, co robił Simone?

Vilamarí siedział w kasztelu galery, muzycy umilali mu czas, skryba czytał piękne poematy, a perfumiarz koił odór bijący od galerniczej hołoty przykutej łańcuchami do ław, podczas gdy jego ludzie mordowali, porywali i gwałcili niewinnych. Był dużo elegantszy od handlarza niewolników, ale zmuszał innych do popełniania zbrodni. I dlatego wydawał się gorszy niż Simone.

Joan zastanawiał się nad tym, czy może to, że Vilamarí był szlachcicem, nosił drogocenne szaty, w wyrafinowany sposób rozmawiał o książkach i miał wielką władzę, nie sprawiło, że patrzył na admirała innymi oczami.

Czarujący zbrodniarz w białych rękawiczkach.

Doszedł jednak do wniosku, że nie tylko o to chodzi, że jest coś jeszcze. A może admirał uwiódł go opowieścią o lwach, gazelach i owcach owej spokojnej nocy, pełnej urokliwych obłoczków, gdy mijali Zatokę Tarencką.

Vilamarí był lwem, który nie czerpał przyjemności z zabijania, robił to dla przetrwania. Dla zwycięstwa. Sądził, że spełnia swój obowiązek. Żałował za zbrodnie, ale spał spokojnie. Zabici to ofiary wojenne, triumf usprawiedliwiał wszystko. Nieuniknione straty.

Vilamarí to pirat, lecz wierny swoim ludziom i królowi. Przypomniał sobie uwielbienie, z jakim Genís, gdy był jeszcze nawigatorem *Świętej Eulalii*, wyrażał się o admirale. O jego wyczynach w walce z Turkami i o tym, że nigdy nie porzuca swoich ludzi. Admirał trwał w taki sposób, w jaki sam rozumiał przetrwanie. Na czele floty i w służbie króla.

A w co grał król? Gdy Vilamarí dostawał od monarchy zapłatę albo otrzymywał żołdy, walcząc dla Neapolu czy dla Watykanu, nie napadał na wioski. A gdy stosując się do prawa wojennego, porywał nieprzyjacielskie statki, wtedy jeszcze skrupulatniej dzielił się z suwerenem.

Król Ferdynand II Aragoński bardzo dobrze znał Vilamaríego. Wiedział, że jest lwem. Gdy zabraknie mu pieniędzy, ukradnie je jednym, żeby dać drugim. Według Abdali tak samo postępowali imperatorzy rzymscy. Głodzili lwy cyrkowe, żeby rozszarpywały chrześcijan, bo syte nie napadały. Król wiedział, że Vilamarí przetrwa i będzie gotów do następnej bitwy. Taka była natura admirała. Suwerena nie obchodziło, co zrobi admirał, byle tylko nie słyszał skarg. A gdyby poskarżył się ktoś ważny, ukarałby bestię.

Wydawało się więc, że to król stoi za całym złem. Zezwolił na poddaństwo chłopów, chociaż to oni pomogli mu w walce przeciwko szlachcie. Tolerował ich cierpienie, nim zmuszony kosztami wojny zniósł niektóre z niesprawiedliwych praw, a przecież pozwalał na nie, znał je z pierwszej ręki. W pamięci Joana ożył wyraz twarzy Joana de Canyamars, gdy mówił, że idzie odebrać dług, sześćdziesiąt dukatów.

Król wprowadził inkwizycję do swoich królestw, aby gwałcić prawo i przywileje w imię Boga, a zarazem zasilić skarbiec. Joan przypomniał sobie smutną powagę państwa Corrów idących na śmierć, ubranych w szaty pokutne i czerwono-żółte czepce, z powrozami na szyjach i zgaszonymi świecami w rękach. Łzy napłynęły mu do oczu.

A generałami monarcha grał jak pionkami szachowymi. Joan przywołał na pamięć Jednookiego, w chwili gdy strzelał z arkebuza do jego ojca i rozległ się ten piekielny huk. Zdjęła go trwoga jak wtedy, kiedy był dzieckiem i ujrzał, jak ojciec pada.

Taki był król.

Czy monarchę naprawdę zesłał Bóg, żeby podbił Grenadę i Jerozolimę dla chrześcijaństwa? Wielu w to wierzyło. Może wierzył w to sam król i sądził, że boskiemu emisariuszowi cel uświęca środki. A spowiednicy odpuszczą mu winy w imię Boga.

Zapisał w książce zdanie, które jak sobie przypominał, zanotował już kiedyś wcześniej: „Władza to możność krzywdzenia innych". A potem: „Czy wzniosły cel usprawiedliwia podłe środki? Bóg nie może być po stronie tych, którzy zadają cierpienie niewinnym".

Joan zapragnął podzielić się myślami z Niccolem. Ten wysłuchał go uważnie, kiwając głową i dodając coś czasem mimo złego samopoczucia spowodowanego nieustannym kołysaniem statku. Kiedy Joan wyłożył mu wszystkie swoje racje, florentczyk rzekł:

— Król Ferdynand Drugi Aragoński, który wraz ze swą żoną Izabelą włada również Korsyką, to wielki książę odrodzenia i postępuje zgodnie z tym, kim jest. Nie należy sądzić, że gdy dość przeżyje, spocznie na laurach po wielkich triumfach.

I pobiegł, żeby wychylić się za burtę i zwymiotować.

Parę dni później Joan napisał: „Nawet lwy nie są całkowicie wolne".

118

Na początku kobietom nie było łatwo przyzwyczaić się do nowego otoczenia. Rzym był dla nich obcy. Wielkomiejski ruch i gwar onieśmielał je. Maríi trudno było oswoić się z myślą, że jest wolna i ludzie nie spoglądają już na nią pogardliwie ani nie uważają jej za nędzną, niegodną istotę. Często budziła się w nocy z koszmaru, że wciąż ma pana, który ją wykorzystuje. Ale na szczęście była przy niej Eulalia, żeby ją pocieszyć. Miały trudności z porozumiewaniem się, bo znały włoski z Ligurii. Z tego powodu wolały przebywać w domu, rzucając się w wir prac domowych. Joana martwiło to unikanie ludzi. Poszedł z nimi kilka razy na bazar, po czym znalazł wyjście. W zajeździe El Toro pracowała sympatyczna i żwawa służąca rzymianka. Poprosił Vannozzę o wypożyczenie dziewczyny na kilka miesięcy do pomocy w adaptacji jego rodziny. Pomysł był trafny. Dziewczyna nie milkła i kazała Eulalii i Maríi posługiwać się rzymską odmianą języka włoskiego. Po jakimś czasie zaczęły coraz częściej porozumiewać się na bazarze i z sąsiadkami w dialekcie rzymskim, rzadziej w liguryjskim.

Niccolò nalegał, żeby Joan wziął dziesięć dukatów spośród prawie trzydziestu, które zabrał handlarzowi niewolników, a Maríi i matce przekazał resztę.

— Nie chcę tych pieniędzy — powiedział Joan.

— Ja też nie — odparł Niccolò. — Za moją pracę wy mi płacicie. Dziesięć dukatów jest wasze, a reszta pochodzi z cierpienia ludzi takich jak wasza matka i siostra. Będzie sprawiedliwie, jeśli przeznaczą je na to, co sprawi im przyjemność. María i Eulalia dostały całość. Nigdy nie widziały tylu pieniędzy naraz, a dowiedziawszy się, od kogo pochodziły, postanowiły je przyjąć. Obie uważały, że zakupione w Genui szaty odpowiadają im, ale Joan zapragnął kupić bardziej luksusowe stroje. Przypomniał sobie radę Miquela Corelli, gdy pierwszy raz przyjechał do Rzymu.

Po sukcesie osiągniętym dzięki służce Vannozzy Joan zatrudnił nauczyciela, aby zarówno kobiety, jak i chłopcy poznali lepiej język, nauczyli się pisać, czytać i rachować. To i dysponowanie własnymi pieniędzmi wzmocniło poczucie bezpieczeństwa dawnych niewolnic, które w nowym życiu zaczęły chodzić już z wysoko podniesioną głową i uśmiechem goszczącym coraz częściej na ich ustach.

&

Joan z satysfakcją przyglądał się korzystnym zmianom. Czekał też na moment otwarcia księgarni. Ale nie był szczęśliwy. Brakowało mu Anny. Na początku października skończyła się ścisła żałoba, którą narzuciła sobie jako wdowa. Przez cały ten czas wychodziła z domu tylko do kościoła i do księgarni. Poza strojem i czarnym welonem żałoba polegała też na nieprowadzeniu rozmów z osobami spoza rodziny i nieodpowiadaniu na listy. Joan zasypywał ją korespondencją, w której powtarzał, że wciąż ją kocha, opowiadał o podróży do Genui i tworzeniu księgarni. Relacjonował też przechadzki po Rzymie i opisywał postacie, które poznawał. Wiedział, że Anna ubóstwia książki, i pragnął przyciągnąć ją do siebie swoim nowym życiem. Czekał na jej odpowiedź od października, ale nie nadchodziła. Joan załamywał się, przypominając sobie Annę mówiącą, że już go nie kocha, i straszliwe słowa, którymi go pożegnała: „Nie chcę was więcej widzieć".

Początkowo pisał do niej prawie codziennie, potem dwa razy w tygodniu i wreszcie raz na tydzień. Zniechęcenie robiło swoje, a rozpacz wypełniała serce.

Ci, którzy go kochali, widząc jego rozgoryczenie, próbowali mu doradzać. Matka i siostra powtarzały, żeby poszukał sobie pięknej rzymianki, a Miquel Corella zaproponował mu kilka kobiet, które byłyby dobrą partią ze względu na pieniądze czy wpływy. Niccolò zaś podsuwał mu listę florenckich dam na zesłaniu, które byłyby zachwycone, mogąc połączyć swój los z przystojnym, dobrze zapowiadającym się młodzieńcem, zawołanym piewcą literatury.

Radzili mu zapomnieć o neapolitance katalońskiego pochodzenia, która uważa się za szlachciankę tylko dlatego, że jest wdową po kawalerze i zadziera nosa. Ale myśl o wyrzeczeniu się ukochanej doprowadzała Joana do rozpaczy. Matka, odgadując jego melancholię, mówiła, kręcąc smutno głową:

— Wytrwałość jest naszą rodzinną cnotą, ale u ciebie to jest ślepy upór. Wyjdź na ulicę i rozejrzyj się wokół. Pełno jest pięknych kobiet.

— Trwonić tak młodość to grzech, którego sam papież ci nie odpuści — przestrzegał Miquel Corella.

Stary przyjaciel dosłownie wyciągał go z księgarni i razem z Niccolem chodzili w miejsca, gdzie piękne karczmarki nie żałowały nie tylko wina. Joan starał się uczestniczyć w hulance, ale jego smutne spojrzenie utkwione w kieliszku mówiło wszystko.

Zapamiętaj, Joanie, wola zwycięstwa, współdziałanie i efekt zaskoczenia — pisał mu Abdalá w liście. — *Ta recepta może się przydać do czegoś więcej niż pokonanie łobuza. Odkąd Cię znam, kochałeś Annę, nic nie zdołało zdławić Twej namiętności. Przekształć ten żar w wiarę, odrzuć zniechęcenie. Zaplanuj akcję, wykorzystując współdziałanie. Musisz wiedzieć wszystko o jej uczuciach, wykorzystaj przyjaciół, każdego, kto coś może o niej wiedzieć. Spraw, żeby nie tylko Cię informowali. Niechaj staną się Twymi ambasadorami. A gdy będziesz już pewien, że wiesz, co siedzi w najgłębszych zakamarkach jej serca, napisz do mnie. Wymyślimy niespodziankę. Przez ten czas módl się do Pana, czyń pokutę, aby wzmocnić Twą wiarę i wolę.*

Joan czuł głęboki szacunek dla Abdali, ale pomyślał sobie, że mogła to być pierwsza z oznak jego starzenia się. Co on mógł wiedzieć o kobietach, skoro zamieniał ledwie słowo z którąś ze służących, a odkąd stracił wolność, minęło już ponad dwadzieścia lat i nie zaznał miłości? A skąd Joan mógł się dowiedzieć, co Anna chowa w najgłębszych zakamarkach swego serca? I kogo miał o to pytać? Odpowiedział starcowi, że dziękuje za rady i że posłucha jak zawsze. Ale podczas zimy korespondencja do Barcelony szła ponad miesiąc, drugie tyle wracała. Gdyby udało mu się dowiedzieć, co naprawdę czuła Anna, i napisałby do Abdali, nim dostałby jego odpowiedź, byłaby prawie wiosna. Tak długo nie mógł czekać.

Wciąż pełen wątpliwości przystąpił do wcielania w życie rad mistrza. Tą samą pocztą nadał list do Bartomeu. Prosił w nim przyjaciela o napisanie do Perego Roiga, ojca Anny, towarzysza broni z czasów wojny domowej. Może zechce mu opowiedzieć o uczuciach swojej córki. W innym liście poprosił o to samo Antonella. Był bowiem jedyną osobą spoza rodziny, z którą Anna rozmawiała podczas żałoby.

Odpowiedź księgarza z Neapolu nadeszła już po dwóch tygodniach:

Andżelika jest bardzo smutna, mój drogi Rolandzie. Bierze na siebie całą winę za śmierć swego małżonka. Twierdzi, że gdyby Ricardo nie zobaczył Cię w swoim domu i nie miał złamanego serca, nigdy nie walczyłby na śmierć i życie. Myśli, że zabiłeś jej męża, ponieważ uważałeś, że masz do niej prawo.

Jest wdową po drobnym szlachcicu, ale jej pałac to tylko gruzy. Twoje wyznanie miłości na karaweli, a potem wykupienie jej na oczach andegaweńskich szlachciców zrujnowało jej reputację uczciwej żony. Rodzina Ricarda przestała się do niej odzywać, a spadek po mężu nigdy nie przypadnie dziecku, na które czeka. Warsztat jubilerski ojca pozwala rodzinie na przeżycie, ale bardzo skromne. Z pewnością nie stać byłoby go na posag dla córki, jej przyszłość rysuje się więc tak, że urodzi dziecko i wychowa je w biedzie i samotności z pomocą jedynie swych rodziców. Czyta wciąż Twoje listy i wraca do nich, wyobraża sobie Wasze życie w Rzymie i zazdrości Ci go, ale uważa, że sama na takie nie zasługuje. Bardzo poruszyło ją ostatnie spotkanie i dodała sobie jeszcze trzy miesiące żałoby. Wydaje mi się, że ciągle Cię kocha, ale uważa, że to miłość obciążona grzechem. Przeklęta przez Boga. Obwinia się o niewierność i spędza dni na modlitwie, błagając o wybaczenie, podczas gdy dziecko wzrasta w jej łonie. Śliczna kobieta, którą znałeś, ma oczy zaczerwienione od płaczu, a śmiejące się dołeczki w policzkach znikły z jej twarzy.

Joan westchnął ciężko. Smutek ukochanej przygnębiał go, nie wiedział, jak ją pocieszyć, skoro nie chciała nawet na niego patrzeć. I nagle wpadł we wściekłość. Anna gotowa była wieść nędzne życie, z niego uczynić nieszczęśnika, a przecież mogliby być razem szczęśliwi. To prawda, że oboje zawinili, i to on bardziej niż ona, ale jej reakcja była przesadą. Upór Anny prowadził ich do zguby.

Rolandzie, jeśli naprawdę kochasz Twą Andżelikę — kontynuował Antonello *— rzuć wszystko i przybądź do niej do Neapolu. Nie będzie łatwo, ale może Ci się poszczęści i wynajdziesz zaklęcie, które zdoła zdjąć ten zły czar. Może wtedy jej oczy zalśnią, a uśmiech znów rozjaśni oblicze.*

Joan pośpieszył szykować się do wyjazdu. Wiedział, że bardzo trudno będzie przekonać Annę, że naraża się na kolejne rozczarowanie i że opóźni otwarcie księgarni. Napisał w książce: „Nieważne, muszę spróbować".

119

W połowie grudnia Joan miał już wszystko przygotowane na wyprawę do Neapolu. Zamierzał pozostać w stolicy królestwa tyle czasu, ile będzie trzeba. Zdecydował się jednak przesunąć wyjazd, żeby spędzić święta Bożego Narodzenia z rodziną.

Kiedy Miquel Corella pytał go, jaką ma strategię zdobycia tak niedostępnej twierdzy jak Anna, Joan odpowiadał, że poprowadzą go wola i wiara.

— Potrzebujesz czegoś więcej — odparł Corella.

— Nieważne, jak bardzo dręczy ją smutek — ostrzegał Niccolò. — Może szuka właśnie cierpienia, sądząc, że w ten sposób odkupi winy. Jeśli tak jest, odepchnie was ponownie.

Joan zdawał sobie sprawę, że brakuje mu planu działania. Nie mógł jednak się oprzeć wezwaniu Antonella i miał już dość rozłąki. Coś jeszcze wymyśli. Liczył na łut szczęścia, gdy znajdzie się już w Neapolu, blisko Anny.

Jednakże parę dni przed świętami Joan dostał niespodziewany prezent z Barcelony. Przyszła wysłana przez Bartomeu paczka, w której oprócz mocno zszytego skórzanego woreczka był list od kupca i drugi od Abdali. Młodzieniec zdziwił się; dopiero przed miesiącem wysłał listy do Barcelony i Neapolu. Chociaż Antonello zdążył odpisać, list do Bartomeu musiał być jeszcze w drodze do Hiszpanii. Paczkę, którą miał teraz w rękach, nadano w Barcelonie, zanim napisał swój ostatni list, trzymając się rad Abdali.

Ku zaskoczeniu Joana po powiadomieniu go o najnowszych

wydawnictwach drukowanych w Hiszpanii i innych sprawach dotyczących interesów Bartomeu oznajmiał, że napisał do dawnego towarzysza broni Perego Roiga. Zrobił dokładnie to, o co prosił go Joan w liście, którego jeszcze nie mógł dostać! Pisał też, że aby uniknąć długiego przepływu informacji do Hiszpanii, poprosił złotnika o przekazanie wiadomości bezpośrednio Antonellowi. Joan był zdumiony. Czyżby Bartomeu czytał w jego myślach? List mistrza rozwikłał zagadkę. Niedługo po tym, jak Abdalá otrzymał poprzedni list Joana, w którym opowiadał o utracie Anny i tragicznych zdarzeniach, muzułmanin poprosił przyjaciela, żeby napisał do jej ojca. Stanowiło to niewiarygodny przykład przewidywania oraz współdziałania. Stary mistrz uaktywnił Bartomeu, Perego Roiga i Antonella. Kiedy jednak Joan przeczytał list do końca, okazało się, ku jeszcze większemu zaskoczeniu, że zyskał kolejnego sprzymierzeńca w akcji, kompletnie niespodziewanie.

Joan z zadowoleniem czytał list od Abdali, linijka po linijce, i coraz bardziej się dziwił, jak mógł w niego zwątpić. Jeszcze długo, długo stary będzie mistrzem, a on uczniem. Potem przeczytał go jeszcze parę razy, starając się uchwycić w całości jego sens.

Gdy już dowiesz się wszystkiego o Annie, pomódl się, zamknij oczy, wyobraź ją sobie i postaraj się zgłębić jej wnętrze — radził mu Abdalá. — *Poczuj, że jesteś jednym ciałem i duszą z Twoją ukochaną. Raz, tysiąc razy, aż uznasz, że wiesz, co kryje jej serce. Włóż w to całą Twoją wiarę i całą Twoją wolę. Anna kocha książki, a książki to coś, na czym znasz się najlepiej. Przypomnij sobie, jak przetłumaczyłem „Rolanda zakochanego" dla niej, a Ty własnymi rękami wypełniłeś stronice harmonijnymi literami, a potem oprawiłeś w piękną okładkę. Jedna ze stronic jest Twoim listem miłosnym. I ten list dotarł do jej serca. Oto droga. Zrób dla niej piękną księgę o waszej miłości, grzechu, pokucie, odkupieniu. O owej winie i żalu, który odnajdziesz w najgłębszych zakamarkach jej serca. O wybaczeniu i następnej miłości. I cudownej przyszłości. Księgę, która zawrze w sobie skruchę, stopi jej poczucie winy i w ten sposób wyzwoli serce z kajdan, przez które nie może Cię kochać. Zapamiętaj, co mówiłem Ci o książkach, ich świętym pochodzeniu, magii i mocy. Książki, tak samo jak my, mają swe ciała i dusze. Zrób Twej ukochanej książkę o pięknym ciele, które popieści swoim i któremu pozwoli się pieścić. Włóż w nią duszę, która dotrze do jej duszy, stopi się z nią, ukoi i natchnie spokojem. Niech ta książka rozbroi jej lęki, żale i winy, aby poczuła się znowu jak dziewczynka, którą poznałeś i która postanowiła oddać serce Tobie. I coś jeszcze. Razem z moim listem znajdziesz skórzany woreczek. Nie otwieraj go. Nie wiem, co w nim jest, wiem za to, że zapach tego budzi miłość i wiarę. Weź to ze sobą, pomoże Ci. Przysyła Ci to Twoja przyjaciółka z Raval. Ta, którą nazywają czarownicą.*

Joan nie mógł uwierzyć w to, co właśnie przeczytał. Rozdziawił szeroko usta. Odkąd wyjechał z Barcelony, napisał do wiedźmy trzy razy. Wiedział, że chociaż kobieta nie przyznawała się do tego, znakomicie pisała i czytała. Była przed nastaniem zarazy najznamienitszą handlarką korzenną, a w tym fachu trzeba było czytać i notować przepisy. Niestety, nie odpisała. Brak odpowiedzi zasmucał i martwił, oznaczał utratę przyjaciela.

A teraz się okazało, że Abdalá, który prawie nie wychodził na ulicę, odwiedził tę kobietę. Joan spróbował wyobrazić sobie starego mistrza rozmawiającego z nią w tym dziwnym domku. Cóż za dwie niepasujące do siebie postacie! Potem pomyślał jednak, że może nie tak bardzo niepasujące.

W każdym razie żyła, a Abdalá wybrał się do niej, żeby połączyć wysiłki w osobliwym przedsięwzięciu. Odzyskania miłości Anny.

Joan bardzo się wzruszył. Wzmocniło go to wewnętrznie. Abdalá dał mu wszystko. Wiarę i wolę, a także siłę płynącą z troski, dobrych życzeń i modlitw przyjaciół.

120

Joan przybył do Neapolu na początku stycznia 1496 roku, tuż przed ukończeniem dwudziestu czterech lat.

— Twoja dama niebawem skończy swą drugą żałobę — oznajmił Antonello na jego widok. — Mam jednak złe wieści. Od listu Bartomeu utrzymuję bliskie stosunki z panem Roigiem, jej ojcem, i wiem od niego, że przedłuży ten okres. Nie odpowie na twoje listy i pod żadnym pozorem nie chce cię widzieć.

Joan pokręcił głową z niezadowoleniem.

— Opowiedzcie mi wszystko, co o niej wiecie.

Księgarz wyjaśnił mu, że sytuacja się nie zmieniła. Podczas rozmów w księgarni Anna upierała się, że chce się trzymać z dala od Joana. Jej ojciec też nie odniósł większych sukcesów. Jubiler, który parę lat temu za pośrednictwem Bartomeu zabronił Joanowi spotykać się z jego córką, teraz pragnął go na męża dla Anny. Tylko że córka odmawiała. Wiadomości te nie zaskoczyły ani nie zniechęciły Joana. Niczego innego się nie spodziewał.

Tym razem przyjął pokój, który Antonello zaoferował mu na piętrze swojego domu. Potrzebował intymności i spokoju, aby podążać według wskazówek mistrza. Nie miało być prosto. To musiało być niczym egzorcyzm, coś między obrzędem religijnym a magicznym, i Joan musiał się dobrze przygotować.

Ustawił w pokoju mały ołtarzyk z obrazkiem świętego Hieronima, patrona księgarzy, świętego Sebastiana, patrona eremity z Llafranc, i Maryi Dziewicy. Tam ułożył skórzany woreczek, który przesłał mu Abdalá. Wieczorem udał się na mszę do katedry, wyspowiadał się i spędził pierwszą noc, poszcząc i modląc się na kolanach, jak aspiranci do pasowania na rycerza. Chciał oczyścić ciało i duszę przed zabraniem się do dzieła. Między jedną modlitwą a drugą myślał o ukochanej i wyobrażał sobie, że są jednym ciałem i jednym duchem, i starał się poczuć w swoim sercu to, co ona czuła. Uczucia miały stać się duszą jego księgi. Zamierzał przeżyć je intensywnie, nim o nich napisze. Pierwsze notatki podarł na strzępy, a papier porozrzucał po księgarni. Robił notatki w swoim zeszycie i pisał listy, ale nigdy dotąd nie stanął przed podobnym zadaniem. Pragnął stopić swoją duszę z duszą ukochanej, a to, co czuje, przenieść na papier w postaci liter, słów i zdań.

Działał jak w gorączce, odmawiając sobie snu i jedzenia. Pisał, modlił się, czasem zapadał w drzemkę przy stole, a gdy się ocknął, pisał. Tworzył duszę księgi. Dzień i noc mieszały mu się w umyśle i tylko wpadające przez okno światło i dzwony kościelne znaczyły linie czasu, które jego burzliwa aktywność zacierała w pamięci w parę chwil. Jedynie potrzeby fizjologiczne zmuszały go do wychodzenia z pokoju, co czynił, nie zamieniając z nikim słowa, modląc się, nie reagując na słowa gospodarzy, którzy zachęcali go do jedzenia. Na początku pił tylko wodę, ale gdy po zamknięciu oczu widział jedynie obrazy gwałtowne, ciemne i posępne, które uniemożliwiały jasne wyrażanie się, zaczął przyjmować pokarm.

Przypomniał sobie uwagi Abdali, który twierdził, że dusza książki musi mieć dobrą oprawę, tak jak ludzie potrzebują ciała, żeby utrzymać umysł przy życiu.

Tydzień po rozpoczęciu pustelniczego żywota Joan uporządkował papiery, umył się i usiadł do stołu z Antonellem i jego rodziną. Potem naradził się z księgarzem, który przyjął zarazem z nadzieją i sceptycyzmem jego wywody.

— Czy naprawdę sądzisz, że zdołasz odzyskać Annę za pomocą książki?

— Tak.

— Więc to takie proste?

— Nie, nie jest to proste — odparł Joan. — To będzie rezultat woli, wiary i siły mojej i tych, którzy mnie natchnęli... przyjaciół.

Książka, jeśli uda mi się ją stworzyć, będzie mieć swą część materialną i drugą, niewidzialną, w której zawrze się owa wola, wiara, potęga i jeszcze wiele więcej. To będzie żywa istota o ciele i duszy.

৯৵

Przez kolejne dni Joan modlił się na przemian w katedrze i przy swoim ołtarzyku i wybierał materiały do wyrobu księgi. Chciał, aby były dobrej jakości, ale bez przesady. Miały być podobne do egzemplarza *Rolanda zakochanego*, w którym ukrył swój list miłosny. Gdy był zadowolony z tego, co przygotował, zgromadził wszystko w swoim pokoju, razem z obrazkami, i ułożył obok ołtarza. Dzięki temu siła modlitw miała oddziaływać na papier, skórę, nici, klej i atrament.

Potem zabrał się do przeglądu notatek. Teraz już, nie odpuszczając modlitw i duchowego zbliżania się do Anny, nie zaniedbywał snu ani pożywienia. Na podstawie tego, co napisał, chciał ułożyć wiersz, ale uznał, że to mu się nie uda. Postanowił skupić się nad płynną prozą, która zachowa drapieżną siłę i namiętność pisaniny z pierwszego tygodnia, lecz ją nieco osłodzi. Pod koniec drugiego tygodnia zakończył pisanie; był zadowolony z tekstu.

W pracowni wykonał okładkę, starając się o to, by przypominał *Rolanda zakochanego*. Była z dobrej skóry, na której wytłoczył na sucho tytuł: *Księga miłości*, a niżej, mniejszą czcionką dodał: *Od Rolanda dla Andżeliki* — w taki sposób, że słowa te mogły pełnić funkcję podtytułu, jak i dedykacji. Wykonał trzy tłoczenia i okładkę ozdobił tym, która wyszła najlepiej. Następnie przyciął papier do odpowiedniego rozmiaru i delikatnie go poliniował, żeby kreski dały się potem zetrzeć, nie zostawiając po sobie śladów.

Antonello miał kilka stołów pisarskich i Joan kolejny tydzień spędził przy jednym z nich. Kopiował swój poprawiony tekst powoli, wkładając w każdą linijkę miłość i pragnienia. Często przerywał pracę, nieraz wyrywał jakąś stronę i pisał ją od nowa, bo szkice nie osiągały zamierzonej piękności albo znajdywał sposób, żeby wyrazić coś jeszcze lepiej.

Litery były piękne. Tętniły życiem i znów przemawiały do

niego kształtem, linią jak wtedy, gdy był dzieckiem. Albo jak chmury przesuwające się nad morzem, które ojciec wskazywał mu na błękitnym niebie nad Llafranc. Była w nich cała jego miłość, wiara i wola. Starannie zszył kartki i oprawił w okładkę ze skóry, a potem wszystko skleił. Gdy książka wyschła, Joan wziął ją do rąk. Miała przyjemny ciężar, mocną i ciepłą okładkę, stronice z miękkiego papieru, jakby aksamitnego, lecz z pewną nutą surowości. Pogładził je i powąchał. Do delikatnego zapachu skóry, tuszu, kleju i papieru wkradła się osobliwa woń. Pociągający, miły aromat wiary, nadziei i miłości.

Poprosił Antonella o powiadomienie Anny i wziął księgę na górę, do ołtarzyka, ucałował ją i na klęczkach pomodlił się ostatni raz.

121

Był początek lutego. Anna miała na sobie gruby płaszcz, który chronił ją przed lodowatym wiatrem, gdy szła do księgarni Antonella. Minął już siódmy miesiąc ciąży i brzuch urósł jej tak, że musiała iść w dziwny sposób. Instynktownie jedną ręką chroniła istotę, która rosła w jej wnętrzu, drugą zaś podtrzymywała szaty, aby wicher nie zrywał z niej płaszcza.

Martwiła się niepewną przyszłością swojego dziecka. Było Ricarda, a gdy dopadała ją myśl, że mogłoby być Joana, odrzucała ją gwałtownie i zaczynała się modlić. Musiało być Ricarda, nie mogłoby być owocem owej niecnej zdrady, która w konsekwencji doprowadziła do zabójstwa jej małżonka. Istota w jej brzuchu pochodziła z prawego łoża, musiało tak być. I w imię pamięci męża miała zamiar walczyć ze wszystkich sił, aby wyjść życiu naprzeciw, chociaż nie mogła spodziewać się żadnego spadku. Pałac Lucców w Neapolu był już tylko ruiną, Vilamarí zabrał wszystkie rzeczy, a włości przypadające Ricardowi znajdowały się w Apulii i miały pozostać w rękach pozostałych członków rodziny. Andegaweńscy szlachcice płynący karawelą zdołali się wykupić i po darowaniu winy przez króla mieszkali dalej w mieście, ale przestali się odzywać do Anny. Wyzwanie w imię miłości rzucone Torrentowi sprawiło, że ją odrzucili i nie mieli zamiaru uznać jej dziecka. Jego przyszłością miała być nauka zawodu złotnika, gdyby urodził się chłopiec, albo wyjście za innego złotnika, gdyby na świat przyszła dziewczynka.

Namiętność wzbudzona przez Joana przekształciła się teraz w bolesne wspomnienie. Wciąż go kochała, ale myśl o tym, żeby paść w jego ramiona i być z nim szczęśliwa, odpychała ją. Nie zasługiwali na szczęście.

Gdy dostawała jego listy, czytała je raz po raz i wyobrażała sobie siebie w Rzymie jako jego żonę, wśród książek, kontaktującą się z wyjątkowymi ludźmi, o których Joan jej pisał, i marzyła. Jakże szczęśliwa mogłaby być z Joanem, gdyby wszystko potoczyło się inaczej! Niestety, to się już nigdy nie urzeczywistni.

&

Kiedy Anna weszła do księgarni, odetchnęła z ulgą, zostawiając na zewnątrz zimny i okrutny wiatr. To miejsce zawsze było dla niej ostoją spokoju, przyjaznym azylem. Tu był inny świat, pełen opowieści i historii, które odpędzały jej troski, tu mogła się wyciszyć, zostawiając smutną codzienność za drzwiami. Poprzedniego dnia otrzymała bilecik od Antonella z wiadomością, że ma wyjątkową księgę, którą powinna zobaczyć. Anna nie miała innych zajęć niż prace domowe i polerowanie sreber ojca. Przepełniona ciekawością zapragnęła jak najprędzej dostać książkę w swoje ręce.

— Zapraszam serdecznie, signora Anna — powitał ją Antonello, starannie wystrzegając się nazwiska Lucca.

— Dziękuję, don Antonello — odpowiedziała, skłaniając głowę. — Zaciekawiliście mnie. Co to za książka?

— Bardzo wyjątkowa. Gdy tylko ją ujrzałem, od razu pomyślałem o was — odparł księgarz, pomagając jej zdjąć płaszcz.

— Mam nadzieję, że nie bardzo kosztowna. Nie mam zbyt wiele pieniędzy.

— Jeśli wam się spodoba, dojdziemy do porozumienia — powiedział księgarz, wskazując jej drogę do gabinetu.

Anna nagle się zatrzymała. Ten niewielki pokoik był miejscem jej potajemnych schadzek z Joanem i przywodził zarówno słodkie, jak i gorzkie wspomnienia. Mężczyzna jednak otworzył drzwi i łagodnym ruchem popchnął ją do środka. Dobrze pamiętała półki z dobrego drewna wypełnione książkami, ustawione przy wszystkich ścianach, z wyjątkiem dużego okna. Przez cienkie firaneczki wpadały promienie światła dnia. Pośrodku pomieszczenia stał stół, na którym Anna ujrzała jedyną księgę.

— Oto ona — rzekł Antonello, wskazując na stół. — Usiądźcie. Zostańcie tu dopóty, dopóki zechcecie. Czytajcie uważnie. Nikt nie będzie wam przeszkadzał.

I zamykając drzwi, zostawił ją samą. Przez kilka chwil Anna przyglądała się grzbietom książek stojących na półkach. Następnie przeniosła wzrok na tę, która leżała na stole. *Księga miłości*, przeczytała. A dalej, mniejszą czcionką, *Od Rolanda dla Andżeliki*. Litery były wytłoczone romańską czcionką, czerwonym atramentem, na kasztanowatej okładce z dobrej skóry. Na górze i na dole widniały piękne szlaczki z liści winorośli z owocami. Ten sam motyw powtarzał się na okładce z tyłu. Na skórzanym grzbiecie widać było cztery wypukłości, które chroniły wewnętrzne zeszycia stronic. Nie była zbyt wielka, mogła mieć trochę ponad łokieć wysokości i ponad pół łokcia szerokości. Rzucało się w oczy, że jest starannie wykonana. W dotyku okazała się miękka i przyjemna.

Ta książka wydała się jej znajoma i wkrótce skojarzyła ją z egzemplarzem *Rolanda zakochanego*, dzięki któremu nauczyła się literackiej włoszczyzny, kiedy przebywała już od pewnego czasu w Neapolu. To w niej znalazł się list miłosny od Joana. Ta była cieńsza, z pewnością miała mniej stronic, ale w wyglądzie zewnętrznym widziała podobieństwo.

Wzięła ją do rąk. Ważąc, poczuła jej „ciało". Pogładziła powierzchnię okładki i przez chwilę delektowała się aromatem skóry, atramentu, papieru i lekkich perfum. Westchnienie wyrwało się z jej piersi.

Położyła książkę na stole i usadowiła się na krześle podniecona i niespokojna. Wiedziała, że Matteo Boiardo poza *Rolandem zakochanym* napisał jeszcze dwa dzieła, ale to, które teraz przed nią leżało, nie wyglądało na żadne z nich. Gdy otworzyła książkę, zobaczyła, że to manuskrypt i że wygląd liter również przypomina przekład, który przysłano z Barcelony. Jej oczy śledziły wytworne litery początkowe i eleganckie zakrętasy kaligrafii w romańskim stylu, gdy kartkowała delikatnie wonny papier o aksamitnej powierzchni.

Na pierwszej stronie powtarzał się tytuł z okładki, bez żadnej wzmianki o autorze. Na kolejnej pojawił się wstęp napisany przepięknymi literami. Przeczytała:

Oto księga miłości od Rolanda dla Andżeliki.

Smutnej nocy, gdy Roland sądził, że stracił miłość Andżeliki, napisał tę książkę, której atrament był krwią jego serca, a słowa owocem wzburzonej duszy. W niej wyraził swoje uczucie, swą czułość i namiętność i opowiedział historię miłości i uniesień. Pragnął w ten sposób powiedzieć ukochanej, że bez niej rycerz zginie, bo żyje tylko dla niej. Że to ona jest panią i władczynią Rolanda, który bezwarunkowo ofiarowuje jej swą miłość, błagając, by przyjęła ową księgę. Jej i miłosierdziu damy powierzył swój los.

Annę przeszył dreszcz. To były piękne słowa, pełne uczucia, przenikające do głębi, lecz niepokoiły ją i napawały przeczuciem, że skrywają w sobie coś, co nie do końca pojmuje. Zrobiło się jej chłodno i sięgnęła po płaszcz, ale zaraz przypomniała sobie, że zostawiła go przy wejściu. Nie chciała jednak po niego iść, musiała czytać dalej.

Andżelika przeczytała księgę, a miłość, która emanowała z treści, uleczyła rany, wraz z miłością zaś nadeszło wybaczenie i odkupienie win Rolanda.

Dziewczyna zaniepokojona poruszyła się na krześle. Przeczytała prolog i przewróciła stronicę.

Roland był jeszcze dzieckiem, gdy pewnego tragicznego ranka ujrzał złych ludzi, którzy okrutnie zamordowali jego ojca, brutalnie uprowadzili jego matkę i siostrę i wywieźli je bardzo daleko. Już jako sierota został wyrwany ze swej wioski do wielkiego miasta, miejsca ciemnego, nieznanego, wrogiego i złowróżbnego, które napawało go jedynie niepewnością i trwogą. Jednakże pośród szarych mroków Roland spotkał dziewczynkę tak śliczną, że nie mógł uwierzyć, iż jest prawdziwa.

Miała cudne zielone oczy, jasną cerę, agatowe włosy i elegancki strój. Nosiła imię Andżelika i wyglądała jak księżniczka. A Roland miał spaloną słońcem skórę, nosił łachmany i przypominał żebraka. A jednak miast nim wzgardzić, odwzajemniła spojrzenie i uśmiechnęła się do niego, pokazując bielutkie ząbki i pełne wdzięku dołeczki w policzkach. Ten uśmiech rozświetlił mroczne miasto, przepędzając strachy i złe znaki. Rolanda przeszedł dreszcz, bo w owej chwili miłość wbiła się w jego serce niczym strzała. Wielka miłość, która już na zawsze miała pozostać w chłopcu i towarzyszyć mu nawet poza życiem i śmiercią.

Anna musiała się wysilić, żeby umknąć wzrokiem w bok. Litery przyciągały ją jak magnes. Przez parę chwil jej spojrzenie znów błądziło po półkach z książkami. Bała się. Po lekturze tych paru linijek zrozumiała, że to ona jest Andżeliką, a Joan jest Rolandem i że chodzi o ich spotkanie. Rozpoznała pismo, pismo Joana, i wiedziała już, że to jego słowa. To on był autorem. Poczuła, że drży. Coś ściskało jej żołądek. Łzy zaczęły napływać do oczu. To była piękna historia, ale z tragicznym zakończeniem. Po co ją przypominał? Po co karać się czymś, co mogłoby się zdarzyć, lecz nigdy się nie zdarzy? Zdjął ją potworny żal i pomyślała, że Joan musi być gdzieś blisko. Nie chciała czytać dalej, nie chciała się z nim spotykać, nie chciała patrzeć mu w oczy. Wstała chwiejnie i ruszyła do drzwi. Pragnęła uciec. Bez pożegnania wyszła z księgarni. Zapomniała nawet o płaszczu i pobiegła pustą ulicą, smagana wiatrem i deszczem z gradem, obiema rękami trzymając się za brzuch. Wstrząsało nią łkanie. Uciekać, uciekać, uciekać.

❧

Joan przez cały ten czas obserwował Annę. Widział ukochaną twarz i usiłował rozpoznawać uczucia poprzez gesty i ekspresję. Antonello zdradził mu sekret swojej czytelni. Między rzędami książek ukryte były prześwity w ścianie, przez które można było podglądać z sąsiedniego pomieszczenia. Zrozumiał wówczas, że jego spotkania z Anną nie były tak potajemne, jak mu się zdawało, lecz nie był to czas, aby ganić księgarza.

Pełen nadziei kontemplował rozkosz, którą zdradzała Anna. Smakowała „ciało" księgi, wdychała jej aromat, pieściła. Ale zaniepokoił się, widząc jej przygnębioną minę po lekturze pierwszych wersów. Jego niepokój przerodził się w przerażenie, gdy zobaczył, jak wstaje i ucieka.

Zerwał się, aby ją zatrzymać, ale Antonello powstrzymał go, zanim go ujrzała.

— Zostaw ją — powiedział. — Nie pogarszaj.

Joan walczył sam ze sobą przez parę chwil, widząc, jak Anna oddala się pośród deszczu i gradu.

— Czy może być gorzej? — zapytał rozżalony.

Zaraz jednak ogarnęła go nieoczekiwana złość. Co jeszcze mógł zrobić, żeby ją odzyskać? Przeklęta Anna! Nie rozumie, jak beznadziejne życie czeka ją i jej dziecko? Tyle może jej dać! Mogliby być razem tacy szczęśliwi! Jak mogła być tak zaślepiona, tak uparta?

Rozgoryczony pomyślał, że jego pokuta, jego praca, wszystkie modły, miłość i magia ksiąg na nic się nie zdały.

122

Anna biegła w deszczu, nie bacząc na to, że ją przemoczy, żeby znaleźć się jak najdalej od księgarni. Zdyszana, buchając parą z ust, z mokrymi włosami i wodą ściekającą jej po twarzy szła dalej zabłoconymi ulicami. Ta opowieść, ta książka, ukryte w niej przesłanie uderzyły w nią gwałtownie. Łzy mieszały się z deszczem. Tyle wysiłku kosztowało ją odzyskanie równowagi, zgody z samą sobą. Czyniąc pokutę, zmazywała winę, dzięki czemu odsuwała od siebie cierpienie. Największa część tej pokuty polegała na pozostaniu z dala od Joana i życia, które mógł jej teraz dać. A jednak mozolnie wypracowana równowaga duchowa obróciła się właśnie w gruzy wskutek miłego i zdradzieckiego spotkania z tą właśnie książką i słodyczy zawartych w niej słów. Chciała uciekać, chociaż coś ją do niej ciągnęło. Coś potężnego popychało ją do kontynuowania lektury.

Szła, błąkając się w lodowatym deszczu, szczękając zębami z zimna, ale w miarę jak się uspokajała, nogi niosły ją z powrotem do księgarni.

Antonello stał w drzwiach i widząc, że wraca, zawołał Marię, swoją żonę, i kazał Joanowi się schować.

— Wejdźcie, na Boga miłosiernego! Nabawicie się zapalenia płuc! — zawołał, widząc ją przemoczoną, trzęsącą się z zimna.

— Chcę przeczytać tę książkę. — Był jakiś cień szaleństwa w jej zaczerwienionych oczach.

— Najpierw chodźcie ze mną się przebrać — rzekła María matczynym tonem. — W przeciwnym razie rozchorujecie się.

— Nieważne, chcę ją przeczytać — upierała się.

— Nie ma mowy. Woda niszczy książki — odparł twardo Antonello. — Jeśli chcecie ją przeczytać, wejdźcie z Marią na piętro i przebierzcie się.

Posłusznie dała się poprowadzić żonie księgarza. Już w wysuszonej odzieży Maria posadziła ją przy ogniu i dała gorącego rosołu. Stopniowo jej ciało odzyskało ciepło, a dusza spokój. Z drugą filiżanką rosołu Anna powróciła do pozornej intymności czytelni. Nim zostawił ją samą, Antonello podał jej kaganek, gdyż światło z okna zasnuwała ulewa. Anna przyjęła go, chociaż wzrok pozwalał jej czytać staranną kaligrafię przy słabym świetle naturalnym. Odetchnęła głęboko, siorbnęła rosołu i poczuwszy się dużo lepiej, zebrała się na odwagę do ponownej lektury.

Znowu przejechała dłonią po okładce, głaszcząc wytłoczone w niej wielkie litery.

— *Księga miłości* — przeczytała na głos. Teraz rozumiała znaczenie tytułu. — *Od Rolanda dla Andżeliki.*

Zaczęła czytać od początku i zatrzymała się w miejscu, gdzie się rozpłakała. Zrobiła głęboki wdech i przystąpiła do czytania. *Cóż mogła dostrzec księżniczka w żebraku, że zechciała odwzajemnić jego miłość?* Po tym pytaniu Rolanda następował drobiazgowy opis spotkań przy studni, listów, ukradkowych pieszczot. Niewinna szczęśliwość codziennego widywania się i przebywania razem, jedno obok drugiego, choćby przez parę chwil.

Anna poczuła, że łzy znów napływają jej do oczu, lecz tym razem rzewne, nostalgiczne. Co za piękne czasy! — pomyślała już spokojnie.

Opowieść wciągnęła ją do tego stopnia, że nie mogła się od niej oderwać. Dalej następowała napaść Agricana, „straszliwego zalotnika Andżeliki", na którym Roland się zemścił i który reprezentował Felipa, Anna zrozumiała to od razu. Potem był opis walki Rolanda w jej obronie i tragicznej ucieczki rodziny Andżeliki, zagrożonej przez potężnych i niegodziwych wrogów.

...serce Rolanda struchlało, gdy jego ukochana wyjechała. Nie wiedział, gdzie jej szukać, i pomyślał, że nigdy jej więcej nie ujrzy...

Czytała o bezowocnych wysiłkach Rolanda starającego się ustalić miejsce pobytu jego damy i o radości, gdy została odnaleziona dzięki księdze o miłości i rycerstwie: *Roland zakochany*. A także o męce Rolanda, który wciąż był chłopakiem bez dochodów. Pragnął wyruszyć do ukochanej, ale nie mógł udać się w podróż, nie wiedząc, gdzie przebywa jego rodzina, którą przysiągł uratować. Nieszczęścia spadały na niego, odebrały mu wolność i gdy w końcu przybył do Andżeliki, było już za późno. Zastał ją zamężną.

Lecz oboje byli wobec miłości bezsilni. Była niepohamowana jak moc wrących potoków przeradzających się w rzeki lub rozszalałego morza. Nie mogli sobie z nią poradzić. Kochali się.

Kiedy Anna dotarła do tego miejsca, zamknęła oczy, oparła łokcie na stole i ukryła twarz w dłoniach. Tak właśnie było, pomyślała, i chociaż napisano to przesadnie poetycko, imitując styl *Rolanda zakochanego*, to Anna odebrała treść autentycznie, prawdziwie. *Nie mogli sobie z nią poradzić*, powtórzyła. Ale potrząsnęła głową, uznając, że to nie stanowi usprawiedliwienia, i z energiczną miną wróciła do lektury.

Przez ten czas Joan, który obserwował ją, wstrzymując oddech i zmuszając się do milczenia, bał się o każdy jej gest. Widział ją teraz inną, ale piękną jak zawsze. Kochał ją. Kochał ją desperacko.

Anna czytała teraz o rycerzu Ranaldzie, mężu, obrońcy Andżeliki, *który był odważny, dumny i waleczny i któremu okrutny los kazał się zmierzyć z Rolandem*.

Opowieść podkreślała, że zawinił los, że Andżelika, jej miłość, nie miała z tym nic wspólnego. W sposób tragiczny dowodziła, że Ranaldo był odważnym rycerzem, zamiast się schować, jak uczyniła to większość szlachty na karaweli, stanął do walki. A gdyby złożył broń tak jak pozostali, bo wszystko było już stracone, może by żył. Odwaga przyniosła mu śmierć.

Joan miał duszę na ramieniu. Znał na pamięć każdą literę, każde słowo i każdą stronicę księgi, a Anna czytała najdelikatniejszą jej część, krytyczne ustępy całej historii. Dobrze wiedział, że wśród prawd kryły się bujnie ukwiecone kłamstwa. Była to osłodzona wersja zdarzeń, które doprowadziły do śmierci Ricarda. Wdowa po nim mogła się tylko ich domyślać, gdyż nie widziała walki. Wiedziała jedynie to, co sam jej powiedział w nierozważnym porywie. Teraz usiłował naprawić swój błąd. Naga prawda była zbyt brutalna nawet dla niego i nie obchodziło go, że kłamie, byle ukoić żal ukochanej. Anna zmarszczyła brwi i łzy stoczyły się po jej policzkach. Myślała o Ricardzie, który istotnie był waleczny i odważny, ale wiedziała, że gdyby nie zobaczył Joana w swoim domu, odrzuciłby swój rapier. I wciąż żył. Im dłużej czytała, tym bardziej czuła się tak, jakby to książka umiała czytać w jej myślach i argumentować, wpływając na odbiór treści.

...Ranaldo był mężczyzną rycerskim i walczył do końca z jakiejś niepojętej przyczyny, przez którą czasami mężczyźni i kobiety giną, i nie może stać się inaczej. Dla honoru, dla miłości do rodziny, dla ojczyzny czy dla godności.

Anna pokręciła głową. Może i była to prawda, ale przeczucie mówiło jej coś innego. Może był to nieszczęśliwy wypadek, ale nie umniejszało to ani jej winy, ani Joana. I znowu opowieść wyszła naprzeciw jej myślom.

Roland i Andżelika kochali się – i to było ich wielkim grzechem, grzechem nieuniknionym, przez niektórych zwanym cnotą.

Dziewczyna przerwała lekturę i spojrzała, ile stron zostało jeszcze do przeczytania. Niewiele, pomyślała.

Mimo to ich grzech wymagał pokuty, aby głęboka i cudowna miłość nie zaginęła niegodziwie.
Ranaldo zginął, można było jedynie modlić się za jego duszę, zapewnić mu godny pochówek i uczcić jego pamięć żałobą. Co wdowa uczyniła z nawiązką.

Anna w zamyśleniu spojrzała w sufit. Historia znajoma, jakże bliska, lecz opowiedziana w zupełnie inny sposób, niż ona ją postrzegała. I pomyślała, że może zawiera rację. Przewróciła stronę i czytała dalej, aż nagle się przelękła.

„Księga miłości" zadaje wam, Andżeliko i Rolandzie, pokutę, dzięki której zmażecie grzech.

Anna czuła, że książka zwraca się bezpośrednio do niej, prawie słyszała słowa.

Nic już nie możecie zrobić dla Ranalda, za to dla jego dziecka, owszem. Andżeliko, pozwólcie, aby Roland odkupił winy, zło, które wyrządził, czyniąc dobro. Niechaj miłuje dziecię Ranalda, jakby było jego własnym, i niech włoży cały swój wysiłek w to, aby wyrosło na mężnego kawalera, jak jego ojciec, lub cnotliwą damę, jak matka. A wy, Andżeliko, odkupcie winę, miłując Rolanda. I oboje kochajcie dziecię Ranalda.

Dziewczyna odetchnęła. Zostało jej kilka linijek, które przeczytała chciwie:

Andżeliko, musicie pokonać żal, albowiem miłość stanie się odkupieniem waszych win. Czeka was cudowna przyszłość u boku Rolanda. To on był w waszych snach, gdy spotykaliście się przy studni. Zaprzepaścić taki los byłoby największym z grzechów. Grzechem, dla którego nie ma wybaczenia ni pokuty.

Anna zamknęła książkę i oczy. Wiedziała, że za jej stronicami kryje się Joan. To była jego kaligrafia, jego słowa, nawet sam ją ozdobił. Czuła go gdzieś bardzo blisko. Pogłaskała książkę. Była niczym przepiękna istota żyjąca własnym życiem. Ta historia, jej argumenty, jej duch zdawały się pochodzić od kogoś bardzo mądrego. Dotknęła serca, otwierając okno nadziei w swym mrocznym domu.

Odłożyła księgę na stół. Podziękowała Antonellowi i Marii za troskę i gościnę i okrywając się płaszczem, wyszła na błotnistą ulicę. Przestało padać.

123

Następnego dnia Joan wybrał się do ojca Anny. Zamierzał prosić go o pozwolenie na staranie się o rękę córki. Mężczyzna wpuścił go do domu i zaprosił na kieliszek wina. Anna odwzajemniła powitanie, jakby był kimś nieznajomym, i poszła do innego pokoju, aby mężczyźni mogli pomówić sami. Tak jak Joan przewidział, pan Roig wyraził zgodę, ale powiedział, że przede wszystkim musi zgodzić się Anna, co nie wydaje mu się proste. Obiecał powiadomić go o rezultacie. Tę noc Joan spędził bezsennie, modląc się, ale rankiem pojawił się posłaniec z wiadomością, że Anna potrzebuje więcej czasu. Joan udał się do jubilera z prezentem dla jego córki, *Księgą miłości*. Wiedział, że nie zdoła się oprzeć i przeczyta ją ponownie. Zapowiadało się oczekiwanie pełne napięcia, ale i nadziei. Wiedział, że ta książka przemawia na jego korzyść.

Upływały dni, a wiadomość nie nadchodziła. Joan zaczął krążyć w okolicach pracowni jubilera. Pozdrawiał rodziców, nawiązywał z nimi krótką rozmowę, a jeśli spotykał Annę, witała go poważnie i z daleka. Był zasmucony. Obserwował ją przy stanowisku wystawowym. Była bardzo piękna mimo ciąży, lecz okazywała mu obojętność. Powtarzał sobie, że dziecko w jej łonie nie mogło być Ricarda, że musiało być jego. Czekał, aż ich spojrzenia się spotkają, aż ona uczyni jakiś gest, prześle mu uśmiech jak kiedyś, gdy byli nastolatkami, ale nic takiego się nie stało.

Próbował się odprężyć, rozmawiając z Antonellem, pisząc listy do Rzymu i Barcelony i chodząc w odwiedziny na *Świętą Eulalię*, która prawie zawsze stała zakotwiczona razem z resztą floty, gdyż był akurat czas burz. Pozdrawiał dawnych towarzyszy i ucinał sobie długie pogawędki z przyjacielem Genísem, który bardzo się uradował, gdy usłyszał o wyzwoleniu Maríi i Eulalii.

— Opowiedz admirałowi — radził. — Też się ucieszy.

— Nie chcę rozmawiać z Vilamarím — odparł Joan. — Sam mu powiedz, jeśli chcesz.

Joan zwierzył się Antonellowi, iż jest przygnębiony tym, że Anna nie chce go widzieć, że nic się nie udało. Księgarz zwrócił się do złotnika, ale ten nie wiedział, w jaki sposób wpłynąć na Annę. Powiedziała mu, że raz już posłuchała go jako córka, przyjmując jego kandydata, i drugi raz tego nie uczyni.

Joan przypomniał sobie, co w jednym z listów pisał mu Abdalá:

Nasze największe cnoty doprowadzone do skrajności stają się też naszymi największymi wadami. Ty, synu, jesteś zdeterminowany i nieugięty. Dzięki Twym cnotom osiągnąłeś w życiu to, co masz. Ale możesz też stać się uparty i obsesyjny. I Anna jest Twoją obsesją. A ona podziela Twoje zalety i przywary. Niech Cię nie zniszczy, synu. Trzeba też czasem wiedzieć, kiedy ustąpić, kiedy poddać się losowi, zgodzić z nim i być szczęśliwym.

Joan pomyślał, że jego mistrz ma rację. Może nadszedł moment, w którym powinien ustąpić i wieść swoje życie z dala od Anny. Chociaż bez niej nigdy nie będzie szczęśliwy. I znowu obudziła się w nim złość.

Napisał w swojej książce: „Wasz upór zniweczy cudowną przyszłość. Bądźcie przeklęta, Anno! Wkrótce nie ujrzycie mnie więcej".

Jednakże pewnego ranka, gdy patrzył na nią z daleka, przez pewien czas odwzajemniła spojrzenie. Była poważna. Lecz nagle jej zielone oczy nabrały niezwykłego blasku, a w policzkach zrobiły się dołeczki, gdy uśmiech zatańczył na ustach. Potem odwróciła wzrok.

Serce Joana zabiło szybciej. Natychmiast porzucił myśl o powrocie do Rzymu, chociaż następnego dnia już na niego nie patrzyła. Zrozumiał, że w jej sercu toczy się walka. *Księgi miłości* z poczuciem winy. Odkupienia z grzechem. Jeszcze nie pojawił się zwycięzca. Musi być cierpliwy.

Był czas uśmiechów, ale wkrótce Joan znów poczuł się ignorowany. Zaczynał mieć tego dość, nie mógł już dłużej czekać. Płonął z niecierpliwości, widział Annę z daleka i pragnął ją objąć, popieścić, porozmawiać z nią. Pewnego popołudnia podszedł do niej, stanął na wprost niej i czekał, aż na niego spojrzy. Gdy to zrobiła, Joan się nie odezwał, ale ona wyczytała pytanie z jego oczu. Minęło parę długich jak wieczność chwil, w których zgłębiał jej źrenice, by poznać odpowiedź. Bał się, że znowu odmówi, że ostatecznie zniszczy ich miłość.

— Tak — przerwała tę niekończącą się ciszę.

Stał jak wryty przez kilka chwil, wciąż niedowierzający, i patrzył, jak uśmiech rysuje się na jej twarzy. Potem skoczył nad wystawą sklepową, żeby ją uścisnąć. Dzban i kilka srebrnych nakryć spadło na ziemię. Anna spojrzała z niepokojem, ale zaraz się uśmiechnęła. Ręką dotknęła jego karku, by pogładzić go delikatnie, pozwalając się objąć. Joan czuł zaawansowaną ciążę między nimi, lecz nie przeszkadzało mu to, był niezmiernie szczęśliwy. Zrobił głęboki wdech, czując jej ciepły policzek tuż przy swoim, wciągnął zapach piżmowych perfum i zamilkł, ciesząc się chwilą i wyobrażając sobie cudowną przyszłość.

Wszyscy przyjęli radośnie decyzję Anny. Kolejne dni młodzi spędzili na spacerach i rozmowach. Mieli sobie wiele do powiedzenia. Joan zorientował się niebawem, że zostało im jeszcze kilka drażliwych kwestii.

— Na mnie czekają w Rzymie z otwarciem księgarni, a wy czekacie na moje dziecko — powiedział w jednej z rozmów. — Nie mamy tyle czasu, ile byśmy chcieli...

— To nie wasze dziecko! — ucięła szorstko. — To dziecko Ricarda i nie spierajcie się ze mną o to.

Joan pojął natychmiast, że zdradził swoje pragnienie, że popełnił niewybaczalny błąd. Dziecko było argumentem zastosowanym w książce przebiegle, jako pokuta za zło wyrządzone Ricardowi. Stało się kluczem ich przyszłej relacji. Wiedział, że musiała wierzyć, iż było to dziecko jej męża, w przeciwnym razie obarczyłaby się niemożliwym do udźwignięcia poczuciem winy. Joan był jednak przekonany, że to jego dziecko. Skąd mogła wiedzieć, czyje było, skoro różnica czasu, w którym zostało poczęte, wynosiła niewiele tygodni, może nawet dni? Poza tym Ricardo Lucca miał ponad rok na to, by ją zapłodnić, i jakoś mu się nie udało, a z poprzednią żoną też nie miał dzieci. Nie, Joan był pewien, że to on jest ojcem.

— Chciałem przez to powiedzieć, że to dziecko będzie jak moje — uściślił. — Zaopiekuję się nim i wychowam jak własne. Tak spłacimy nasz dług i odkupimy nasze winy. Miłością i troską.

— Dziękuję — powiedziała z uśmiechem.

&

Co dzień Joan czekał niecierpliwie na chwilę, w której spotka się z Anną. Długie spacery, wolne z powodu zaawansowanej ciąży, i zagorzałe rozmowy zaznaczyły kolejną, całkiem odmienną fazę ich znajomości. Joan cieszył się, widząc, jak dobrze się rozumieją. Anna odebrała staranne wykształcenie, znała łacinę, trochę retoryki i grała na lutni. Poza miłością do lektury była zapaloną rozmówczynią. Bawił go jej zapał do polemiki. Była miłym oponentem, chociaż Joana niepokoiło to, że zawsze starała się zwyciężyć w dyskusji. Niekiedy wykręcała kota ogonem i przyjmowała niezłomną postawę. Była, jak mówił Abdalá, trochę uparta, ale nawet to, choć nieco przykre, czyniło ją w oczach Joana godną podziwu. Z początku obawiał się trochę, że codzienne kontakty rozwieją złudzenia, ale tak się nie stało, przynajmniej dla niego. O małżeństwie nie rozmawiali, choć po dziesięciu dniach Joan postanowił wystąpić z propozycją. Odczuwał jednak lęk przed niespodziewaną reakcją Anny. Zdenerwowany przełknął ślinę, powtórzył, jak bardzo ją kocha, i zaproponował, żeby się pobrali.

Zatrzymała się i spojrzała na niego poważnie. A potem bez słowa ruszyła dalej. Joan trochę się zaniepokoił. Czy w ostatnich dniach zrobił lub powiedział coś, co ją zniechęciło?

— Co wy na to? — zapytał po chwili.

Ponieważ milczała, więc zniecierpliwiony milczał razem z nią.

— Bardzo was kochałam, Joanie — rzekła w końcu.

— A teraz już nie?

— Też nienawidziłam. Cierpiałam niewypowiedzianie od ostatniej nocy, którą spędziliśmy razem. I w dużej mierze z waszej winy.

— Ja też cierpiałem.

— Dziękuję za książkę. To najpiękniejszy prezent, jaki mogłam otrzymać. Przeczytałam ją tysiąc razy. Obudziła we mnie wspomnienia, wywołała płacz, przyniosła mi spokój...

Wciąż patrzył na nią. Odwzajemniła spojrzenie i unosząc powoli prawą rękę, pogładziła jego policzek.

— Jest mym przyjacielem, lubię ją pieścić, kołysać w ramionach, uspokaja mnie. Sprawia wrażenie żywej istoty. — Jej oczy napełniły się łzami. — I wiem, że zrobiliście ją własnymi rękami, że litery są napisane przez was, że czuliście mocno każde słowo i że jest w niej wasza miłość. Czuję to, gdy jej dotykam.

Anna zrobiła pauzę, aby przytulić się do Joana, który objął ją szczęśliwy.

— Dla samej tej książki chciałabym zostać waszą żoną — oznajmiła. — A poza tym kocham was. Bardzo.

— Ja zawsze was kochałem — powiedział Joan. — Nawet w najgorszych chwilach. I będę was kochać dłużej niż do śmierci. — I ucałował jej dłoń.

— Odbędę pokutę wyznaczoną w *Księdze miłości* — ciągnęła Anna. — Odpowiedź brzmi „tak", Rolandzie. Chcę przeżyć resztę życia z wami i waszymi książkami.

Łzy toczyły się po policzkach Joana, gdy ją tulił.

W kilka dni zorganizował wszystko, by wyruszyć do Rzymu, zamierzając wrócić do Neapolu, zanim na świat przyjdzie dziecko. Anna chciała urodzić je, będąc wciąż jeszcze wdową po Ricardzie. Potem miał odbyć się ślub.

124

Dwudziestego piątego lutego Joan wrócił do Rzymu. Nie zabierał nawet bagażu. Pojechał konno z posłańcem, którego król Ferrandino wysłał do papieża. Wojska czekały na nadejście wiosny, żeby wznowić działania wojenne, więc trzeba było uważać tylko na nieprzejezdne drogi i zbójców. Gońcy wiedzieli, jak się ich pozbyć. Korzystanie z systemu ich stacji pocztowych okazało się drogie, ale skuteczne. Po przybyciu do Rzymu przekonał się, że prace przy zakładaniu księgarni posuwały się szybciej, niż przypuszczał. Giorgio i Niccolò dobrze się spisali. Joan dołączył do nich z entuzjazmem. Otwarcie księgarni nastąpiło pod koniec marca 1496 roku. Joan chciał jednak zaczekać do dwudziestego trzeciego czerwca, wigilii obchodów święta jego patrona i najdłuższego dnia roku, z urządzeniem inauguracyjnego balu, na który Vannozza obiecała zaprosić najbardziej dystyngowanych mieszkańców Rzymu. Pragnął, by Anna była wtedy przy nim.

Miquelowi Corelli zależało bardzo na tym, aby była to najlepsza księgarnia w całym Rzymie, dlatego zamierzał przygotować tak wytworne otwarcie, jakiego nie było dotąd w mieście. Pożyczył Joanowi pieniądze, a Vannozza służyła znajomościami. Joan uznał to za przesadę, rozumiał jednak, że Miquelowi nie chodziło wyłącznie o promocję jego sklepu. Dla niego to przyjęcie miało być wydarzeniem politycznym, kolejną demonstracją potęgi klanu. Mimo to Joan nalegał na Vannozzę, żeby zaprosiła też rzymian ze swojej rodziny, nie chciał księgarni tylko dla *catalani*.

— To dobrze, że masz ambicje — powiedział Miquel, słysząc jego słowa. — Nie łudź się jednak, sądząc, że wszystkich przyciągniesz. W tym mieście każdy dobrze wie, czyją ma trzymać stronę.

— Nie rozumiem, co macie na myśli — odparł Joan.

— Wiesz dobrze, że w Rzymie pełno jest rodzin i klanów, które walczą o władzę. Niektóre są zdeklarowanymi przeciwnikami naszego papieża. Musi dla ciebie być jasne, po czyjej jesteś stronie.

— Wiem, komu jestem winien wierność — powiedział młodzieniec.

— Komu? — zapytał Miquel z powagą.

— Aleksandrowi Szóstemu i jego klanowi.

— Więc weź pod uwagę, że inni też wiedzą, komu są winni wierność, a komu winien ją jesteś ty.

Joan zamilkł urażony tą przestrogą, którą uznał za zbyteczną. Miquel odgadł jego zakłopotanie i uśmiechnął się, poklepując go po ramieniu.

— Mój przyjacielu — powiedział — cokolwiek uczynisz w Rzymie, zawsze pozostaniesz dla wszystkich jednym z *catalani*.

Joan musiał ugiąć się pod ciężarem oczywistego faktu. Jego księgarnia odnosiła sukcesy od samego początku, dlatego że Miquel Corella i Vannozza uruchomili swoje kontakty, by uczynić ją miejscem spotkań zwolenników papieża Aleksandra VI. Przychodzili do niej nie tylko urodzeni w królestwach Izabeli i Ferdynanda, ale też Portugalczycy, neapolitańczycy i szerokie grono florenckich azylantów sprzymierzonych z papieżem przeciw Savonaroli. Pokazywanie się w księgarni i kupowanie w niej książek było wyrazem sympatii dla rzymskiej władzy. Wielu rzymian też zaczęło do niej zaglądać.

Gdy na początku kwietnia Joan wyjeżdżał do Neapolu, aby być przy narodzinach swego dziecka i ożenić się z Anną, był spokojny i przekonany, że podczas jego nieobecności księgarnia będzie znakomicie prosperowała. Sklepem zajmował się Niccolò, który bardzo zręcznie radził sobie z klientami. Warsztat introligatorski prowadził Giorgio. Znakomita sprzedaż sprawiła, że Joan zatrudnił jeszcze trzech florentczyków, dwóch z nich do założenia drukarni, i wielu uczniów rzymian. Podpisał drugi kontrakt na wynajęcie sąsiedniego domu. Na parterze chciał urządzić wielki salon, o wiele większy niż u Antonella, dalszy ciąg księgarni, z dużymi, jasnymi oknami i regałami pełnymi książek. Resztę przestrzeni zamierzał przeznaczyć na drukarnię, a na piętrze urządzić mieszkanie dla jego matki, siostry i siostrzeńców. Dla rodziny, którą miał założyć z Anną i jej dzieckiem, zachował pięterko drugiego budynku. „Rodzina musi być na swoim", oświadczyła matka, co czym prędzej zapisał w swej książce. Mógł znać się na armatach i statkach, ale w tego typu sprawach był całkowitym nowicjuszem.

છ

Po przyjeździe do Neapolu dowiedział się, że Anna urodziła chłopca. Joan był przekonany, że to jego dziecko, choć przyszło na świat o miesiąc za wcześnie. Gdy Anna dała mu je do rąk, ujrzał śliczne, pulchne kilkutygodniowe dzieciątko, które ani trochę nie wyglądało na wcześniaka. Joan uniósł je z największą ostrożnością. Ich spojrzenia się spotkały i w oczach dziecka dostrzegł oskarżycielski wzrok umierającego Ricarda. Malec zaczął płakać, a Joan wstrząśnięty musiał oddać go matce. Ręce mu drżały i bał się, że go upuści.

— Dobrze się czujecie? — spytała zatroskana Anna.

— Tak. To tylko zmęczenie po podróży — odparł otępiały.

To były oczy Ricarda! Jego wzrok w chwili śmierci! Joan powiedział sobie, że to tylko jego wyobraźnia, że nie może tak być, i wyszedł się przejść. Pomyślał, że wskutek poczucia winy widzi coś, czego nie ma. Gdy wrócił, przyjrzał się dziecku. To samo spojrzenie wbiło się w jego źrenice niczym sztylet. Miał przed sobą syna mężczyzny, którego zabił, i przez wszystkie dni te oczy przypominać mu będą jego zbrodnię.

„To on", zapisał skonsternowany w swojej książce. „Powrócił jako syn".

125

W połowie kwietnia odbył się ślub w San Lorenzo Maggiore, smukłym franciszkańskim kościele. Pod gotyckimi łukami usłyszał upragnione „tak" swojej ukochanej. Miał już dwadzieścia cztery lata, a ona dwadzieścia trzy. Kiedy ksiądz ogłosił ich mężem i żoną, młodzieniec poczuł się pokrzepiony i pełen radości. Na ręce Anny lśnił nowy pierścionek, który kupił jej Joan. Oznaczał koniec smutku. Był symbolem pokuty, przebaczenia, odkupienia i szczęścia, które obiecywała *Księga miłości*. Tyle o nią walczył! Kiedy po pocałunku uśmiechnięci spojrzeli sobie w oczy, nie mógł uwierzyć, że spotkało go takie szczęście. Teraz cały czas będą razem.

Ceremonia była skromna. Uczestniczyli w niej rodzice panny młodej i paru przyjaciół Anny. Genís Solsona, kapitan *Świętej Eulalii*, był świadkiem pana młodego. Joan podejrzewał, że to jego przyjaźni w dużej mierze zawdzięczał pomyślne uratowanie Anny i swoje wyzwolenie z galery.

Nie wiedział, kiedy go znów zobaczy, gdyż flota Vilamaríego wracała już do Hiszpanii. Król Ferdynand, aby osłabić Francuzów i uniemożliwić im wysłanie posiłków do Włoch, utworzył nowy front, atakując Francję z Katalonii. Napotkał mocny kontratak. Wojska hiszpańskie znalazły się w odwrocie, a francuscy korsarze dewastowali wybrzeże. Vilamarí dostał rozkaz ich pojmania lub zatopienia. Joan pomyślał, że król znowu trafił. Do pokonania pirata najlepszy jest pirat.

Zjawili się też Antonello de Errico ze swą żoną Marią, którzy zaprosili wszystkich na przyjęcie ślubne w jadalni swego domu. — Za szczęście Rolanda i jego ukochanej Andżeliki, naszych księgarzy! — wzniósł toast Antonello, jak zawsze dowcipny.

❧

Joan żałował, że nie było z nim jego matki, siostry, Gabriela, Bartomeu i Abdali. Żyli za daleko. Kobiety miał zobaczyć niebawem, a jeśli chodzi o mężczyzn, to tak naprawdę nie wiedział, czy w ogóle jeszcze ich ujrzy. Ale dostał od nich listy z gratulacjami i najlepszymi życzeniami. Gabriel oznajmiał mu o swoim ślubie z Ágatą, najmłodszą córką Eloi, i z entuzjazmem opisał, jak między jedną a drugą armatą udało mu się wytopić ogromny dzwon, mimo że stop, który odpowiednio rezonował, musiał być dość łamliwy. Wydawał przepiękny dźwięk, którym wszyscy, w cechu i poza nim, się zachwycali. Był szczęśliwym człowiekiem. Gabriel dołączył do życzeń srebrny, wytopiony przez siebie dzwoneczek z wyrytymi imionami nowożeńców.

Bartomeu przysłał list z powinszowaniami, w którym napisał, że tylko ktoś tak wytrwały jak on mógł zdobyć w końcu miłość Anny. Donosił, że w innym liście pogratulował przyjacielowi Peremu Roigowi, bo lepszego zięcia nie mógł znaleźć. I rozmarzony oznajmiał, że jego nowa żona spodziewa się dziecka. Ta wiadomość niezmiernie ucieszyła Joana. Kupiec ożenił się z kolejną bogatą dziedziczką. Teraz musiał doglądać także kwitnącego handlu suknem, ale serce oddał książkom. Joan wiedział, że przyjaciel znowu handlował zakazanymi księgami, a stary mistrz był jego wspólnikiem w rozpowszechnianiu prześladowanej literatury. Modlił się, aby Bóg chronił ich przed inkwizycją.

Najbardziej jednak wzruszającym podarkiem było błogosławieństwo, którego Abdalá udzielił im w rozmaitych językach, przepięknie wykaligrafowane, jak za najlepszych czasów.

Na pergaminie widniały eleganckie, podłużne linie pisma andaluzyjskiego, wyostrzony gotyk, znaki hebrajskie i szykownie zaokrąglone litery romańskie. Dla kogoś, kto uważał się za znawcę sztuki kaligrafii, była to istna perła. Ale Joan wiedział, że owe rysy, litery, zdania stanowiły coś więcej. Znacząc je, mistrz stawał się duchownym, a pergamin zawierał jego modlitwy do Boga, wyrażone w różnych językach, różnym pismem i pochodzące z różnych religii. Był największym wyrazicielem tego, co magiczne i święte w literach. Czytając, delektując się tą sztuką, Joan czuł, jak jego ciało i duszę wypełnia łaska błogosławieństw.

Kiedy Joan myślał o Gabrielu i przyjaciołach, napisał w swej książce wzruszony: „Dzięki Ci, Panie, za cudownych ludzi, których postawiłeś na mojej drodze. Nawet tysiąc saraceńskich skarbów nie dorównałoby im wartością".

و

Po kilku dniach ochrzcili dziecko. Dali mu na imię Ramón, po ojcu Joana. Na taki pomysł wpadła Anna, za co Joan był jej niezmiernie wdzięczny.

Anna entuzjazmowała się księgarnią bardziej niż Joan i z niecierpliwością oczekiwała wyjazdu. Wzięła na siebie zadanie zinwentaryzowania i zaklasyfikowania książek, które zamówił u Bartomeu. Rzym w dalszym ciągu był odcięty od morza, a Neapol stanowił bezpieczny port do odbioru przesyłek z Hiszpanii. Młody księgarz ze zdumieniem dowiedział się, że jego żona sprowadziła książki na własną rękę od paru lokalnych drukarzy i samego Antonella.

— Zostanie lepszym księgarzem od ciebie — śmiejąc się, mówił neapolitańczyk. — Nie zna się na oprawie ani drukarstwie, ale zna się na książkach i ma doskonałe wyczucie, wie, czego pragną czytelnicy.

Kolejnym zaskoczeniem było to, że Anna, wykorzystując kredyt od Innica d'Avalos, z pomocą Antonella, kupiła kilka wozów, parę koni i zorganizowała potężnie uzbrojony konwój. Umówiła nawet dwóch furmanów i przyjęła na służbę neapolitankę gotową zamieszkać w Rzymie.

— Wypadało wam zaczekać na mnie z ustaleniem tego wszystkiego — powiedział Joan, marszcząc brwi.

— Zgańcie mnie, jeśli coś źle zrobiłam — odparła Anna z uśmiechem.

Joan przejrzał już wszystkie jej zakupy i poza może jedną książką, którą wybrała i której wartość mogła być wątpliwa, wszystkie pozostałe decyzje okazały się słuszne, a jeśli nawet coś mu nie odpowiadało, uznał, że lepiej będzie powstrzymać się od krytyki. Mogła mieć rację, nie miał więc zamiaru wprawiać w zakłopotanie swojej pięknej żony na samym początku małżeństwa.

Anna zinterpretowała milczenie Joana i rozluźnienie zmarszczonych brwi jako aprobatę jej czynów, za co podziękowała mu, uśmiechając się jeszcze szerzej, jakby powiedział jej komplement. Potem pocałowała go i niebawem biegli już, chichocząc, do sypialni się kochać.

— No, dalej, przyznajcie to — mówiła z niepozbawioną wdzięku uszczypliwością. — Powiedzcie, że zrobiłam wszystko jak należy.

Joan opierał się, grając w jej grę, ale w końcu musiał pochwalić jej starania. Spojrzała na niego, nie przestając się uśmiechać.

— A co, mieliście nadzieję, że nie?

Poczuł, że kocha ją jak nigdy dotąd. Zastanawiając się jednak nad tym, jak daleko Anna się posunie, odparł:

— Miałem nadzieję na wszystko, co najlepsze.

Rozpoczęli podróż, gdy rozeszła się wieść, że Gonzalo Fernández de Córdoba wyrusza ze swym wojskiem na pozycje Francuzów w Cosenza.

Wiosna malowała łąki kwiatami, a Joan z rapierem u pasa i w rycerskim kapeluszu jechał na kasztanku, trzymając się zawsze blisko żony. W powozie, którym podróżowały Anna ze służącą, zamocowano niewielki hamak dla Ramóna. Ponieważ łagodził wstrząsy, chłopiec kołysał się w nim wygodnie. Jednostajny ruch usypiał go i większą część drogi przespał, chociaż nocą trochę płakał. Joan nauczył się tulić go do snu i poklepywać po pleckach, żeby odbijało mu się po jedzeniu i zasypiał zadowolony, z uśmiechem na buzi. Bardzo starał się widzieć w nim swojego syna. Opieka nad malcem łagodziła ból, którym wciąż karała go świadomość. Dziecko było prześliczne. Tak bardzo pragnął, żeby Ramón był jego synem! Jednakże za każdym razem, gdy na niego spoglądał, przekonywał się, że oczy, które czasami świdrowały go wnikliwie, były oczami Ricarda.

W powozie Anny umieszczono sprzęty domowe, chociaż prawie cały ładunek stanowiły książki, a drugi wóz był tylko na nie przeznaczony. Anna uznała, że w Rzymie łatwiej będzie nabyć wszystko, co potrzebne do domu, ale nie te książki, dlatego znalazły się one na pierwszym miejscu. Joan musiał przyznać jej rację. Jedyne, co on kupił na podróż, to kule, proch i para dobrych arkebuzów, które trzymał na wozie gotowe do strzału.

Całą drogę do Rzymu Anna czuła się bardzo szczęśliwa i oczarowana. Widziała Joana na kasztanku zawsze blisko powozu, uśmiechał się do niej, wysoki i przystojny, z mocnym, trochę spłaszczonym nosem, który zamiast go oszpecać, czynił bardziej męskim, i kasztanowatymi oczami. Spojrzenie Joana było pieszczotą. Wiedziała, że ich chroni, ją i jej syna, i że przy nim nic złego stać się im nie może.

Zostawiała za sobą Neapol i straszliwe dni depresji, poczucia winy i wyrzutów sumienia. Już się nie mogła doczekać, kiedy obejmie w posiadanie słodkie gniazdko uwite nad księgarnią Joana. A tuż obok niej, pod siedzeniem leżała *Księga miłości od Rolanda dla Andżeliki*. Nie chciała się z nią rozstawać.

126

Joan dopilnował wszystkich szczegółów, aby przyjęcie urządzić z szykiem godnym klanu. Pomyślał o ognisku, które miało zostać rozpalone o zmierzchu i płonąć całą noc zgodnie z tradycją nocy świętojańskiej. Miały być petardy, race i fajerwerki, wszystko w hiszpańskim stylu. Ulicę Largo dei Librai udekorowano girlandami we wszystkich kolorach tęczy i lampionami, które rozbłysną po zmroku. Zadbano o muzykę i jadło. Służący podawać mieli do rozstawionych na placyku stołów wino, lemoniadę, poncz, ciasto słodkie i słone oraz aromatyczne kapłony i pieczone kaczki, cukierki i inne łakocie.

Vannozza dotrzymała słowa z nawiązką, zapraszając nawet samego papieża. Co prawda odmówił uprzejmie, ale dał swoje błogosławieństwo. Przybyły natomiast jego dzieci, co skupiło uwagę Rzymu. Vannozza pełniła honory gospodyni, wyjaśniała Annie sprawy dotyczące rzymskiego społeczeństwa i towarzyszyła jej, przedstawiając ją wszystkim damom. Żona księgarza okazała się wybijającą się uczennicą, a dużą część obecnych zdążyła poznać już wcześniej.

Joan widział, jak otwiera się przed gośćmi z wdziękiem i pewnością siebie. Anna brylowała na przyjęciu, a on myślał, że to z natury rzeczy przypada żonie. Postanowiła zdjąć żałobę i ustroiła się wedle walenckiej mody, jak wiele obecnych tam dam, choć z trochę innym dekoltem. Wyglądała elegancko, dyskretnie i ślicznie.

Kiedy Anna przybyła do Rzymu prawie dwa tygodnie wcześniej, włączyła się w życie księgarni, pomagając Niccolowi. Jedną z jej pierwszych klientek została Sancha Aragońska, księżna Squillace, wydana za Jofrégo Borgię, czwartego z synów Vannozzy i Aleksandra VI. To nieszczęśliwe małżeństwo szesnastoletniej zmysłowej piękności spoglądającej wyzywająco na mężczyzn i niepewnego siebie chłopca mającego zaledwie piętnaście lat było wynikiem sojuszu politycznego papieża z Królestwem Neapolu.

Księżna dowiedziała się, że Anna jest wdową po neapolitańskim szlachcicu. Tęskniła za rodzinnymi stronami i uwielbiała rozmawiać z nią w języku z południa. Mimo wyzywającego, zmysłowego wyglądu Sancha uwielbiała poezję i książki. Bardzo się zaprzyjaźniły.

Anna kazała muzykom na chwilę przerwać granie, aby Sancha Aragońska wyrecytowała swój wiersz na powitanie lata w Rzymie. Otrzymała wielkie brawa.

Żona Joana poczuła się panią domu i rozkoszowała się tym, że znalazła się w centrum zainteresowania. Po odepchnięciu przez neapolitańską drobną szlachtę andegaweńską stała się ważną postacią w Wiecznym Mieście i przyjaciółką jednej z księżniczek dynastii władającej Królestwem Neapolu. Poczuła się usatysfakcjonowana.

Sancha przyszła w towarzystwie nieodłącznych przyjaciółek, Lukrecji Borgii, trzeciego dziecka Vannozy, szesnastolatki odznaczającej się słodkim pięknem i powagą, oraz Julii Farnesie. Julia, zwana Giulią la Bella, cieszyła się sławą najpiękniejszej kobiety w Rzymie i chociaż miała dwadzieścia dwa lata, od dłuższego czasu była kochanką papieża. Aleksander VI skończył już sześćdziesiąt pięć lat, ale chodziły słuchy, że jest wciąż jurny niczym byk w herbie rodu Borgia.

Julia, Lukrecja i Sancha znane były w Rzymie jako „trzy watykańskie kobiety" i to na nich skupiła się uwaga gości. Zdobiły je wykwintne suknie hiszpańskie przywiezione z Walencji, w żywych kolorach i o obfitych dekoltach obwieszonych szlachetnymi kamieniami. Poprosiły muzyków, żeby zagrali *la alta y la baja*, modny w Hiszpanii taniec dworski. Nie zabrakło im partnerów do tańca, nie zabrakło też dam i kawalerów, którzy przyłączyli się do pląsów.

కీ

Joan zajmował się męskim towarzystwem, w którym wyróżniali się kardynałowie związani z klanem. Był wśród nich Cesare Borgia, drugi z synów Vannozzy i papieża, biskup Pamplony i arcybiskup Walencji. Cesare odznaczał się elgancją i w odróżnieniu od innych kardynałów, którzy nosili białe tuniki okryte purpurowymi płaszczami i tej samej barwy birety, ubrany był w czerń, wedle hiszpańskiej mody popularnej wśród kawalerów. Głowę zdobił mu czarny kapelusz z piórami i ze złotą broszą. Stan duchowny zabraniał mu noszenia rapiera i sztyletu u pasa. Był przystojny i przyzwyczajony do mniej lub bardziej płochliwych spojrzeń dam, na które odpowiadał uśmiechem.

Jako jeden z pierwszych okazał zainteresowanie książkami, zamawiając między innymi egzemplarz po łacinie *O wojnie galijskiej* Cezara. Ku zadowoleniu Joana zostało to zauważone i naśladowali go wszyscy goście.

— Niezłe przyjęcie, ale kiedy będziesz otwierał kolejną księgarnię w Rzymie, musisz zafundować rzymianom korridę — powiedział Miquel do Joana. — Kochają te widowiska i tego właśnie oczekują od nas, od *catalani*. Aleksander Szósty urządził ich wiele, pierwszą dla uczczenia zdobycia Grenady przez Izabelę i Ferdynanda, kiedy był jeszcze kardynałem. Hiszpania jest w Rzymie w modzie i nie można zaniżać poziomu.

— Będziecie musieli kupić ode mnie dużo książek, nim wykosztuję się na podobną fiestę — odparł Joan ze śmiechem.

Przy jednym ze stołów siedziała jego matka w najlepszych szatach. Gawędziła z sąsiadkami i nie spuszczała oka z wnuków bawiących się z innymi dziećmi. Joan podziwiał ją za to, z jaką szybkością nauczyła się czytać i pisać, żeby móc korespondować z Gabrielem. Przy innym stole dostrzegł Marię. Wyglądała świeżo i zdrowo i śmiała się do aragońskiego sierżanta, który umizgiwał się do niej. Joan uśmiechał się na ich widok.

Obydwie zwracały uwagę na pracę służby, aby gościom niczego nie zabrakło. Kilka razy Eulalia podeszła do Anny, żeby zasugerować jej, jakie bieżące polecenia powinna wydać jako pani domu. Młoda żona księgarza dziękowała jej z uśmiechem. Po wielu dniach przygotowań trzy kobiety współdziałały, a dzięki Eulalii i Maríi Anna mogła się nie martwić i oddać życiu towarzyskiemu.

Obecny był też kwiat florenckiej opozycji przeciwko Savonaroli z Niccolem i Giorgiem na czele.

— Co za szczęście, że to ognisko tylko z drewna, a nie z książek — oznajmił Niccolò.

Joan z uśmiechem powtórzył dewizę towarzyszącą urządzaniu księgarni:

— Panowie, za każdą księgę, którą Savonarola spali, wydrukujemy dziesięć.

Młody księgarz widział na własne oczy, jak jego marzenia się spełniają, w życiu by się tego nie spodziewał. Rozglądał się wokół i czuł się bardzo szczęśliwy. Trudno mu wręcz było uwierzyć w to, co się działo.

Jednakże nie miał co się oszukiwać. Przyjęcie było pokazem siły *catalani*. A więc wszystko zależało od przyszłości klanu. Przypomniał sobie słowa Miquela Corelli: „Będziesz musiał walczyć".

Tak czy inaczej był to piękny dzień i Joan zamierzał z całych sił się nim cieszyć.

127

Przed zapadnięciem zmroku, gdy zabawa trwała w najlepsze, nadeszła chwila, w której Joan odbiegł myślami od przyjęcia. Czuł zapach palącego się drewna zmieszany z prochem petard i aromatem pieczonych kaczek i kapłonów. Słyszał muzykę, krzykliwe rozmowy, śmiechy. Smakował poncz ze swego kielicha, czuł smak białego wina, cynamonu, pieprzu i innych przypraw. Widział barwy girland, którymi przystrojony był plac, czerwoną, niebieską, żółtą... I kolory tańczących dam — zielony, karmazynowy, indygo... Obserwował gości, jak bawią się, gawędzą, dyskutują. Ale znalazł się gdzie indziej. Znalazł się w raju.

Zaczął szukać wzrokiem Anny, aż wypatrzył jej szkarłatną suknię w gromadce dam. Wyglądała wspaniale. Odstawił kieliszek i podszedł do niej.

— Czy panie pozwolą? — powiedział, skłaniając głowę. — Skradnę wam moją żonę tylko na parę minut.

Chwycił Annę za rękę, a panie udzieliły pozwolenia, chichocząc figlarnie.

— Nie chcieliście tańczyć? — zapytała zdziwiona, kiedy ją prowadził.

Uśmiechnął się, kręcąc głową, i pocałował ją w rękę.

— To niespodzianka! — powiedział.

Powiódł ją do pokoju na piętrze, w którym leżał w kołysce przebudzony Ramón, pod opieką neapolitańskiej służki. Miał wkrótce skończyć cztery miesiące. Joan zaczął robić do niego miny, a dzieciaczek zamachał wesoło nóżkami. Podniósł go i położył sobie na prawej ręce, ułożonej w kołyskę, dla większego bezpieczeństwa podtrzymując mu nóżki. Lewą ręką ujął dłoń Anny i poprowadził schodami na mały tarasik na drugim piętrze.

Gwar przyjęcia rozlegał się wokół. Rzym pachniał już latem. Joan spojrzał w niebo i ujrzał kłębiące się chmury. Lśniące, pełne światła, zmienne. A w nich poruszały się tajemnicze istoty. Poszukał wzrokiem mew. Było ich w Rzymie pełno, ale latały daleko. Za to wiele jaskółek przeszywało widoczny skrawek nieba, szybkich, zdecydowanych, przecinając jedne drugim tory lotu, niekiedy ścigając się i kwiląc bez ustanku.

— Popatrz, Ramónie — rzekł Joan ze słodyczą. — One są wolne jak my. Nie muszą dotykać ziemi, nawet żeby się napić. Potrzebują tylko uwitego pod okapem gniazdka, tak jak tobie i mnie potrzebna jest rodzina.

Chłopczyk nic nie rozumiał, ale pełen miłości i uciechy ton Joana sprawiał mu przyjemność. Pogaworzył, uśmiechając się bezzębną buzią. Joan spojrzał mu w oczy i ujrzał w nich oczy Ricarda. Też się do niego uśmiechały.

— Patrz, przyjrzyj się dobrze. — I puszczając dłoń Anny, wskazał na chmury. — Nie widzisz stworów na niebie?

Ramón uśmiechnął się do niego.

— Nie widzisz tego lwa, który szykuje się do skoku? Jeśli ich jeszcze nie widzisz, to nie szkodzi. Niedługo zobaczysz. Patrz, prawda, że ta chmurka wygląda jak otwierająca się książka?

Anna stanęła przed nim i rękami dotknęła jego głowy, aby przestał patrzyć na niebo i spojrzał na nią. Dobrze znała opowieść Ramóna, ojca Joana, o chmurach. Miała oczy pełne łez. Pocałowała męża i we troje połączyli się w uścisku.

— Został nam jeszcze jeden dług — wyszeptał Joan do ucha Anny. — Ale będziemy go spłacać dzień po dniu, rok po roku naszą miłością.

Mocniej przytuliła się do niego i Joan poczuł, jak dygocze w słodkim płaczu.

Pomyślał, że w ten dzień przesilenia letniego po raz pierwszy od napaści na jego wioskę nie czuł strachu ani nienawiści. To było jak odzyskanie spokoju dzieciństwa. Słodycz nadziei wypełniała mu serce. Czuł, że może wszystko.

ॐ

O świcie, gdy fiesta się skończyła, Joan zapisał w swej książce: „Bez nienawiści, bez urazy i bez strachu. Prawie bez wyrzutów sumienia. I tylko wolność, nadzieja i miłość".

Obłoczków na niebie jednak już nie było. Zasnuły je ciemne i gęste chmury. Grzmot rozległ się w oddali. Zerwał się podmuch wiatru, pofrunęły kapelusze i płaszcze. Goście, niektórzy zataczający się z powodu wypitego alkoholu, poumykali do domów. Wiatr pozrywał różnokolorowe girlandy, rozrzucił lampiony i rozproszył popioły po ognisku, rozdmuchał żarzące się węgle i rozwlekł czerwone od ognia po placu. Wkrótce pioruny rozdarły powietrze, błyskawice rozświetliły ciemny świt i rzęsista ulewa spadła na Rzym.

Nie wiedząc sam dlaczego, Joan, który z okna kontemplował tę scenę z piórem w ręku, napisał zdanie często powtarzane przez starego Abdalę:

„Jedynie Bóg jest zwycięzcą. Chroń nas, Panie".

Rozejrzał się po pokoju. Za drzwiami stała włócznia ojca, a na stoliku leżała *Księga miłości*.

Joan zamknął okno i poszedł do łóżka, gdzie Anna uspokajała Ramóna, który obudził się od huku grzmotów. We troje ogrzali się nawzajem. Pościel wydzielała miękki zapach lawendy i mleka.

RYS HISTORYCZNY

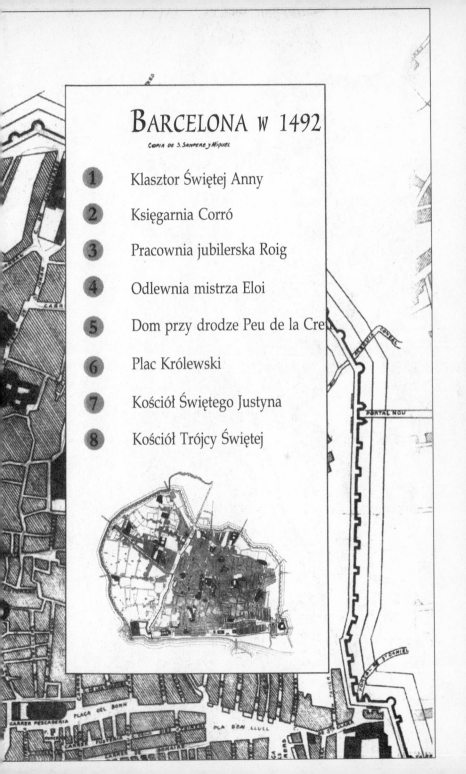

BARCELONA w 1492

COPIA DE S. SANPERE y MIQUEL

1. Klasztor Świętej Anny

2. Księgarnia Corró

3. Pracownia jubilerska Roig

4. Odlewnia mistrza Eloi

5. Dom przy drodze Peu de la Creu

6. Plac Królewski

7. Kościół Świętego Justyna

8. Kościół Trójcy Świętej

GALERIA POSTACI HISTORYCZNYCH

Miejsca i zwyczaje epoki oraz jej idee zostały odtworzone w toku poszukiwań źródłowych. Zarówno fakty historyczne, jak i nazwiska oraz biografie postaci wysokiej rangi, czyli królów, gubernatorów, papieży i generałów pojawiających się w opowieści, zgadzają się z kronikami czasów. W dalszej części zainteresowany czytelnik znajdzie niektóre uzupełniające dane dotyczące wybitnych postaci historycznych. Porządek ich umieszczenia odpowiada kolejności pojawiania się w utworze.

BARTOMEU SASTRE
Kupiec, na którego temat zachowały się pewne dokumenty. Jeden z nich wspomina o sprzedaży panu Peremu Carbonellowi, znanemu entuzjaście bibliofilowi, egzemplarza manuskryptu po łacinie za cenę pięciu funtów i dwóch soldów.

W owych czasach spisywano już umowy, na mocy których bakałarze lub żacy sprzedawali księgi, pobierając prowizję. Do handlu książkami niezbędna była znajomość łaciny.

CRISTÒFOL DE GUALBES
Cristòfol de Gualbes, ze szlacheckiego rodu, mianowany został przeorem zakonu Świętej Anny w 1462 roku, zmarł zaś w 1507.

Godność przeora Świętej Anny pociągała za sobą tytuły i prawa feudalne pana na Miralles i Palafrugell. Zamieszkiwał poza klasztorem.

Jak ukazuje to powieść, konflikty natury ekonomicznej między przeorem a społecznością klasztorną tworzoną przez superiora Antoniego Mirallesa oraz braci Jaumego Saura, Llorença Camnadela, Miquela Gilaberta, Francesca Amigueta, Nicolau Vallsa, Melchora Comę oraz Jaumego Segura nie należały do rzadkości.

To przeor wydzielał chleb, wino, boczek, oliwę, sól, drewno i czosnek wspólnocie z tytułu zwierzchnictwa nad klasztorem i pobierania rent. Kierował klasztorem wedle własnych kaprysów i powołując się na względy ekonomiczne, skąpił mnichom zaopatrzenia. Uzupełniali braki tym, co wyhodowali w ogrodzie warzywnym, i jałmużną. Datki pochodziły głównie z obchodzenia rocznic śmierci, podczas których zakonnicy pościli i modlili się za dusze grzeszników.

Konflikt pomiędzy przeorem a wspólnotą stał się tak poważny, że interweniować musiał biskup, a nawet radni miejscy. Dwunastego października 1482 roku podpisano dokument ugody między przeorem Gualbesem a wszystkimi wyżej wymienionymi mnichami. Nie udało się jednak zażegnać sporu, gdyż parę lat później musiano podpisać kolejną umowę między przeorem a superiorem Antonim Mirallesem reprezentującym wspólnotę.

Główne budynki klasztorne, kaplica, sala kapitulna, krużganek, zachowały się do dziś, z wyjątkiem nowicjatu, w którym mieściły się kuchnie, infirmeria i refektarz, zgodnie z powieścią. Refektarz był dużą, umieszczoną na piętrze salą. Dziesiątego maja 1493 roku zebrały się w niej katalońskie Kortezy pod przewodnictwem Ferdynanda II Katolickiego. Obradowały przez wiele miesięcy.

W owych czasach górna część krużganku była w budowie. Prace przeciągnęły się o wiele lat. Powodem był brak funduszy.

ANTONI RAMÓN CORRÓ I JOANA
(MAŁŻEŃSTWO KSIĘGARZY)

Antoni Ramón Corró i jego żona Joana żyli i umarli tak, jak jest to opisane w powieści.

Księgarz Corró sprowadzał księgi, czego dowodzą jego zakupy u dowódców galer i zarejestrowana sprzedaż bibliofilowi Carbonellowi wydania Seneki wydrukowanego w Neapolu w 1475 roku. Przed aktem wiary, podczas którego skazano małżeństwo Corrów, w Barcelonie odbyło się wiele procesów inkwizycyjnych, tyle że winnych skazano na kary więzienia. Postępowanie skazujące małżeństwo Corrów było trzecim, w którym wymierzono karę śmierci przez spalenie na stosie. Feralnego dnia dziewiątego lutego 1489 roku małżeństwu towarzyszył trzeci nieszczęśnik, Miquel Socarrats, natomiast około czterdziestu skazańców spalono tylko symbolicznie, gdyż udało im się zbiec.

Córka państwa Corrów, Eulalia, wydana także za księgarza, zdołała uciec, więc inkwizycja spaliła jej słomianą kukłę w 1490 roku.

Syn księgarzy Joan Ramón Corró jako nieletni został w marcu 1489 roku skazany tylko na rok więzienia. Po wyjściu na wolność kontynuował zawód księgarza i po paru latach miał już tak znaczących klientów, jak Rada Stu i Konsulat Morski. Świadczy to, że najbardziej reprezentatywne instytucje Barcelony w dalszym ciągu odrzucały inkwizycję. Joan Ramón zajął dwa budynki na ulicy Especiería, przemianowanej obecnie na Llibretería. Jego potomkowie też zostawali księgarzami i wydawcami.

Wszystko, co odnosi się w powieści do inkwizycji, jest zgodne z zachowanymi kronikami epoki. W roku 1480 mianowano pierwszych inkwizytorów w Medina del Campo, a inauguracyjny akt wiary odbył się w Sewilli w lutym 1481. Skazano wówczas na stos sześć osób. Król Ferdynand ustanowił kastylijską inkwizycję w podległych mu królestwach (na dworach Tarazony) w 1484 roku. Jednakże opór w Aragonii i Barcelonie, które miały już wcześniej o wiele łaskawszą inkwizycję, był zauważalny. Mieszkańcy Teruel się zbuntowali, ale zostali pokonani, a w Saragossie w 1485 roku zamordowano inkwizytora Pedra de Arbués. Jego śmierć wywołała jednak odwrotny do zamierzonego skutek. Nasiliło się rozrastanie Świętego Oficjum i wzmogły się prześladowania konwertytów.

Barcelona opierała się, uciekając się do wszelkiego rodzaju legalnych środków, aż do czerwca 1478 roku, kiedy inkwizytor Espina wszedł do miasta na mocy bulli papieża.

PERE JOAN SALA
    Jeden z przywódców buntu chłopów pańszczyźnianych przeciwko feudalnym nadużyciom. W 1462 roku rozpoczęło się pierwsze wielkie powstanie chłopskie, które zbiegło się w czasie z katalońską wojną domową. Chłopi opowiedzieli się po stronie Jana II Aragońskiego, ojca króla Ferdynanda, przeciwko oligarchii posiadaczy ziemskich. Na czele stanął Francesc de Verntallat, a Pere Joan Sala był jednym z jego zastępców, który bronił księcia Ferdynanda i jego matkę Joannę Enríquez podczas oblężenia Girony w 1462 roku, do czego powieść także nawiązuje.

    Mimo to w 1481 roku, gdy wznowiono wojnę z Grenadą, król Ferdynand restaurował prawa feudalne, łącznie z tak zwanymi złymi obyczajami, które zniósł jego wuj Alfons V. Spowodowało to wybuch drugiego powstania chłopskiego (1484—1485), w którym liderem zbuntowanych chłopów, najbardziej radykalnych, został właśnie Pere Joan Sala. Verntallat na czele umiarkowanego chłopstwa kontrolował górskie zamki, nie biorąc czynnego udziału w konflikcie. Pere Joan Sala odniósł wiele zwycięstw, w końcu jednak został rozgromiony, pojmany i stracony, jak opisano to w powieści.

    Rewolty nie ustały aż do wydania dekretu z Guadalupe w 1486 roku, kiedy to zniesiono krzywdzące prawa i inne sposoby gnębienia chłopów, z których wielu otrzymało wolność.

JOAN DE CANYAMARS

Opisany w książce zamach na króla Ferdynanda, łącznie ze słowami wypowiedzianymi przez monarchę, jest zgodny z treścią kronik, w których ze szczegółami opisano tortury zadane buntownikowi, mimo że oficjalnie uznano go za niespełna rozumu.

Na placu Królewskim, w tym samym miejscu, gdzie doszło do zamachu, kat uciął mu prawą rękę, tę, którą ranił monarchę, na wysokości nadgarstka. Pochód ruszył dalej ulicami Boría i Montcada, gdzie żelaznymi, rozgrzanymi do czerwoności obcęgami wyrwano mu część piersi, a potem oko. Na placu Born obcięto mu całą rękę, po czym umarł. Potem pastwiono się nad zwłokami. Wyrwano to, co pozostało z piersi, i drugie oko, obcięto nos i kawałek po kawałku pozbawiano członków, przemierzając ulice i place miasta. Wreszcie na ulicy Sant Pere wyciągnięto serce, rozszarpując plecy. Pochód wyszedł z miasta przez Portal Nou i w miejscu, gdzie chłopcy toczyli bitwy na kamienie, ludzie obrzucili kamieniami to, co zostało z ciała.

Kara najokrutniejszej śmierci skończyła się w Canyet, gdzie szczątki nieszczęśnika spalono razem z wozem.

ADMIRAŁ BERNAT II DE VILAMARÍ

Siostrzeniec pierwszego admirała Bernata I de Vilamarí, zmarłego w 1463 roku. Przejął admiralicję po kuzynie Joanie de Vilamarí po jego śmierci. Zdobył duże doświadczenie w walkach morskich, zwłaszcza na Wschodzie przeciw Turkom, pod rozkazami swych poprzedników, i odziedziczył po nich tytuły pana Palau Sabardera w Ampurdán i Bosy na Sardynii.

Wyróżnił się w rozmaitych przedsięwzięciach zbrojnych i miał decydujący wpływ na zwycięstwo króla w katalońskiej wojnie domowej podczas blokady portu Barcelony. Mając pozwolenie króla, brał udział jako najemnik w rozmaitych walkach po stronie Florencji, Neapolu i papieża. Bił się z Turkami, wenecjanami, genueńczykami i Francuzami, a także z korsarzami i piratami. Niemniej są niezbite dowody na to, że tak samo jak jego poprzednicy parał się korsarką.

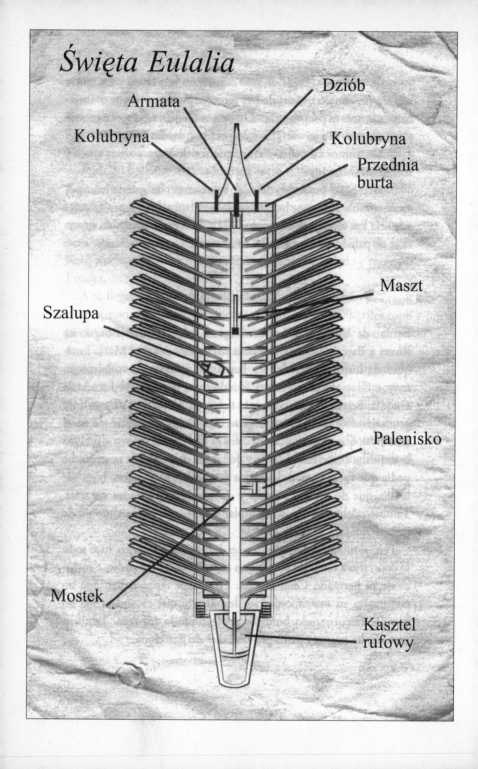

Święta Eulalia

Dziób

Armata

Kolubryna

Kolubryna

Przednia burta

Maszt

Szalupa

Palenisko

Mostek

Kasztel rufowy

W 1489 roku król Ferdynand nakazał mu skończyć z korsarstwem, aktywnością, w której ród Vilamarí się wyspecjalizował. Admirał prawdopodobnie nie wykazał się w tej kwestii posłuszeństwem, gdyż w 1492 roku król wydał rozkaz rozwiązania floty w związku z napadami na genueńskie statki w czasie pokoju i wcielanie siłą marynarzy i galerników. Król Ferdynand odwołał jednak rozkaz parę miesięcy później, gdy potrzebował floty do pacyfikacji Roussillon.

Ożenił się z Izabelą de Cardona, siostrą gubernatora Neapolu, i już w XVI wieku zyskał tytuł hrabiego Capacio. Pod koniec życia zaczął zyskiwać tytuły i zaszczyty, został również gubernatorem Neapolu. Pochowano go w Montserrat we wspaniałym renesansowym mauzoleum.

W połowie XV wieku istniała galera o nazwie *Święta Eulalia*. Jej załodze udało się wyzwolić katalońskie wybrzeże od floty prowansalskiego korsarza Audineta siejącego w tym rejonie spustoszenie. Uprowadzono jednocześnie dwie mniejszych gabarytów pirackie galery. Pod koniec XV wieku zbudowano kolejną *Świętą Eulalię*, wynajętą przez miasto Barcelonę do strzeżenia ruchu morskiego i wybrzeża.

Budowano rozmaite typy galer, ale ta Vilamaríego, co do której nie mamy całkowitej pewności, czy nazywała się *Święta Eulalia*, musiała odpowiadać najbardziej rozpowszechnionemu modelowi największych jednostek w jego czasach. Miała jeden maszt z łacińskim żaglem oraz wiosła *alla sensile*, z dwudziestoma sześcioma ławami przy każdej burcie. Na ławach zajmowało miejsce po trzech wioślarzy, każdy pracował własnym wiosłem. Wiosła były jedenastometrowe, a galera unosiła się zaledwie półtora metra ponad poziom morza. Miała czterdzieści pięć metrów długości i pięć szerokości.

Dopiero pod koniec XVI wieku na galerach zastosowano tylko jedno wiosło na ławę, którym operowało trzech lub czterech galerników naraz. Technikę tę nazwano *de galocha*, czyli „na kalosz". Chociaż odpychano się od mniejszej powierzchni wody, to zwiększała ona moc i sterowność galery.

JUAN BORGIA

Bernat de Vilamarí przewiózł na pokładzie swojej galery Juana Borgię z Rzymu do Barcelony w 1493 roku na zaręczyny z Marią Enríquez de Luna, kuzynką króla Ferdynanda i wdową po jego starszym bracie. Dzięki powinowactwu odziedziczyła hrabstwo Gandía. Zachowały się z tego okresu listy papieża Aleksandra VI do syna, w których radzi mu wkładać rękawice podczas podróży, aby nie opaliła mu się skóra na rękach, a nawet podpowiada, jak się ubierać i jaką nosić biżuterię w zależności od okazji. Nakazuje mu, żeby był umiarkowany w wydatkach, zachowywał się jak dobry chrześcijanin, odznaczał się elokwencją, nie pojedynkował się, nie grał w kości ani w karty. Miał też być przykładnym mężem i natychmiast skonsumować związek.

Chłopak, wówczas dziewiętnastoletni, postępował wprost przeciwnie, po czym dostawał pełne wściekłości listy od ojca i brata Cesarego Borgii. Ganili go w nich za to, że nie skonsumował małżeństwa. Wytykali rozrzutność, pijackie skandale, odwiedzanie domów publicznych i wszczynanie bójek. A także zabijanie psów i kotów na ulicach Barcelony.

MIQUEL CORELLA

Był nieślubnym synem drugiego hrabiego de Cocentaina. Starszy brat Miquela, Joan Rois de Corella, odziedziczył hrabstwo, a on z młodszym bratem Rodrigiem pojechali do Rzymu służyć papieżowi Aleksandrowi VI.

Rodrigo cieszył się wielkim szacunkiem na dworze watykańskim, zwłaszcza po incydencie z lwem zbiegłym z ogrodu zoologicznego Belwederu. Jako jedyny nie uciekł, lecz bronił papieża własnym ciałem, z bronią w ręku. Miquela nie było tam wówczas, ale nie ustępował swemu bratu odwagą. Po śmierci Joana Roisa Rodrigo, syn hrabiego z prawego łoża, otrzymał hrabstwo i wrócił do Hiszpanii.

Miquel miał w Rzymie opinię osoby gwałtownej. Wybił się w dziedzinie wojskowości, był jednym z głównych kapitanów papieskiego wojska, a także wiernym kompanem Cesarego Borgii. Obydwaj brali udział w korridach, które klan *catalani* organizował dla gości i mieszkańców Rzymu. Choć pochodził z rodu, który mógł się poszczycić kilkoma poetami, i był człowiekiem wykształconym, Miquel Corella przeszedł do historii jako kat, któremu przypisano wiele zbrodni i egzekucji. We Włoszech zwano go Don Michelotto i budził powszechną trwogę. Papież natomiast zwracał się do niego pieszczotliwym zdrobnieniem Miquelet.

PODZIĘKOWANIA

Pragnę podziękować moim wydawczyniom, Belén López i Raquel Gisbert, za ich błyskotliwe komentarze, ich entuzjazm, świetną pracę i wsparcie. Również reszcie wydawnictwa, działowi sprzedaży i marketingu.

Szczególne wyrazy wdzięczności składam moim przyjaciołom i rodzinie, którzy przejrzeli rękopis: Palomie Morze, Davidowi Molistowi, José Manuelowi Morenowi, Marisie Morán, Pepemu Montserratemu, Alejandrowi de Muns, Yolandzie Sallent i Joanowi Coście. Ich rady, krytyka i zachęty przyniosły tej powieści wiele dobrego.

Nie zamęczę czytelnika obszerną bibliografią, muszę jednak wyróżnić spośród wszystkich wykorzystanych przeze mnie dokumentalnych źródeł znakomitą książkę zatytułowaną *Santa Anna de Barcelona* historyka i obecnego proboszcza tej parafii, pana Joana Arana i Suriola. Jej lektura zainspirowała mnie nie tylko do stworzenia części tej powieści, ale także mojego wcześniejszego dzieła *Pierścień*.